BIBLIOTHEK DER KLASSISCHEN

ALTERTUMSWISSENSCHAFTEN

NEUE FOLGE · 2. REIHE · BAND 61

WILL RICHTER

Caesar als Darsteller

seiner Taten

Eine Einführung

HEIDELBERG 1977

CARL WINTER · UNIVERSITÄTSVERLAG

CIP-Kurztitelaufnahme der Deutschen Bibliothek

Richter , Will

Caesar als Darsteller seiner Taten : e. Einf. — Heidelberg :
Winter, 1977.

(Bibliothek der klassischen Altertumswissenschaften :
N.F., Reihe 2 ; Bd. 61)
ISBN 3-533-02539-X kart.
ISBN 3-533-02540-3 Lw.

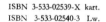

ISBN 3-533-02539-X kart.
ISBN 3-533-02540-3 Lw.

Inhalt

I. Caesar als Schulschriftsteller

Den Namen des Gaius Iulius Caesar zu nennen, genügt bei den meisten Angehörigen der sogenannten gebildeten Schichten, um sie sogleich aufs nachhaltigste an ihre Schulzeit zu erinnern. Ich weiß nicht, ob es irgendein anderes Stichwort gibt, das einem ehemaligen Gymnasiasten diese Assoziation mit gleicher Intensität aufdrängt; für Schiller und Goethe gilt es seit langem nicht mehr, noch weniger für den Katechismus. Vielleicht besitzt der Lehrsatz des Pythagoras einen gewissen Grad konkurrierender Wirkung; aber seine Behandlung in der Schule ist eine Episode; Caesar stellt für jeden Lateinschüler eine Epoche seiner Schulzeit dar. Alles, was sonst in der Schule betrieben wird, scheint zufälliger und unverbindlicher in ihr zu stehen, ist austauschbar und vergänglicher als Caesar. Sein Name riecht fast penetrant nach gymnasialer Mittelstufe, und vielleicht gibt es keinen fremdsprachlichen Satz (mindestens keinen lateinischen), den so viele Menschen in Deutschland — über andere Länder wage ich kein Urteil — im Schlaf herzusagen vermöchten, wie „*Gallia est omnis divisa in partes tres.*"

Wahrscheinlich verhält sich dies in anderen unserer Kultursphäre angehörigen Ländern nicht viel anders, sofern deren Schulen überhaupt Latein lehren, sicher in Europa, mit Einschränkungen wohl auch in der „Neuen Welt", einschließlich Australiens und Neuseelands.

Caesar war ein Weltereignis, nicht nur in der Geschichte, sondern auch im Bereich der Literatur. Sein „Gallischer Krieg" ist der lateinische Bestseller geworden — durch die Schulen und nur durch sie. Das gilt natürlich für Frankreich, für das dieses Buch das große literarische Erstdokument über die eigene Landesgeschichte darstellt; es gilt in derselben Weise für England, das nicht durch die Forschungsreisen des Pytheas von Massilia, sondern erst durch Caesar ins Bewußtsein breiter Massen gerückt ist. Aber Deutschland, die deutsche Schule, die deutsche Philologie haben sich seiner mit einem Interesse bemächtigt, das dem anderer Länder in keiner Weise nachsteht, und die Intensität der Beschäftigung mit seinem ersten und zugleich einzigen vollständigen und vollständig erhaltenen literarischen Werk ist bis zum heutigen Tag unvermindert geblieben.

Es ist eine eigentümliche Tatsache, daß wir seit einem halben Jahrhundert eine permanent akzelerierende Schulreform erleben, die neuerdings sogar die Tendenz hat, das Latein überhaupt in den Bildungsmüll zu kehren, daß aber dort, wo Latein gelehrt wird, Caesar fast nirgends als lateinischer Spitzen-Autor ernstlich in Frage gestellt worden ist, ungeachtet der Tatsache, daß die Kritik an dem sachlichen Wert des *Bellum Gallicum* älter ist als alle heute lebenden Menschen[1] —

---

[1] Eine frühe Kritik findet sich bei Fr. Gedicke, Aristoteles und Basedow (1779), 3. Abschnitt (der von der lateinischen Sprache handelt). Gedickes Kriterien sind dabei ganz subjektiv und auffallend sachfremd: „Den Caesar werde ich nicht mit meinem Lehrling lesen. Die umständliche (!) und trockene Erzählung alter Kriegsanstalten und Schlachten wird ihm (ich rede von

nicht etwa nur eine Kritik von Fachfremden, sondern gerade von ernstzunehmen-
den Kennern; im Schulraum ist sie ungehört verhallt. Wie einst der Feldherr und
Taktiker alle Angriffe und Krisen letztlich siegreich überwunden hat, so hat auch
der Schulautor sich bis heute als unbesiegt erwiesen. Dies mag uns fast als ein Wunder erscheinen, zumal in einer Zeit, für die das Kriegführen und Soldatsein seinen
jahrtausendealten Glanz und damit seine untergründige Faszination auch für Nicht-
Soldaten eingebüßt hat. Die Generation von Langemarck (1914) mochte noch glü-
henden Herzens den Vers *dulce et decorum est pro patria mori*[2] zitieren; die heutige
Jugend schwört eher auf den Slogan „make love, not war", und ihre Väter wissen
aus bitterer Erfahrung, daß Kriege das abstoßendste Geschäft sind, das Völker miteinander machen können. Aber man braucht kein Prophet zu sein, um sagen zu
können, daß Caesar trotzdem, und auch im reformiertesten und modernisiertesten
Lateinunterricht, seinen eigenen Platz — einen anderen vielleicht als bisher — behaupten und mit Klauen und Zähnen verteidigen wird.

Diesem mirabile sollte man nachsinnen — einerlei, ob es einem sympathisch
oder ärgerlich ist. Alle Dinge haben ihre Gründe, auch dieses. Eine immer neue
Beschäftigung mit dem Autor Caesar, auch in unserer Zeit, ist nicht nur legitim,
sondern von der Zeitsituation geradezu geboten, und sie ist zugleich ein gewichtiger Anlaß, sich für einen Augenblick dem Phänomen des Schulschriftstellers zuzuwenden.

Was ist eigentlich ein Schulschriftsteller?[3] Was charakterisiert ihn als solchen?

---

einem jungen Menschen, dem der lebhafteste Schriftsteller der angenehmste ist) bald langweilig
werden. Eher würde ich die von Herrn Sörgel gesammelten Erzälungen aus Ciceros Schriften
nemen" (zit. nach J. Lattmann, Geschichte der Methodik des lateinischen Elementarunter-
richts seit der Reformation [1896] 237). — Am bekanntesten sind die Invektiven der sog. Real-
schulmänner in der Zeit des aufstrebenden Nationalismus (etwa B. Kaßner, Die deutsche
Nationalerziehung, Ein Beitrag zur Reorganisation des deutschen Schulwesens [1873] 61ff.;
J. Ostendorf, Unser höheres Schulwesen gegenüber dem nationalen Interesse [1873] 97),
die nicht nur Caesars Persönlichkeit moralisch disqualifizierten, sondern Caesar vor allem als
den welschen Feind der Deutschen aus der Schule verbannen wollten. — Solche Attacken haben natürlich ihren Hintergrund nicht allein in der aktuellen bildungspolitischen Kontroverse
jener Zeit, sondern zum Teil auch in der protestantisch-deutschen Aversion gegen Caesar als
„Existenzform", die in J. J. Bodmers anonymen Trauerspiel „Julius Caesar" (1763) ihren
gehässigsten Ausdruck gefunden hat (vgl. F. Gundolf, Caesar. Geschichte seines Ruhms
[1925] 224), zu einem weiteren Teil im romantischen Mißtrauen gegen alles Elementar-Große
(wofür Gundolf a.O. auf Friedrich Schlegel verweist, ohne eine Belegstelle zu nennen;
vgl. aber unten S. 12 Anm. 11a und Schlegels Forderung nach „nackte(r) Gediegenheit, er-
habene(r) Eil und großartige(r) Fröhlichkeit der Stimmung und Farbe nach Art des Caesars" (Sperrung von mir) als Qualität des „historischen Styls", Athenaeum-Frg. Nr. 217 in
der krit. Ausg. von H. Eichner, Bd. II [1967]).

Auf einem anderen Blatt steht die stilistische Kritik von Pierre Bayle an Caesar; er hatte
darin bereits einen ehrwürdigen Vorgänger in J. Lipsius — demselben Lipsius, der kurioser-
weise die Lektüre der ps. caesarischen Schriften, sogar des *Bellum Hispaniense*, warm empfohlen hat. — Die moderne Kritik setzt, soweit ich sehe, nirgends mehr an Caesars Sprache
an, sondern argumentiert von der Jugenpsychologie her.

[2] Hor. carm. 3,2,13.

[3] Ich verstehe darunter nicht solche Autoren, die gelegentlich auch im Unterricht verwendet
werden, sondern ausschließlich solche, die in den Unterrichtsplänen offiziell als Lektüre vor-

Jedermann weiß, daß kein wirklicher Schriftsteller die Absicht verfolgt, speziell für die Schule zu schreiben, obgleich sich jeder Autor durch die Aufnahme seiner Werke in den Unterricht geehrt fühlt. Er schreibt für ein Publikum von freiwilligen Lesern, von geistig ansprechbaren, möglichst urteilsfähigen und literarische Bedürfnisse bestimmter Art pflegenden Menschen, ganz gleich, ob er Dramen oder philosophische Essais, Romane oder Reiseberichte, Kochbücher oder „Krimis" schreibt. Im ordinärsten Sinne produziert er für einen Markt von Käufern — auch wenn es jugendliche Käufer sind, Western-Käufer, Groschenheft-Käufer, Comics-Käufer. Nur der Lehrbuchautor schreibt wirklich für die Schule; aber was er liefert, ist nicht „Lektüre", sondern Lernunterlage („textbook").

Der Eingang eines Literaturwerks — im engeren Sinne verstanden — in den Lesekanon einer Schule beruht stets auf einem pädagogischen Entschluß Dritter, und dieser hat zur Voraussetzung ein Werturteil über das betroffene Werk und dessen Konvergenz mit einem schulischen Programm oder einer erzieherischen Idee. Keine Schule wird jemals den Zeitaufwand für Werke rechtfertigen, denen sie nicht einen bestimmten objektiven Wert zugesteht. Dieser Wert kann von sehr unterschiedlicher Art sein: Er kann im sprachlichen oder künstlerischen Rang eines Werkes liegen oder in einer vorbildhaften ethischen Gesinnung des Autors, er kann darin liegen, daß es Schüler einer bestimmten Wertwelt zuführt, etwa der religiösen oder patriotischen oder sozial-humanen; er kann auch im sachlichen Informationswert liegen, und wieder andere Schriften werden deshalb gewählt, weil sie auf exemplarische Weise in Denkprozesse einführen.

Dazu muß aber eine zweite Komponente kommen, die die Wahl der Schule wesentlich mitbestimmt: die altersspezifische Zugänglichkeit, die Faßlichkeit und der Aktivierungswert für junge Menschen im Schulalter — ein Faktor, den man in früheren Jahrhunderten nicht immer voll in Rechnung gestellt hat, zumal dann, wenn es sich um Lerngüter handelte, von denen man unter allen Umständen wünschte, daß die Schüler sie sich aneigneten (z. B. religiöse Texte, ein Standard-Schatz an Gedichten); man vertraute im allgemeinen auf die Spätwirkung dessen, was dem Gedächtnis fest eingeprägt worden war. Aber das war nicht die Regel; jede halbwegs verständige Pädagogik hat das Fassungsvermögen jugendlicher Altersstufen und die Eignung der Lernobjekte für die jeweilige Entwicklungsstufe in ihre Planung einbezogen — schon im Altertum war diese Frage geläufig[4]. Doch bei dem völligen Fehlen wissenschaftlicher Erkenntnisse über die Entwicklung der intellektuellen Fähigkeiten und der psychologischen Verfassung Jugendlicher war das Raster der Kriterien notwendigerweise ziemlich grob, die Grundsätze — auch wenn sie von Vernunftgründen abgeleitet waren — subjektiv und apperzeptive Vergewaltigungen relativ häufig. Wir sind in diesem Punkt anspruchsvoller geworden — ob auch weiser, sei dahingestellt.

---

geschrieben oder empfohlen werden und dadurch einen festen Platz im Bildungssystem eines Landes erhalten.

[4] Zur antiken Diskussion hierüber s. Quintil. inst. 1,1, 15ff., bes. 20, wo der Autor seine eigene Stellungnahme gegen lernpsychologische Verfrühungen formuliert. Vgl. auch A. Gwynn, Roman Education from Cicero to Quintilian (Oxford 1926) 189ff.

Blicken wir von diesen Prämissen aus auf die tatsächliche Position Caesars als Schulautor, so müßte man diese geradezu modellhaft aus jenen ableiten können; denn Caesar war nie bloß eine schulische Modewelle. Seit Jahrhunderten gilt er als unbestreitbar schulgeeignet; er müßte deshalb in seiner didaktischen Position sowohl durch literarischen Wert als auch durch altersspezifische Zugänglichkeit und schließlich durch eine unverblaßte Aktualität ausgewiesen sein — ungeachtet der verbreiteten und nicht immer unberechtigten Kritik, er sei zu nichts anderem gut als dazu, den Kindern das Latein zu vergällen[5], oder sein Gallischer Krieg biete nichts, was den Geist anregt und die Seele erhebt, oder gar, er erziehe junge Menschen zum Zynismus und zur Bewunderung der Gewalt.

Was den literarischen Wert des BG angeht[6], so stand und steht zunächst im Vordergrund Caesars sprachliche Meisterschaft. Dieses Urteil ist alt; es geht schon auf die Kompetentesten unter seinen Zeitgenossen zurück.[7] Cicero äußert sich im „Brutus" mehrfach über ihn; so § 251ff., wo Atticus im Dialog versichert, *illum* (sc. *Caesarem*) *omnium fere oratorum Latine loqui elegantissume*, und er habe sich diese Fähigkeit durch intensives Studium, zum Teil aus abgelegenster Literatur, erworben (*ut esset perfecta illa bene dicendi laus, multis litteris et eis quidem reconditis et exquisitis summoque studio et diligentia est consecutus*). Diese Eleganz beruhe nach Caesars eigener Ansicht auf der richtigen Wahl der Wörter (*verborum dilectum originem esse eloquentiae*). An späterer Stelle (§ 261) wird Caesar dem Cornelius Sisenna gegenübergestellt, der „sich einbildete, richtig reden heiße apart reden"[8]. Caesar dagegen strebe nach der *pura et incorrupta consuetudo,* und er füge zu dieser *elegantia* (der natürlichen Sprache) den angemessenen rhetorischen Schmuck hinzu, so

---

[5] Dies trifft einen verbreiteten und handfesten Übelstand gerade der Caesar-Lektüre, der nicht erst heute beklagt wird; schon H. Köchly und W. Rüstow wenden sich in der „Einleitung zu C. Iulius Caesars Commentarien über den gallischen Krieg" (1857) gegen ihn: „Man übt an ihnen (den *commentarii* nämlich) Formenlehre und Syntax, Etymologie und Synonymik, Phraseologie und Stil, und verdirbt so den meisten ... auf immer die Lust, als gereifte Männer zu ihnen zurückzukehren" (S. 1). Ähnlich klagt P. Dettweiler im Handbuch der Erziehungs- und Unterrichtslehre für höhere Schulen, III 1,1 (Didaktik und Methodik des Lateinischen, 1895, S. 136) — unter Berufung auf H. Perthes —: „Auch heute gilt in der Praxis, wie es scheint, gerade bei Caesar der Inhalt oft als nebensächlich, und wir kennen ganze Schulgenerationen, die ... nichts davon wissen, was in diesem zwei Jahre lang gelesenen Schriftsteller steht." Vgl. auch J. Lattmann, a.O. 360. — Die Wurzel dieser ärgerlichen Praxis reicht weit zurück; wahrscheinlich war Laurentius Valla der erste, der Caesars *Commentarii* zum grammatikalischen und stilistischen Paradigma gemacht hat (Gundolf a.O. 125); aber auch Melanchthon empfahl die Caesar-Lektüre nicht aus inhaltlichen, sondern nur aus sprachdidaktischen Gründen.

[6] Alles Folgende bezieht sich auf das *Bellum Gallicum* (BG). — Das *Bellum Civile* (BG) tritt seit dem 2. Jahrhundert völlig in den Schatten, bis es in der Humanistenzeit wieder Beachtung findet; dem Mittelalter war es nahezu unbekannt (s. M. Manitius, Philol. 48, 1889, 567ff.).

[7] Man überblickt sie heute bequem in der Praefatio zur Ausgabe des BG von O. Seel, Leipzig (Teubner) 1961, CIVff.

[8] Vgl. Verf., Der Manierismus des Sallust und die Sprache der römischen Historiker, in: Aufstieg und Niedergang der römischen Welt (Festschrift J. Vogt), hgg. von H. Temporini, I 3 (1973) 774ff.

daß seine Sprache denselben Effekt habe, wie wenn jemand gut gemalte Bilder in gutes Licht stellt; dies sei sein besonderer Ruhm.

Cicero kommt dabei auch auf die *commentarii* Caesars zu sprechen: sie seien hoch zu rühmen, denn sie sind „nackt, gerade und anmutig, ohne Redeschmuck wie ein Körper ohne Gewand" (*valde quidem probandos; nudi enim sunt, recti et venusti, omni ornatu orationis tamquam veste detracta*); nichts sei aber in der Geschichtsschreibung angenehmer als reine und lichtvolle Kürze (*nihil est enim in historia pura et illustri brevitate dulcius*). Fast alle späteren Urteile über Caesars Sprache kulminieren im Begriff der *elegantia*, aber sie beziehen sich durchaus auf seine Redekunst.[9] Für die Beurteilung der *commentarii* wurde Ciceros Formel der *pura et illustris brevitas* das klassische Gütezeichen. Ihm steht nur scheinbar das Urteil des Asinius Pollio entgegen: *parum diligenter parumque integra veritate compositos*[10]; denn es bezieht sich nur auf die Darstellung des Bürgerkrieges, worin Pollio Caesars Konkurrent war, und es meint ganz eindeutig angebliche Sorglosigkeit nicht in der Sprache, sondern in den Sachen, wo nicht fahrlässige Verletzung der Wahrheitspflicht (*parum integra veritate*) — ein Problem, das uns noch zu beschäftigen hat.

An der hohen Schätzung des Schriftstellers Caesar hat sich im Grunde nie etwas geändert, soweit man ihn überhaupt beachtet hat. Petrarca, Caesars literarischer Wiederentdecker, der Cicero den unbedingten Primat in der Stilkunst einräumte und die Cicero-Imitation zu einem Kriterium sprachlicher Bildung erhob, hat Caesar gleichwohl nicht nur als politische Gestalt, sondern auch als Meister der Sprache bewundert, nicht weniger als Melanchthon, als die Könige Henry VIII. und Henri IV., als Napoleon I. und der zur selben Zeit wirkende Schweizer Diplomat und Historiker Johannes von Müller, und sieht man von einigen eigenwilligen Außenseitern ab, so hat sich die Unterrichtslehre der letzten Jahrhunderte bei der Begründung des didaktischen Wertes des BG stets auf das Argument des hohen künstlerischen Wertes, der „einfachen Grazie seines klassischen Styls, dessen Richtigkeit und Präcision"[11] gestützt. Wenige Jahre nach diesem Urteil eines Philologen

---

[9] So Vell. Pat., Quintilian (der bedauert, daß Caesar für das Forum zu wenig Zeit hatte), Tacitus, Plutarch. — Zur *elegantia* ausführlicher S. 151.

[10] Suet. Iul. 56,4.

[11] So der vortreffliche Schulmann K. G. Schelle in seinem zweibändigen Werk „Welche alte klassische Autoren, wie, in welcher Folge und Verbindung mit anderen Studien soll man sie auf Schulen lesen? Als sicherer Weg, das Studium der klassischen Literatur und klassischen Kultur zu befördern" (Leipzig 1804), I 193; vgl. auch 183. Schelles lesenswertes Buch darf zu den besten didaktischen Werken des vorigen Jahrhunderts gerechnet werden. — In seinem Urteil über Caesar beruft er sich auf dasjenige J. von Müllers in dessen Briefen an seinen Bruder Johann Georg M. (1789—1809), das er S. 202f. ausführlich zitiert. Die Fundortangabe konnte ich nicht verifizieren; in der mir zugänglichen Ausgabe des Briefwechsels von Ed. Haug (1893) findet sich nichts davon. Dagegen liest man in Müllers „Vierundzwanzig Bücher allgemeiner Geschichten, besonders der europäischen Menschheit" von 1810 (Ausg. Cotta [Stuttgart 1852] Bd. I, 123) das bemerkenswerte, moderne Betrachtungsweisen vorwegnehmende Urteil: „Caesars Commentare sind Muster majestätischer Einfalt in der Geschichtserzählung. Da er von seinen eigenen Thaten schreibt, müssen die Nachrichten Anderer zu kritischer Beleuchtung benutzt werden. In jedem Wort, in jeder Auslassung ist Absicht; mit unendlicher Kunst stellt Caesar dieses ins Licht und geht über jenes

wies einer der größten Literaturkritiker Deutschlands, Friedrich Schlegel, mit dem Gewicht seiner unbestrittenen Urteilskompetenz Caesar einen Ehrenplatz in der Kunst literarischer Darstellung zu.[11a] Auch heute bezweifelt niemand, daß das BG „ein Kunstwerk allerersten Ranges"[12] sei.

Ein weiteres Kriterium betrifft das inhaltliche Gewicht des BG. Jeder, der den Charakter des Werkes kennt, weiß, daß es darauf angelegt ist, die Person des führenden Mannes in ihrer überragenden Leistung zur Geltung zu bringen; wir neigen heute — vor allem auf Grund der Forschung der letzten Jahrzehnte — mehr als frühere Generationen dazu, darin ein Element der politischen Propaganda zu sehen (oder zu suchen). Dies könnte den sachlichen Wert des Werkes, insbesondere seinen Quellenwert, nicht unbeträchtlich herabdrücken. Aber dieser Aspekt ist neuerdings umstrittener als in den Jahrzehnten nach 1912.[13] Die Schwierigkeit liegt darin, daß es für die Unterwerfung Galliens fast keine Parallel-Überlieferung gibt, an der sich Caesar kontrollieren ließe, während der Bürgerkrieg in einer Reihe Brechungen für uns faßbar, Caesars Darstellung also in ihrem relativen historischen Wert weit leichter abschätzbar ist. Aber selbst wenn man einen primär werbenden Charakter des BG unterstellen wollte, so hat dieses Werk doch eine beträchtliche Anzahl von Aspekten, die es schulgeeignet erscheinen lassen können und vor allem konnten. Einige von ihnen sollen kurz angedeutet werden.

1. Das BG ist ein Stück römischer Reichsgeschichte und zugleich europäischer Geschichte, und dies in der authentischen Gestaltung eines der wichtigsten Akteure. Wir haben aus dem Altertum sehr wenig Vergleichbares. Am ehesten bietet sich Thukydides zum Vergleich an, weniger Xenophon. Bei den Römern begegnet uns das meiste Geschichtliche aus zweiter oder dritter Hand[14]; auch was Sallust dar-

hinweg. Anstatt in ihm ein Modell unparteiischer Geschichtsschreibung zu finden, lernt man Caesar (Sperrung vom Autor) kennen; in jedem Epithet, in jeder Wendung leuchtet mit seinem Geist und Plan Er hervor."

[11a] Fr. Schlegel, Geschichte der alten und neuen Literatur (1815); jetzt in der kritischen Ausg. von H. Eichner, Bd. VI [1961] 78: „Eine vollkommene Gleichmäßigkeit des Ausdrucks findet sich zuerst im Caesar. Auch in der Schreibart zeigt er sich, wie im Handeln war: ganz nur auf einen Zweck gerichtet, und alles diesem Zweck angemessen ... Klarheit und ungekünstelte Einfalt besitzt er vollkommen ... (Nach einer Unterscheidung seiner „Deutlichkeit und Kürze" von Herodots Ausführlichkeit) Wie ein Feldherr seine Kriegsvölker so stellt, wie sie am besten und am sichersten wirken können, ebenso zweckmäßig ordnet Caesar auch seine Worte und seinen Vortrag, aber auch ebenso unerbittlich verfolgt er die Überlegenheit, die ihm den Sieg gab, wider die Gegner ... Auch als Schriftsteller ist der Römer ... Caesar, und unbesiegt geblieben."

[12] Die Formulierung nach W. Jäkel, Methodik des altsprachlichen Unterrichts (1962) 203.

[13] In diesem Jahr hielt P. Huber seinen aufsehenerregenden Vortrag über „Die Glaubwürdigkeit Caesars" (veröffentlicht im gleichen Jahr in den Blättern für das bayerische Gymnasialschulwesen, 48,295ff., in Buchform 1914 [²1931]).

[14] Natürlich sind auch Ciceros Briefe und der Rechenschaftsbericht des Augustus — um im gleichen geschichtlichen Bereich zu bleiben — Geschichte aus erster Hand, aber beide von ganz anderer Natur: Bei Cicero erhalten wir Erlebtes und Getanes in subjektiv-momentaner Brechung und immer im Bezug auf den einen Empfänger, aperçu-haft, oft stark relativiert; Augustus statuiert Ergebnisse seines Wirkens; ihre Gründe, Anlässe, Tendenzen, Probleme bleiben ausgespart; sie sind nicht nur des Persönlichen entkleidet, sondern auch aus dem geschichtlichen Prozeß herausgenommen.

stellt, sind nicht eigene Taten und Motive und nur partiell selbsterlebte Vorgänge. Ebenso ist des Tacitus Agricola zwar auch Geschichte der eigenen Familie, aber nicht aus der Perspektive eines Verantwortlichen geschrieben. Velleius und Ammian schreiben zwar weitgehend als Beteiligte, aber aus der bescheidenen Perspektive eines Gliedes im großen Getriebe; nichts von dem, was sie mitteilen, haben sie selbst geplant und verantwortet. Die Briefe des jüngeren Plinius über den Vesuvausbruch des Jahres 79 und andere Ereignisse der Zeit betreffen überhaupt keine historischen Taten und stammen aus der Hand eines ahistorischen und apolitischen Rhetors. Caesars *Commentarii* dagegen vereinigen das Genie des Täters und die Reflexion des Betrachters in einer unauflöslichen Identität; sie haben dadurch die Frische und Unmittelbarkeit aller Memoiren bedeutender Männer des öffentlichen Lebens — und natürlich auch deren Schwäche: die untergründig wirksame Betroffenheit des Autors, der sich selber präsentiert. Aber selbst apologetische Memoiren sind in jedem Fall authentisch.

2. Die dargestellte Geschichte ist relativ überschaubar, thematisch begrenzt und wenigstens im äußeren Ablauf auch für junge Menschen leicht verständlich. Sie appelliert zugleich an die bekannte Mentalität der Jugend, die den Erfolgsweg eines „Helden" nacherleben will, der durch zahllose Schwierigkeiten, Gefahren und Abenteuer schließlich den Sieg an sich reißt und die „bösen" Gegenspieler niederringt. Das ist zwar ein eher primitives und sehr emotionales Bedürfnis, aber es galt im Grunde immer als legitim, und zwar nicht nur bei Jugendlichen. Caesar hat das Image eines Karl d. Gr. oder eines Friedrich von Preußen, mehr als das Alexanders; er ist eine Figur, die zur Identifikation einlädt und Bewunderung geradezu erzwingt. Gewiß ist das Heldenbild in unserer Zeit problematisch geworden; aber es ist nicht abgeschafft, sondern in andere Bereiche umgeleitet; die Identifikationsfigur heißt heute eher „Astronaut" oder „Kommissar"; das Erlebnismodell ist aber dasselbe. Der bewunderte Held der Kriminal-Story hat nur zwei Mängel, die ihn von der Schule fernhalten: er macht nicht Geschichte, und er ist erfunden wie seine Story. Caesar dagegen ist wirklich und wirkend, eine welthaltige Persönlichkeit von Dauer und unverwechselbarer Größe, und seine Unterwerfung Galliens war eine Tat von außerordentlicher Fernwirkung, durch die der „Atem der Geschichte weht"[15].

3. Damit tritt dem Leser in seinen Kriegsberichten nicht nur ein Held entgegen, sondern eine der gezählten Persönlichkeiten, die durch ihre Taten die Welt verändert haben. Caesar steht darin in einer Reihe mit anderen, denen die Geschichte den ehrenden Beinamen des „Großen" verliehen hat — warum nicht auch ihm, ist eine Frage, die hier beiseite bleiben muß. Noch einer der neuesten Monographen Caesars nannte ihn plakativ „Wegbereiter des Abendlandes"[16] — eine Bezeichnung, die man gern für Karl den Großen in Anspruch nimmt. Nun ist es eine Tatsache, daß Gestalten dieser Art — völlig unabhängig von theoretischen Reflexionen über Segen oder Unsegen ihres Auftretens, — auf Mit- und Nachwelt eine unabweis-

---

[15] Dem gegenüber kann Caesars Rolle im Bürgerkrieg eher als peinlich empfunden werden; da ist er Parteiführer und Zerstörer der Verfassung, obgleich er gerade diesen Eindruck zu zerstreuen sucht (vgl. unten S. 168). Das BC ist denn auch niemals Schullektüre geworden.

[16] H. Oppermann, Caesar, Wegbereiter des Abendlandes (1958).

bare Faszination ausüben. Das Bewußtsein, daß ein Mann dieses Ranges in einem
Buch unmittelbar noch zu uns selber spricht, wie er zu seinen Zeitgenossen gesprochen hat, denen er sein Handeln erläutern wollte, führt uns als Leser hautnah
an das Geheimnis des „großen Mannes" heran, und auch darin darf man ein bil-
dendes Stimulans von großer Kraft sehen. Umgang mit dem „Genie" weckt nicht
nur Ehrfurcht, sondern auch den Impuls, sich ihm nacheifernd zu nähern, die Sehn-
sucht nach eigener großer Leistung, die Orientierung an einer Leitfigur. Nun war
es aber in Jahrhunderten ein Credo, daß „Männer" die Geschichte machen
und Völkerschicksale entscheiden, daß sich in ihnen das Gesetz der Geschichte in-
karniert und offenbart. Dies alles waren geradezu zwingende Gründe für die Schule,
den ungewöhnlichen Glücksfall zu nutzen, daß ein solcher Mann in einer leicht
verständlichen Sprache den Weg zum Nacherleben seines Tuns und Wesens offen-
hält. Zwar sind wir Heutigen nicht mehr in gleicher Weise bereit, dem großen Mann
so viel Ehre zu geben; die Geschichtsforschung hat uns gelehrt, die Abhängigkeit
des Einzelnen von seiner Umwelt und dem „Zeitgeist" schärfer zu sehen und persönliche Leistungen reservierter zu messen; wir wissen mehr von den Kräften und
Zwängen, die von den Völkern selbst, von Gruppen in ihnen, von politischen Konstellationen, von wirtschaftlichen Bedürfnissen, von Anerzogenem und Unterschwel-
ligem ausgehen. Das Schöpfertum des Einzelnen erscheint uns relativiert, der Handelnde ein Produkt aus vielen Faktoren. Von solcher Distanzierung wird Caesar
vielleicht noch stärker betroffen als Alexander oder Napoleon. Doch auch dann
noch bleibt er und seinesgleichen im letzten nicht analysierbar, ein Glückswurf
und Sonderfall der Menschheit und somit ein fesselndes Wunder; bedürfte es eines
sinnfälligen Beweises dafür, die Kunst, ja die Unterhaltungsindustrie würde ihn
liefern. Auch hier lebt Caesar weiter.

4. Schließlich erlebt der Leser des BG auch ein Stück Welt, das schon den Keim
seiner eigenen Welt in sich trägt. Sehen wir von den Franzosen [17], Belgiern und
Niederländern ab, auf deren Heimatboden sich Caesars Feldzug abgespielt hat: Für
die Deutschen ist das BG die älteste erhaltene Schrift der Antike, die Nachrichten
über die Germanen enthält, Nachrichten überdies, die den Anschein wecken, als
beruhten sie auf Autopsie (auch daran hat die neuere Forschung einige Abstriche
gemacht). Und da man bis in den Beginn unseres Jahrhunderts hinein „Germanen"
und „Deutsche" ziemlich unbedenklich gleichsetzte, konnte es nicht ausbleiben,
daß man Caesar schon als Berichterstatter über „unsere Ahnen" schätzte und Wert
darauf legte, daß die deutsche Jugend von dem, was er über jene wußte — oder zu
wissen vorgab —, im Originaltext Kenntnis nahm. In Deutschland war also die
Caesar-Lektüre wie in Frankreich immer auch eine nationale Angelegenheit. In
Caesar traten die Völker rechts des Rheines für uns erstmals ins Licht der Geschichte; das BG ist in diesem Sinne ein historischer Augenblick von größter Bedeutung. Wie groß, das läßt sich erst ermessen, wenn man sich bewußt macht, daß

---

[17] Kein Zufall, daß Frankreich das erste Land Europas war, das eine Übersetzung des BG in
die Nationalsprache besaß; sie stammt von König Karl V., dem Weisen (1364—1380). Die
erste deutsche Übersetzung folgte 1507 durch Ringmann Philesius, danach mehrere eng-
lische im gleichen Jahrhundert. S. G. Highet, The Classical Tradition (1964), 117.

von der griechischen Ethnographie vor Caesar nur Schatten erhalten sind und die heute so erfolgreiche Spaten-Wissenschaft noch nicht geboren war. Die „Geschichte der Deutschen" hatte zwar einen Auftakt im Vorstoß der Teutonen und Kimbern in den Mittelmeerraum; aber als Geschichte von Land und Leuten begann sie mit Caesar. Es ist unschwer zu ermessen, was dies etwa für das Geschichtsbild der Romantik bedeutete[18], folglich auch für die Jugendbildung auf Schulen, die ein Jahrhundert lang von ihm beeinflußt waren.

5. Es ist dann eher eine sekundäre Folge aller dieser Umstände, daß Caesars BG im Laufe des letzten Jahrhunderts immer mehr in die Rolle eines Übungsbuches, vor allem zur Erlernung der lateinischen Syntax gedrängt wurde. Dies war gewiß eine Depravierung der Lektüre, ein Mißbrauch zu formalen Zwecken, der den tieferen Sinn des Lesens verdecken und oft zu einem öden Übersetzungsbetrieb anstelle der Werkinterpretation führen mußte.[19] Die Degradierung des BG zum Standard-Übungstext und Substrat der Grammatiklehre, das die Schüler des eigentlichen Lese-Erlebnisses beraubt und nicht selten mit einem bleibenden Abscheu erfüllt, ist sicher der schwerste Sündenfall der schulischen Routine, dessen Auswirkungen fort und fort auf sie zurückfallen: man zerstückelt einen der besten Texte, die wir besitzen, zu Paradigmen formaler Phänomene, macht ihn zum Testgelände für den Nachweis sprachlicher Minimalkenntnisse und erntet Blindheit für den Text als formuliertes Geschehen und Unlust am ewig wiederkehrenden Drill. Vieles von dem, was sich in unserer Zeit als Unbehagen an der Caesar-Lektüre artikuliert, hat hier seinen Ursprung; es trifft aber nicht den Autor und sein Werk, sondern seine Behandlung durch seine Vermittler.

Erst dann, wenn Caesar aus dieser unangemessenen Dienstleistungsfron entlassen wird, kann auch die Frage nach dem wichtigsten didaktischen Kriterium für seine Stellung in der Schule zum Tragen kommen: Hat er in seinem Werk auch unserer Zeit noch etwas zu sagen, was sie zum Nachdenken bewegen kann? Friedrich Gundolfs mehrfach zitiertes Buch hat eindrucksvoll gelehrt, daß sich Caesar durch seine Wirkungsgeschichte vor allem als ein Autor für die Neuzeit erwiesen hat und in ihr von Jahrhundert zu Jahrhundert seine Leser auf immer neue und eigene Weise stimuliert und herausgefordert hat. Gundolf verfolgt diesen Weg nur

---

[18] Der erste Historiker, bei dem sich dies niederschlug, ist der oben (S. 11) genannte Johannes von Müller, der Caesars Auftreten in Gallien und seinen Kampf gegen die Helvetier mehrmals darstellte (Vierundzwanzig Bücher ... Cotta-Ausg. 1852 I 205—224; für ein breites Schweizer Publikum in: Geschichten Schweizerischer Eidgenossenschaft [1786; Neuausg. von E. A. Hofmann, 1942] S. 16—26, in enger Anlehnung an das BG) und den Römer mit unverhohlener Bewunderung und Sympathie betrachtet (z. B. Geschichten 19: „Caesar ist einzig in der Historie"; 20: „das „Glück Caesars, welcher die meisten großen Eigenschaften vereinigte"; 26: (nach der Begnadigung der besiegten Helvetier): „Caesars Güte, als er noch nicht Herr der Welt, war die löblichste Klugheit, nachmals die schönste Eigenschaft seiner großen Seele [!]". Vgl. auch Gundolf S. 224.

[19] Aus Italien kommt noch in allerjüngster Zeit eine harte Kritik darüber: G. Pascucci in: Aufstieg und Niedergang der römischen Welt I 3 (1973) 488 „Su Cesare scrittore ha pesato — e pesa ancora — il mortificante destino di autore scholastico: destino comune anche ad altri classici, ma nel caso di Cesare più avvilente che mai, perchè tenacemente legato alla tradizione dell' insegnamento umanistico." Ob sie nur noch für Italien gilt, mögen andere beurteilen.

bis zur napoleonischen Ära; aber es müßte eigenartig zugehen, wenn nach ihr der Impuls der Aneignung oder Auseinandersetzung plötzlich erloschen wäre. Daß das Gegenteil der Fall ist, ist oben (S. 11f.) bereits angedeutet worden. Warum dies so ist, hat im Grunde schon Theodor Mommsen in seiner tiefen und eloquenten Würdigung der Persönlichkeit Caesars[20] beantwortet: Es liegt in dem fast einzigartigen Reichtum seines Wesens an den widersprüchlichen Möglichkeiten des Menschlichen, die sich in ihm zu einem unauflöslichen und harmonischen Ganzen verbinden. Caesar war in jeder Hinsicht ein δεινὸς ἀνήρ, und dies nicht weniger mit Geist und Charme als mit Härte und Dämonie. Was Mensch-sein heißt, muß man an Menschen dieser Art erfahren, einerlei ob in bejahender Aneignung oder im Anschauen mit Schrecken. Unsere Zeit ist im ganzen dem Erleben des Fremden und Befremdenden offener als dem Gefühl des Artverwandten und Vorbildlichen. Auch Caesar wird der Jugend dieser Zeit wohl vor allem als Repräsentant und Ausprägung einer fremden Welt zum Erlebnis werden: ein Menschentypus, der weder in einer christlichen noch in einer sozialistischen Welt noch in einer Weltdemokratie vorstellbar wäre; und dennoch wird er ihr auf andere Weise wiederum näher und begreiflicher sein als früheren Schülergenerationen; denn er ist vor allem ein politisches Phänomen erster Ordnung, ein exemplarischer Fall von Weltveränderung, von Brüskierung gesetzter und bewährter Ordnungen, von eigenmächtiger Eroberungspolitik, von psychologischer Überwindung legaler Widerstände und Setzung neuer Wertmaßstäbe; nicht ein Meteor und plötzliches Wunder, sondern eine konstituierende Macht, deren Wirken sich ebenso auf historische Entwicklungen wie auf gesellschaftliche Zustände zurückführen läßt und dennoch offensichtlich in keiner Phase vorausberechenbar war. Wenn eine solche Gestalt sich selbst literarisch darstellt und interpretiert, dann ist dies für eine Generation, die sich selbst vornehmlich politisch versteht, eine Denk-Herausforderung großen Stils, die an alle Grundfragen des Politischen rührt: das Verhältnis des Einzelnen zu Volk und Staat; Macht und Recht; Kolonialismus; innenpolitische Gegnerschaft und nationale Loyalität; Kompromißpflicht; Einsatz der „Basis" gegen die Institutionen; Diplomatie und Pression; schließlich die Rolle von Gelegenheit und Zufall bei der Verwirklichung politischer Ziele. In alledem steckt ein Arsenal drängender Fragen, die sich sämtlich auch historisch aus den Verhältnissen Roms im 1. Jh. v. Chr. betrachten und beantworten lassen; aber sie enthalten jeweils zugleich einen grundsätzlichen Kern, eine psychologische Essenz, die — falls sie überhaupt sichtbar gemacht wird, — wahrscheinlich weit provokativer wirkt als die reflektierte Politik in Ciceros „Staat". Wären Caesars *Commentarii* nicht so altvertraut, würden sie gar erst heute überraschend aufgefunden, dann würden sich die Schulen auf sie stürzen und sich dieser zeitgerechten Bereicherung glücklich schätzen; nun — für Schüler ist Caesar Jahr für Jahr neu und kann zur Entdeckung werden; es ist das Problem der Lehrer, ihn für sich selbst immer wieder neu zur Entdeckung werden zu lassen.

Es gehört nun zu den erstaunlichsten Tatsachen der Rezeptionsgeschichte des Altertums, daß die Lektüre Caesars in den Schulen des Abendlandes alles andere

---

[20] Römische Geschichte III[13] 461ff.

als selbstverständlich war und sich erst langsam durchsetzen mußte. Das Altertum selbst hatte sie schon nicht vorgesehen. Es ist bezeichnend, daß Quintilian Caesar nur als Redner gewürdigt und bedauert hat, daß es so wenige Reden von ihm gebe.[21] Über die *Commentarii* sagt er kein Wort. Im 4. Jahrhundert erwähnt der hochgebildete jüngere Symmachus das BG in einem interessanten Zusammenhang: Er antwortet einem Freund, der ihn um Literatur zur Geschichte der Gallier befragt hat: „Schlage die letzten Bücher des Livius auf, wo er die Taten Caesars schildert; wenn dir Livius nicht entspricht, dann nimm den *Commentarius* des Caesar, den ich dir hiermit aus meiner Bibliothek schenke. Darin wirst du über die Ursprünge, Örtlichkeiten und Schlachten sowie über Sitten und Rechtsordnungen Galliens informiert; ich will auch versuchen, ob es mir gelingt, den Germanenkrieg des (älteren) Plinius für dich zu erwerben."[22] Der Adressat, der immerhin zu den gebildeten Männern seiner Zeit gehörte, hat also Caesars BG weder besessen noch gekannt; und Symmachus selbst verweist nicht, wie man erwarten möchte, zunächst auf Caesar, sondern auf Livius, den man damals noch fleißig las, auch im Schulunterricht. Dieses Schlaglicht ist symptomatisch für die Situation; das ganze spätere Altertum hat sich um Caesars Kriegsberichte nur noch wenig gekümmert[23]; auch der handschriftliche Erhaltungszustand bestätigt dies. Es gibt auch keine Caesar-Scholien, und Scholien sind einer der sichersten Beweise für die Verwendung eines Autors in der Schule.

Das Interesse an den *Commentarii* war im Mittelalter zunächst noch weit geringer. Es ist schon bezeichnend, daß die Textgeschichte des BG vom beginnenden 6. bis in die Mitte des 9. Jh. für uns völlig im Dunkeln liegt. Erst die Zeit der ottonischen Renaissance liefert eine größere Zahl an Handschriften; in der sonst so abschreibefreudigen Karolingerzeit scheinen Caesar-Kopien kaum hergestellt worden zu sein. Man wird sich also nicht wundern, wenn man in den Zeugnissen über das mittelalterliche Schulwesen dem Namen Caesar nirgends begegnet.[24] Man hat in

---

[21] Quintil. inst. 10,1,114.

[22] Symm. epist. 4,18,5 (Mon. Germ. auct. ant. VI 1 P. 104).

[23] Eine bemerkenswerte Ausnahme ist Orosius (5. Jh.), der in seiner *Historia adversus paganos* (VI 7−11) weite Partien aus dem BG ausgeschrieben hat (zusammengestellt bei O. Seel, Ausg. 1961, 323ff.), allerdings in der irrigen Meinung, das *BG* stamme von Sueton; vgl. unten S. 41. − Zu Orosius s. F. Wotke, RE XVIII 1191f.; irreführend zur Quellenfrage Schanz−Hosius−Krüger, Röm. Lit.-Gesch. IV 2 (1920) 486. − Über die Entstehung der Klassen unserer Caesar-Hss. im 5. Jh. s. Seel a.O. XXXIVff.

[24] Eine Zusammenstellung aller ihm bekannten Erwähnungen von Caesar-Handschriften in mittelalterlichen Bibliothekskatalogen und anderen Quellen gibt M. Manitius, Rh. Mus. 47, 1892, Erg.-Heft S. 22ff. Danach ist im 9. Jh. der einzige Zeuge Lupus von Ferrière, ep. 37 (um 850; abgedr. in Philol. 48,1889,567), der vom Fehlen jeder C.-Hs. und den eigenen Bemühungen, eine aufzutreiben, berichtet. In Frankreich wird je ein Caesar-Codex in 1 Katalog des 10., 2 Katalogen des 11., 3 Kat. des 12. und einem des 13. Jh. erwähnt; in Deutschland gibt es eine Nennung aus Metz von 1064, eine aus Neumünster bei Würzburg von 1233, in Spanien eine aus dem 12. Jh. − Immerhin gab es in der gelehrten Welt des frühen Mittelalters einige gute Caesar-Kenner, u.a. Einhart (M. Manitius, Neues Arch. der Ges. für ältere deutsche Geschichtskunde 7, 1882, 521; R. Dorr, ebd. 10, 1885, 241) und der Verfasser der Gesta Treverorum, MGH VIII 111ff. (Manitius, Fleckeisens Jhb. 1888, 77).

neuerer Zeit ziemlich viel Material darüber ermittelt und ausgewertet; nur einige Belege seien hier angeführt, die die Situation illustrieren können:

9. Jh.: Alkuin hält folgende Autoren für schulgeeignet: Donati *ars minor*, Sueton, Justin, Curtius, Valerius Maximus, Florus, Seneca rhet., Quintilian, etwas Cicero.

10. Jh.: Das Schulprogramm des Walther von Speyer führt auf: Martianus Capella, Horaz, Persius, Juvenal, Boëthius, Statius, Terenz, Lucan (in dieser Abfolge!).

12. Jh.: Konrad von Hirsau stellt eine weit umfangreichere Leseliste für das Studium der *artes liberales* auf: Donatus (minor?), Dicta Catonis, Aesopus Latinus, Avianus; Sedulius (Messiade), Iuvencus (Evangelien-Harmonie), Prosper Aquitanus (Aussprüche des Augustinus), Theodulus *ecloge* (?), Aratus (Bibel-Epos), Prudentius (Hymnen); Cicero, Sallust, Boëthius, Lucan, Horaz, Ovid, Iuvenal, Homerus (*Ilias Latina*), Persius, Statius, Virgilius.

13. Jh.: Eberhard der Deutsche: Im wesentlichen dieselben Autoren wie bei Konrad von Hirsau; zusätzlich noch: Claudianus, Dares, Sidonius, Aemilius Macer (*de herbis*) und viele Autoren des Mittelalters, die inzwischen ebenfalls in den Rang von „auctores" erhoben worden waren.

Ein ähnliches Bild ließe sich für Frankreich und für Spanien erstellen. Es herrscht eine expandierende Entwicklung in den Lektüreprogrammen; Caesar aber tritt nirgends in ihnen auf.[25] Aus Spanien besitzen wir u.a. einen Lesekatalog für den gebildeten Menschen aus dem 15. Jh., geboten vom Marqués de Santillana in einer Leichenrede auf Enrique de Vellena (1433). Darin stehen folgende „auctores": Livius, Vergil, Macrobius, Valerius Flaccus, Sallust, Seneca, Tullius (Cicero), Cassalianus (?), Alanus, Boëthius, Petrarca, Fulgentius, Dante, Galfrid de Vinsauf, Terenz, Juvenal, Statius, Quintilian — eine breite Fülle lateinischer Klassiker von Terenz bis Beothius, erweitert um drei Klassiker des hohen Mittelalters und sogar um den ersten Vertreter der italienischen Renaissance; im Grunde also ein fast modernistisch zu nennendes Bildungsangebot. Auch hier fehlt Caesar.[26]

---

[25] Für den deutschen Raum ist dies umso erstaunlicher, als die politische Caesar-Idee als Kaiseridee hier seit Karl d. Gr. fast immer lebendig war und Friedrich II. sich selbst Caesar nannte. Auf die schulische Erziehung im literarischen Bereich hatte dies offensichtlich nicht den mindesten Einfluß, und mir ist bisher keine Äußerung bekannt geworden, die das zu erklären versucht. — In England ist das BG bis ins 12. Jh. überhaupt unbekannt geblieben (J. D. A. Ogilvie, Books known to English [1967] 103).

[26] Die vorstehenden Angaben überwiegend nach E. R. Curtius, Europäische Literatur und lateinisches Mittelalter (⁵1965) 58ff. Einen guten historischen Überblick bietet auch F. A. Eckstein, Lateinischer und griechischer Unterricht, hgg. von H. Heyden (1887) 59ff.; einiges bei Fr. Cramer, Der lateinische Unterricht. Ein Handbuch für Lehrer (1919) 11ff. — Bemerkenswert ist, daß es unabhängig vom Fehlen Caesars in den Schulen durch das ganze Mittelalter eine lebhafte C.-Tradition und C.-Literatur auch in Deutschland gegeben hat. So figuriert C. in den Chronica des Ekkehard von Aura und des Otto von Freising, im Annolied und in der Kaiserchronik; er galt als Gründer vieler Städte am Rhein, u.a. Mainz, Worms und Speyer. Vgl. Fr. Gundolf, Caesar in der deutschen Literatur (Diss. Berlin 1903); H. Wesemann, Caesar-Fabeln im Mittelalter (Progr. Löwenberg 1876). In

Er fehlt auch noch in jenen zahlreichen reformatorischen Ratsschulen, die in Deutschland im Anschluß an das Auftreten Luthers wie Pilze aus der Erde schossen (Frankfurt am Main 1520, Magdeburg 1524, Eisleben 1525, Nürnberg 1526, usw.), sämtlich unter der geistigen Patenschaft Melanchthons, des „Praeceptor Germaniae", der ihnen die Lehrpläne und die ersten Direktoren stellte. Melanchthons Plan für das Lateinische sah vor: Erste Lektüreklasse: „Pädologie" (eine Spruchsammlung), Aesop, Dicta Catonis; zweite Lektüre-Klasse: Terenz, Vergil; dritte Lektüre-Klasse: Livius, Sallust, Vergil, Horaz, Ovid, Cicero — im ganzen ein vernünftiges Programm, gemessen an dem, was das spätere Mittelalter wagte. Es deckt sich fast genau mit dem der kursächsischen Schulordnung von 1528, nur daß in ihr die Elementarstufe mit einer von Melanchthon eigens dafür geschaffenen Anthologie christlicher Texte angereichert ist.[27]

Dies ist umso verwunderlicher, als inzwischen längst die ersten Caesar-Drucke auf den Markt gekommen waren. Die ed. pr. war bereits 1469 in Rom erschienen, 1471 folgte die Jenson-Ausgabe in Venedig, danach weitere Drucke 1473 und 1474; bis zur Gründung der eben erwähnten Ratsschulen gab es mindestens 10 gedruckte Ausgaben der *commentarii*. Aber das war und blieb fürs erste eine gelehrte Angelegenheit[28] ; die Schule hat davon kaum Kenntnis genommen, obschon sich Erasmus von Rotterdam mehr als einmal für Aufnahme Caesars in die Schullektüre eingesetzt hatte[29] und auch Melanchthon ihn als einen großen Meister der Sprache anerkannte.

Offenbar der erste, der daraus Konsequenzen zog und Caesar in der Praxis zum Schulautor machte, war der Straßburger Humanist Johannes S t u r m. In der von ihm entworfenen Schulordnung seiner Stadt (1537) werden zwar im allgemeinen Historikertexte abgelehnt, Caesars *Commentarii* aber von diesem Verdict ausdrücklich ausgenommen — aus Gründen freilich, die durchaus an der Oberfläche des sprachunterrichtlichen Interesses liegen.[30] Immerhin war die Bresche geschlagen;

---

diesen Rahmen gehört noch Caesars Auftreten im Narrenschiff des Sebastian Brandt (1494) als ein Hauptnarr.

[27] Dieses *Encheiridion elementorum puerilium* (auch „Der Kinder Handbüchlein" genannt) enthielt u.a. das Vaterunser, das Ave Maria, das Symbolum Apostolicum, den 66. Psalm, die 10 Gebote und die Bergpredigt — alles nach der Vulgata.

[28] Vorausgegangen war die Entdeckung Caesars als historische Persönlichkeit durch Petrarca, aber sie bleibt fast ohne Wirkung, zumal nördlich der Alpen, wo noch immer die mittelalterliche Caesar-Legende lebendig blieb. — Ein deutlicheres Echo der Verbreitung von Caesars Schriften findet man bei den Dichtern des 16. Jh., so bei dem gelehrten Edmund Spenser, der neben Cicero, Lukrez, Vergil, Horaz u.a. auch Caesar gelesen hat (G. Highet, a.O. 217; 603 A. 7) und bei Shakespeare. Deutschland hat damals nichts von vergleichbarem Rang, was diese Entwicklung widerspiegelte. Die Schuldramen des Tübinger Professors und Braunschweiger Schulrektors Nikodemus F r i s c h l i n 1547—1590 mit den Titeln *„Helvetiogermani"* und *„Iulius Caesar redivivus"* verraten immerhin das erste Eindringen Caesars in die Schule.

[29] In den Schriften De ratione studii ac legendi interpretandique auctores (1512) und De pueris statim ac liberaliter instituendis (1529) empfiehlt er zur Lektüre: Terenz, Vergil, Horaz, Cicero und Caesar, allenfalls auch Sallust. Vgl. E c k s t e i n a.O. 83.

[30] „Caesarem excipio, qui oratori quam historico similior suas res quotidiani sermonis verbis maluit conscribere. Itaque hunc solum in sextum tribum admitto. Utilis enim in illo loco voluptas erit, si inter Terentium et Plautum interponatur" (zit. nach E c k s t e i n, a.O. 218).

nur wenige Jahrzehnte nach Sturms Programm hatte Caesar fast überall in Deutschland einen festen Platz im Lateinunterricht: um 1575 in den Jesuiten-Gymnasien, um 1580 in den meisten protestantischen „Gelehrtenschulen" der freien Städte und der Landesherren [31]; wie ein neuer Stern am Schulhimmel aufgegangen, schien er sich sogleich derart zu bewähren, daß er von nun an auch nicht mehr von ihm vertrieben werden sollte. Aus chronologischen Gründen könnte man vielleicht meinen, seine Adoption sei eine Errungenschaft der Gegenreformation; doch trifft dies sicher nicht zu; denn sieht man von dem Straßburger Fall ab, so muß das ungemein rasche Nachfolgen der reformierten Schulen als Zeichen der Zustimmung, nicht eines Gegensatzes verstanden werden; und in die gleiche Richtung deutet die Tatsache, daß die gegen die heidnische Kultur besonders empfindlichen Pietisten zu Anfang des 17. Jh., die in ihren Schulen die nach ihrem Urteil allzu lasziven *poetae classici* durch eine recht harmlose poetische Chrestomathie und den gewiß artigen Terenz durch sog. *Colloquia Terentiana* ersetzten und schließlich Sallust und Livius überhaupt eliminierten, dem Caesar seinen Platz beließen, selbst in den Francke'schen Anstalten.[32] Caesar war damit rasch und definitiv etabliert, bei uns zum mindesten, ohne an eine bestimmte geistige Richtung gebunden zu sein. Zu den orthodox-protestantischen, den katholisch-jesuitischen und den pietistischen Schulmännern tritt im 18. Jh. programmatisch ein aufgeklärt-liberaler Kopf wie Chr. Martin Wieland, der der christlich-humanistischen Bildungskonzeption eine aufklärerisch-ästhetische entgegensetzte, die zur geistig-aristokratischen Heranbildung des ἀνὴρ καλὸς κἀγαϑός dienen sollte und — wie nicht anders denkbar — die Klassiker als die wichtigsten Medien bei der Heranbildung eines freien Geistes von ästhetischer Kultur erklärte.[33] Doch war es nicht mehr ihre Funktion, die Schüler

---

[31] Die Placierung in der Lektüre-Abfolge war sehr verschieden; aber im Anfang überwog die Einordnung Caesars in die oberste Stufe des Curriculums; so in den Schulordnungen von Magdeburg (1553), Augsburg (1558), Stralsund (1591). Allmählich rückt er eine Stufe herab und wird im 17. Jh. vielfach im Anschluß an Nepos gelesen, z. B. in den Francke'schen Anstalten in Halle und in den nach der Braunschweig–Lüneburger Schulordnung arbeitenden Schulen. Ähnlich disponiert auch J. J. Fr. Steigentesch in seiner „Abhandlung von Verbesserung des Unterrichts der Jugend in den Kurfürstl. Mainzischen Staaten" vom Jahr 1771 (in: Zwei Schriften der Kurmainzer Schulreform, hgg. von H. Elzer, Frankfurt am Main 1967) im Rahmen eines Mammut-Schulprogramms von 28 Titeln für vier Jahre: Caesar gehört zum zweiten Jahr, hinter Varro und vor Mela und Columella. Zuvor sollen die Schüler gelesen haben: die äsopischen und die Phaedrus-Fabeln, Nepos, Publilius Syrus, Terenz, Cicero (Briefe, *Laelius, Cato maior, Somnium Scipionis*). Sallust, Livius, Velleius Paterculus, Sueton und Cicero-Reden! An der sprachlichen Kompetenz für die Caesarlektüre wird es den Schülern nicht gefehlt haben; aber man sieht auch, daß Caesar hier kein zentraler Autor, sondern einer unter vielen ist. Sicher war nur an eine bescheidene Stellenauswahl gedacht.

[32] Für die Lehrpläne der deutschen Lateinschulen seit der Renaissance ist neben den bereits zitierten Werken vor allem auf Fr. Paulsens Geschichte des gelehrten Unterrichts auf den Schulen und Universitäten vom Ausgang des Mittelalters zur Gegenwart, 2 Bde. (³1919–1921) zu verweisen, die heute noch als Standardwerk zu gelten hat. Einiges zum Thema findet sich bei Paulsens Vorläufer A. Hubmann, Geschichte des deutschen Bildungswesens seit der Mitte des 17. Jh., Bd. I (1905) 93f.; 291ff.

[33] Chr. M. Wieland, Plan einer Akademie zur Bildung des Herzens und Verstandes junger Leute (1758). Dort heißt es (ich zitiere nach: Wielands Werke (Hempel, Berlin, o. J.) Bd. 40 S. 746): „Zur Bildung des Geschmacks und der Beredsamkeit weiß ich nichts Dien

zu Lateinsprechern und Lateinschreibern zu machen, sondern zu kritischen Lesern und Weiterverarbeitern der gelesenen Ideen, vor allem aber ihnen den besten Geschmack und eine vollkommene Ausdrucksfähigkeit zu vermitteln. Die Muster, die das leisten, sind für ihn die Griechen Euripides, Homer, Xenophon, Isokrates, Demosthenes — und die Römer Caesar (an erster Stelle!) Cicero, Vergil, Horaz, Plinius d. J. und Tacitus. Der Weg von da zu Wilhelm von Humboldt und dem Gymnasium des 19. Jh. ist nunmehr sehr kurz. Caesar ist an die Spitze der großen Autoren vorgerückt.[34]

Diesen ungewöhnlich herausgehobenen Rang der Caesar-Lektüre hat das ganze 19. Jahrhundert in Deutschland wie in den meisten europäischen Ländern mit großer Einmütigkeit gleichermaßen sowohl von der sprachlichen Kraft und Klarheit der Autors als auch von der Bedeutung dessen, was er mitteilt, abgeleitet, wenn auch mit wechselnden Akzentuierungen. Dies ist bei der relativ stabilen Lage des Bildungswesens jener Zeit wohl verständlich; aber auch das wesentlich unruhigere 20. Jahrhundert hat daran praktisch kaum gerüttelt. In Deutschland ist die Position Caesars weder von der sog. Richert'schen Reform (1924)[35] noch von der nationalsozialistischen Revolution ernstlich tangiert, von der Restauration nach 1945 neu gefestigt worden.[36] Noch aus den Didaktiken der jüngsten Zeit geht hervor, daß das BG bis jetzt das krisenfesteste Lehr- und Lesebuch des altsprachlichen Unterrichts ist.[37] Es scheint jedoch, daß sich darin langsam ein gewisser Wandel

licheres als die vortrefflichen Muster ... zu lesen ... Die Autoren die ich meine, sind vornehmlich ... (die Namen wie oben)". — Caesar, der an dieser Stelle den ersten Platz unter den Römern erhält, fehlt wenige Seiten später (750) in einer Art Übersetzungsplan nach Sprachkompetenz: „Was und wieviel ein jeder übersetzen soll, muß dem Diszernement des Lehrers überlassen werden. Phaedrus und Terentius wird die Schwächsten, Cicero, Livius, Plinius Junior die Geübteren, Virgil, Horaz, Tacitus die Geschicktesten genugsam exercieren können." Darf man daraus schließen, daß Wieland Caesar aus dem Sprachdrill heraushalten wollte? Eher möchte ich glauben, er habe Caesar an dieser Stelle einfach vergessen.

[34] Humboldt selbst hat sich, soweit ich sehe, zu Caesar nicht direkt geäußert, wie er denn, von dem von ihm geschauten Griechenidol gebannt, den Römern allgemein kaum einen Seitenblick gegönnt hat. Typisch dafür ist seine Schrift „Latium und Hellas", oder Betrachtungen über das classische Alterthum" (1806; jetzt in: Werke, hgg. von A. Flitner und K. Giel [1961] II 25ff.), in der die Römer — entgegen dem Titel — keiner Zeile gewürdigt sind. Caesar verdankt seine Stellung im deutschen Gymnasium nicht Humboldt, sondern einer bereits damals gefestigten Tradition.

[35] Über die Tendenzen von H. Richert und seinen Anhängern vgl. die vorzügliche Darstellung bei Th. Wilhelm, Theorie der Schule (²1969) 160ff.

[36] Statt vieler Belege sei hierfür nur die Programmschrift „Bildungsauftrag und Bildungspläne der Gymnasien", vorgelegt von der Arbeitsgemeinschaft Deutsche Höhere Schule (1958), genannt. Obgleich hier grundsätzlich auf einen Detailplan verzichtet wird, heißt es doch S. 91: „Trotzdem kann ein Kanon von Schriftwerken aufgestellt werden, die die Schüler eines altsprachlichen Gymnasiums nicht nur kennengelernt, sondern auch nach Möglichkeit innerlich in sich aufgenommen haben muß. Es müssen (!) gelesen werden: Im 1. und 2. Lektürejahr (U III und O III) Caesar ..." — gemeint ist natürlich das BG. Für Schulen, in denen Latein die zweite Fremdsprache ist, wird verordnet: „Die Lektüre beschränkt sich auf Caesar und Cicero und wird versuchen, einen Einblick in die Dichtung Ovids und Catulls zu geben."

[37] Vgl. W. Jäkel a.O. (Anm. 12) 202 — nach Erörterung möglicher Alternativen für den Anfangsunterricht — „... bleibt eben einzig das *Bellum Gallicum*." Ebenso dient die Interpre-

anbahnt; die didaktische Diskussion der Gegenwart ist nicht mehr bereit, die absolute Vorherrschaft Caesars in der gymnasialen Mittelstufe wie ein Naturgesetz hinzunehmen, ganz unabhängig davon, daß der literarische Rang des BG von niemandem geleugnet wird. Für eine Änderung des bisherigen Usus — wie auch immer sie aussehen soll — werden sehr heterogene Gründe ins Feld geführt, nicht lauter neue; die wichtigsten von ihnen seien kurz angedeutet.

1. Caesar lesen heißt: sich mit Krieg, Schlachten, Märschen, Belagerungen beschäftigen. Soll die Jugend in einem unkritischen Alter in kriegerischem Nacherleben erzogen und zum Denken in militärischen Kategorien geübt werden?

2. Caesar zeigt sich, seine Generäle und Truppen; vom Volk der Römer, von ihrer Kultur, ihrem Alltagsleben tritt nichts in den Blickkreis. Dies aber ist es, was uns heute interessiert und was uns Rom noch kennenswert macht.

3. Rom ist für die meisten Schüler des Gymnasiums die einzige Brücke zur Geisteswelt der Griechen, die die eigentlichen Väter des europäischen Denkens, Forschens und künstlerischen Gestaltens sind. Davon zeigt Caesar weniger als jeder andere Schulautor lateinischer Sprache.

4. Wir wissen heute, daß die *commentarii* nicht nur Bericht, sonder auch politische Werbung sind. Die Möglichkeit, daß Caesar die Geschichte „manipuliert", wird von vielen Forschern als Möglichkeit zugegeben, von anderen sogar zur Tatsache erhoben. Verdient ein Werk, das diesem Vorwurf ausgesetzt ist, mit Schülern erarbeitet zu werden, zumal in der üblichen Ausführlichkeit?

5. Wenn man sich über alles dies klar ist, aber dennoch Caesar lesen will, entfaltet er seinen bildenden Wert nicht viel intensiver in einer Phase des Curriculums, in der die Schüler reif genug sind, die Rolle seiner Schrift im politischen Geschehen der Zeit zu begreifen und ihre Aussagen als das zu erkennen, was sie sind und leisten sollen?[38]

Nichts von alledem ist aus der Luft gegriffen, und alles will sorgsam bedacht sein. Welche Folgerungen man daraus für die Schule ziehen will, ist eine Frage der Didaktik, und im Bereich der alten Sprachen ist sie eine der schwierigsten, weil sie vielschichtig ist; denn sie lassen die früher genannten Tatsachen, den objektiven Wert und die subjektive Appellkraft des BG nahezu unangetastet: seine souveräne Sprachkraft, seine ungewöhnliche Plastizität der Vorstellungen und ihrer Vermittlung, der hohen Kunst des Darstellens und Arrangierens, den großen hinter der Darstellung stehenden Reichtum an Information und den Zauber der überragenden Person, die sich in einer auf Gedeih und Verderb geführten Auseinandersetzung

---

tation des Buches I des BG durch H.-J. Glücklich (Der Altspr. Unterricht 15, 1972, 44ff.) der Empfehlung Caesars als Erstlektüre.

[38] Eingehende Erörterungen dieser Art zu einer Reform der lateinischen Anfangslektüre wurden z. B. im Colloquium Didacticum Classicum 1971 an der Universität Cambridge in internationalem Rahmen geführt; s. meinen Bericht in Didactica Classica Gandensia, hgg. von J. Veremans, 11, 1971, 85f. Ferner sei auf M. Fuhrmann Caesar oder Erasmus? (Vortrag vor dem Secundus Conventus Internationalis studiis Latinitatis humanisticae provehendis, Amsterdam, 19.–24. Aug. 1973 (erschienen in: Gymnasium 81, 1974, 394ff.) hingewiesen (Kurzbericht von K. Kahlenberg, Mitteilungsblatt des Deutschen Altphilologenverbandes 17, 1974, Nr. 2, S. 12f.).

mit zwei Gegnern vorstellt. Hier heißt es: Wägen und entscheiden. Ich neige zu der Zuversicht, daß sich der Verfasser einer so gewichtigen Schrift in den Schulen, die Latein nicht nur um der Vermittlung bescheidener Sprachkenntnisse betreiben, auf jeden Fall behaupten wird — vielleicht an einem anderen Platz und mit neuen Erkenntniszielen. Man kann sich aber — dies sollte zu sagen erlaubt sein — sehr wohl auch ohne ihn ein sinnvolles und ertragreiches Leseprogramm vorstellen; ja es scheint, als könnte ihm eine temporäre Zurückstellung zu einer neuen, begeisterten Wiederentdeckung verhelfen, die ihn ohne den Ballast vergangener Schulsünden frisch begreifen läßt.[39]

---

[39] In Ergänzung zu diesem Kapitel sei nachdrücklich auf den geistvollen und lehrreichen Vortrag von Willem den Boer, Caesar, zweitausend Jahre nach seinem Tode, hingewiesen (Tijdskrift voor filologie en geschiedenis 62, 1957, 116ff.; deutsch in: Wege der Forschung XLIII, [1974] 413ff.).

II. Caesars politischer Lebensweg

Ein literarisches Werk im engsten Sinne, das nur künstlerische Schöpfung sein will und weder vornehmlich noch auch nur nebenher einen „Gebrauchswert" haben soll, kann durchaus in sich verstanden werden und bedarf möglicherweise überhaupt keiner Rückbindung an die Biographie seines Verfassers, um als Kunstwerk seine Wirkung zu tun. Alle „werkimmanente" Interpretation fußt auf dieser Gewißheit. Mit den homerischen Epen befinden wir uns von Anfang an und für alle Zeit in dieser Lage: die Epiker sind für uns allein in ihren Werken präsent, und diese sind in allem, was sie aussagen, auf sich selbst gestellt; um ganz verstanden zu werden, bedürfen sie des biographischen Hintergrundes nicht. In ihrer Anonymität sind sie autark. Und dies ist kein Einzelfall. Auch Lukrez — um nur noch einen Namen zu nennen — ist doch nur ein Name; zum Verständnis seines Werkes trägt er nichts bei, und selbst wenn sich überraschend eine verläßliche Information über seine Lebensumstände fände, so könnten wir doch nicht hoffen, durch sie die Bücher *de rerum natura* besser zu verstehen.

Auch Geschichtswerke können Kunstwerke sein. Im Altertum erheben sie in aller Regel diesen Anspruch. Aber sie schweben doch nicht im freien Raum ästhetischer Werte, sondern sind gewöhnlich durch vielfältige äußere Faktoren im Leben ihrer Schöpfer bestimmt: durch das Erleben ihrer Zeit und den Standort, den sie in ihr eingenommen haben, durch politische Bindungen und Aktivitäten. Timaios oder Philistos, Livius oder Tacitus, Johannes Haller oder Veit Valentin — das sind eben auch biographische Alternativen in der Auffassung und Interpretation geschichtlichen Geschehens, und ihre Werke werden durch die Kenntnis ihres Lebens wesentlich erhellt. Diese Interferenz zwischen historischer Existenz und literarisch-wissenschaftlicher Arbeit ist endlich völlig unauflösbar, wo es sich um autobiographische Darstellung handelt, und dies in doppelter Weise dann, wenn diese aus der Feder eines aktiven Politikers stammt. Ist schon die nachträgliche Gestaltung eigener Taten stets notwendig subjektiv und an der Art und Weise, wie der Autor sie erlebt, intendiert und nach Wert und Wirkung begriffen hat, ausgerichtet, so verfaßt sie der Politiker in aller Regel auch mit dem Blick auf einen Zweck, dem sie dienen kann und soll, und auf den Zeitpunkt, der den Zweck hervorruft und begünstigt.

Im Falle Caesars gilt dies in vollem Umfang und in jeder Hinsicht. Seine *commentarii* erklären sich aus der Situation, in der er sie geschrieben hat, und aus den Zielen, die er damals mit ihnen verfolgte. Alles, was wir von ihm besitzen, ist unmittelbar aus seinem persönlichen Lebensweg herausgewachsen und spiegelt die Stellung wider, die der Autor im Kräftespiel der Zeit einnahm, und es ist geschaffen, um in ebendieses hineinzuwirken und das Profil des Autors im Urteil seiner Umwelt zu sichern. Ja seine jeweilige politische Situation war überhaupt erst Anlaß und Bedingung dafür, daß er zur Feder griff. Das Verständnis der *commentarii* ist somit auf die Kenntnis der Person und ihrer Stellung im Geschehen der Zeit angewiesen.

Es kann nicht die Aufgabe dieser philologischen Einführung in Caesars *commentarii* sein, Caesars Lebensweg im einzelnen zu verfolgen und seine politische und militärische Leistung zu würdigen. Dies ist in den letzten Jahren vonseiten der historischen Forschung mehrfach geschehen[1]; dabei ist das Persönlichkeitsbild Caesars und der Rang seiner politischen Leistung zum Teil recht unterschiedlich beurteilt worden. Dies alles kann hier nicht erörtert werden; vielmehr soll — mit allem Vorbehalt des Unzulänglichen — eine knappe Skizze derjenigen biographischen Tatsachen der philologischen Betrachtung vorausgeschickt werden, die für Entstehung, Inhalt und Form der *commentarii* als wesentliche Voraussetzung angesehen werden müssen. Auf Literaturhinweise wird im übrigen in diesem Kapitel verzichtet.

[1] Bei der Unübersehbarkeit der Caesar-Literatur ist es besonders dankenswert, daß in jüngster Zeit J. Kroymann eine Gesamtbibliographie für die Zeit von 1945–1972 erstellt hat (Aufstieg und Niedergang der römischen Welt [Festschr. Jos. Vogt] I 3 [1973], 487); sie umfaßt rund 530 Titel und ist zweckmäßig nach Sachgruppen gegliedert. Wer vor 1945 erschienene Arbeiten sucht, greift am besten zur 2. Auflage vom M. Rambaud, L'art de la déformation historique dans les commentaires de César (Paris 1966), die neben der umfangreichen, rund 600 Titel von über 300 Autoren nachweisenden Bibliographie der 1. Auflage auch einen Nachtrag für die Jahre von 1953–1965 enthält. Außerdem sei auf die von H. Oppermann erstellten bibliographischen Anhänge zu den Caesar-Kommentaren von Kraner–Meusel (BC 1959; BG 1960ff.) hingewiesen. –

Einen knappen und guten Überblick über Caesars politische Existenz wird der deutschsprachige Leser sich am bequemsten aus H. Oppermann, Caesar, Wegbereiter Europas ([2]1963), verschaffen, dann aber zu dem immer wieder aufgelegten Standardwerk von M. Gelzer (Caesar, der Politiker und Staatsmann [1921; [6]1960]) greifen — dem Werk eines überzeugten Caesar-Verehrers –, neben dem die monumentale Biographie von G. Walter, César (Paris 1947) als bedeutende Darstellung des politischen Weges Caesars ihren eigenen Rang behauptet, seine literarische Leistung dagegen nicht berührt. Unter den knapper gehaltenen Monographien sei vor allem das ideenreich und fesselnd geschriebene Buch von Ch. Parain, Jules César (1959) genannt. Das früher äußerst einflußreiche Werk von Ed. Meyer, Caesars Monarchie und das Prinzipat des Pompeius ([3]1922, Nachdr. Darmstadt 1974), darf heute in vielen Einzelheiten und in seiner synkritischen Beurteilung Caesars neben Pompeius als überholt gelten. – Hauptvertreter einer kritisch gegen Caesar eingestellten Betrachtungsweise sind u.a. J. Carcopino (César [5]1965) und H. Strasburger (Caesars Eintritt in die Geschichte 1938; C. im Urteil seiner Zeitgenossen, Hist. Zschr. 175, 1953, 225ff.; erweiterter Nachdr. Darmstadt 1965; dazu s. die Replique von M. Gelzer, Hist. Zschr. 176, 1954, 449ff.). – Die geschichtlichen Tatsachen und ihre wichtigsten Belege findet man noch heute übersichtlich bei Groebe–Klotz, RE X 186–275 (1917). Für den historisch-politischen Rahmen seien ferner genannt: R. Syme, The Roman Revolution (1939; [4]1960; jetzt deutsch in Goldmanns Taschenbuchreihe); L. Ross Taylor, Party Politics in the Age of Caesar (1940); Fr. Vittinghoff, Römische Kolonisation und Bürgerrechtspolitik unter C. und Augustus (1952); Ernst Meyer, Römischer Staat und Staatsgedanke (1960); ferner die einschlägigen Abschnitte bei A. Heuß, Römische Geschichte (1960) 191ff.; 260ff.; 560ff. Nach wie vor lesenswert, wenn auch nicht mehr kanonisch wie ehedem, ist die Behandlung Caesars bei T. Mommsen, Römische Geschichte III ([13]1922) 198–569. Als gedankenreiche Studie zur Deutung des Charakters und politischen Wollens des „Revolutionärs" Caesar verdient L. Canali, Personalità e stile di Cesare (Civiltà del Mondo Antico, Nr. 1, 2. Aufl. o. J. [1967]) Erwähnung.

C. Iulius Caesar wurde am 13. Juli 100 v.Chr. geboren, sechs Jahre nach Cicero und ebensoviele nach seinem wichtigsten militärischen und politischen Gegner während der in den *commentarii* dargestellten Zeit, Cn. Pompeius Magnus. Sein Gentilname weist ihn als Abkömmling einer alten römischen Adelsfamilie aus, der *Iulii* – auch hier begegnet die bekannte historische Paradoxie, daß die meisten Störer und Zerstörer der herkömmlichen römischen Adelsherrschaft selbst aus dem Adel kamen. Ein Zweig der Familie trug das Cognomen *Caesar*, dessen Bedeutung schon im Altertum strittig war. Dieser Zweig läßt sich von der Mitte des 3. Jh. an leicht verfolgen, weil er immer wieder in den Amtsfasten erscheint; in den letzten anderthalb Jahrhunderten bis zu Caesar stellte er zehn Inhaber der Prätur oder des Konsulats, und so versteht es sich, daß Caesar selbst sich in Rom und seinen maßgeblichen Familien nicht erst mühsam durchsetzen mußte, sondern in eine selbstbewußte Oberschicht mit einer breiten Klientel gewissermaßen hineingeboren war und über exquisite Verbindungen verfügte. Aber sehr früh war er auch mit führenden Vertretern der *populares* versippt: Marius hatte eine Schwester von Caesars Vater zur Frau; Caesar selbst heiratete mit 16 Jahren eine Tochter des Popularenführers Helvius Cinna, die er auch dann nicht verstoßen wollte, als Sulla nach Errichtung seiner Diktatur es von ihm verlangte. Es fehlte nicht viel, so hätte Sulla ihn vernichtet; Caesar mußte aus Rom fliehen und seine spätere Begnadigung teuer erkaufen. Einen großen Teil der Jugendjahre verbrachte er in Asien, wo es für ihn sicherer war, Kriegsdienst zu leisten, als in Rom den Privatmann mit politischen Ambitionen zu spielen. Nach Sullas Tod (78) kehrte er nach Rom zurück und machte sich als Ankläger gegen bekannte Persönlichkeiten einen Namen – die damals übliche makabre Art, sich beim Publikum als zukünftigen Politiker zu empfehlen. Seinen berühmtesten Prozeß führte er im Jahr 77 – also mit 23 Jahren – gegen Cn. Cornelius Dolabella, der eben erst (78) als Triumphator aus Makedonien zurückgekehrt war. Caesar blieb zwar gegen den glänzenden Verteidiger Dolabellas, Hortensius (der auch Ciceros Gegner im Prozeß gegen Verres war), erfolglos; aber seine Rede wurde berühmt und seine erste Veröffentlichung.

Nach vielerlei Episoden, Streichen und Abenteuern, die in allen Berichten über Caesars Leben wiederkehren, zeichnete sich allmählich tatsächlich eine politische Laufbahn für Caesar ab. Er wurde Mitglied eines Priesterkollegiums, bald darauf (73) auch Militärtribun; aber erst fünf Jahre später wurde er Quaestor beim Statthalter der *provincia Baetica* in Südspanien; im Jahr 65 erlangte er die Ädilität, gemeinsam mit dem konservativen Optimaten M. Bibulus, der ihm in den nächsten Jahren dauernd als lästiger Partner im Amt erhalten bleiben sollte. Danach ging es rapid aufwärts: 64 wurde er *iudex quaestorius*, 63 *pontifex maximus*, 62 Prätor (wiederum mit Bibulus), 61 Statthalter in Spanien, wo er 5 Jahre vorher als Quästor gewesen war).

Diese stürmische Karriere darf freilich nicht darüber hinwegtäuschen, daß hinter ihr eine vor allem durch Gegnerschaften und Feindseligkeiten charakterisierte Aktivität mit mancherlei Rückschlägen, Krisen, Querelen und Improvisationen stand. Der Optimatenpartei hatte Caesar manchen Streich gespielt, und sie war auf Gelegenheiten erpicht, ihn in die Wüste zu schicken. Einer der Hauptgegner, Q. Lutatius Catulus, warnte den Senat schon 65 davor, Caesar werde die Verfassung im Sturm überrennen. Und er hatte Grund dazu; denn Caesar hatte, oft im Handstreich, Stück um Stück der sullanischen Ordnung, an der die Nobilität nach wie vor interessiert war, mit Hilfe der Volkstribunen, die ihm verbunden waren, beseitigen und durch die vorsullanischen Normen, für die die *populares* gekämpft hatten, ersetzen lassen. Er hatte sich in der Catilina-Affäre (63) der Hinrichtung der Catilinarier widersetzt; er hatte als Prätor sogleich dem Lutatius Catulus die Erneuerung des capitolinischen Jupitertempels unter dem Vorwurf der Veruntreuung von Geldern entzogen und sie dem Pompeius zugeschanzt, der noch in Asien war, aber durch die Beendigung des mithridatischen Krieges und die Eroberung Vorderasiens eine schwer abzuschätzende Macht geworden war.

Die Rückkehr des Pompeius stand bevor, und der Senat mußte fürchten, der siegreiche Feldherr könnte sich mit Hilfe seines Heeres die Alleinherrschaft in Rom aneignen. Er machte deshalb Schwierigkeiten, lehnte die Forderungen des Pompeius für seine Soldaten ab und weigerte sich, die in Asien getroffenen Anordnungen zu ratifizieren. Caesar trat für ihn ein, aber vergebens; die Senatoren beschlossen widerrechtlich, aber mit großer Mehrheit, den widerspenstigen Prätor Caesar von allen Amtsgeschäften auszuschließen. Caesar aber kümmerte sich nicht darum, und das Volk rottete sich zu seiner Unterstützung zusammen und bedrohte die Senatoren. Da war es Caesar selbst, der das Volk beschwichtigte und so erreichte, daß er offiziell belobigt und ehrenvoll in den Senat zurückgeholt wurde. Seine Gegner im Senat waren durch diesen Vorgang blamiert und warteten murrend auf die Gelegenheit, ihm die Demütigung heimzuzahlen.

Sie kam freilich nicht so schnell, wie sie gehofft hatten. Denn im Jahr 60 gelang Caesar der erste große politische Coup. Er setzte seine Wahl zum Konsul für 59 durch; außerdem gelang es ihm, den reichen und über eine breiten Anhang verfügenden M. Licinius Crassus und den berühmt gewordenen, aber vom Senat behinderten und brüskierten Pompeius miteinander zu versöhnen (sie waren bis dahin erbitterte Gegner gewesen, aber jeder für sich mit Caesar durch gemeinsame Gegner verbunden); er einigte sich mit beiden vertraglich auf das sog. erste Triumvirat. Diesem Abkommen entsprechend sollte künftig nichts entschieden werden, was nicht alle drei ausdrücklich billigten. Bibulus, jetzt (59) Mitkonsul Caesars und Exponent der Optimaten, war damit als Magistrat mit eigenem Initiativrecht verfassungswidrig kaltgestellt.

Sogleich zu Beginn des Konsulats Caesars kam es wegen der Vorlage eines Ackergesetzes durch den neuen Konsul zum Krach im Senat. Zwar gab es keine Beanstandung der Vorlage, aber Caesars hartnäckiger Gegner M. Porcius Cato d. J. versuchte durch Filibustern eine Abstimmung zu verhindern, und Caesar ließ ihn kurzerhand in der Curie verhaften, allerdings danach heimlich wieder entlassen. Es war eine Demonstration der Macht gegen ein legales Staatsorgan. Das umstrittene Gesetz wurde nun unter Umgehung des Senats durch die Volksversammlung erlassen und sogleich durch Landanweisungen verwirklicht. Der Bruch war vollkommen, und das Volk stand auf Caesars Seite.

Nicht weniger dreist übertölpelte dieser den Senat durch die *lex Vatinia de imperio C. Caesaris*: Entgegen dem Recht des Senates, die Provinzen zu vergeben, ließ er dem Volk durch den Volkstribunen Vatinius einen Gesetzesantrag vorlegen, nach

dem er selbst nach Ablauf seines Konsulats die Provinzen *Gallia Cisalpina* und
Illyrien erhalten sollte; das Volk nahm ihn an. Die Wahl gerade dieser Provinzen
war hintergründig: Sie zeichneten sich weder durch Größe noch durch besonderen
Reichtum aus; aber sieht man von Sizilien ab, das damals längst eine prätorische
Provinz war, so waren sie diejenigen Verwaltungsbereiche, die der italischen Halb-
insel am nächsten lagen und ihren Statthaltern jederzeit eine rasche Präsenz in
Rom ermöglichten, falls sie sich als nötig erweisen sollte. Zu den beiden Provin-
zen kamen drei Legionen und dies auf die exorbitante Dauer von fünf Jahren.

Nun aber griff auch noch der Zufall ein. Der für *Gallia Transalpina* vorgesehene
Statthalter starb überraschend vor seinem Amtsantritt und schuf damit eine Gelegenheit, die Caesars Anhang sogleich mit Freuden aufgriff, um diesem eine dritte
Provinz zu verschaffen; es war Pompeius, der den Senat bewegen konnte, diesmal
nicht wieder dem Volk die Entscheidung zu überlassen. Zu den drei ursprünglichen
Legionen wurde Caesar eine weitere bewilligt, darüber hinaus das Recht der freien
Wahl seiner Offiziere. Eine verbreitete Auffassung sieht in diesem Vorgang ein deut-
liches Anzeichen dafür, daß Caesar schon damals die Absicht territorialer Eroberun-
gen gehabt habe; doch ist dies nicht sehr wahrscheinlich angesichts der Tatsache,
daß er zunächst Aquileia als sein Hauptquartier bestimmte. Erst die Ereignisse der
folgenden Jahre schienen eine solche Mutmaßung nahezulegen. Sicher ist nur dies,
daß Caesar entschlossen war, sich in der Nordflanke Italiens eine Militärmacht aufzubauen, die ihn von den italischen Magistraten und vor allem vom Senat unabhängig machen konnte.

Es folgen nun jene acht Kriegsjahre von 58—51, die im BG erzählt werden. Sie
sollen hier nicht nachgezeichnet werden; man mag sie im einzelnen bei Gelzer (S.
92—154) nachlesen. Nur zu ihrem Ergebnis seien ein paar Worte gesagt. Caesar
hatte im Jahr 51 eine stolze Erfolgsmeldung vorzulegen. Der ganze nördliche Westen
Europas bis zum Atlantik und zum Kanal war durch ihn römisches Herrschaftsge-
biet geworden. Dutzende von Völkern, deren Namen man zehn Jahre vorher noch
nicht einmal gehört hatte, waren jetzt Untertanen des Imperiums. Damit war zugleich — wie sich aus Caesars Rechenschaftsbericht entnehmen ließ — die Germanengefahr aus dem Norden, die noch 50 Jahre zuvor den Römern schlaflose Nächte
bereitet hatte, für alle Zeit gebannt, es sei denn, die Germanen besäßen die Toll-
kühnheit, direkt über die Alpen in die Poebene einzufallen. Der Rhein war Reichsgrenze geworden — eine weit sicherere Grenze als die im Osten gegen die Parther,
wie Rom soeben (53!) aus dem Untergang des Crassus und seiner Legionen bei
Carrhai hatten lernen müssen. Man hat auch mit Recht darauf hingewiesen, daß die
Unterwerfung der Gallier einen wichtigen Ausgleich gegen die disproportionale
Orientalisierung des Reiches in den letzten Jahrzehnten, vor allem durch die Feldzüge des Pompeius, gebracht hat. Die Gallier erwiesen sich überdies sehr bald als
leicht romanisierbar und damit als politisch und kulturell integrierbar, was man
von den Ostprovinzen keineswegs behaupten konnte.

Aber es läßt sich auch eine Gegenrechnung aufmachen. Eine große Zahl bis
dahin freier Völker, die keinerlei kriegerische Absichten gegen Rom gehabt hatten,
waren heimtückisch und brutal versklavt, einige radikal ausgerottet, eine boden-
ständige Kultur zum allmählichen Untergang verurteilt. Dies war das Ergebnis einer

Kette von Angriffskriegen, die rabulistisch zu Defensivmaßnahmen umgedeutet worden waren und die auch vom Senat offensichtlich erst nachträglich gebilligt worden waren. Das Schlimmste: die neu erworbene Provinz war am Ende der acht Jahre ein ausgeblutetes, vom Hunger gepeinigtes Land mit zerstörten Städten und Dörfern und einer tief demoralisierten Bevölkerung, ein Land, das Jahrzehnte eines geduldigen Wiederaufbaus bedurfte, um wieder lebensfähig und wirtschaftlich gesund zu werden. Dies war in der Tat kein Erwerb zum Vorzeigen, eher ein Monument eines rücksichtslosen Imperialismus. Man muß um der Gerechtigkeit willen sagen, daß wenigstens die späteren römischen Kaiser und Verwaltungsbeamten diesen Erholungsprozeß nicht nur nicht behindert, sondern tatkräftig gefördert haben. Aber dies war nicht vorauszusehen, und ob Caesar es getan hätte, wenn er die Gelegenheit dazu erhalten hätte, ist durchaus fraglich; seine Neigung zu unbedenklicher Ausnutzung der von ihm verwalteten Provinzen für sich und seinen Anhang war jedenfalls notorisch — sehr im Gegensatz zu Cicero, der sich stets als Patron und Schirmherr seiner Provinz (Sizilien) fühlte.

In den Jahren seiner gallischen Statthalterschaft wurde Caesar zunehmend mehr von einem persönlichen Problem bedrängt: Was würde geschehen, wenn sein Kommando abgelaufen war und er selbst damit dem gerichtlichen Zugriff seiner Gegner ausgeliefert würde? Es gab Gründe genug und Äußerungen in Fülle, die ihn damit rechnen ließen, daß der Senat oder einzelne seiner Mitglieder ihn wegen Amtsmißbrauchs oder Verfassungsbruchs vor Gericht ziehen würden, und die Frage war offen, ob seine Freunde aus den ersten Jahren, insbesondere Pompeius, ihn decken konnten oder auch nur wollten. Cicero war im Jahr 57 aus der Verbannung, in die er durch Caesars Anhänger, insbesondere Clodius, getrieben worden war, mit Caesars murrender Zustimmung und unter dem Jubel seines Anhangs zurückgekehrt, weil Pompeius dies gewünscht hatte — ein frühes Warnsignal für Caesar! Von da an vollzog sich eine spürbare Annäherung zwischen Cicero und Pompeius; sie konnte auch nicht durch die Bestätigung des Triumvirats in Lucca (April 56) verhindert werden, in der noch einmal die gemeinsamen Interessen der Triumvirn gegen den Senat abgestimmt wurden und die Wahl des Pompeius und Crassus ins Konsulat für 55 abgesprochen wurde. Diese Zusammenkunft hatte allerdings die überraschende Wirkung, daß sich jetzt Cicero seinerseits um ein annehmbares Verhältnis zu den Triumvirn, also auch zu Caesar, bemühte; unter anderem setzte er im Senat durch, daß Caesar für einige weitere Jahre in Gallien bestätigt wurde, Pompeius nach seinem Konsulat Spanien und Crassus Syrien erhalten sollten. Die Bestätigung Caesars wurde dann noch im Jahr 55 auf Betreiben des Volkstribunen Trebonius faktisch bis zum 1. 1. 48 ausgedehnt.

Während nun von 54 an Crassus in Syrien, Caesar in Gallien durch Kriegszüge gebunden waren, blieb Pompeius gegen die verfassungsmäßige Ordnung in Italien. Er schickte nur einen Legaten nach Spanien und versuchte in Rom eine eigene Monarchie zu etablieren. Derartige Ziele erreicht man in der Regel durch Anstiftung bürgerkriegsähnlicher Wirren, denen die Behörden nicht mehr zu steuern vermögen. Tatsächlich setzte Pompeius auf diesem Wege durch, daß er durch ein *senatus consultum ultimum* zum *consul sine collega* ernannt wurde, und erließ in dieser Eigenschaft unter anderem auch Verordnungen, die sich eindeutig gegen

Caesar richteten. Denn da seine neue Machtfülle gegen die Abmachungen von Lucca verstieß, mußte er von nun an ein come back Caesars in Rom zu verhindern suchen. Deshalb brachte er — sehr zum Vergnügen der Caesar-Gegner — zwei Gesetze ein, die genau dies bezweckten: 1. Niemand solle sich um ein Amt im Staat bewerben dürfen, der sich außerhalb Italiens aufhält; 2. niemand solle nach dem Ausscheiden aus einem Amt eine Provinz erhalten dürfen, ehe fünf Jahre verstrichen sind. Gleichzeitig ließ Pompeius sich selbst sein spanisches Kommando um fünf Jahre verlängern. Eine Beschwerde der Anhänger Caesars hatte zwar den Erfolg, daß Pompeius die erste Vorlage mit dem Zusatz verband, sie solle für Caesar nicht gültig werden; aber die Tendenz war offenkundig geworden, und eine deutliche Verstimmung auf Seiten Caesars blieb zurück.

Mit Beginn des Jahres 51 machte sich der Senat daran, das Gallien-Problem endlich in seinem Sinne zu lösen. Bei den Verhandlungen kam es zu offenen Provokationen gegen Caesar und seine politische Vertretung in Rom, und Pompeius hielt sich aus den Händeln heraus. Zu Beschlüssen sollte es erst im folgenden Jahre kommen, für das zwei erklärte Caesar-Gegner zu Konsuln gewählt worden waren: C. Marcellus und L. Aemilius Paullus. Dem Senat ging es jetzt darum, Caesar Gallien wegzunehmen, umso mehr, als er sich für 49 erneut um das Konsulat bewerben wollte. Das Tauziehen darum zog sich über das ganze Jahr hin wie ein Schachspiel, bei dem bald die eine, bald die andere Seite einen Vorteil errang. Dabei war es besonders erschwerend, daß Pompeius den vorsichtig lavierenden Unparteiischen spielte und der Volkstribun Curio, von Hause aus ein Gegner Caesars, nicht nur diesen, sondern auch Pompeius seines Imperiums entkleiden und beide zu *homines privati* machen wollte.

Die Auseinandersetzung darüber schleppte sich bis in den Dezember 50 hin; die Zeit wurde mit Winkelzügen des Pompeius und den Reaktionen des Senats auf sie verbraucht; im ganzen arbeitete sie gegen Caesar, was dem taktischen Konzept des Pompeius recht gab. Es gelang ihm auf diese Weise zu erreichen, daß der Senat sowohl von ihm wie von Caesar die Abgabe einer Legion verlangte, um die Ostfront abzusichern, und da Pompeius zwei Jahre früher eine Legion an Caesar abgetreten hatte, sollte diese nun als die von ihm abzutretende gelten. Dies bedeutete, daß in diesem Moment Caesar um zwei Legionen, Pompeius aber um keine geschwächt würde. Caesar konnte sich dem nicht widersetzen, denn dies hätte offene Rebellion bedeutet. Auch die Konsulwahlen für 49 gingen für Caesar schlecht aus: wieder wurden zwei seiner eifrigsten Gegner, L. Lentulus und M. Marcellus, gewählt. Als endlich Ende 50 über den Antrag des Curio abgestimmt wurde und Marcellus als Vorsitzender über Pompeius und Caesar getrennt abstimmen ließ, war das Ergebnis, daß Caesar Gallien abtreten, Pompeius aber Spanien behalten sollte. Der Vollzug dieser Abstimmung wurde freilich nun von Curio vereitelt; er richtete an den Senat über den Kopf des Marcellus hinweg die Frage, ob der Senat wünsche, daß Caesar und Pompeius ihre bisherige Macht behalten sollten. Die Antwort hierauf waren 370 Nein-Stimmen und 22 Ja-Stimmen — ein Triumph für Curio und zugleich ein letzter für Caesar.

Umso ernster nahm die Optimatenpartei aufkommende Gerüchte, wonach Caesar mit einem Heer nach Italien unterwegs sei — tatsächlich hatte er damals nur die 13. Legion nach *Gallia Cisalpina* ins Winterlager verlegt. Der Konsul Marcellus verlangte unverzüglich die Erklärung des Kriegszustandes und die Mobilmachung gegen Caesar; Curio wies die Unrichtigkeit des Gerüchts nach, und der Senat lehnte den Antrag des Konsuls folgerichtig ab. Daraufhin begab sich dieser zusammen mit den beiden designierten Konsuln des nächsten Jahres in die Privatwohnung des Pompeius und erteilte ihm mit dem alten feierlichen Ritual der Schwertübergabe den Auftrag, den Staat zu schützen, alle Truppen zu übernehmen und neue nach eigenem Ermessen auszuheben. Dies war ein durchaus illegaler Akt; alles kam nun darauf an, wie Pompeius auf ihn reagieren würde — ein wahrhaft geschichtsträchtiger Augenblick. Seine Haltung war für seinen Charakter bezeichnend; er nahm den Auftrag an, „wenn es denn anders nicht gehe" — ein halbherziger Entschluß. Sogleich gab er sich geschäftig; er verließ Rom, traf sich mit Cicero zu einer Lagesprechung und begab sich zu seinen Legionen. Curio, der nunmehr völlig hinter Caesar stand, eilte auf dem kürzesten Weg nach Ravenna, um Caesar zu treffen und zu informieren, in der Hoffnung, ihn zu sofortigem Eingreifen bewegen zu können, während in Rom zum Verdruß des Marcellus der Augur Antonius im Senat die Übernahme des Oberbefehls durch Pompeius als ungesetzlich erklärte (21. Dezember).

Caesar war nicht bereit, sofort in eine Gegenaktion einzutreten, sondern versuchte noch einmal den Verhandlungsweg. Am 27. Dezember sandte er Curio mit einer Liste von Forderungen zurück; die wichtigste unter ihnen: Pompeius solle seine Truppen entlassen; dann wolle er dasselbe tun. Andernfalls sei er gezwungen, „für seine Sicherheit zu sorgen".

Als Curio vier Tage später den Konsuln das Schreiben Caesars überreicht hatte, waren diese nicht einmal gewillt, es dem Senat zu verlesen, und mußten erst durch mehrere Tribunen dazu gedrängt werden; zu einer Diskussion darüber kam es nicht; sein letzter Satz wurde kurzerhand als Kriegserklärung Caesars gedeutet; die Übermacht der „Falken" stimmte nicht nur, sondern schrie die wenigen „Tauben" nieder. Es erging ein Ultimatum an Caesar, er habe den Oberbefehl niederzulegen oder werde als *hostis* (Staatsfeind) erklärt. Das sofort eingelegte Veto der Volkstribunen Cassius und Curio konnte jedoch bewirken, daß der Beschluß ohne Rechtskraft blieb und nur zu Protokoll genommen wurde.

Die Verhandlungen gingen also weiter, bei wechselnder Stimmung unter den Senatoren. Am 7. Januar traf ein neuer Vermittlungsvorschlag Caesars in Rom ein: Pompeius solle nach Spanien gehen — wo er sich seinem amtlichen Auftrag nach hätte aufhalten sollen —; Caesar wolle dann bis zum 1. Januar 48 mit nur zwei Legionen im diesseitigen Gallien und in Illyrien verbleiben. Wohl um überhaupt eine Behandlung dieses Vorschlags herbeizuführen, schaltete sich nun Cicero ein und konnte die Unterhändler Caesars sogar dazu bewegen, dessen Wünsche auf eine Legion und auf die Provinz Illyrien allein herabzuschrauben. Hiergegen opponierten wiederum die Volkstribunen; es kam zu stürmischen Szenen; der Konsul Lentulus ließ die Tribunen vor der Abstimmung aus dem Saal weisen und erzwang gemeinsam mit dem jüngeren Cato ein neues *Senatus consultum ultimum*: Caesar wurde zum Feind erklärt, die italischen Truppen unter Pompeius mobilisiert. Die Tribunen flohen verkleidet, um nicht erschlagen zu werden, zu Caesar. Wäre Pompeius dafür gerüstet gewesen, so hätte er durch eine schnelle Offensive Caesar in schwerste Bedrängnis bringen können.

In Wahrheit hatte er von den zehn ihm zugesprochenen Legionen erst zwei unter Waffen und war eben erst dabei, in ganz Italien Truppen zu rekrutieren, von den Städten Geld einzuziehen und die Versorgung der Legionen zu organisieren. Diese peinliche Verzögerung läßt sich kaum anders deuten als damit, daß Pompeius offensichtlich einen Waffengang mit Caesar nicht wirklich in Rechnung gestellt hatte, sondern sich auf die Wirkung des politischen Druckes verlassen hatte. Nun war also Caesar am Zug und frei zu handeln, und er entschloß sich dazu in der Übersetzung, daß ihn, wie so oft in den Kriegsjahren, auch jetzt nur Schnelligkeit retten könne. In der Nacht vom 10. zum 11. Januar fiel der „Würfel" mit dem Übergang über den Rubico nordwestlich von Ariminum, womit der Bürgerkrieg faktisch eröffnet war; juristisch war er bereits durch das *Senatus consultum ultimum* vom 7. Januar erklärt.

Alles, was nun geschah, ist der Gegenstand von Caesars zweiter Memoirenschrift, dem BC. Es versteht sich von selbst, daß diese Darstellung in hohem Maß parteilich ausfallen mußte und darin sich vom BG erheblich unterscheidet — ob prinzipiell oder nur graduell, ist eine Frage, die hier unerörtert bleibt. Auf jeden Fall war Caesar hier nicht wie in Gallien Funktionär und Repräsentant des *populus Romanus*, sondern Führer einer römischen Partei gegen die andere. Einseitigkeit der Beleuchtung und Akzentuierung ist hier ganz natürlich; im Gegenteil wäre es ein erstaunlicher Akt von Selbstverleugnung, wenn er sich hier wie ein Historiker um objektive Distanz bemüht hätte. Freilich ist uns in diesem Falle auch ein ganz anderes Maß an Kontrolle dessen gegeben, was Caesar berichtet. Denn für den Bürgerkrieg ist Caesar nicht die einzige Quelle. Mehrere andere konkurrieren mit ihm, die aus ganz anderer Sicht berichten. Caesar am nächsten stand noch der wohl bedeutendste literarische Darsteller des ersten Bürgerkrieges, Asinius Pollio — Konsul des Jahres 40 und Adressat von Vergils 4. Ekloge —, der zwar in Caesars Lager stand, aber ihm im ganzen ebenso distanziert gegenüberstand wie später dem Kaiser Augustus. Leider hat sich sein Werk nicht erhalten; aber es lebt weiter in den Historikern, die es benützt haben. Der erste war Livius; aber das Unglück will es, daß auch seine Bücher, soweit sie den Bürgerkrieg behandelten, verloren sind bis auf dürftige Inhaltsangaben, die die spätantike „Perioche" bietet. Es handelt sich um immerhin acht Bücher (109—116), demnach um eine weit ausführlichere Erzählung, als die drei Bücher Caesars sie bieten können — selbst einschließlich der drei Bücher der Ergänzer Caesars.[2] Diese Ausführlichkeit erklärt sich eben daraus, daß ihm das Werk des Asinius zur Verfügung stand. Nach Auskunft der Suda hat dieses 17 Bücher unter dem Titel *historiae* umfaßt und die Zeit von 60 bis 31 behandelt. Zum Glück wurde es aber die Hauptquelle anderer Autoren, die über diesen Zeitraum schrieben, nämlich des Sueton, des Plutarch und des Appian — sämtlich im 2. Jh. —, lag aber auch der Anekdotensammlung des Valerius Maximus (unter Tibe-

---

[2] Die Behandlung des gallischen Krieges war bei Livius zusammen mit allen gleichzeitigen Ereignissen in Italien und den anderen Provinzen in nur fünf Büchern (104—108), im ganzen also wesentlich knapper erzählt.

rius) als Quelle zugrunde. Wo diese Autoren von Caesar abweichen, wird man im allgemeinen Asinius fassen können. Da dieser nicht zu den Caesar-Gegnern zählte, sondern sich lediglich ein distanziertes Urteil zu wahren suchte und überdies aus einem gewissen zeitlichen Abstand nach dem Erfolg und Untergang Caesars schrieb, wird man bei solchen Abweichungen nicht auf bewußte Parteilichkeit schließen dürfen, sondern davon ausgehen können, daß sie aus angemessener Prüfung der Unterlagen und aus dem Willen zur Wahrheit hervorgegangen sind. Gerade deshalb ist es wichtig, daß wir auch die Stimme der politischen Gegenseite vernehmen. Sie ist durch Cicero repräsentiert, dessen riesige Korrespondenz in ihrer aktuellen Unmittelbarkeit und Betroffenheit und in ihrer offenen Parteinahme für die Sache des Pompeius und des Senats die besten Ergänzungen zu den Darstellungen der historischen Literatur bietet. Die Quellenlage ist hier ungewöhnlich günstig; der Historiker hat alles wünschenswerte Material zur Verfügung, um zu ermitteln, „wie es eigentlich gewesen" ist. So ist Caesars eigene Behandlung dieses Bürgerkrieges für uns ein offenes Buch, über dessen Charakter niemand im unklaren sein muß: eine fundamentale Quelle ohne Zweifel, aber für Leser geschrieben, die den Verfasser von dem Vorwurf eines verbrecherischen Staatsstreiches freisprechen sollten.

Auch in diesem Abschnitt aus Caesars Leben kann nur versucht werden, einen knappen Überblick über das zu geben, was von jenem 11. Januar 49 an geschehen ist. Der Anfang war das, was man seit 1939 als „Blitzkrieg" zu bezeichnen pflegt. Niemand, auch nicht Caesars erbittertste Gegner, hatte im Ernst geglaubt, er werde mit der einzigen Legion, die er bei sich hatte, sich zur militärischen Konfrontation entschließen. Aber es geschah, und dies mit der größten Entschlossenheit. Am frühen Morgen des 11. Januar war Ariminum bereits in Caesars Hand; hier versprach er seinen Soldaten den Marsch auf Rom.[3] Aber danach sah es einige Wochen lang so aus, als könnte der Krieg doch noch vermieden werden. Denn Pompeius schickte, für alle Beteiligten überraschend, einige Senatoren als private Vermittler mit dem Auftrag, Möglichkeiten der Beilegung des Streites zu suchen — sei es, weil er im Ernst noch an eine politische Lösung glaubte, sei es, weil er wegen des Verzugs seiner eigenen Rüstung einen Aufschub des Waffenganges dringend nötig hatte. Als dem Senat dies zur Kenntnis kam, war er alarmiert und sandte sogleich eine Depesche an Caesar: Ohne Räumung Italiens durch ihn komme eine Änderung der geltenden Beschlüsse nicht in Betracht. Unbeirrt davon ging das diplomatische Vexierspiel zwischen den beiden Hauptkontrahenten noch eine Weile fort; denn auch Caesar konnte hoffen, dadurch das Eintreffen der 12. und 8. Legion abzuwarten.

In Rom herrschte inzwischen die größte Verwirrung. Pompeius hatte bereits am 17. 1. die Stadt mit dem Ziel Brundisium verlassen; am 18. wich der Senat nach Capua aus, das er zur provisorischen Hauptstadt erklärte. Vergebens wartete er auf eine allgemeine Erhebung der italischen Landgemeinden gegen Caesar; zu seinem Schrecken blieben diese ruhig, ja öffneten ihm zum Teil willig ihre Tore. Denn nachdem die 12. Legion herangekommen war, befand sich Caesar auf zügi-

---

[3] Daran knüpfte Benito Mussolini im Jahr 1922 wieder an; er empfand sich als neuen Caesar.

gem Vormarsch längs der Ostküste, ohne irgendwo Widerstand zu finden. Erst als er am 15. Februar vor Corfinium, 120 km ostwärts von Rom, eintraf, fand er die Tore der Stadt geschlossen; Caesars designierter Nachfolger für Gallien, Domitius Ahenobarbus, hatte sich in der Stadt mit einer Besatzung zur Abwehr eingerichtet. Damit war Corfinium die erste italische Stadt, die Caesar belagern mußte; der Aufenthalt kam ihm insofern zugute, als nun auch die 8. Legion Anschluß an ihn finden konnte. Nach sechs Tagen ergab sich die Stadt samt der pompeianischen Verteidigungstruppe, die bereits von ihrem Führer im Stich gelassen war. Sogleich brach Caesar nach Brundisium auf, um Pompeius und die Konsuln mit ihrem Heer festzuhalten und zur Schlacht zu zwingen. In der Tat bewältigte er die 470 km in 17 Tagen — für damalige Zeit eine fast napoleonische Marschleistung; es war ja Winter mit kurzen Tagen, Regen und Schnee. Aber er kam zu spät, um Pompeius daran zu hindern, sein Heer über die Adria nach Dyrrhachium (Durazzo) zu schaffen, wenn auch unter Verlust der Nachhut.

Italien war damit Caesar preisgegeben; hätte er über eine Flotte verfügt, so wäre er gewiß Pompeius gefolgt. So aber mußte er erst den Bau von Schiffen in Auftrag geben. Außerdem bestand die Gefahr, daß die spanischen Legionen des Pompeius sich in Caesars Rücken Italiens bemächtigen und Caesar in eine tödliche Zweifrontenstellung bringen würden. Deshalb begnügte er sich zunächst damit, in alle Häfen von einiger Bedeutung Besatzungen zu legen und selbst in Rom die politische Arbeit aufzunehmen. Auf dem Wege dahin traf er in Formiae mit Cicero zusammen und versuchte, ihn zur Rückkehr in die Hauptstadt zu bewegen; bei der Einrichtung eines neuen zivilen Regimes hätte ihm Ciceros Unterstützung die größte moralische Autorität verleihen können. Dieser aber, zwischen der politischen Chance und seiner Treue zur Verfassung, die er vor kurzem noch als die beste mögliche gerühmt hatte, hin- und hergerissen, konnte sich doch nicht entschließen zu folgen. Nun ging Caesar politisch aufs Ganze: Durch zwei Volkstribunen berief er den Senat zu einer Versammlung außerhalb der Stadt. Überraschend stark trat dieser wirklich zusammen; in einer Rede verbürgt sich Caesar für Schonung der Verfassung und der Personen und regt eine Konferenz mit Pompeius an. Die Senatoren sind davon sichtlich angenehm berührt, fürchten aber, unter Umständen später von Pompeius als „Feinde" behandelt zu werden, was er allen angedroht hatte, die nicht mit ihm Italien verlassen wollten. Nun hielt Caesar, ebenfalls vor den Toren der Stadt, eine Volksversammlung ab, die freilich nicht zu Beschlüssen führte, und bemächtigte sich, ohne Widerstand zu finden, des Staatsschatzes auf dem Kapitol, um seinen Krieg finanzieren zu können — ein Vorgang, dessen Darstellung im 1. Buch des BC zu den umstrittensten Partien dieses Werkes zählt.

Ebenso überraschend wie kühn war dann sein Entschluß, über Gallien nach Spanien aufzubrechen; zudem sollte gleichzeitig der Prätor Lepidus Rom, der neu ernannte Proprätor M. Antonius (der Volkstribun) Italien militärisch sichern, Curio Sizilien und Nordafrika in Besitz nehmen, der Legat Valerius Sardinien besetzen. Bei den Inseln gelang die Besitznahme mühelos, in Afrika wurde Curio von Attius Varius und seinen numidischen Hilfstruppen abgeschmiert und getötet. Gleichzeitig ging Illyrien den Caesarianern verloren. Für Caesar komplizierte sich die spanische Unternehmung dadurch, daß er — nötig oder nicht, sei dahingestellt — sich auf eine Belagerung Massilias einließ, die einen Teil seines Heeres noch band, als er bereits in Spanien unter äußerst ungünstigen Umständen gegen die Pompeianer operierte und von diesen beinahe ausgehungert wurde. Nach anfänglichen ernsten Mißerfolgen gelang es ihm dann freilich, seine Gegner bei Ilerda auszumanövrieren und in die Enge zu treiben. Ihre Absetzversuche nach Süden konnten verhindert werden, und als Caesar schließlich eine Möglichkeit fand, in Kontakt mit dem gegnerischen Heer zu treten und einen Frieden mit voller Schonung aller Gegner samt ihrer Habe anzubieten, lösten sich die pompeianischen Legionen einfach auf. Nur ein Legat, der große Gelehrte M. Terentius Varro, stand noch im Feld und hoffte auf eine Wende. Als aber Caesar die spanischen Bürgermeister zu einer Versammlung in Corduba einlud, fielen alle spanischen Städte von Pompeius ab und gingen zu Caesars Seite über. Das Spiel war in Spanien gewonnen, und kurz danach brach auch der Widerstand von Massilia zusammen.

Unverzüglich eilte Caesar nun über Gallia Cisalpina, wo er eine Meuterei unter eigenen Truppen niederschlagen mußte, nach Italien zurück und traf in Rom erste ordnende Maßnahmen, vor allem zugunsten jener Bürger, die durch das Gesetz des Pompeius als Verbannte zu gelten hatten; außerdem leitete er die Konsulwahlen für 48 und hielt die Zeremonien der Feriae Latinae ab — beides Signale für die Funktionsfähigkeit des Staates unter seiner Leitung — und brach danach mit Winteranfang nach Brundisium zu seinen dort wartenden Einheiten auf.

Jenseits der Adria stand Pompeius mit einer inzwischen stark angewachsenen Streitmacht. Caesars Problem war, seine nunmehr 12 Legionen hinüberzuschaffen. Mit den ersten sieben gelang es unerwartet glatt, weil die Pompeianer weit verstreut in den Winterlagern lagen und Bibulus, der die Küste sichern sollte, buchstäblich schlief. Danach aber waren sie munter geworden, und so wurde die Verschiffung der letzten fünf Legionen für Caesar ein schwieriges und langwieriges Unternehmen. Als es gelungen war, begann ein monatelanges Taktieren; denn Pompeius wollte den Gegner nicht schlagen, sondern aushungern. Dies führte zu unzähligen Teilaktionen, die zumeist eine Prognose zu Ungunsten Caesars nahelegten. Die Entscheidung fiel, als es Caesar gelang, Pompeius bei Pharsalos — im südlichen Thessalien, also tief in Nordgriechenland — zur Schlacht zu zwingen. Für die Pompeianer wurde sie zur Katastrophe. Caesar vermochte gleich im ersten Anhieb die pompeianische Kavallerie auszuschalten und dann die doppelte Übermacht des Gegners zu überrennen. Pompeius war der erste, der die Nerven verlor und durch die Flucht seine Haut zu retten suchte. Caesar stürmte das Feindlager und nötigte den gegnerischen Rest, der sich auf einem Hügel verschanzt und tapfer verteidigt hatte, durch Wassermangel zur Kapitulation. Dann begann er die Verfolgung des Pompeius mit aller Anstrengung durch Thessalien, Makedonien, Thrakien und den Hellespont, den er auf kleinen Fähren überqueren mußte, weil er keine Schiffe hatte. Dabei stieß er überraschend auf den Pompeianer L. Cassius mit zehn Kriegsschiffen, die dieser, von der neuen Situation völlig konsterniert, sogleich an Caesar übergab. Die Fuchsjagd führte weiter durch Kleinasien, wo die Bevölkerung Caesar freudig aufnahm. Auf eine Nachricht hin, nach der Pompeius mit Schiffen Cypern passiert habe, ließ er sich durch Küstenstädte in aller Eile eine kleine Flotte von 35 Schiffen bauen und fuhr mit ihnen nach Ägypten, wo er den Flüchtigen vermutete.

Aber noch ehe er den Alexandria erreichte, hatte sich die Tragödie des Pompeius erfüllt. König Ptolemaios hatte ihn in einen Hinterhalt locken und ermorden lassen; sein
Haupt wurde Caesar überbracht, den dieses Schicksal des einst größten Mannes in Rom
tief ergriffen haben soll. Jedenfalls ließ er dem Kopf des Gegners eine würdige Be-
stattung zukommen und setzte die Asche im Nemesis-Tempel bei Alexandria bei.

Der militärische Führer der Gegner war nun tot, aber der Krieg damit keineswegs beendet; ganz im Gegenteil: die Furcht, daß die Diktatur nun endgültig in
Rom etabliert würde, ließ die Republikaner sich mit der größten Zähigkeit in den
noch verbliebenen Provinzen verteidigen, und es gab unter ihnen eine Reihe tüch-
tiger Offiziere mit einer gut geschulten und kampferprobten Truppe. Aber zunächst
wurde Caesar in Ägypten selbst in schwere politische Wirren verwickelt und stieß
dabei auf den leidenschaftlichen Widerstand der Einheimischen, wobei der junge
König Ptolemaios XIII. eine besonders zwielichtige Haltung einnahm. So kam es
zu dem alexandrinischen Krieg, der Caesar wiederholt in äußerste Bedrängnis brachte; es fehlte an Schiffen, an Nachschub, an brauchbaren Stützpunkten, und vielleicht wäre Caesar dort untergegangen, wäre ihm nicht Mithridates mit einem star-
ken Heer aus Pergamon zu Hilfe gekommen. Bis dahin hielt er mit äußerster Härte
und Kühnheit durch; als er endlich Sieger wurde, ergab sich Alexandria aufs de-
mütigste und wurde zu seiner Überraschung freundlich behandelt. Hier fand die
berühmte Begegnung mit Kleopatra, der Schwester des Königs, statt, die aus Caesars Hand die Krone der Pharaonen erhielt. Es war eine der erstaunlichsten Episoden im Leben Caesars, daß er, ungeachtet der politischen Lage, noch acht Monate am Nil blieb und es riskierte, daß in seinem Rücken und seiner Flanke alle
so schwer errungenen Erfolge zunichte gemacht würden.

In Rom gab es Kravalle; Illyrien war nach wie vor in der Hand der Pompeianer;
in Armenien drohte Pharnakes vom Bosporos, ein Mann mit einem virulenten Expansionsdrang, den caesarianischen Legaten Domitius Calvinus zu erdrücken, und
in Afrika herrschte die pompeianische Partei unangefochten und mit kräftiger Unterstützung des Numiderkönigs Juba. So war es höchste Zeit, daß Caesar wieder
in den Kampf zog; doch nun ging es Schlag auf Schlag. Pharnakes wurde in die
armenischen Berge zurückgeworfen, Kleinasien neu aufgeteilt. Dann eilte Caesar
nach Rom, wo jetzt nicht nur das Volk jubelte, sondern auch der Senat katz-
buckelte, extreme Ehrungen für Caesar beschloß (Kronen, Siegessäulen u. dgl.)
und ihm phantastische Kompetenzen übertrug: die Diktatur auf unbestimmte Zeit,
Tribunenrechte auf Lebenszeit, Ernennung von Prätoren nach eigenem Gutdün-
ken usw., dazu einen Triumph über König Juba, der noch völlig unbehelligt in seinem Land regierte. Caesar und Lepidus wurden als Konsuln für 46 designiert, seine
Anhänger in lukrative Positionen gehievt, und falls sie sich danebenbenahmen, wie
etwa der zum Magister equitum beförderte M. Antonius, sah er selbst großzügig,
das Volk eher murrend oder verängstigt darüber hinweg. Proskriptionen aber gab es
nicht.

Das Zentrum des Widerstandes gegen Caesars Diktatur, die Gruppe republika-
nischer Senatoren, Bürger, Offiziere im Raum um Karthago unter Führung des Q.
Metellus Scipio verfügte damals nicht nur über ein ansehnliches Landheer, sondern
auch über eine starke und voll einsetzbare Flotte. Dies zu übersehen war Caesar

auch im größten Machtrausch nicht länger möglich. Solange die afrikanische Festung nicht genommen war, war das Reich nicht in seiner Hand. Überdies saß dort als Gouverneur von Utica der jüngere Cato, sein erbittertster Feind und als völlig integre und hochgeachtete Persönlichkeit eine nicht zu unterschätzende moralische Macht, deren aktives Eintreten gegen Caesar eine psychologische Belastung seiner Herrschaft bleiben mußte. So machte sich Caesar im Oktober 47 — wieder zum Anfang eines Winters — auf, um diesen Widerstandskern zu brechen. Auch dies wurde für ihn ein Unternehmen voll schwerster Krisensituationen, Rückschlägen, Gefahren und Entbehrungen. Rein zeitlich gesehen war es ein kurzer Feldzug; er dauerte nur vier Monate. Aber wenn man das *Bellum Africum* liest, gewinnt man den Eindruck, Caesar sei buchstäblich aus einer Beinahe-Katastrophe in die andere gehetzt worden, und ist bereit, nicht nur über sein Glück im jeweils letzten Augenblick zu staunen, sondern auch seine eiserne Unerschrockenheit und rastlose Energie zu bewundern. Wahrscheinlich verdankt er den abschließenden Erfolg auch hier zu einem erheblichen Teil dem Eingreifen eines „Barbaren"-Fürsten, des Bochus von Mauretanien, der eine alte Rechnung mit Juba zu begleichen hatte und diesen im rechten Moment ausschaltete. Erst jetzt konnte sich Caesar langsam erholen, besonders durch herbeikommende Verstärkungen, und schließlich im Februar 46 bei Thapsus die Entscheidungsschlacht gewinnen. Es war eine Elefantenschlacht, bei der die Caesarianer es verstanden, die Tiere ihrer Gegner gegen deren eigene Front zu treiben. Nach dem Tode des Scipio und des Juba gab es ein schauriges Gemetzel von Römern gegen Römer; angeblich blieben 10000 Republikaner auf der Walstatt. Cato nahm sich selbst das Leben. Numidien wurde eingezogen und zur römischen Provinz gemacht. Der Erfolg wurde mit einem 40-tägigen Dankfest in Rom und einem vierfachen Triumph Caesars gefeiert.

Der letzte dieser Kriege Caesars, das *Bellum Hispaniense* des Jahres 45, hatte nichts mehr mit der Eroberung der Herrschaft selbst zu tun. Spanien war ja in den Händen von Caesars Legaten. Der neue Krieg war eine Folge von Truppenmeutereien. Sie waren zwar zunächst vom Legaten Trebonius erstickt worden; als aber Caesar nach dem Sieg in Afrika eine Flotte nach Spanien in Fahrt setzte, von der man eine Strafaktion gegen die Meuterer erwartete, verjagten die Truppen den Trebonius und fielen zu den aus Afrika geflohenen Alt-Pompeianern ab, die von den Söhnen des Pompeius sowie Attius Varus und Caesars ehemaligem Legaten Titus Labienus geführt wurden. So wurde eine neue Expedition nötig, freilich eine weit weniger risikoreiche. Caesar begann auch sie im Winter, operierte mit großer Geschwindigkeit und vielen Überraschungseffekten und überwältigte im März 45 bei Munda (unweit Corduba) die gegnerische Streitmacht. Damit war der letzte Widerstand gegen seine unbeschränkte Herrschaft über das Imperium gebrochen. Natürlich gab es in Rom wieder exzessive Siegesfeiern; das Besondere und für Rom Unerhörte war dies, daß Caesar diesmal einen Triumph über römische Bürger feierte; und nicht nur er, sondern auch seine zwei erfolgreichen Legaten erhielten diese makabre Ehre.

Dies sind in großen Zügen die Ereignisse, die im *Corpus Caesarianum* dargestellt sind, und nur sie sollten hier skizziert werden. Bekanntlich hatte Caesar nach diesem Triumph im Oktober 45 nur noch fünf Monate zu leben; es wirkt wie eine düstere Vorahnung, daß er sogleich nach der Rückkehr aus Spanien sein Testament machte und im übrigen mit einer fast hektischen Eile an die Planung eines neuen Unternehmens ging, das rational nicht mehr ohne weiteres zu verstehen ist, weil es sich weder aus Caesars eigener Lage noch aus der des Reiches erklären läßt: einen Feldzug zur Unterwerfung der Parther. Man hätte erwarten dürfen, daß Caesar nichts sehnlicher erwarten mochte, als endlich Zeit für die innere Stabilisierung seines Regimes zu finden. Fast gewinnt man den Eindruck, als hätte er, der unerschrockene Kämpfer und geniale Feldherr, davor im Innersten Angst empfunden und als wäre der neue Kriegsplan eine Flucht vor einer Aufgabe, für die es ihm an klaren konstruktiven Ideen fehlte. Jetzt begannen auch seine treuesten Freunde an ihm zweifeln: dieser Mann war nicht mehr der römische Bürger und Volksführer, auf den das Volk viele Jahre lang seine Hoffnungen gesetzt hatte und von dem es auch die Diktatur zu ertragen bereit war. Er scheint ein Tagträumer geworden zu sein, der auf den Wegen Alexanders zu ziehen sich anschickte und vielleicht dabei das Reich aufs Spiel setzte. Sein gewaltsamer Tod — unmittelbar vor dem Aufbruch nach Osten — ist, geschichtlich gesehen, vielleicht im richtigen Moment gekommen, um dem Reich ein möglicherweise tödliches Abenteuer zu ersparen.[4] Rom wurde so zwar in die Leiden eines neuen Bürgerkrieges zurückgeworfen, aber der Sieger in ihm, der junge „Caesar" Octavianus, war von anderer Natur; er wählte den Weg der inneren Stabilisierung durch Restauration, administrative Konzentration und defensive Reichspolitik und wurde gerade durch die scheinbare Bescheidung zum Gründer einer neuen Ära, ohne den nationalen Bestand zu gefähren.

---

[4] Überlegungen solcher Art sind natürlich rein spekulativ, aber gleichwohl erlaubt. Ähnlich hat schon Friedrich Schiller in seiner „Geschichte des dreißigjährigen Krieges" den Tod Gustav Adolfs im Jahr 1632 als rechtzeitig für das Weiterbestehen des Heiligen Römischen Reiches Deutscher Nation im Sinne einer Schicksalsfügung interpretiert.

III. Die *commentarii*. Bestand und Begriff

Nach diesem Überblick über die wichtigsten Etappen des politischen Weges Caesars zur Diktatur bedeutet es keineswegs eine Wendung zu etwas grundsätzlich Andersartigem, sondern eher eine Ergänzung des bisher Betrachteten, sich den Büchern, die wir von ihm besitzen, zuzuwenden. Denn diese Bücher sind nicht einfach Tatenberichte, sondern zugleich Praktizierung der Politik mit anderen — eben literarischen — Mitteln, Mitteln übrigens, die zu allen Zeiten und bis heute oft genug angewendet wurden und als völlig legitim zu betrachten sind. Es gehört nun einmal zu den Voraussetzungen für die Gewinnung und Bewahrung politischer Macht, wo immer sie auf öffentliche Meinung angewiesen ist, auch durch literarische Darstellung eigener Erfolge und Grundsätze um Vertrauen und Anerkennung zu werben. Selbst im Zeitalter der Massenmedien verzichten die Inhaber der Macht kaum irgendwo auf die Wirkung von Buch und Broschüre. Dieser Hinweis ist weder maliziös gemeint noch aus der Luft gegriffen, wie folgende Überlegung zeigen wird.

Wer über eigene Taten spricht, kann dies unter zwei Aspekten tun. Entweder geschieht es aus der Perspektive der Entfernung und Rückschau auf Gewesenes, Getanes, Erlebtes und Erlittenes, von dem man sich distanziert, indem man es literarisch fixiert und damit sozusagen aus der Hand gibt. Dies ist ein meditatives, vor sich selbst bekennendes, die Wahrheit suchendes Erinnern als Teil der Lebensrechnung, die man abschließt. Wir sprechen in einem solchen Fall von Memoiren; sie sind meist die Werke alter Menschen, die das Leben, von dem sie berichten, hinter sich haben und in der kontemplativen Abschlußphase zu Historikern ihrer selbst werden.[1]

Es gibt eine zweite Art, über sich selbst und seine Leistungen zu schreiben, die jedoch seltener gewählt wird, als man erwarten möchte, und in unserer Zeit vielfach auf indirektem Weg geschieht, sei es durch befreundete, sei es durch angeheuerte Zeitgenossen, die man über sich schreiben läßt: jene meist rasch entstandenen, weil zu schneller Wirkung bestimmten aktuellen Biographien oder manifestartigen Selbstdarstellungen derer, die noch keineswegs mit ihrem politischen Leben abrechnen, sondern erst dessen Höhe erklimmen wollen und dafür ein „Image" in der Öffentlichkeit benötigen, freundlicher gesagt: die Menschen, um deren Ver-

---

[1] Prominente Beispiele aus unserer Zeit sind Winston Churchill, Konrad Adenauer, Charles de Gaulle. Sie alle schrieben nach Beendigung ihrer politischen Karriere. Die bekanntesten vergleichbaren Fälle im römischen Altertum sind Cornelius Sulla, der nach freiwilliger Abdankung von der Diktatur seine Memoiren in 22 Büchern niederlegte (Suet. gramm. 12), und seine älteren Zeitgenossen M. Aemilius Scaurus (Cos. 109) und P. Rutilius Rufus (Cos. 105). Sie alle stehen in der Nachfolge hellenistischer Memoirenliteratur (Pyrrhos, Aratos von Sikyon u.a.); vgl. G. Misch, Geschichte der Autobiographie I³ (1949) 183ff.; H. Bengtson, Einführung in die Alte Geschichte (1949) 64; 70f.

trauen sie werben, durch Offenlegung ihrer – natürlich guten – Ziele und Absichten und ihrer bisher vollbrachten Leistungen, für sich einnehmen wollen.[2]

Um gleich ein Mißverständnis zu verhüten: Die beiden Gruppen unterscheiden sich nicht prinzipiell wie „gut" und „böse", „ehrlich" und „verlogen". Es gibt bekanntlich maliziöse Memoirenschreiber wie Herbert v. Bülow, neben ungemein seriösen, wie Otto v. Bismarck; und s u b j e k t i v sind ihre Darstellungen notwendig in jedem Falle. Ebenso gibt es werbende politische Selbstdarstellungen von größter Redlichkeit wie solche, die ihre Leser unbedenklich hinters Licht führen; aber mindestens eines ist beiden gemeinsam: Eingeständnisse eigener Mängel und eigenen Versagens wird man vergebens in ihnen suchen; sie wären eine selbstmörderische Zweckwidrigkeit.

Mit dieser Vorüberlegung ist aber bereits angedeutet, wie man Caesars *commentarii* wird verstehen müssen. Man liest zuweilen die Bezeichnung „Memoiren"; im Falle Caesars ist dies ein fundamentales Mißverständnis. Caesar hat kein Alter erlebt; seine Mörder haben ihn mitten aus der vita activa gerissen, und er selbst fühlte sich damals nicht etwa am Ziel angelangt, sondern eben erst im Besitz der Mittel, die ihm den Griff nach dem Höchsten erlauben konnten: ein zweiter Alexander zu werden. Das gilt mutatis mutandis erst recht für die Zeitpunkte, an denen er seine *commentarii* schrieb, zumal für die Situation, in der das einzige von ihm selbst abgeschlossene Werk – die sieben ersten Bücher des BG – von ihm auf den Markt geworfen wurde. Tatsächlich ist gerade dieses Werk zu einem Zeitpunkt abgeschlossen worden, an dem Caesar sein Erscheinen politisch als eminent wichtig betrachten mußte und an dem er nicht einmal mehr warten zu können glaubte, bis die pacatio Galliae soweit beendet war, daß er selbst auch die letzten Ereignisse hätte darstellen können: zu Beginn des Jahres 51. Caesar wollte im Jahr 50 wieder Konsul sein; denn dies allein schien ihn vor dem juristischen Zugriff seiner Gegner schützen zu können.[3] Also mußte er im Spätsommer 51 die Stimmung der Wähler auf seiner Seite haben. Sie mußten demnach vor den Comitien dieses Jahres über die Größe gerade dessen informiert werden, was seinen Gegnern den aktuellen Anlaß zu ihrem Kampf gegen ihn gab: über seine Kommandoführung in Gallien. Es wäre schlechthin unbillig, unter diesen Umständen von ihm zu erwarten, daß er „Memoiren" unter dem Gesichtspunkt abgewogener historischer Wahrheit und mit dem Gewissen eines Wissenschaftlers schreiben sollte. Ist es schon methodisch geboten, bei jedem schriftlichen Dokument zu fragen, unter welchen Umständen es entstanden ist, so ist es bei Selbstdarstellungen von stark umstrittenen Politikern –

---

[2] Bekanntestes und zugleich berüchtigtestes Beispiel der jüngsten Geschichte: Adolf Hitler „Mein Kampf". – Bei den Politikern des Altertums übernimmt diese Aufgabe in der Regel die (edierte) politische Rede; aber tendenziell gehört hierher ebenso der würdevolle Tatenbericht des Augustus (Monumentum Ancyranum) wie das vergleichsweise unwürdige Epos Ciceros über sein Konsulat (zu diesem s. S. H ä f n e r, Die literarischen Pläne Ciceros, Diss. München 1928, 61ff.). S. auch unten S. 97.

[3] Zur Situation Ende 51 s. M. G e l z e r, RE X 217f.; ders. Caesar 157ff.; G. W a l t e r, César 361ff.; C. E. S t e v e n s, Latomus 11, 1952, 179 (dort ein Hinweis auf die Methoden britischer Kriegspropaganda im 2. Weltkrieg als Parallele zu Caesars „self-panegyric"; aber die Situationen entsprechen sich nicht genau). Zur gerichtlichen Bedrohung Caesars s. Plut. Caes. 30; Cato min. 49.

und niemand war damals so umstritten wie Caesar — ganz besonders unerläßlich und verständniserschließend. Ich komme auf diesen Aspekt später zurück; zuvor ist jedoch einiges über den äußeren Bestand dessen, was unter Caesars Namen überliefert ist, zu sagen.

Zunächst liegen uns sieben Bücher *de bello Gallico* (BG) vor, als deren Autor Caesar bezeugt ist. Dies klingt etwas einfacher, als es in Wirklichkeit ist. Unter denjenigen Zeugen, die im Altertum Caesars Kriegsschriften erwähnen, ist außer Hirtius[4] der erste, der sie überhaupt genauer bezeichnet, Sueton (Iul. 56): *reliquit et rerum suarum commentarios Gallici civilisque belli Pompeiani.* Im 4. Jahrhundert stellt Q. Aurelius Symmachus das BG in dem früher zitierten Brief[5] als *priscas Gallorum memorias* vor, falls er damit wirklich das BG im ganzen und nicht nur den Gallierexkurs des 6. Buches meint. Dies ist schon alles, und es ist angesichts der uns geläufigen Bedeutung des Werkes ungewöhnlich wenig.

In den Handschriften sieht die Bezeugung sehr buntscheckig aus.[6] Da steht in einem Teil der Überlieferung am Anfang: *Incipiunt libri Gaii (Iulii) Caesaris belli Gallici (Iuliani) de narratione temporum*; dahinter in roter Farbe: *Incipit liber Suetonii*; in einer weiteren Handschrift: *Incipit liber Suetonii Tranquilli Victoriarum Gaii Iulii Caesaris multimodarum belli Gallici.* Hinter den ersten Büchern findet sich in fast allen Exemplaren der Klasse α folgende Subscriptio: *Iulius Celsus Constantinus . VC . (= vir clarissimus) legi . C. Caesaris belli Gallici liber primus (secundus* etc.*) explicit. incipit secundus (tertius* etc.*) feliciter.* Nur zwei Handschriften derselben Klasse haben statt dessen an den meisten Buchenden folgenden Text: *Caii Iulii Caesaris historiae belli Gallici a se confecti liber … explicit. Iulius Celsus Constantinus vir clarissimus legi . incipit liber …;* außerdem den Zusatz: *Flavius Licerius Firminus Lupicinus legi.* Lediglich am Ende des 7. Buches erscheint die Bezeichnung *commentarios (-ius).*

Am Ende des 8. Buches (das von Aulus Hirtius stammt) liest man in zwei Handschriften folgendes: *Iulius Caesar Constantinus VC legi tantum feliciter. C. Caesaris Pontificis Maximi Ephimeris rerum gestarum belli Gallici liber VIII explicit feliciter*; ähnlich in einer anderen Handschrift, die dann hinzufügt: *Incipit liber nonus*, während wieder eine andere überhaupt keine Subscriptio bietet, sondern nach dem letzten Wort des Textes von B. VIII schreibt: *Suetonii viri clarissimi de bellis civilibus Caesaris Cai Iulii liber primus incipit.* Auf unzählige weitere Varianten, bes. zu den sog. Nachfolger-Schriften, darf hier verzichtet werden. Schon aus den hier vorgeführten bibliographischen Notizen der Abschreiber geht einiges Interessante hervor:

1. Zwar wird fast von allen Handschriften die Autorschaft Caesars bezeugt. Es hat aber auch eine Überlieferung gegeben, die diese nicht gekannt oder nicht geglaubt hat und das BG dem Sueton zuschrieb; aus welchem Grunde gerade ihm, ist schwer erfindlich, weil Sueton selbst ja von Caesars *commentarii* über beide Kriege spricht.

---

[4] Zu Hirtius s. unten S. 192ff.
[5] S. oben S. 17.
[6] Die handschriftliche Bezeugung ist heute bequem überschaubar in der Ausg. des BG von O. Seel, (1961), S. CXVff.

2. Es gab in der Überlieferung, auf die unsere Handschriften zurückgehen, keine einheitliche Form des Titels. Der Inhalt wird ganz frei umschrieben. Die kurze Fassung *bellum Gallicum* kommt zwar am häufigsten vor, teilweise aber im Genitiv mit Zusätzen, die es fraglich machen, ob „*bellum Gallicum*" der volle Titel sein. Dabei spielen jene Zusätze eines besondere Rolle, die den literarischen Charakter bezeichnen. Unter ihnen ist selten, aber zunächst bestechend *historia* (‚Zeitgeschichte'), gleichwohl mit Sicherheit auszuschließen, weil sowohl von Cicero wie von Sueton *commentarii* ausdrücklich bezeugt wird und dieses Wort etwas grundsätzlich anderes meint als *historia(e)*. Besonders interessant ist daher Ephimeris (‚Tagebuch'); denn dies ist jedenfalls ein mögliches Äquivalent für *commentarius*[7], und man könnte zweifeln, ob Cicero und Sueton dieses Wort von sich aus ins Lateinische übersetzt haben, oder ob umgekehrt ein Schreiber seinerseits *commentarius* ins Griechische übertragen hat — aber wozu dies? Andererseits kennt die Überlieferung auch den Begriff *commentarius*, setzt ihn aber erst am Ende des 7. Buches ein — warum nicht früher, warum vor allem nicht am Beginn des Werkes? Hierfür gibt es bisher keine plausible Erklärung. Nicht die Handschriften, sondern Cicero und Sueton zwingen uns anzunehmen, daß „*commentarii*" einen Bestandteil des Werktitels ausmachte; andernfalls hätten sie wohl einfach von *libri* gesprochen; denn mindestens das BG hat Caesar selbst in Bücher eingeteilt.[8]

3. In einer Klasse (α) der Handschriften finden wir durchgehend die Namen zweier Personen, die von sich erklären, sie hätten die Bücher „gelesen": Iulius Celsus Constantinus, der den Titel *vir clarissimus* führt — ein Titel, der erst im 4. Jh. aufgekommen ist —, und Flavius Licerius Firminus Lupicinus, den man mit einer Person der Wende des 5. zum 6. Jh. gleichsetzen zu können glaubt; nach der Anordnung der Nennungen in den Handschriften ist er wohl jünger als Celsus Constantinus. Die andere Klasse (β) kennt diese Namen nicht, mit einer Ausnahme, bei der man eine Übertragung aus der α-Klasse annimmt. Daraus hat man den naheliegenden Schluß gezogen, daß es spätestens im 5. Jahrhundert zwei verschiedene Textrezensionen gab, eine „Vulgata" (an die sich z. B. Orosius bei der Abfassung seines Geschichtswerkes gehalten hat), und eine „verbesserte" Fassung, die in irgendeiner Weise mit den beiden Männer zu tun hat. Aber nichts deutet darauf hin, daß sie etwa Gelehrte waren, die selbst eine emendierte Ausgabe hergestellt hätten; vielleicht waren sie lediglich eitle Benützer, die sich als Leser unter den von ihnen gelesenen Bücher verewigen wollten, wie es heute oft Musiker in Orchesterstimmen tun, aber nicht das Geringste zum Text beigetragen haben.[9]

Die bunte Palette der Testimonien und Subscriptionen erweckt in Wahrheit einen trügerischen Eindruck. Tatsächlich ist weder an der Autorschaft Caesars noch an der Formel „*bellum Gallicum*" ein Zweifel möglich, so wenig wie an der Gattungsbezeichnung *commentarii*. Daraus ergibt sich zwingend der volle Titel „*commentarii de bello Gallico*", aus dem sich in laxerem Zitiergebrauch die Kurzformel *Bellum Gallicum* (BG) entwickelt hat, die auch in diesem Buch verwendet wird.

---

[7] S. unten S. 46 Anm. 23.
[8] Zur Bucheinteilung des BC s. unten S. 172f.
[9] Darüber neuerdings ausführlich W. Hering, Die Recensio der Caesar-Handschriften (1963) 100ff.; vgl. aber auch Seel a.O. XXVI und XXXIXf.

Das 8. Buch des BG ist ein Nachtrag; es stammt, wie schon gesagt, nicht von Caesar, sondern von einem Mann seiner Umgebung, Aulus Hirtius.[9a] Seine Verfasserschaft wird eindeutig von Sueton (Caes. 56) bezeugt, desgleichen von der Mehrzahl der Handschriften. Auch hierin aber begegnet wiederum eine eigentümliche Entstellung, die auf ein sehr frühes Überlieferungsstadium zurückgehen muß und zugleich ein sonderbares geschichtliches Halbwissen verrät. Die große Mehrzahl der Handschriften spricht nämlich von *Hirtii Pansae liber* ... Hirtius hatte aber nicht den Beinamen Pansa; vielmehr war C. Vibius Pansa der Konsulats-Kollege unseres Hirtius im Jahre 43, und beide sind in diesem Jahre an einem Tage in der Schlacht bei Mutina (Modena) gegen Antonius gefallen.[10] Der Irrtum in den Handschriften kann also nicht in derselben Generation entstanden sein, aber auch nicht erst viele Jahrhunderte später, als diese Namen nichts mehr bedeuteten.

Daß Hirtius Caesar sehr nahestand, wird von diesem selbst (BG VII 4,2) wie auch von Cicero in mehreren Briefen und in der 13. Philippischen Rede (§ 47) gesagt. Er war von 54 bis 52 und wieder von 51 bis 50 in Caesars Heer in Gallien; im Jahr 50 führte er in Rom als Vertreter Caesars die letzten Verhandlungen mit dem Senat, ehe es zum Bruch kam. Im Bürgerkrieg (49) ging er mit Caesar nach Spanien. 46 war er Prätor, 43, wie gesagt, Konsul. In den Verhandlungen um Ciceros Schicksal nach dem Sieg Caesars spielte er eine wichtige Rolle. Ein heftiger Gelehrtenstreit ist um die Frage entbrannt, welche Stellung er in Caesars Stab in Spanien eingenommen hat. Sie wird nämlich nirgends angegeben, und so haben bedeutende Kenner der Materie wie A. Klotz und P. von der Mühll ihm jede militärische Funktion abgesprochen, Klotz namentlich aus Indizien seiner angeblich truppenfremden Sprache. Gerade dieses Argument ist jedoch längst widerlegt worden.[11] Der sprachliche Vergleich zwischen Caesar und Hirtius lehrt im Gegenteil, daß der letztere viel unbekümmerter militärtechnisches Sprachgut gebraucht als Caesar, der es aus stilästhetischen Gründen eher meidet. Es steht also der Annahme, daß Hirtius als Offizier tätig war, nichts im Wege, was auch eine Funktion wie die Führung des Kriegstagebuches, mindestens zeitweise, nicht ausschließt. Aber der Streit ist bis heute nicht ausgestanden[12], und in Wahrheit liegt herzlich wenig an ihm.

Ein Zweig der Caesar-Überlieferung — üblicherweise als Klasse α bezeichnet und durch vier Handschriften des 9., 10. und 12. Jh. vertreten — endet mit dem Buch des Hirtius. Die zweite, zahlenmäßig wesentlich stärker vertretene Klasse (β) setzt den Text mit dem Werk über den Bürgerkrieg (BC) fort, und zwar überwiegend

[9a] Zur Person des Hirtius s. Schanz—Hosius I⁴ 244f.; O. Seel, Hirtius, Unters. über die ps. caesarischen Bella und den Balbusbrief (1935). Wahrscheinlich war H. der Sohn eines Lokalbeamten von Ferentinum im Hernikerland, der dort um 80 Censor war (Dessau, ILS 5342ff.). Im J. 46 stand er in Rom in engem Kontakt mit Cicero, der wohl sein Redelehrer war (Ch. Parain, Jules César [1959] 225).

[10] Das Ereignis eines nahezu gleichzeitigen Todes zweier Konsuln war so unerhört, daß es von Cicero bis Orosius immer wieder hervorgehoben wurde, auch von den Dichtern (die Stellen bei F. Münzer, RE VII 1469; W. Enßlin, RE VIII A 1963). Die Namen Hirtius und Pansa verschmolzen daher im Geschichtsbewußtsein fast zu einer Einheit, was den Irrtum in unserer Überlieferung leicht erklärt.

[11] A. Boykowitsch, Wiener Studien 44/45, 1925/26, 71ff.; 221ff.

[12] Ich verweise dafür auf den Art. ‚Hirtius‘ von H. G. Gundel, Der Kl. Pauly II (1967) 1183f.

unter direkter Fortzählung der Bücher, so daß das erste Buch des BC als *liber nonus,* aber zugleich unter dem neuen Titel *de bello civili* (bzw. *bellum civile* oder *de bellis civilibus*) erscheint. Dieselben Handschriften nennen daher Caesar nicht eigens als Verfasser, sondern lassen nur durch die Fortzählung erkennen, daß ihre Schreiber an Caesars Urheberschaft keinen Zweifel hatten. Lediglich N [13] nennt auch diesmal Suetonius Tranquillus als Verfasser und läßt das BC mit dem „*liber primus* beginnen.[14] Die Subscriptionen der einzelnen Bücher dieses Werkes geben dagegen — mit Ausnahme von SLN [15] — die Fortzählung auf und zählen zumeist die Bücher als I—III; die Mehrzahl nennt Caesar als Verfasser, Suetonius Tranquillus verschwindet auch aus N. Caesars Autorschaft ist also hier weniger angezweifelt als beim BG; unklar ist jedoch die Zahl der Bücher, aus denen dieses Werk besteht.[16] Endlich fehlt hier jede Charakterisierung des literarischen Genus (*ephemeris, historia* usw.), somit auch der Begriff *commentarius,* der schon vorher nur in der Subscriptio von LN zu BG VII im Zusammenhang mit dem „Lese"-Vermerk des Iulius Celsus Constantinus aufgetreten war; es wird schlicht von „Büchern" gesprochen. Aber der literarische Charakter dieser Bücher entspricht fast in allen Punkten demjenigen des BG, so daß die Gepflogenheit der Herausgeber, auch sie als *commentarii* zu edieren, mindestens sachlich gut begründet ist, selbst wenn wir nicht wissen können, ob Caesar ihnen diese Bezeichnung gegeben hätte, wenn er sie jemals selbst ediert hätte. Doch darüber ist an seinem Ort zu sprechen.

Dieselben Handschriften, die den Bürgerkrieg enthalten, lassen ihm — und zwar unter Fortführung der bisherigen Buchzählung — jene drei Kriegsbücher folgen, die schon Sueton in seiner Caesar-Biographie als ergänzende Schriften unbekannter Verfasser nennt: das *Bellum Alexandrinum,* das *Bellum Africanum* (so WUR; *Affricum* S; *in Africa* N) und das *Bellum Hispaniense.*[17] Auch diese Schriften werden, entgegen der Feststellung Suetons, durchweg als Werke Caesars deklariert; nur N bringt abermals die Verfasserangabe *Suetonius Tranquillus.*[18] Auch hier fehlen Genus-Bezeichnungen durchaus.

Dies also war der Bestand an Büchern, den bereits der spätantike Archetypus der β-Klasse als „caesarisch" vorfand und zusammenfaßte. Dabei ist zweierlei zu

---

[13] Cod. Neapolitanus, Bibl. Naz. IV, c. 11 (11./12. Jh.); er gehört zur Unterklasse φ der Klasse α und steht dem L(aurentianus Ashburnhamensis R 33) (10. Jh.) sehr nahe; wie dieser enthält er das gesamte Corpus Caesarianum (s. Seel, Praef. XXIf.). In der Oxford-Ausgabe von Du Pontet ist er nicht berücksichtigt.

[14] Die inscriptiones bzw. subscriptiones zum BC sind in der letzten Ausgabe von A. Klotz (1957) bequem einzusehen. Du Pontet druckt sie nicht ab. Das gesamte Material ist ausgebreitet bei O. Seel, a.O. CXVIIIff. Hier können nur die wichtigsten Züge erwähnt werden.

[15] S läßt Buch I als *liber nonus,* Buch III als *liber decimus* beginnen, zählt also nur zwei Bücher. L und N trennen die Bücher von BC überhaupt nicht, fügen aber das BAl als *liber quartus* an.

[16] Darüber s. unten S. 172f.

[17] Diesen Titel gibt nur Sueton an; er erscheint in keiner Hs.; S nennt die Schrift *de bello hyspanico,* N *de bello eiusdem in Hispania*; die übrigen kündigen lediglich ein weiteres „Buch" ohne Titel an. L bricht bereits mit BAfr 33,1 ab.

[18] Über die Nichtigkeit dieser Angabe s. unten S. 45.

unterscheiden: 1. Die Sammlung aller dieser Kriegsdarstellungen geht bereits auf die Zeit unmittelbar nach der Ermordung Caesars zurück; sie ist mit dem Namen des L. Cornelius Balbus verbunden, eines nahen Vertrauten Caesars, der sich um eine Ergänzung der caesarischen *commentarii* bemühte.[19] Daß er nicht als Autor, sondern nur als Anreger und vielleicht auch Redaktor aufgetreten ist, darf als sicher gelten, weil die Ergänzungsbücher von sehr verschiedenen Händen stammen. Ob er selbst seinen Plan zu Ende gebracht hat, ist nicht ganz sicher, wenn auch nicht unwahrscheinlich; das letzte bekannte Datum seines Lebens ist sein Konsulat (4), das er sicher überlebt hat — unbekannt, wie lange. Jedenfalls darf als gesichert angesehen werden, daß das Corpus Caesarianum so, wie wir es haben, noch im 1. Jh. v.Chr. fest gefügt und als Ganzes im Handel war. — 2. Die Unterscheidung von echten und unechten Caesariana wird von Sueton mit solcher Selbstverständlichkeit vorgetragen, daß man sie zu seiner Zeit als unter literarisch Gebildeten anerkannt betrachten kann. Sie ist also erst in nachsuetonischer Zeit aus dem allgemeinen Bewußtsein geschwunden. Dafür wird man zwei Umstände verantwortlich machen dürfen: einmal die Existenz des Corpus, die hier wie in anderen Fällen dazu verführte alles, was in ihm enthalten ist, dem wichtigsten oder allein bekannten Autor zuzuweisen; sodann die Gemeinsamkeit des Genus, dem alle enthaltenen Bücher angehören, und der scheinbar fugenlose Anschluß jedes Buches an das jeweils vorausgehende. Der letztere Umstand erklärt auch die fortlaufende Buchzählung in S (10. Jh.). Die inneren Verschiedenheiten der *Bella*, die einen gemeinsamen Verfasser schlechthin ausschließen, waren vielleicht schon dem Schreiber des Archetypus der β-Überlieferung[20] nicht mehr erkennbar; bei aller Unterschiedlichkeit der überlieferten bibliographischen Angaben dürfte wenigstens das einzige Gemeinsame — die fast durchgehende Bezeugung des Autors Caesar für alle Bücher — wohl auf ihn zurückgehen. Das Caesar-Corpus ist sonach eines der markantesten Beispiele dafür, wie wenig man sich auf Verfasserangaben in der Überlieferung antiker Schriften verlassen kann, wenn sie nicht durch die innere Evidenz oder von dritter Seite bestätigt werden.

Kehren wir zu Caesars eigenen sieben Büchern *de bello Gallico*, die im Mittelpunkt dieses Buches stehen sollen, zurück! Ihrer Anlageform nach sind sie eigentlich Annalen. Dies ist eine in Rom seit langem eingebürgerte Form schriftlicher Geschehensfixierung. So haben es schon die Pontifices Maximi gemacht, spätestens im 3. Jh. v. Chr., wahrscheinlich bereits im 4. Jh.: Die wichtigsten Ereignisse jeweils eines Jahres wurden auf einer geweißten Tafel knapp und übersichtlich zusammengestellt; jedes folgende Jahr bekam eine eigene Tafel. Als man sich im 2. Jh. entschloß, solche *tabulae* in Buchform zusammenzufassen und zu veröffentlichen[21], war der Grund für die literarische Form der *annales* gelegt, die sich von nun an in Rom zu einer festen historiographischen Gattung entwickelte. Ihre be-

[19] S. F. Münzer, RE IV 1260ff. (Cornelius Nr. 69); H. Oppermann Caesar der Schriftsteller (1933) 66; M. Gelzer, Caesar (s. Ind.); vgl. auch unten S. 192f.
[20] Das komplizierte Archetypus-Problem kann hier nicht aufgerollt werden; hierfür sei nachdrücklich auf Seel (a.O. XXIXf.) und Hering (a.O. 88ff.) verwiesen.
[21] Dies waren die sog. Annales Maximi. Bequeme Übersicht über Tradition und Forschung jetzt bei M. v. Albrecht, Der Kl. Pauly I (1964) 359.

kanntesten republikanischen Vertreter, Claudius Quadrigarius und Valerius Antias, gehörten noch in Caesars Generation neben Ennius zu den kanonischen Autoren römischer Geschichte. Das formale Prinzip ist die Rubrizierung aller Geschehnisse unter die Namen der eponymen Beamten des jeweiligen Jahres, d. h. in Rom: der Konsuln. Einer Darstellung länger dauernder Kriege kommt eine solche sachliche Anordnung insofern entgegen, als der antike Krieg in aller Regel im Winter unterbrochen wurde; die Heere rückten mit dem Auftreten der Herbstregen in die Winterquartiere, sofern sie nicht überhaupt entlassen wurden; und ähnlich haben es nicht nur die Römer, sondern auch andere Völker wie Karthager, Griechen und sogar die Orientalen gehalten.[22] Damit gliedert sich jeder Krieg automatisch in getrennte Sommeraktionen, und nichts lag näher, als in einer Darstellung, wie Caesar sie unternahm, jedem Jahr, d. h. jedem Feldzugs-Sommer, ein eigenes Buch zuzuweisen.

Aber Caesar nennt seine Bücher eben nicht *annales*, sondern *commentarii*, und dies aus gutem Grund. Denn der Begriff *annales* war bereits anders fixiert; er bezeichnete „Geschichte" im ganzen, was sich bei den Römern in jedem Falle auf die zwei Hauptbereiche *domi* und *foris* erstreckte: Innenpolitik nebst allen wichtigeren Ereignissen in Rom, wie Bränden, Seuchen, Hungersnöten, Tempelweihungen, öffentlichen Bauten usw. auf der einen Seite, Kriege, Verträge, Einrichtung und Ausbau von Provinzen, aber auch Heeresgeschichtliches wie Meutereien, Flottenkatastrophen u.ä. auf der anderen, und zwar grundsätzlich in allen Teilen des Reiches bzw. an allen seinen Grenzen.

Im Gegensatz dazu haben Caesars Schriften monographischen Charakter; sie beschränken sich jeweils auf Kampfhandlungen in e i n e m operativen Zusammenhang und auf seine persönlichen Taten, d. h. auf die von ihm selbst oder unter seiner Verantwortung vollzogenen Operationen und Entscheidungen. Dafür konnte *annales* keinen angemessenen Titel abgeben, wohl aber *commentarii*, obgleich auch dieser Begriff von Caesar auf eine ganz neue Weise angewendet wird. Sie stellt nämlich, streng genommen, eine Fiktion dar; wieso, das ist hier zu erläutern.

Unter *commentarius* konnte der Römer Verschiedenes verstehen.[23] Dem reinen Wortinhalt nach handelt es sich zunächst um eine Gedächtnisstütze, über deren weiteren Zweck und deren Inhalt damit noch nichts ausgesagt ist. Sie konnte pri-

---

[22] Vgl. H. O p p e r m a n n, Caesar (1933) 7. Die bekanntesten Beispiele der griechischen Geschichte sind die Unterbrechung des Griechenland-Feldzuges des Xerxes 480/79, in dem Mardonios den ganzen Winter über mit dem Landheer in Thessalien lag (Herodot 8,133,1), und der Verlauf des Dekeleischen Krieges. Für Rom ist die Bezeichnung *hiberna* für jedes Standlager (vgl. A. v. D o m a s z e w s k i, RE III 1766) symptomatisch. Daß Caesar mehrfach am Beginn eines Winters zu Feldzügen aufbrach (s. oben S. 35; 37), war ein für ihn bezeichnender Bruch mit der militärischen Tradition.

[23] Am ausführlichsten handelt über den Begriff F. B ö m e r, Hermes 81, 1953, 210ff.; daneben s. A. L i p p o l d, Der Kl. Pauly I 359, und J. E. S k y d s g a a r d, Varro the Scholar (Anal. Rom. Inst. Danici IV, Suppl., 1968) 103ff. Vgl. ferner H. O p p e r m a n n, Caesar (1933) 112ff.; A. K l o t z, Caesar-Studien 4ff.; H. D r e x l e r, Hermes 70, 1935, 203ff.; O. S e e l, Hirtius (Klio-Beiheft 35, 1935); ders. Praef. zur Ausg. des BG XLIIIff.; U. K n o c h e, Gymn. 58, 1951, 131ff. (= Caesar, WdF XLIII, 224ff.); F. K l i n g n e r, Röm. Geisteswelt (3. Aufl. 1956) 112f. – S. auch die folgende Anm.

vater oder amtlicher Natur sein, etwa Haushalts- und Geschäftsbücher, Schüler-
kladden, Notizen für eine Rede usw. Auch Amtsträger, Priester und andere öffentliche Personen machten sich natürlich Aufzeichnungen, teils über das, was noch zu
tun war, teils über das, was schon erledigt oder ausgehandelt worden ist. Amtlichen
Charakter erhielten solche *commentarii* aber erst im 1. Jh. v.Chr. — was bedeutet,
daß sie nunmehr Archivmaterial wurden und juristische Bedeutung erlangten. Das
wichtigste positive Moment aller dieser Aufzeichnungen war ihre strenge Sachbe-
zogenheit, das hervorstechendste negative das völlige Fehlen jeder künstlerischen
Absicht. Wenn überhaupt formale Gesichtspunkte eine Rolle spielten, dann waren
es dieselben, die bei Formularen maßgeblich sind: eine Anordnung, die rasches Zu-
rechtfinden ermöglicht.[24]

Es gibt daneben eine zweite Art von *commentarii*, bei der diese Bezeichnung
im Grunde bereits übertragen verwendet ist, wenn man sie nicht überhaupt als
„Übersetzungsfremdwort" werten will. Sie geht von der üblichen Verwendung des
griechischen Wortes ὑπόμνημα aus[25]. Seit der Alexanderzeit war es üblich geworden, Dinge der Art, wie wir sie später im Lateinischen unter *commentarius* vorfinden, als ὑπομνήματα ‚Erinnerungen' zu bezeichnen, aber sehr bald auch Prosa-
schriften beliebigen wissenschaftlichen Inhalts (Geschichte, Philosophie, Natur-
kunde, Geographie, Rhetorik usw.). Dies hat sich im Laufe der Zeit auf drei spezielle Bereiche der „Fachliteratur" konzentriert: 1. philologische „Kommentare";
2. autobiographische Aufzeichnungen; 3. Sammelwerke vermischten Inhalts. Auch
bei den Griechen war mit ὑπόμνημα stets die Vorstellung des Sachbezogenen ohne
literarischen Anspruch verbunden; es konnte sich also ebensowohl um Entwürfe,
Stoffsammlungen u. dgl. handeln wie um abgeschlossene Abhandlungen oder Lehrbücher; die letzteren freilich hießen meistens συγγράμματα oder einfach βιβλία.

Nun haben die Römer vor allem den zweiten der genannten Typen, nämlich
die autobiographische Aufzeichnung, in ihren eigenen Begriffsschatz adoptiert,
und zwar mit der Einschränkung auf eine Vorstufe der literarischen Biographie,
auf eine Materialsammlung für eine solche, die daraus erst zu erstellen war; dies
nannten sie *commentarius*, wobei sich das Element des Autobiographischen mit

---

[24] Daß man tatsächlich ganz verschiedene Dinge vornehmlich unter diesem Gesichtspunkt mit
dem Wort *commentarius* abdecken konnte, lehren wohl am deutlichsten zwei Stellen aus
der kaiserzeitlichen Literatur. Plin. epist. 3,5,17 berichtet nach einer Schilderung der Exzer-
piertätigkeit seines Onkels, dieser habe ihm auf diese Weise *electorum ... commentarios centum sexaginta* hinterlassen, die beidseitig mit minuziöser Schrift beschrieben waren und für
die dem Onkel, als sie noch weniger umfangreich waren, bereits ein Kaufpreis von 40 000
Sesterzen angeboten worden sei. — Gellius stellt im Schlußteil seiner Einleitung (§ 22) zu den
Noctes Atticae fest: *volumina commentariorum ad hunc diem viginti iam facta sunt*. In
diesem Falle sind die fertigen und nunmehr zu edierenden Bücher gemeint (es sind wirklich 20), während bei Plinius offensichtlich das auf Rollen umgeschriebene Exzerptmaterial
bezeichnet wird, aus dem danach erst die Bücher (insgesamt 37!) erstellt wurden (so richtig Skydsgaard a.O. 104 gegen T. Birt, Das antike Buchwesen in seinem Verhältnis zur
Litteratur [1882] 355). Genau die letztere Bedeutung hat bei Plut. De tranq. an. 1, 464 F
und Lukian De hist. conscr. 47f. das Wort ὑπόμνημα (vg. G. Avenarius, Lukians Schrift
zur Geschichtsschreibung [Diss. Frankfurt/M. 1956] 71ff.; 85; ausführliche Diskussion des
ganzen Problems ebd. 89ff.).

[25] S. M. Fuhrmann, Der Kl. Pauly II 1282.

dem des formal Unausgearbeiteten verband. Es handelt sich also hier nicht um Aufzeichnungen, die das Gedächtnis des Aufzeichnenden selbst stützen sollten, sondern um solche, die ein anderer als Schriftsteller literarisch auswerten mochte. Dafür bestand im Rom der späten Republik ein besonderes Bedürfnis, da es Leute gab, die zwar selbst nicht literarisch tätig werden wollten oder konnten, aber Grund zu haben glaubten, darauf zu hoffen, daß ihre politischen oder militärischen Taten in die Unsterblichkeit der Literatur eingehen würden. Der erste Mann, der zu diesem Zweck Aufzeichnungen über sein Leben machte, war Scipio Africanus Maior; Cicero hat einen solchen *commentarius* in griechischer Sprache seinem Freund Atticus zur Verfügung gestellt (ad Att. 1,19,10), wollte aber außerdem auch noch einen lateinischen verfassen — wir wissen nicht, für wen.[26] Daß er über sein eigenes Konsulat keine „Geschichte" schreiben wollte, ist wohl verständlich, aber von anderen hat er es erhofft, und ihnen mußte er deshalb nicht nur das Material liefern, sondern wohl auch die Tendenz, in der er es verarbeitet sehen wollte.

Vom Inhalt her ist dies eine genaue Parallele zu Caesars *commentarii*. Auch er wünschte, daß man seine Taten lesen und bewundern konnte. Aber er wollte und konnte sich nicht darauf verlassen, daß ein Dritter dies rasch genug und wirkungsvoll genug besorgte. Im übrigen mochte er auch hierin von seiner Überlegenheit über andere überzeugt gewesen sein. So führte das Bedürfnis des Augenblicks zur besten Wahl: er schrieb selbst, was er vollbracht hatte. Da er aber ein sicheres Gespür für das Angemessene hatte, blieb ihm in der Form keine Wahl: nur der *commentarius* erlaubte ihm, ohne den Schein der Arroganz vor sein Publikum zu treten. Er bot ihm Sachverhalte; ihre Würdigung, wie man sie von einer literarischen Monographie erwarten mußte, überließ er listig dem Leser. Der *commentarius* ist in diesem Sinne eine Fiktion des politischen Anstandes und ein Tarnnetz, hinter dem sich schriftstellerische Kunst des Autors unbehindert entfalten konnte. Daß diese Fiktion ernstgenommen wurde, sieht man sogleich an der Bemerkung Ciceros im Brutus (§ 262; der Sprecher ist Atticus): *dum voluit (!) alios habere parata, unde sumerent, qui vellent scribere historiam, ineptis grate fortasse fecit, qui volent illa calamistris inurere; sanos quidem homines a scribendo deterruit,* etc.; mit andern Worten: Selbst wenn sie nur als Material für einen späteren Schriftsteller gedacht sein mögen, so sind sie tatsächlich doch mit solcher Meisterschaft geschrieben, daß nur ein Narr versuchen könnte, daraus etwas noch Eleganteres zu machen.

Es waren also nicht nur Traditionen, sondern in erster Linie die Umstände, unter denen Caesar schrieb, die die Form des *commentarius* verlangten — eine Form, die überdies dem Attizisten Caesar entgegenkommen mußte. Er hat die Form so meisterhaft gehandhabt, daß der beste Literaturfachmann der Zeit auf die Fiktion hereinfiel, obschon er sogleich erkannte, daß diese *commentarii* sich durch ihre literarische Qualität weit über die üblichen Entwürfe solcher Art erhoben und damit zu etwas Andersartigem geworden sind: zu einer neuen literarischen Gattung.

[26] Vgl. oben S. 39f. Anm. 1 und 2.

IV. Das *Bellum Gallicum* (BG)

1. *Entstehungs- und Strukturprobleme*

Als Caesar die sieben von ihm verfaßten Bücher über den Krieg in Gallien herausgab, wäre es ihm sicher auch dann, wenn er nicht das Genus des *commentarius* gewählt hätte, schwerlich in den Sinn gekommen, seinen Lesern darüber Mitteilung zu machen, wann und wie die Bücher entstanden sind. Er wünschte sich Leser, die Tatsachen erfahren wollten und sie so entgegennahmen, wie er sie bot. Dies tat er in klarer, übersichtlicher und gewinnender Form durch ein Werk, das ein Ganzes darstellte und als solches genommen sein wollte und dessen Teile vielfältig miteinander verfugt sind. So, wie er sich selbst als einen Mann darstellt, den die Konsequenz der Dinge unaufhörlich von einer Aufgabe zur nächsten fortreißt, zieht auch sein Bericht den Leser von Tat zu Tat, von Schauplatz zu Schauplatz und gewährt ihm keine Ruhepause; die Geschehnisse von der Wanderung der Helvetier bis zum Sieg über Vercingetorix sind nicht nur geschichtlich, sondern auch literarisch ein Ganzes; sie werden vom Leser als e i n historisches Drama, als e i n *bellum* erlebt.

Es ist modernes philologisches Denken, nach der Genesis dieses Berichts zu fragen, und in der Tat ist die Entstehungsfrage im Falle des BG ein Produkt der Philologie des 20. Jahrhunderts. Für sich genommen, ist sie zweifellos von untergeordneter Bedeutung; aber für den, der hinter die Oberfläche des Werkes blicken will, ist sie folgenreich. Denn die Antwort kann sich nicht auf direkte Äußerungen des Autors oder einer dritten Person stützen, sondern nur aus der inneren Struktur des Werkes gewonnen werden. Damit führt das scheinbar periphere Problem unausweichlich zur Interpretation des Ganzen und dient ihr als heuristischer Schlüssel. So soll auch hier die Entstehungsfrage den Einstieg in die Werkbetrachtung bilden und als Leitfaden für das erste Eindringen in den Baucharakter des Werkes und die Arbeitsweise des Verfassers dienen.

Unter welchen Umständen also sind die sieben Bücher geschrieben worden? Sind sie ein Werk, oder sind sie eine Folge von sieben Schriften, die in nachträglicher Redaktion vereinigt worden sind? Wenn ich oben die zeitlichen Umstände als einen der Gründe für die Wahl der literarischen Form bezeichnet habe[1], dann steckt darin bereits eine persönliche Antwort und Vorentscheidung; aber sie ist keineswegs so unbestritten, wie es den Anschein haben kann. In Wahrheit stehen sich seit Jahrzehnten zwei gegnerische Parteien gegenüber, von denen bis heute keine eine definitive Entscheidung für sich erzwungen hat. Folgende Vorstellungen konkurrieren miteinander:

---

[1] S. oben S. 40.

1. Jedes Buch ist im Anschluß an das jeweilige Kriegsjahr geschrieben; erst am Ende des Krieges — oder gar erst nach Caesars Tod — wurden sie unter sich und mit dem ergänzenden Buch des Hirtius vereinigt.[2]

2. Das gesamt Werk (ohne Buch VIII) ist in einem Zug geschrieben und sogleich veröffentlicht worden. Balbus, der spätere Redaktor des *Corpus Caesarianum*, hatte das Ganze vor sich, dem nur die Ereignisse des letzten Kriegsjahres fehlten; er veranlaßte daher Hirtius, diese zu ergänzen.[3]

Die Entscheidung ist deshalb schwierig, weil es in den Büchern I–IV keine ausdrücklichen Vorverweise auf spätere Geschehnisse gibt, die den früheren Büchern einen terminus post quem liefern könnten; außerdem hilft uns auch Cicero hier nicht weiter, der erste, der das BG erwähnt; sein *Brutus* ist in den ersten Monaten des Jahres 46 geschrieben, als das Buch VII rund 5 Jahre alt war. Man ist also auf die innere Evidenz angewiesen, d. h. auf Indizien aus der Beschaffenheit des Werkes selbst.

Worauf stützen sich die Verfechter einer sukzessiven Entstehung von Jahr zu Jahr? M. Rambaud[4] faßt ihre Argumente in drei Gruppen zusammen:

a) Andeutung politischer Ereignisse in Rom, die den einzelnen Büchern einen chronologischen Platz zuweisen;

b) innere Widersprüche, die nur bei zeitlich getrennter Entstehung verständlich sind;

c) eine erkennbare Entwicklung des Stils, die nur bei längerer Entstehungsdauer vorstellbar ist.

Argumente der ersten Kategorie werden, soweit ich sehe, heute nicht mehr in Anspruch genommen; alle vermeintlichen Anspielungen auf Zeitereignisse haben sich als unsicher erwiesen. So bleibt die Argumentation aus Widersprüchen und aus der Veränderung des Stils. Beides muß hier eingehender besprochen werden. Dabei orientiert man sich am besten an den Arbeiten Barwicks[5], des entschiedensten und gründlichsten Verfechters dieser Auffassung. Aus seinen Argumenten für angebliche Widersprüche[6] oder Aspektverschiebungen im BG greife ich die eindrucksvollsten heraus:

[2] Diese These wurde zuerst von Chr. Ebert (Über die Entstehung von Caesars BG, Diss. Erlangen 1909) vertreten. Ihm folgen, z. T. mit leichten Modifikationen, K. Barwick Caesars Commentarii und das Corpus Caesarianum. Philol. Suppl. XXXI 2, (1938); Der Altspr. Unterricht 1952, H. 4, 23ff.; Rh. Mus. 98, 1955, 51ff.; H. Hagendahl, Eranos 47, 1949. 72ff. — Unentschieden bleibt die Frage bei T. A. Dorey, Caesar. The Gallic War, in: Latin Historians, ed. Dorey (1966) 69f.

[3] Dies war schon T. Mommsens Auffassung (Röm. Gesch. III 616 Anm. und ist bis heute die der Mehrzahl der Forscher; vgl. A. Klotz, Caesar-Studien (1910) 17; E. Norden, Germanische Urgeschichte in Tacitus Germania (1920) 91 u.ö.; Schanz–Hosius 1⁴ 337; H. Oppermann, Caesar (1933) 7; Caesar, WdF XLIII (1974) 506; O. Seel, Ausg. des BG (1961) XLV; Caesar-Studien (1967) 12; D. Rasmussen, Caesars Commentarii (1963), implicite; J. Szidat, Caesars diplomatische Tätigkeit im gallischen Krieg (Historia Einzelschr. 14, 1970) 4.

[4] L'art de la déformation historique dans les commentaires de César (1953) 10.

[5] Vgl. oben Anm. 32.

[6] Wie sich bald zeigen wird, handelt es sich weniger um Widersprüche als um den Niederschlag erweiterter Kenntnisse oder veränderter Vorstellungen Caesars in jeweils späteren Büchern.

1. BG II 4,8 ist von den Nerviern gesagt, sie seien „am weitesten entfernt" (*longissime absint*), nämlich von der römischen Provinz. III 9,10 nennt aber Caesar eine Reihe von Küstenstämmen gegenüber Britannien, besonders die Moriner, von denen aus Caesars erste Britannien-Expedition erfolgte. So müsse man annehmen, daß Caesar, als er Buch II schrieb, von diesen Stämmen noch nichts gewußt hat.

2. V 3,4 macht Caesar zum erstenmal Angaben über die Ardennen; aus ihnen müsse man schließen, daß dieses Bergland allein im Gebiet der Treverer liege. Später aber, VI 29,4 (vgl. auch 31,2; 33,3), sagt er, die Ardennen reichten viel weiter, nämlich vom Rhein bis zu den Nerviern, d. h. mehr als 500 Meilen (ca. 750km) weit; er selbst beschloß, zur Schelde und den Ausläufern der Ardennen zu gehen. Caesar habe also erst im Jahr 53 die ganze Ausdehnung der Ardennen kennengelernt.

3. IV 1,3ff. werden die Sueben als *gens maxima et bellicosissima* geschildert. Alle ihnen zugeschriebenen Eigenschaften werden aber im Germanenexkurs des VI. Buches den Germanen insgesamt zugesprochen. Caesar habe demnach zunächst, als er Buch IV schrieb, nur die Sueben gekannt und erst später zur Kenntnis genommen, daß es sich bei den Germanen um einen großen Völkerkomplex handelt, von dem die Sueben nur ein Teil sind.

Es lohnt sich, diese drei Feststellungen auf ihre Aussagekraft näher zu untersuchen:

1. Es ist nicht besonders verwunderlich, daß Caesar in dem Buch, das von seinen Operationen an der Kanalküste handelt, die Stämme, mit denen er dort zu tun hat, im einzelnen aufzählt. Das zweite Buch hatte dazu keinen Anlaß gegeben; wohl aber mußte von den Nerviern gesprochen werden, denn um ihre Niederwerfung ging es im Jahr 57. Ein Blick auf die Karte Galliens zur Zeit Caesars zeigt nun deutlich, daß die Aussage *longissime absunt* völlig zutreffend ist; die im dritten Buch erwähnten Stämme liegen nur teilweise so weit im Norden wie die Nervier; einige haben einen erheblich geringeren Luftlinien-Abstand von der Provinz als die Nervier. Caesars Feststellung in Buch II wurde also keineswegs durch die Ereignisse von 55 korrigiert oder korrekturbedürftig. Barwick sieht aber gerade darin, daß Caesar Angaben früherer Bücher später nicht korrigiert hat, ein Indiz für das Eigenleben der einzelnen Bücher.

2. Im nächsten Fall muß man beide Angaben nebeneinander lesen:

V 3,4   *in silvam Arduennam ..., quae ingenti magnitudine per medios fines Treverorum a flumine Rheno ad initium Remorum pertinet.*

VI 29,4 *per Arduennam silvam, quae est totius Galliae maxima atque ab ripis Rheni finibusque Treverorum ad Nervios pertinet milibusque amplius quingentis in longitudinem patet.* — VI 33,3 *ipse ... ad flumen Scaldim, quod influit in Mosam, extremasque Arduennae partes ire constituit.*

Zwischen der ersten und der zweiten Aussage besteht tatsächlich ein Widerspruch; in der ersten bezeichnet *ad initium Remorum* das Gebiet der oberen Aisne, die zweite spricht allgemeiner von den Nerviern. Tatsächlich entspricht die erste, nicht die zweite Aussage der Wirklichkeit; denn die Ardennen[7] erstrecken sich nur noch über den östlichen Teil des damaligen Siedlungsgebietes der Remer. Caesar hat also nicht nur nicht „hinzugelernt", sondern er verwendet in VI den Begriff anders als in V. Gerade deshalb frappiert die Angabe über die 500 Meilen (750km). Sie ist geographischer Nonsens[7a]; in Wahrheit beträgt die größte Ausdehnung der Ardennen (einschließlich der Eifel) nur etwas mehr als 200 km. Die Angabe Caesars würde selbst dann nicht stimmen, wenn man die Ardennen bis zur Schelde reichen ließe; denn auch so käme man nicht über 270 km. Die Zahl kann also nicht aus Caesars Erfahrung stammen; denn ein Feldherr, der darüber — wie B a r w i c k annahm — inzwischen genauere Kenntnisse erworben haben soll, konnte sich über die wahre Entfernung derart grob nicht täuschen. Die Meilenzahl stammt überhaupt nicht von Caesar oder seinem Stab, sondern aus der geographischen Literatur. Barwick selbst weist darauf hin, daß Strabo IV p. 194 bei der Erwähnung der Ardennen gegen die falschen Ausdehnungsangaben „der Schriftsteller" polemisiert.[8] Wer sind die „Schriftsteller"? B a r w i c k nimmt an: Caesar (wo wir es lesen) und Asinius Pollio (von dem wir es nicht wissen). Was spricht aber dagegen, zu verstehen: Caesar und andere, die v o r ihm geschrieben haben, d. h. aus denen Caesar die Zahl übernommen hat? Nichts deutet darauf hin, daß Caesar im Jahr 53 mehr über die Ardennen wußte als 55, und die Tatsache, daß dieses Gebirge keineswegs bis an die Schelde reicht, kann nur zu der Annahme führen, daß Caesar im Jahr 53 ein Hügelgelände bei Tournai oder Ronse (Belgien) fälschlich für Ardennenausläufer hielt.

3. Die Argumentation mit dem ethnographischen Exkurs des sechsten Buches geht von der Voraussetzung aus, Caesar habe ihn auf der Basis eigener völkerkundlicher Erforschung der Germanen geschrieben. Nur unter diesen Umständen wäre es möglich anzunehmen, er habe zwischen Ende 55 und Ende 53 seinen Informationsstand verbessert. Nun hat in neuerer Zeit Gerold W a l s e r[9] aufgezeigt, daß Caesar für den Suebenexkurs und für den Germanenexkurs dieselben literarischen Topoi verwendet, die auch sonst bei der Beschreibung nördlicher Naturvölker verbreitet sind und deren letzte Verwendung vor Caesar bei Poseidonios nachweisbar ist. Dazu gehören etwa: das Fehlen des Ackerbaus, Tierfelle als Kleidung, physische Spätreife, Jagdbräuche, die Stammesisolierung durch Wüstungsgürtel, die Rolle der Frau in der primitiven Gesellschaft u.a. mehr. Solche Elemente sind zum Teil schon in Herodots Skythenexkurs (4,1ff.) vorhanden, und sie werden im Laufe des Altertums auf alle erdenklichen nördlichen *barbari* übertragen, ohne jede authentische Erfahrung, allein aufgrund einer generellen Vorstellung von nördlichen Urvölkern. Ein später handgreiflicher Fall dieses Verfahrens ist die Schilderung der Alanen

---

[7] Der geographische Begriff entspricht bei Caesar nicht genau dem heutigen; nach den uns vorliegenden Nennungen zu schließen (vgl. M. I h m, RE II 616), wurde die Eifel, für die es keine lateinische Bezeichnung gibt, zu den Ardennnen gerechnet.

[7a] Eine „unbegreifliche Übertreibung" nennt sie H. F u c h s, Gnomon 8, 1932, 256.

[8] Strabo nennt die Ardennen eine ὕλη ... πολλὴ μέν, οὐ τοσαύτη δὲ, ὅσην οἱ συγγραφεῖς εἰρήκασι τετράκις χιλίων σταδίων (d. h. von fast 800 km).

[9] G. W a l s e r, Caesar und die Germanen. Studien zur politischen Tendenz römischer Feldzugsberichte (Historia, Einzelschr. 1, 1956).

und Hunnen bei Ammianus Marcellinus.[10] Caesar hatte also in VI nicht genauere Kenntnis über die Germanen als in IV, sondern er benützt hier unbedenklich literarische Gemeinplätze, die er gewissermaßen selbst schon widerlegt hat. Das auffallendste Beispiel sind seine Angaben über den Ackerbau. VI 22,1 heißt es lapidar: *agriculturae non student, maiorque pars eorum victus in lacte, caseo, carne consistit* — ganz ähnlich wie in den antiken Berichten über Skythen, Geten, Alanen, Thraker, Hunnen usw. Dagegen heißt es IV 1,4f., bei den Sueben werde jedes Jahr die Hälfte der Wehrfähigen eingezogen, die andere Hälfte bleibe zuhause, und dies im jährlichen Wechsel; *sic neque agri cultura nec ratio atque usus belli intermittitur.* Sonach gibt es eben doch Ackerbau, und er ist so lebensnotwendig, daß er zu empfindlicher Beschränkung der Rekrutierungen zwingt. Diese frühere Mitteilung ist viel spezieller und wirklichkeitsnäher als die des sechsten Buches; sie macht den Eindruck einer aktuellen Information. Im übrigen hat die Bodenforschung der Urgeschichte längst genaue Kenntnis über den Ackerbau in Mittel- und Nordeuropa erbracht und das *agri culturae non student* in den Bereich der Fabel verwiesen.[11] Wenn also angenommen werden darf, daß einiges Besondere über die Sueben — die Caesar im Gegensatz zu Poseidonios von den Kelten trennt und den Germanen zuordnet — auf Autopsie oder primärer Information beruht, so bedeutet der ethnologische Exkurs des sechsten Buches demgegenüber nicht einen Fortschritt, sondern einen Rückschritt zur Kolportage fremden Materials, und dies zeigt, wie vorsichtig überhaupt derlei Angaben bei Caesar beurteilt werden müssen, wenn sie nicht in unmittelbarem Zusammenhang mit seinen eigenen Aktionen stehen.

Dies führt uns zu einem anderen Typus von Indizien für angeblich getrennte Entstehung der Bücher, solche nämlich, die man nicht als Widersprüche, sondern als **strukturelle Störungen** zu bezeichnen hätte. Ich greife hierfür ein Beispiel heraus, das besonders durchsichtig ist und sich als Modell eignet. Es betrifft die Geographie und Ethnographie Britanniens (V 12—14).

Es ist schon einigermaßen verräterisch, daß die Mehrzahl derjenigen Stellen, an denen sich die hier zur Rede stehende Kontroverse entzündet, gerade die geographisch-ethnographischen Mitteilungen Caesars betrifft. Ihre Herkunft und ihre Funktion im Werk gibt die größten Rätsel auf — philologisch gesehen, gehören sie also zu den weitaus interessantesten Partien.

In dem genannten Abschnitt liegt folgender Tatbestand vor: Caesar berichtet am Ende des 11. Kapitels, daß die Britannier, von denen ein großer Teil mit einem Stammesfürsten namens Cassivelaunus in Fehde gelegen war, nach Caesars Eintreffen mit diesem einen Ausgleich suchten und ihn zum gemeinsamen Feldherrn

[10] Amm. 31,2ff. Dazu s. meinen Aufsatz: Die Darstellung der Hunnen bei Ammianus Marcellinus, Historia 23, 1974, 343ff.

[11] Für das vielschichtige Material sei verwiesen auf O. Th. Schulz, Über die wirtschaftlichen und politischen Verhältnisse bei den Germanen zur Zeit Caesars, Klio 11, 1911, 48ff. A. Dopsch, Wirtschaftliche und soziale Grundlagen der europäischen Kulturentwicklung (1918) 58ff.; K. Schuchhardt, Vorgeschichte von Deutschland (1928) 33; 51; 77. u. ö.; E. Norden, Urgeschichte 84 mit Anm.; V. Milojčič, Die frühesten Ackerbauer in Mitteleuropa, Germania 30, 1952, 313ff.; Fr. Heichelheim, An Ancient Economic History I (1958) 65ff.

machten. Man würde an dieser Stelle an sich überhaupt nicht mit einem Exkurs
rechnen, denn Britannien steht schon in einem Abschnitt des dritten Buches im
Vordergrund, so daß dort der richtige Platz für Angaben über dieses Land gewesen wäre.[12] Gleichwohl beginnt in V mit Kap. 12 ein die Handlung unterbrechen-
der Abriß über Land und Leute, der drei Kapitel füllt. Indes schon der flüchtige
Leser wird sogleich bemerken, daß es sich nicht um einen, sondern um zwei Ab-
risse handelt. Der erste umfaßt die Kapitel 12 und 13, der zweite das Kapitel 14.
Auch hier ist es lohnend, den Text — richtiger die Texte — genauer anzusehen:
   Der Aufbau des Kap. 12 ist einfach und durchsichtig:

§ 1: *pars interior* (von Autochthonen bewohnt)
§ 2: *pars maritima* (Zuwanderer aus Gallien [Belgien] mit belgischen Stammes-
     namen und belgischer Zivilisation).
§ 3   hebt hervor, daß die Bewohner Ackerbau treiben, sehr zahlreich sind, viele
     Häuser und besonders viel Vieh haben.
§ 4   berichtet von weiteren Elementen der materiellen Kultur, speziell den Me-
     tallen; fortgeführt in
§ 5: Vorkommen von Blei im Binnenland, von Eisen im Küstengebiet; Fehlen
     der Bronze, was zum Import zwingt; Holz.
§ 6   bringt den Topos „*mores*": Verbot des Genusses von Hasen, Hühnern und
     Enten, Tieren, die man gleichwohl um des Vergnügens willen züchtet. — End-
     lich folgt noch eine klimatologische Notiz.

Dieses ganze Kapitel betrifft also bis auf den letzten Satz die Bevölkerung und
ihre Zivilisation.[13]
   Das folgende Kapitel (13) befaßt sich mit der Insel selbst, also der Geographie
des Landes. Es ist dreieckig, hat also drei Seiten, deren Längen und Lage angegeben
werden: Erste Seite § 1 Ende — zweite Seite: § 2 (Lage) — § 5 (Länge) — dritte
Seite: § 6 — Gesamtumfang: § 7.
   Nun aber schiebt sich mitten in die Angaben über die zweite Seite (Westen)
eine Reihe völlig andersartiger Angaben (§ 2—4), die diesen Punkt geradezu sprengen und gewissermaßen assoziativ aufeinander folgen:

1. Auf der Westseite liegt Irland (Größe, Entfernung von Britannien).
2. Dazwischen liegt die Insel Man u.a.
3. Auf diesen Inseln soll es eine Winternacht von einmonatiger Dauer geben; „das
    kann ich aber nicht bezeugen; ich weiß nur aus genauen Wasseruhrmessungen,
    daß die Nächte kürzer sind als auf dem Festland".

---

[12] Zutreffend hierüber G. Götte, Die Frage der geographischen Interpolationen in Caesars
   Bellum Gallicum (Diss. Marburg an der Lahn 1964) 91.
[13] Zu Unrecht wird dieser Tatbestand von F. Beckmann, Geographie und Ethnographie in
   Caesars BG (1930) 149ff. (gegen Klotz, Meusel u.a.) bestritten; vgl. die ausführliche Rez.
   von H. Fuchs, Gnomon 8, 1932, 241ff., hier bes. 250f. — Für den Charakter und alle Einzelheiten der Partie sei vorweg auf die sorgfältige Untersuchung von Götte, a.O. 162—195,
   verwiesen, deren Ergebnisse mich in allen wesentlichen Punkten überzeugt haben. Dies gilt
   insbesondere für seine Feststellung der Inkompatibilität von Kap. 12—13 einerseits, 14 andererseits.

Wir haben es also mit einem völlig unorganisch eingeschobenen Exkurs im Exkurs zu tun. Die Angaben haben typisch periegetischen Charakter.[14]

Kapitel 14 beginnt ganz unvermittelt mit *ex his* eine neue, wesentlich kürzere Skizze über die Bevölkerung — und zwar ohne Berücksichtigung des Landes: zunächst die *humanissimi* im Küstenbereich — eine Qualifikation, die sich ebenso auf ihre relativ zivile Gesittung wie auf ihre materielle Kultur bezieht; es sind die Bewohner von Kent, die den Galliern besonders nahe stehen. Dann folgen die *interiores*, die den eigentlichen Anlaß der Schilderung abgeben, weil sie Exoten sind. Wir haben also dieselbe Gliederung wie in 12, nur in umgekehrter Abfolge der Glieder. Der Grund der anderen Reihenfolge ist klar erkennbar: in 12 geht es um eine „allgemeine Geographie"; da wird zuerst das eigentliche Britenvolk genannt, dann die von ihm abweichende Randbevölkerung zur Vervollständigung. In 14 herrscht eine andere Zielsetzung vor, die sich durch „zwar — aber" ausdrücken läßt: Die Leute von Kent — die ersten, denen der Fremde auf der Insel begegnet — sind noch halbwegs „menschlich"; aber die Völker des Binnenlandes sind die reinen Wilden. Tatsächlich ist das Volk von Kent hier nur die Brücke zu dem weit Sensationelleren, das darauf folgt, und alle völkerkundlichen Mitteilungen in § 2—5 beziehen sich nur auf die *interiores*. Hier treffen wir liebe alte Bekannte an: *frumenta non serunt — lacte et carne vivunt — pellibus sunt vestiti*. Für den, der sich weiter in der antiken Völkerbeschreibung umgesehen hat, sind auch die folgenden Topoi nicht überraschend: Hautveränderungen der Exoten (Tätowieren, Ritzen, Bemalen; hier das Anmalen mit *vitrum*[15]); dann die Haar- und Barttracht — sie ist hier etwas ungelenk dargestellt: erst *capillo promisso,* dann *omni parte corporis rasa* außer Kopf und Oberlippe —; schließlich das, was man Sozialstruktur nennen könnte: wieviele Männer haben wieviele Frauen? und wie steht es bei so unrömischen Verhältnissen mit den Kindern?

Es ist also evident, daß diese beiden Ethnographien desselben Volkes nicht zusammengehören. Ja noch mehr: sie zeichnen das Volk auch auf verschiedene Weise. Sie können also in einer einheitlichen Konzeption nicht nebeneinander bestehen. Dabei ist ebenso klar, welche von beiden der Intention Caesars mehr entsprechen mußte: Es ist die zweite[16], die ja auf das Ziel hinsteuert, die Vorstellung von schrecklichen Barbaren zu wecken, auch wenn so gar viel Schreckliches nicht zu sagen war — außer den langen Haaren und der Blaufärbung nur *horribiliores ... aspectu*. Wenn also dieses Kapitel im weiteren Zusammenhang Bedeutung

---

[14] Über den Charakter der Literaturgattung orientiert gut F. Gisinger, RE XIX (1937) 841ff.

[15] Färberwaid, Isatis tinctoria, eine Pflanze mit blaufärbendem Saft, die am Mittelmeer bis in die Neuzeit angebaut wurde, ehe sie durch das Indigo verdrängt wurde; vgl. H. Blümner, Technologie und Terminologie der Gewerbe und Künste bei den Griechen und Römern I[2] (1923) 251.

[16] Dies ist auch das Ergebnis der Untersuchung von Götte (a.O. 184). Anders urteilen H. Oppermann, Hermes 68, 1933, 190; F. Beckmann a.O. 150ff. — A. Klotz (Caesar-Studien 43) und H. Meusel (Jahresber. des Philol. Vereins 36, 1902, 30) neigen zu einer Athetese des gesamten Exkurses; doch gibt es keinen zwingenden Grund, Kap. 14 Caesar abzusprechen; s. auch unten Anm. 19a. — H. Schiller, DLZ 1911, 2652, wollte darüber hinaus auch Kap. 12,1—2 für Caesar retten, kaum zu Recht, da 12 und 13 einen geschlossenen Komplex bilden.

haben soll, kann diese nur in einer emotionalen Beeinflussung des Lesers, im Gru-
sel-Effekt, liegen. Es weckt Verständnis für Schwierigkeiten und Bewunderung für
den Mut der Beteiligten.

Diese kritische Erwägung aus der Sache wird durch eine sprachliche Einzelheit
kräftig unterstützt: durch den Anfang von Kap. 14: *ex his* (nämlich aus den britischen Stämmen). Diese sind aber im vorausgehenden Kapitel überhaupt nicht erwähnt, geschweige denn im letzten Satz, wo sie stehen müßten, um den Anschluß
ex his zu erlauben. Es knüpft aber auch nicht an das Ende von Kap. 12 an, obgleich dieses Kapitel von den *Britanni* selbst handelt. Hier macht gerade der letzte Satz über das Klima einen solchen Nexus zu Kap. 14 unmöglich; *his* wäre sonst
auf *frigora* zu beziehen.

Dagegen paßt das deiktische Pronomen vorzüglich, wenn es auf das Ende des
Kap. 11 zurückweist. Hier sind die *Britanni* Subjekt des letzten Satzes, und zwar
nicht irgendwelche, sondern diejenigen Stämme, die im Blickfeld der Römer liegen konnten. Hier schließt der Anfang von Kap. 14 nahtlos an.

Was ist aus dieser Tatsache zu gewinnen? B e c k m a n n erklärt sie folgender-
maßen: Der Zustand des Textes verrät zwei Phasen der Bearbeitung. Zunächst
bringe Caesar das Buch V ohne die Kapitel 12 und 13 heraus — im Jahr 54/3.
In der damaligen Fassung sei der Bericht so gehalten, als ob Caesar die ganze Insel erobert hätte[17]; doch dem habe die Zeichnung der Insel nicht entsprochen.
„Das wurde später bemerkt und beanstandet." Außerdem habe Caesar bald darauf die Absicht gehabt, eine dritte Expedition nach Britannien zu unternehmen,
und dafür neue Literatur eingesehen, ja sogar Erkundungen anstellen lassen (13,4).
Daher habe er eine „neue" geographische Darstellung entworfen und in sein „Hand-
exemplar" eingetragen; bei der postumen Gesamtausgabe sei diese in den Text aufgenommen worden, ohne daß die frühere Fassung herausgenommen wurde.

Nun ist es aber schon mißlich, sich „am Rand des Handexemplars" — das hier
überhaupt eine große Rolle spielt — einen Nachtrag von zwei kompletten Kapiteln
vorstellen zu müssen. Darüber mag man aber streiten; es ist auch nicht sehr wichtig. Ernster ist die Tatsache, daß sich dann, wenn man beide Kapitel wegläßt, auch
für den heutigen Leser nirgends eine anstößige Äußerung über Land und Leute findet — anstößig im Sinne des Zusammenhangs mit den geschilderten Ereignissen —;
es bestand also nicht der geringste Anlaß zu einer Korrektur. Im Gegenteil, eindeutig falsche Angaben sind erst durch die Längenangaben der Dreiecksseiten im
Kap. 13 hereingebracht worden. Andererseits behandelt Caesar in IV 20ff. Britannien so, als ob es jedermann längst bekannt sein müßte, und dies sicherlich
mit Recht; denn tatsächlich herrschte damals ein lebhafter Handel von Griechen
und Römern mit der Inselbevölkerung, wie insbesondere Münzfunde in Südengland
aus den letzten Jahrhunderten der Republik belegen.[18] Was konnte also Caesar

---

[17] Zur Begründung wird auf Kap. 11,9 *reliquae civitates* und 22,4 *quibus … vectigalibus …
Britannia penderet* verwiesen.

[18] Vgl. z. B. H. A. G r u e b e r, Coins of the Roman Republic in the British Museum (1910);
H ü b n e r, RE III 863. Unter ihnen finden sich noch Prägungen des ausgehenden 2. Jh.; wieviele von den älteren Münzen noch in vor-caesarischer Zeit nach Britannien gekommen sind,

veranlassen, hier eine Retouche nachzutragen, die nichts für das Verständnis seiner Aktionen erbringen konnte, ja überhaupt über das Volk, das in Buch III und IV längst gesprochen war, jetzt einen Exkurs einzufügen, der reines Handbuchwissen vermittelte?

Wohl aber läßt sich für die kurze Unterbrechung der Handlung durch das 14. Kapitel ein Grund benennen, der für Caesar nicht untypisch ist: Wie Kap. 11 erzählt, ist er, nach vorzeitig abgebrochener Verfolgung eines geschlagenen gegnerischen Kontingentes, auf die Nachricht über eine schwere Beschädigung seiner Flotte durch Sturm an die Küste geeilt, um das Nötige zu veranlassen, danach aber wieder an die verlassene Kampfstätte zurückgekehrt — und siehe da, nun waren auf einmal neue Mengen britischer Truppen im Feld, die sich unter Cassivelaunus versammelt hatten. Was geschieht nun? Kap. 15, das hier anschließt, berichtet von einem heftigen, für die Römer am Ende siegreichen Reitergefecht. Caesars Reiter sind aber unvorsichtig; sie begeben sich auf die Verfolgung und fallen in einen Hinterhalt der feindlichen Übermacht. Auch ein hilfsweise geschicktes Infanteriekorps kann sie nicht retten. Dieser empfindliche Rückschlag wird durch die als unfair empfundenen Vorteile der feindlichen Taktik (Kap. 16) erklärt, d. h. entschuldigt. Wie sich aber dieses Treffen eigentlich abgespielt hat, darüber spricht Caesar, der doch sonst auch hier viele Details mitteilt, mit keinem Wort. Statt dessen schiebt er vor die Mitteilung über den Kampfverlauf eine schaurige Zeichnung der Gegner als *barbari* ein, die ihre psychologische Wirkung tut und leicht vergessen läßt, daß zwischen 11 und 16 etwas doch wohl Entscheidendes geschehen sein muß, von dem wir nichts erfahren. So drängen sich zwei Fragen auf: Was war das Übergangene? Und weshalb bleibt hier eine Geschehenslücke offen? Beide Fragen sollen hier auf sich beruhen; allein daß sie zu stellen sind, mahnt wiederum zu kritischem Umgang mit Caesars Text.

Für die Kapitel 12 und 13 gibt es überhaupt keine schriftstellerische Motivation; ihr späteres Hinzutreten — unbekannt wann und von welcher Hand — steht außer Zweifel. Ein Blick in Otto Seels kritischen Apparat seiner Ausgabe (S. 136) verrät, daß um dieses Kapitel eine wahre Philologenschlacht entbrannt ist und noch immer tobt: diu et fortiter pugnatur.[19] Die Entscheidung liegt aber klar auf der Hand: Sie liegt in der Anerkennung von Kap. 14 und der Ausscheidung der Kapitel 12/13. Vieles spricht dafür, vor allem auch die Sprache[19a]. Das Wortgut beider fremder Kapitel wäre äußerst merkwürdig, wenn sie aus Caesars Feder stammten.

---

läßt sich freilich nicht bestimmen; s. J. A. Richmond, The Archeology of Roman Britain ([2]1969) 226f.

[19] Gegen Meusel, Klotz (vgl. Anm. 16) und andere Befürworter der Athetese — z. T. auch von 14, trotz dem genauen Anschluß an 11 Ende — verteidigen Oppermann, Beckmann, Constans u.a. alles, was überliefert ist, und schlucken die daraus entstehenden Schwierigkeiten tapfer hinunter. Barwicks Deutung ist nur der Versuch, das eine zu tun und das das andere nicht lassen zu müssen. Es hat nicht einmal an dem Versuch gefehlt, durch Umstellung und partielle Amputation einen heilen Caesar zu gewinnen — aber was für einen textgeschichtlichen Vorgang soll man sich dabei vorstellen? Seel bekennt Resignation.

[19a] Das Material bei Götte a.O. 163ff. Wichtig ist sein Nachweis, daß Kap. 14 von caesarfremdem Sprachgut völlig frei ist.

So ist *infirmitas* als Mengenbegriff (12,3) bei Caesar sehr selten (nur zweimal in IV, nie im BC)[20]; ebenso selten ist gleich danach *consimilis* (II,11; VI,27 an ebenfalls angefochtener Stelle) und *ingens*[21] (je einmal in I und V; dazu IV,10 in einem gleichfalls angefochtenen Kapitel). Keines der Wörter ist für sich allein verdächtig, aber die dichte Häufung relativ uncaesarischer Wörter nährt den Verdacht. Kurz danach steht das Part. *examinatis; examinare* kommt sonst bei Caesar nicht vor. Dasselbe gilt für *mediterraneus* ‚binnenländisch‘; nur das BAfr (7) hat das Wort. Nicht anders steht es mit *gustare* (§ 6)[22] und *temperatus* gleich danach: beides kehrt bei Caesar nicht wieder.

Im 13. Kapitel ist der Befund nicht ganz so kraß, aber auch hier gibt es ziemlich viel Un-Caesarisches. *Transmissus, ūs* (§ 2) scheint Caesar sonst nicht zu kennen[23]; *mensura* ‚Messung‘ steht sonst nur BG VI 25, wieder in einem angefochtenen Text, und zu *reperiebamus* (ebd.) vermerkt S e e l im Apparat, daß Caesar die 1. Pers. Pl. in solchem Bericht nie verwendet. Auch der Ausdruck *opinio fert* (5) ist dem Autor sonst fremd. Dies alles zusammen ist ein bißchen mehr, als redliche Kritik übersehen kann; und es ist noch nicht einmal alles.[24]

Dazu tritt die schlechte, natürliche Zusammenhänge willkürlich zerreißende Sachanordnung, von der oben gesprochen wurde.

Viel gewichtiger ist aber folgendes: Das 13. Kapitel enthält für jede Dreiecksseite eine Längenangabe. Derartige Angaben — und zwar annähernd dieselben — finden wir auch bei Plin. nat. hist. 4,102. Da er rund 100 Jahre später schreibt als Caesar, könnte man vermuten, er habe seine Daten aus ihm. In Wahrheit nennt er aber unter seinen Quellen für das 4. Buch 13 römische und 42 griechische Autoren; Caesar ist nicht unter ihnen. An der Stelle, um die es hier geht, zitiert er ausdrücklich zwei Griechen: den berühmten Pytheas von Massilia und den weit weniger berühmten Isidoros von Charax. Pytheas selbst hat bekanntlich eine Erkundungsfahrt längs der Westküste Europas bis in den höchsten Norden unternommen und wurde wegen seiner Berichte vielfach als Aufschneider angegriffen, sicher zu Unrecht, wie die neuere Forschung annimmt.[25] Nun heißt es 13,3 bei der Angabe über die Winternacht ausdrücklich *nonnulli scripserunt* — wer mögen sie gewesen sein? Am wahrscheinlichsten doch zunächst die beiden, von denen auch die übrigen Angaben über die britischen Inseln stammen, und die Winternacht auf ihnen ist wohl eines der alten Märchen, die Pytheas, der Forscher aus Leidenschaft, auf seiner Umfahrung Englands widerlegen konnte. Wenn 13,4 gesagt ist: „Wir konnten dies auf unserer

---

[20] Vgl. K l o t z, C.–St. 47; B e c k m a n n a.O. 67f.; G ö t t e 163f.

[21] So Klasse β; α hat *magnus*, stark abfallend gegen die ausdrucksstarken Wörter vorher (vgl. G ö t t e 166f., der die Lesung *magnus* als echt anerkennt).

[22] K l o t z a.O. 49; ebendort weist er darauf hin, daß auch der Ausdruck *dimidio minor* nicht caesarisch sei. Dagegen läßt sich einwenden, daß das Fehlen der Phrase zufällig sein kann; *dimidius* jedenfalls ist Caesar nicht fremd (BG VI 31,5; BC I 27,1; III 101,1).

[23] Die einzige Parallele ist heftig umstritten (V 2,3), vgl. S e e l im App. S. 127f.). B e c k m a n n verteidigt das Wort an dieser Stelle mit Hinweis auf die hier behandelte.

[24] Vgl. G ö t t e a.O. 165 zu *natura* (13,1); 166 zu *nati in insula* (12,1).

[25] Ausführliche Darstellung der Nachwirkungen der Pytheasfahrt bei F. G i s i n g e r, RE XXIV (1962) 353ff.; zur Nordlandfahrt selbst ebd. 324ff.; s. auch F. L a s s e r r e, Der Kl. Pauly IV 1272ff.

Erkundungsfahrt nicht bestätigen", so würde dies auf Pytheas vorzüglich passen, nicht aber auf Caesar, der eine solche *percontatio* niemals durchgeführt hat.

Es liegt also auf der Hand, daß beide Kapitel (12 und 13) aus der von Pytheas abhängigen geographischen Tradition stammen und von einem Benützer des BG als Parallele oder Ergänzung zu 14 herangezogen wurden, wahrscheinlich nicht einmal in täuschender Absicht, aber eben deshalb, weil das 14. Kapitel dazu einen Anlaß gab. Daß sie sich heute in allen Handschriften finden, ist nur ein Beweis dafür, daß diese alle auf einen gemeinsamen Ursprung zurückgehen. Für die Entstehungsgeschichte der *commenarii de bello Gallico* sind sie ohne Aussagekraft; und nicht viel anders liegt die Sache in anderen Fällen dieser Art, etwa in IV 10 über den Verlauf der Maas.

M. Rambaud[26] hat im Zusammenhang mit dem Entstehungsproblem auf die Tatsache verwiesen, daß das BG als Ganzes überliefert ist, und daher die Beweislast für das Gegenteil bei denen liege, die es behaupten. Dies ist freilich in dieser Form nicht ganz zutreffend; denn

1. gibt es nicht wenige antike Werke, die zwar in der Überlieferung ein zusammenhängendes Ganzes sind, von denen wir aber genau wissen, daß die einzelnen Teile in zeitlichen Abständen geschrieben und teilweise auch in Umlauf gebracht worden sind, mindestens in einem engeren Kreis. Dies gilt sicher für das Geschichtswerk des Livius, für Ciceros *de re publica*, für die landwirtschaftlichen Lehrbücher des Varro und des Columella.[27] Es wäre also auch im Falle Caesars kein unerhörter Vorgang;

2. könnte auch eine nachträgliche Zusammenfassung und Überarbeitung ursprünglich einzeln verfaßter Bücher — selbst wenn sie postum von einem Dritten redigiert wären — in der Überlieferung nicht gut anders aussehen, als wenn es sich um eine von Anfang an geschlossene Konzeption handelte. Nun scheinen sie aber schon in den 40er Jahren vor Chr. als ein geschlossenes Werk vorgelegen zu haben. Ciceros Urteil im „Brutus" bezieht sich offensichtlich auf ein Werk, nicht auf sieben Schriften; ähnlich ist es wohl zu verstehen, wenn Hirtius zwei Jahre später, wenige Monate nach Caesars Tod, in der schon mehrfach erwähnten Einleitung zu Buch VIII an Balbus sagt: *commentarii ... qui sunt editi, ne tantarum rerum scientia ... deesset*; er füge jetzt nur noch hinzu, was Caesar selbst nicht mehr behandelt hat. Mag dies alles nur einen vagen Eindruck erzeugen: ein unbestreitbares Indiz für die Zusammengehörigkeit aller sieben Bücher ist die Tatsache, daß Caesar immer wieder auf Vorausgehendes zurückweist, oft über mehrere Bücher hinweg.[28] An eine postume Sammlung von einzeln erschienenen oder verfaßten

---

[26] L'art de la déformation historique dans les commentaires de César ([2]1966) 9f.

[27] Es gilt natürlich erst recht für die meisten Gedichtsammlungen, die die Verfasser selbst redigiert und ediert haben; doch ist dieser Vorgang nicht ohne weiteres mit der etappenweisen Entstehung eines Prosawerkes vergleichbar.

[28] Ein vollständiges Verzeichnis aller Rückverweisungen im Corpus Caesarianum bietet F. Albrecht, Die Rückverweisungen bei Caesar und seinen Fortsetzern (3. Jahrber. von Krupps Privat-Realgymn. Berndorf a.d.Fr., 1910/11) 19f. Im BG sind es 54, im BC 34 Stellen. Verweise mit Buchzahl sind nicht darunter; die meisten sind so gehalten, daß sie nur einem Leser dienen können, der das Werk in einem Zug liest.

Büchern, gar nach „Handexemplaren", in die sich Caesar im Laufe der Zeit Notizen gemacht haben soll, wird man im Ernst nicht denken können. Alle äußeren Umstände deuten auf ein geschlossenes Ganzes, das in einem Zug entstanden ist.

Dies ist zunächst eine Wahrscheinlichkeitsbehauptung; sie wird aber auch durch eine Reihe positiver Beobachtungen gestützt, die der Text selbst vermittelt. Dazu gehört ebenso der Hinweis auf die erst nach der Schlacht von Alesia erfolgte Entlassung der Boier aus dem Stipendiatenverhältnis bei den Häduern (I,28,5; vgl. 7,9,6; 10,1) wie die Anspielung auf den späteren Abfall des Commius (vgl. VIII 76) in VI 21,7, d. h. in einem Bericht über eine Zeit, in der Commius noch treu zu Caesar stand. Beide Tatsachen sind längst beobachtet[29], nur unterschiedlich ernstgenommen worden. Sie werden aber durch weitere Hinweise gestützt, die erkennen lassen, daß Caesar, als er die einzelnen Bücher schrieb, bereits den Gesamtablauf des gallischen Krieges vor Augen gehabt haben muß. Schon die ersten Bücher enthalten einige Stellen, die das Augenmerk des Lesers in einer Weise auf Britannien lenken, die ohne die späteren Britannienexpeditionen verwunderlich wäre. II 14 läßt Caesar den Diviciacus eine Rede zugunsten der Bellovaker halten, die deren feindlich Haltung gegen die Römer entschuldigt. Er sagt da, sie seien immer treu zu den Häduern — den alten Verbündeten der Römer — gestanden, aber von einigen Radikalen zum Widerstand verführt worden. Als diese aber bemerkten, in welches Unglück sie damit ihr Volk stürzten, seien sie außer Landes gegangen — soviel hätte zur Klärung der Situation genügt. Allein Caesar fügt hinzu: ... *in Britanniam profugisse* (§ 4). Wohin sie geflohen sind, war für den Augenblick völlig belanglos, nicht aber unter dem Aspekt der folgenden Jahre. — III 9 spricht Caesar über die Unterwerfung der Veneter an der Kanalküste und berichtet, wie diese eine Allianz mit ihren Nachbarn zustandebrachten, um gemeinsam die Römer aus Gallien zu vertreiben; hier versäumt er nicht, hinzuzufügen, daß sie auch Hilfen aus Britannien — das ja nicht bedroht schien — bekommen haben (§ 10). Nimmt man beide Stellen zusammen, so suggerieren sie dem Leser das Gefühl, daß da im Hintergrund Galliens die *Britanni* als eine zwar ferne, aber den Römern feindlich gesonnene und nicht ungefährliche Macht stehen, an die sich die jeweils gegen die Römer rebellierenden Kräfte wenden können und dürfen. Und diesen Eindruck brauchte Caesar; denn wenn schon die Eroberung Galliens völkerrechtlich bedenklich oder mindestens nicht in den Absichten des Senates gelegen war, dann war der später zweimal erfolgende — im ganzen erfolglose und verlustreiche — Griff über den Kanal durch keine Herausforderung motiviert, also ein *bellum iniustum,* wenn nicht die *iniuria* durch Aktionen der genannten Art von dort ausgegangen ist und die *dignitas populi Romani* deshalb ein Eingreifen gerechtfertigt, ja geradezu gefordert hat.

Genau diese völkerrechtliche Frage mußte natürlich beim Rheinübergang Caesars entstehen: Was konnte ihn zu einem militärischen Übergriff in rechtsrheinisches Gebiet legitimieren? Bekanntlich wird Buch IV, in dem dieser dargestellt wird, mit dem Sueben-Exkurs eröffnet, der diese als ein starkes und unruhiges

---

[29] Vgl. S c h a n z — H o s i u s I[4] 337f. — Ältere Versuche, diese beiden Vorverweise zu athetieren, sind mit Recht längst aufgegeben.

Volk zeichnet, das letztlich schon durch seine Expansionskraft dauernde Germanenunruhen auf gallischem Boden verursacht. So waren sie auch der Anlaß für das Eindringen der Usipeter und Tenktherer, die im Jahr 55 von Caesar auf brutale Weise vernichtet wurden. Das alles ist so sorgsam aufgebaut, daß jedem Leser plausibel werden mochte, daß Caesar nicht anders handeln konnte; eine Demonstration seiner Militärmacht rechts des Rheines zur Einschüchterung der Sueben war das Mindeste, was erforderlich war, um das nunmehr römisch gewordene Gallien zu sichern. Dies war die Situation von 55. Aber es fällt auf, daß die Sueben bereits in Buch I eine ähnliche Hintergrundrolle spielen wie die Britannier in II und III, in einer Zeit also, in der Caesar noch weit davon entfernt war, in irgendeinen Kontakt, geschweige denn Konflikt mit den Sueben zu geraten. Die ganze Partie von I 30 an ist ja darauf abgestellt, die Entstehung einer Krise zu zeichnen. Ein Gewitter braut sich zusammen; Ariovist hat sich — angeblich — die Sequaner untertan gemacht, einen Teil ihres Landes okkupiert, ihre *oppida* besetzt und treibt eine ebenso rücksichtslose Expansionspolitik. Auf gallische Bitten greift Caesar diplomatisch ein: Ariovist schickt eine rüde Antwort, die in eine Provokation ausläuft: Caesar solle es doch probieren; er werde bald sehen, mit wem er sich da angelegt hat. Die Herausforderung, die des Prokonsuls Prestige tangiert, wird aber in Kapitel 37 durch zusätzliche Tatbestände zu einer objektiven Gefährdung der römischen Position; es kommen Gesandtschaften von den Häduern und Treverern — genau im richtigen Moment, möchte man sagen; die einen berichten von einem Einfall der Haruden, die vor kurzem über den Rhein gekommen seien; die andern beklagen sich, daß „hundert Gaue" [30] der Sueben sich am Rhein festgesetzt hätten und versuchten, ihn zu überschreiten. Durch diese Mitteilungen fühlt sich Caesar beunruhigt und zu eiligem Handeln veranlaßt; denn wenn sich erst mit Ariovists Kräften neue Kontingente der Sueben [30a] vereinigen würden, waren die Chancen erfolgreichen Widerstandes weit geringer. Diese Aussage ist merkwürdig, weil nach I 51,2 diese Vereinigung mindestens teilweise bereits stattgefunden hat; dort ist von Haruden, Markommannen, Tribokern, Vangionen, Nemetern, Sedusiern und Sueben die Rede, die alle in Ariovists Heer kämpfen. Vorher aber hebt Caesar von allen nur die Sueben heraus und malt das Gespenst ihres Vordringens über den Rhein in schwarzen Farben. Sie sind im Kapitel 37 der Sprengstoff am Rhein — aber doch einer, der entschärft werden kann; denn gleichsam aufatmend stellt Caesar 54,1 fest: „Als man jenseits des Rheines von diesem Sieg (über Ariovist) Nachricht erhielt, fingen die Sueben, die an den Rhein gekommen (!) waren, an, wieder nach Hause zu gehen." Von den anderen Germanen wird wiederum nichts gesagt.

---

[30] *pagos centum* I 37,3. Die Bedeutung von *pagus* ist unklar, wogegen das Wort bei Tac. Germ. 39 eindeutig ein „Gebiet" bezeichnet. H. Meusel z. St. nennt den Begriff „so kahl", daß er an Übernahme aus einer Quelle („von einer Auswanderung") durch Caesar denkt. Daß Caesar damit die Gesamtbevölkerung aus hundert Gauen meint, ist sprachlich nicht zu widerlegen, sachlich aber nicht sehr wahrscheinlich. Jedenfalls gebraucht er *pagus* als Volks- oder Truppenkontingent sonst an keiner Stelle.

[30a] Die Haruden erwähnt er dabei nicht, obwohl er sie — ebenso wie die zunächst nur rechts des Rheines sitzenden Sueben — in 51,2 unter den Hilfsvölkern Ariovists aufzählt.

Diese betonte Hervorhebung der Suebengefahr ist auch hier schwerlich Willkür oder Zufall — nichts steht bei Caesar durch Zufall. Sie ist im Hinblick auf das geschrieben, was im Buch IV zu berichten war, d. h. im Vorausblick auf das Jahr 55.

Zu dieser speziell auf die Sueben gemünzten Vorwarnung im ersten Buch tritt am Anfang des zweiten eine weitere, allgemeinere, die sich auf die Germanengefahr insgesamt, hier vornehmlich am Unterrhein, bezieht. Wiederum wird Caesar von Gesandten eines keltischen Volkes vor ihnen gewarnt. Diesmal sind es die Remer, die Nachbarn der Belger, mit denen Caesar im Jahr 57 Krieg führt. Da wird in Kap. 3,4 gemeldet, die Belger stünden unter Waffen; mit ihnen hätten sich die Germanen auf den anderen Rheinufer verbündet, und ihr *furor* sei so schrecklich, daß „nicht einmal die Vangionen, ihre Brüder und Blutsverwandten, die dieselben Rechte und Satzungen, eine gemeinsame Heeresleitung und Staatsführung mit ihnen hätten, sie davon abhalten konnten, mit ihnen (den Belgiern) gemeinsame Sache zu machen." Dies wird dann in Kap. 4 mit der angeblichen Herkunft der Belgier von Germanen untermauert, die einst ebenfalls wegen der besseren Böden erobernd nach Westen vorgedrungen seien. Wiederum also das Schreckbild der nach Westen drängenden Barbaren, denen niemand widerstehen kann — wenn es nicht Caesar j e t z t tut. Im ganzen zweiten Buch spielen sie weiter keine Rolle; das Motiv würde sozusagen im leeren Raum hängen, wenn es nicht im Zusammenhang mit einem späteren, in IV zu berichtenden Ereignis zu sehen wäre: der Vernichtung der Usipeter und Tenktherer, die, falls man jene einfach als Wanderstämme auf fremdem Boden betrachten müßte, den Statthalter schwer belasten müßte, wenn sie dagegen Symptome und Elemente einen allgemeinen Gefahr auch für Roms Stellung im Nordwesten sind, Caesar als Retter sowohl der römischen Ansprüche als auch der gallischen Existenz erscheinen läßt.

Schließlich noch ein kurzer Blick auf das problemreiche erste Kapitel des ganzen Werkes.[31] Es bietet bekanntlich eine geographische Rohskizze von Gesamt-Gallien und seinen drei Teilen (Belgien, Aquitanien, „Kelten"-Land). Hier werden in § 2 die Belger, in § 3 die Helvetier sogleich als K r i e g e r charakterisiert. Die letzteren sind auf eine eigenartige, nicht zu diesem Rahmen passende Weise eingeführt, sozusagen nur zum Vergleich (*Helvetii q u o q u e*), aber natürlich im Blick auf die Ereignisse, von denen schon im nächsten Kapitel zu reden ist. Warum aber wird von den Belgern solches Aufheben gemacht, dagegen über die Aquitanier und Kelten nicht ein Wort verloren? Dafür gibt es nur eine plausible Erklärung: Die Belger sind derjenige Teil der Völker Galliens, mit denen Caesar in den folg e n d e n Jahren schwere Kämpfe auszufechten hatte; das zweite Buch ist ausgefüllt mit Unternehmungen gegen sie; die Kämpfe setzen sich auch im dritten und noch bis zum sechsten Buch fort; es handelt sich um die wichtigsten Gegner und die eigentlichen Veranlasser der Unterwerfung Galliens. Aber konnte Caesar das

---

[31] Ausführliche Behandlung des Kapitels neuerdings durch W. H e r i n g, Die Interpolation im Prooemium des BG. Philol. 100, 1956, 67—99; H. G ö t t e, a.O. 127—161 (vor allem kritische Untersuchung der Sprache). Beide Interpreten halten die §§ 5—7 für interpoliert; sowohl ihre sprachliche Besonderheit wie der Anschluß von 2,1 an 1,4 sprechen stark für diese These.

wissen, wenn er das erste Buch im Winter 58/7 schrieb? Offenbar wußte er es aber; also stammt der Anfang des ersten Buches nicht aus dieser Zeit.

Daß die angeführten Vorausweisungen [32] — wie ich sie nennen möchte — überwiegend gerade in den ersten Büchern stehen, ist auch aus folgendendem Grunde wichtig: Man könnte ja einwenden, Caesar habe jeweils den Senat (oder die Öffentlichkeit) rechtzeitig auf heranstehende Gefahren aufmerksam machen wollen, um dadurch sein Kommando in Gallien zu sichern. Aber gerade in den ersten Jahren hatte er dies nicht nötig; denn sein Kommando war durch Triumviratsbeschluß und anschließendes Gesetz aufgrund einer Volksabstimmung bis 54 gesichert. Auch dieses Motiv entfällt also.

In einem Falle statuiert sogar Barwick selbst einen Vorverweis im ersten Buch. Da wird eine relativ belanglose Einzelheit aus dem Eingreifen gegen die Helvetier berichtet (5,4): Die Helvetier hatten sich einen jenseits des Rheines wohnenden Teil der Boier — eines keltischen Volkes aus dem Raum südlich der Donau, das damals auch in Steiermark vordrang — zu Bündnern gemacht und auf ihren Zug mitgenommen; nach der Katastrophe hatten die Häduer diese Boier mit Caesars Einwilligung in ihr Land aufgenommen und mit Wohnsitzen ausgestattet (28,5). Dies wäre gewiß für Caesar schwerlich einer Erwähnung wert gewesen, da es seine Amtsführung in keiner Weise berührte, wenn die Boier nicht viel später, nämlich 52, Caesar in ein leidiges Dilemma gebracht hätten, von dem er in VII 9—10 berichtet. Da werden die Boier von Vercingetorix angegriffen, und dies bringt Caesar in die Zwangslage, entweder sie zu opfern und damit die Freundschaft der Häduer aufs Spiel zu setzen oder vorzeitig und unvorbereitet das Winterlager zu verlassen, was ihn in erhebliche Versorgungsschwierigkeiten stürzen mußte. Nur dieser Umstand rechtfertigt die frühere Erwähnung der Boier; wäre ihre damalige Ansiedelung ohne Folgen geblieben, so hätte sie schwerlich interessiert.

Nachdem somit ein zwar nicht sehr dichtes und auch nicht ausdrücklich signalisiertes, aber immerhin ausgebreitetes und in seiner Typik recht einheitliches Netz von Vorausweisungen positiv für die Entstehung des BG in einem Zug Zeugnis ablegt, so könnte das letzte Argument gegen sie, nämlich die heute stark beachtete Entwicklung seines Darstellungsstiles nur dann noch ins Gewicht fallen, wenn sie den Charakter einer unbewußten und nachhaltigen Veränderung des Ausdrucksapparates hätte. Nur in diesem Falle wäre die Entstehung des Werkes in relativ kurzer Zeit auszuschließen. Mit dem Ziel dieses Nachweises hat man eine

[32] Zu ihnen darf auch die Formulierung gerechnet werden, mit der Caesar den Atrebatenfürsten Commius bei seinem ersten Auftreten (IV 21,7) vorstellt: *cuius et virtutem et consilium probabat et quem sibi fidelem esse arbitrabatur cuiusque auctoritas in his regionibus magni habebatur.* Darin liegt das unauffällige Eingeständnis des Irrtums, der erst später offenbar geworden ist; denn drei Jahre später fiel Commius von Caesar ab und wurde eine der wichtigsten Figuren im Kampfverband des Vercingetorix (VIII 76ff.). Man darf mit Sicherheit annehmen, daß die (vermutete) *fides* des Commius hier ohne Kenntnis der späteren Wendung entweder anders oder — was wahrscheinlicher ist — gar nicht erwähnt worden wäre; denn die Notiz bekommt erst vom späteren Ereignis aus Bedeutung.

Reihe von Eigentümlichkeiten ins Gespräch gebracht, die einen Wechsel sprachlicher Gepflogenheiten anzuzeigen scheinen[33]:

1. Häufige Wiederholung des Beziehungswortes aus dem Hauptsatz im nachfolgenden Relativsatz (z. B. I 6,1 *itinera duo, quibus itineribus domo exire possent*) nur in I; in den folgenden Büchern ständig abnehmend;
2. anfangs viele kontrahierte Formen auf *-arunt* (*nuntiarunt, comportarunt* usw.), im weiteren Verlauf immer seltener;
3. die Formel *propterea quod* in BG I 13mal, in II—VII nur 5mal; im BC nur 2mal;
4. *postridie eius diei* in BG I—VI nicht selten, in VII nie, im BC nie[34];
5. *ergo* BG I—VI nie; VII zweimal; BC III einmal; sonst nirgends.

Dazu ist allgemein zu sagen, daß dies Einzelheiten der Idiomatik sind, die den Stil nicht unmittelbar bestimmen. Die Punkte 1 und 4 gehören zusammen; daß die genannten Wörter in BG I häufiger begegnen, später seltener, aber nicht völlig verschwinden, könnte darauf deuten, daß Caesar sich diese Art der — amtlichen? — Ausdruckspedanterie schnell abgewöhnt hat, vielleicht weil sie der angestrebten Knappheit hinderlich waren. Ein ähnlicher „Abschleifungsprozeß" mag sich in den Punkten 2 und 3 manifestieren; Fälle wie *ergo* (5) sagen schon wegen der minimalen Häufigkeit im ganzen nichts aus. Anders verhält es sich etwa bei dem Wort *proinde*, das im BG nur zweimal, im BC aber 8mal auftritt; doch dieser Fall betrifft das Problem im BG nicht. Echte Ausdrucksdivergenzen innerhalb des BG sind so extrem selten — wenn man den bisherigen Untersuchungen glauben darf —, daß sich auf ihnen überhaupt keine chronologischen Schlüsse aufbauen lassen.

Weit größere Bedeutung haben die Merkmale, die die literarische Form bestimmen. Im BG sind es zwei Dinge, die im Vordergrund stehen, die Exkurse und die Reden. Beide sind dem *commentarius* grundsätzlich fremd[35]; denn in einer Sachaufzeichnung gibt es keinen Anlaß, zu anderen Dingen abzuschweifen, und noch weniger hält in ihr jemand eine Rede. Es ist deshalb wohl verständlich, daß die Existenz von Exkursen und Reden — indirekten und direkten — in diesem Werke in zweifacher Weise als Problem empfunden wird: im Blick auf die *genus*-Bestimmung des *commentarius* und auf die Frage, ob Caesars Schriften zu Recht als *commentarii* bezeichnet sind. Nun kommt aber hinzu, daß beides, die Reden und die Exkurse, im BG keineswegs gleichmäßig verteilt sind, ja im Anfang fehlen. Dies weiß man seit eh und je; doch neuerdings hat Rasmussen daraus einen

---

[33] Die folgende Liste nach Barwick, Der Altspr. Unterr. 1952, 4, 31f.

[34] Aufgeschlüsselt: 3mal in I, 2mal in II, nicht in III, je einmal in IV und V; vgl. *pridie eius diei* 2mal in I, sonst nicht. — Dem steht allerdings gegenüber: *postero die* einmal in I, einmal in III, 2mal in IV, 5mal in V, 4mal in VI, 10mal in VII; vgl. *proximo die* einmal in I, zweimal in BC I, sonst nie. — Auffallend ist die angestrebte Abwechslung zwischen *postero die* (I 15,1), *postridie eius diei* (I 23,1), *proximo die* (I 50,1), *postridie eius diei* (I 51,1). Es ergibt sich also kein sehr klares Bild.

[35] Vgl. oben S. 46ff.

echten Stilwandel bei Caesar abgelesen.[36] Hier seien zunächst einfach die Gegebenheiten aufgezählt:

1. Die Exkurse

Die ersten drei Bücher enthalten keinen Exkurs. Mit dem vierten Buch treten
sie dann in nicht geringer Anzahl auf:

IV 1−3 Thema: Sueben. Der Exkurs dient der Einleitung zu den in diesem Buch
berichteten Auseinandersetzungen mit Germanen. Kurz darauf folgt:

IV 10 Thema: Mündungsgebiet von Maas und Rhein, ausgelöst durch das Stichwort *Mosa* (IV 9,3); der Exkurs bereitet die Kämpfe mit den Usipetern
und Tenktherern vor.

IV 17 Thema: Konstruktion der Rheinbrücke, gewöhnlich als Exkurs bezeichnet, was nicht unbedenklich ist, da das Exposé über diese bemerkenswerte
technische Leistung den Gang der Ereignisse nicht unterbricht, sondern
auf ein Handlungselement von besonderer Bedeutung konzentriert; das
Kapitel ist also mit anderen vergleichbar, in denen ungewöhnliche Schanz-
arbeiten oder Belagerungstechniken mitgeteilt werden.[37]

IV 33 Thema: Streitwagentaktik der Britannier. Auch hier gilt dasselbe Bedenken wie bei IV 17. Auch diese Schilderung unterbricht das Geschehen
nicht, sondern beleuchtet nur eine in ihm auftretende Besonderheit als
Voraussetzung für den − etwas mißlichen − Verlauf eines Kampfes; Kap.
34,1 leitet dazu über: *quibus rebus perturbatis nostris ... Caesar auxilium
tulit*, was dann in allen Einzelheiten ausgeführt wird.

Das Buch IV hat also zwei „echte" und zwei „unechte" Exkurse; beides ist früheren Büchern fremd.

Das Buch V bringt dann jenen Doppelexkurs über Britannien, über den bereits
ausführlich gesprochen wurde. Er ist der einzige in diesem Buch; neu ist an ihm,
daß er nicht bei der ersten Erwähnung seines Objektes eingeschaltet ist, sondern
an völlig unerwarteter Stelle erscheint. Man hat zu Unrecht behauptet, der Exkurs fülle eine Kampfpause aus und habe retardierende Funktion[38]. Caesar hat ja
die beschädigten Schiffe bereits wieder verlassen und sucht den Feind an der frühe-
Stelle, findet dort aber eine gefährlich veränderte Lage vor.

---

[36] D. Rasmussen, Caesars *Commentarii* ... (Anm. 3). Vgl. dazu die kritischen Überlegungen
von E. Mensching, Helikon 7, 1967, 487ff.

[37] Eher wird man dieses Kapitel als „Einlage" bezeichnen können; die Vermutung von P.
Thielscher (RE IX A [1961] 451ff.), daß es entweder von Caesars *magister fabrum* L.
Mamurra − dessen Identität mit Vitruv Thielscher ebd. 427ff. überzeugend nachgewiesen
hat − vorformuliert oder aus einem technischen Rapport dieses Ingenieurs übernommen
worden ist, hat viel für sich. Da Mamurra Caesars Weg von 58 bis zu seiner Ermordung begleitet hat (Vitr. 1 pr. 2), dürften auch andere technische Kapitel ganz oder teilweise aus
seiner Feder.stammen (bes. BC II 8−10). Auf die sachlichen Übereinstimmungen dieser Partie mit Angaben bei Vitruv hat schon Ch. Parain, Jules César (Paris 1959) 180f., hingewiesen.

[38] D. Rasmussen a.O. 99.

Im Buch VI finden wir schließlich ein ganz exzeptionelles Beispiel eines „Historiker-Exkurses" vor, das größte, das bei Caesar überhaupt vorkommt.[39] Sein Thema: Ethnographie der Gallier und Germanen; man darf es aber auch eine σύγκρισις zwischen beiden Völkerschaften nennen, die zusammen 14 (oder 18?) Kapitel umfaßt (11–24[+ 25–28?[40]]). Er füllt rund zwei Fünftel des Buches aus und ist schon insofern ein singulärer Fall. Aus der Art, wie Caesar ihn einführt, darf man schließen, daß er selbst sich des Ungewöhnlichen dieser Anordnung bewußt war. Er hat sich zum zweitenmal entschlossen, den Rhein zu überschreiten — *duabus de causis* —, und sucht die Sueben, um sie für ihre Unterstützung der Treverer beim Aufstand gegen die Römer zu bestrafen. Aber er findet sie nicht und erfährt von den Ubiern, sie hätten sich in ein tiefes Waldgebiet namens *Bacenius*[41] zurückgezogen, um die Römer dort zu erwarten (!). Dies ist ein Moment großer Spannung, in dem der Leser mit Caesar überlegt, was in dieser Lage getan werden kann.

An dieser Stelle unterbricht Caesar seine Erzählung ausdrücklich (11,1): *Quoniam ad hunc locum perventum est, non alienum videtur de Galliae Germaniaeque moribus et quo differant hae nationes inter sese proponere*. Man muß diese Unterbrechung mit der Wiederaufnahme der Handlung im Kapitel 29 zusammensehen: *Caesar postquam per Ubios exploratores comperit Suebos se in silvas recepisse, inopiam frumenti veritus, quod, ut saepe demonstravimus, minime omnes Germani agri culturae student* (Hinweis auf 22,1, nicht auf IV 1,6!), *constituit non progredi longius*. Das beabsichtigte große Unternehmen, um dessentwillen Caesar ein zweitesmal eine Rheinbrücke hatte bauen lassen (sehr knapp: 9,4), fällt also aus; der Übergang ins Rechtsrheinische verpufft ins Leere.

Kein Zweifel also: Caesar hat sich den Platz für seinen Völkerexkurs sehr genau überlegt; er ist ein Ersatz für das, was der Leser an dieser Stelle erwarten konnte und nicht erhält. Rasmussen hat also Recht, wenn er sagt (a.O. 101), hier könne man etwas von der Ökonomie der Exkurse erkennen. Aber dieser Exkurs steht an seiner Stelle nicht nur deshalb, weil er an früherer Stelle den Rahmen gesprengt hätte — das tut er auch hier —, und erstrecht nicht als „Abschiedsgeschenk", wie auch schon behauptet wurde — Abschied von wem? Nur die Germanen treten von da an zurück, nicht die Gallier —, sondern weil er hier dazu eingesetzt werden konnte, aus den Unterschieden beider ethnischer Bereiche und ihrer Kulturform plausibel zu machen, warum Caesar, der doch sonst mit dem *longius progredi* schnell bei der Hand war, sich den Germanen gegenüber zu einem solchen Schritt nicht entschließen mochte. Er macht deutlich, daß hier zwei Welten aneinander grenzen, eine, die ihrem Wesen nach die Voraussetzungen besitzt, Teil des Imperiums zu werden, und eine andere, die ihrer Natur nach für die Römer verschlossen bleiben mußte und in der sie keine begründeten imperialen Interessen haben konnten. Dies ist eine Tendenz, die bei Caesar immer

---

[39] Ausführliche Behandlung bei Götte a.O. 29–47; mit gegensätzlicher Tendenz bei F. Beckmann, Geographie ... (1930) 146ff. Zum Inhalt immer noch am besten E. Norden, Germanische Urgeschichte 84ff. (= WdF XLIII 116ff.).

[40] Zu den letzten Kapiteln vgl. auch Verf., Philol. 103, 1959, 289f.

[41] Wahrscheinlicher die Rhön bei Fulda (so Eberts Reall. der Vorgesch. s. Germanen, § 5) als der Harz (Zeuß, Die Deutschen 11); s. H. Cüppers, Der Kl. Pauly I 799.

wieder durchscheint, und zwar vom ersten Buch an, obgleich Caesar damals (58) noch keineswegs derartige Einsichten gewonnen haben konnte.[42]

Dies ist aber auch der letzte Exkurs des Werkes; das Buch VII enthält keinen mehr; es bietet kontinuierliche und in gewaltiger Steigerung aufgebaute „Handlung": den letzten und umfassendsten Aufstand der Kelten und seine Niederwerfung bei Alesia. Von einer planmäßigen Entfaltung des Exkurses als literarischer Binnenform wird man bei richtiger Würdigung des vorgeführten Bestandes gewiß nicht reden können.

2. Die Reden

Ganz wie es dem Stil des Protokolls entspricht, bietet Caesar zunächst jede fremde und eigene Darlegung in den von ihm geführten Verhandlungen in indirekter Rede. Auch ein militärischer *commentarius* kann auf Mitteilung von Äußerungen nicht verzichten; denn wo Informationen und Beratungen eine wichtige Rolle spielten, sind eben sie es, die das Handeln begründen und verständlich machen. Die indirekte Form der Wiedergabe ist nun gerade durch ihren verkürzenden und Nebensächliches aussparenden Charakter protokollgerecht; zugleich „entemotionalisiert" sie das Gesagte, trägt also zur Objektivierung und Distanzierung bei. In einem *commentarius* ist nichts natürlicher, als konsequent an dieser Form festzuhalten. Caesar aber bleibt nicht dabei, sondern fängt mitten im Werk plötzlich an, auch direkte Äußerungen oder Reden einzustreuen[43]:

1. Buch IV, 25,3. In kritischer Lage bei der Landung in Britannien rettet der *aquilifer* der 10. Legion durch eine heroische *adhortatio* an die ihn umgebenden Männer die Situation (zwei kurze Sätze, 2—3 Druckzeilen).
2. Buch V, 30,1—3 hält in ähnlich kritischer Lage der Legat Q. Titurius Sabinus eine *hortatio* an seine Männer.
3. Buch V, 44,3. Eine Situation wie in IV 25,3; in den Nerviekämpfen tun sich zwei besondere tapfere Centurionen hervor, und einer von ihnen, Titus Pullus, reißt den anderen durch einen kurzen Anruf mit (2 Druckzeilen).
4. Buch VI, 8,3—4. Wieder eine kurze *adhortatio*, diesmal des Legaten Labienus, ebenfalls zur Einleitung eines Angriffs (*habetis, milites, quam petistis facultatem* ...; 4 Druckzeilen).
5. Buch VI 35,8—9. In einer hochdramatischen Szene, in der germanische Sugambrer überraschend über den Rhein kommen, die Eburonen überfallen und auf dem weiteren Beutezug gallische Gefangene nach Caesars Aufenthalt fragen. Da ruft einer der Gefangenen aus: „Was lauft ihr dieser kümmerlichen Beute nach, während ihr mühelos einen großen Fischzug machen könnt? In drei Stunden könnt ihr in Atuatuca sein, wo die Römer alle ihre Vorräte deponiert haben. Die Wachtruppe ist so klein, daß sie nicht einmal zur Besetzung der Mauern

---

[42] Diese Erkenntnis scheint mir eines der wesentlichen Ergebnisse von G. Walsers Buch: Caesar und die Germanen ... (Historia Einzelschr. 1, 1955) zu sein.

[43] An wirklichen Reden sind es nicht mehr als 5; vgl. auch die Zusammenstellung bei Rasmussen a.O. 55ff.

ausreicht und sich keinen Schritt vor die Befestigung wagt." Die Germanen
lassen sich bereden und überfallen das Lager (s. unten S. 124f.). Dies ist die bislang längste direkte „Rede", fünf Druckzeilen lang; eine echte Rede ist sie
gleichwohl nicht. Wie alle bisherigen *orationes rectae* hat sie nur den Charakter
eines auslösenden momentanen Impulses, der eine Wendung herbeiführt; sie hat
keine Redestruktur, und sie findet nicht in einer entsprechenden Szene statt.

Typologisch sind also alle bisher zu nennenden *orationes rectae* gleich, ebenso
die Situationen, aus denen sie herauswachsen. Sie sind durch nichts vorbereitet;
ein lebhafter, ja turbulenter Vorgang wird von ihnen aufgefangen und in eine bestimmte Richtung kanalisiert. Es sind Vorgänge des Augenblicks. Die eigentlichen
Reden, die in diesen Büchern zu berichten sind, bleiben weiterhin indirekt.[44] Erst
das Buch VII bringt in dieser Hinsicht etwas Neues und Unerwartetes[45]:

6. VII 20,3ff. Eine indirekt beginnende Rede des Vercingetorix schlägt mit § 9
   plötzlich in direkte Rede um — freilich nur auf eine kurze Strecke —, wird
   dann durch Aussagen vorgeführter Sklaven in indirekter Rede unterbrochen
   und schließlich in direkter Form zu Ende geführt (§ 12).[46]
7. 38,1—8. Hier wiederholt Caesar dieses einmal gefundene Verfahren der Dramatisierung in derselben Weise. Der Häduerführer Convictolitavis verhandelt mit
   dem Arvernerfürsten Litaviccus über einen gemeinsamen Aufstand gegen die
   Römer. Im 37. Kapitel spricht Convictolitavis in indirekter Rede zu Litaviccus
   und gewinnt ihn für einen gemeinsamen Plan. Litaviccus übernimmt die Führung
   der gemeinsamen Truppen, zieht dreißig Meilen weit mit ihnen, läßt anhalten und
   und beginnt nun eine Feldherrnrede in direkter Form: *„Quo proficiscimur,
   milites?"* usw. Er klagt die Römer zahlreicher Rechtsbrüche an und erklärt, er
   selbst könne gar nicht alles aufzählen, was da geschehen ist; das sollten die tun,
   die sich durch die Flucht haben retten können. Diese werden nun vorgeführt
   und berichten in indirekter Rede. Die Häduer erheben ein Geschrei und

---

[44] IV 7—8; 11,5—6; V 3,6—7; 26,4; 27,2—11; 28,4—6; 29; VI 10,5—6. Dies gilt zunächst auch
noch für Buch VII (1,2—8; 14,2—10; 20,2—7).

[45] Auch bei Livius, bei dem die künstlerische Entfaltung der „historischen" direkten Rede
äußerst bewußt und vielseitig vorangetrieben ist, bleibt ein abrupter Übergang von der indirekten zur direkten Rede eine große Seltenheit (z. B. 33,12,12; 34,34,1; Doppelüber-
gang 32,34,4f.), wobei der Wechsel regelmäßig durch eine kurze Unterbrechung gekennzeichnet ist. Im übrigen bevorzugt Livius die Klimax von indirekter Rede zu direkter Gegen-
rede. Vgl. die Zusammenstellung bei Ines Paschkowski, Die Kunst der Reden in der 4.
und 5. Dekade des Livius (Diss. Kiel 1966) 12—53. — Das sonst grundlegende Kapitel bei
P. G. Walsh, Livy (1963) 219—244 (The Speeches) geht auf diese Erscheinung nicht ein.

[46] Der Zweck dieses Arrangements wird nicht ohne weiteres deutlich; denn die auf solche Weise
zerrissene Rede hat weder einen geplanten rhetorischen Aufbau noch den sprachlichen Glanz
gehobenen Stiles. Sie ist viel eher eine Demonstration, ihr Abschluß ein „quod erat proban-
dum". Die stilistische Absicht des Übergangs in direkte Rede kann also nicht die Steigerung
sein. Wahrscheinlich ist er nur von der Absicht diktiert, die „„Zeugenaussage" der römischen
Gefangenen von den Worten des Vercingetorix abzuheben, indem sie durch ihre indirekte
Form zwischen den wenigen direkt gesprochen Sätzen des Galliers auf einer stilistisch niedrigeren Stufe bleibt. Sie ist nicht mehr als das vom Redner verwendete Beweismaterial.

rufen Litaviccus zum Handeln auf. Dieser tritt wieder vor und beschließt die Szene mit einer abschließenden kurzen direkten Rede (6 Zeilen).

8. 50,4—6. In den folgenden Kämpfen kommt Caesar in große Not: durch eine unglückliche Verwechslung befreundeter Hilfstruppen mit Gegnern entsteht bei Gergovia eine Panik unter den Römern. Da konzentriert Caesar die Aufmerksamkeit der Leser auf die Heldentat eines Einzelnen, des Centurionen M. Petronius. Dieser versucht, ein Stadttor aufzustoßen, wird von einer Übermacht der Gegner mit seinen Leuten eingekesselt und ruft ihnen zu.: „Ich kann mich nicht gemeinsam mit euch retten; deshalb sorgt selbst für euer Leben, nachdem ich euch aus Ehrgeiz in diese Gefahr geführt habe! Nutzt die Möglichkeit und rettet euch!" Dann stürzt er sich mitten unter die Feinde, schlägt einige von ihnen nieder und zieht die andern vom Tor ab. Seine Leute wollen ihn heraushauen, aber er ruft ihnen ein zweitesmal direkt zu: „Euer Versuch, mir zu helfen, ist sinnlos. Macht, daß ihr fortkommt, solange es noch geht, und zieht euch zur Legion zurück!" Er fällt im Kampf, die andern werden gerettet. — Auch dies ist also eine „unterbrochene" Rede; aber nach ihrem inhaltlichen Charakter steht sie den Einzelappellen der vorangehenden Bücher näher. Beide Typen verschmelzen hier zu einem.

9. 77,3—16. Hier endlich, wenige Seiten vor dem Ende des Werkes und seines längsten, an dramatischen Ereignissen und Höhepunkten reichsten Buches, erhebt sich die Darstellung wirklich zu einer großen Kriegsratsrede. Wohl gemerkt: es ist eine Feindrede, und Caesar geht auch nicht so weit, sie zum Teil des erzählten Geschehens zu machen, sondern bietet sie in Gestalt eines eingelegten Dokuments: *non praetereunda videtur oratio Critognati propter eius singularem ac nefariam crudelitatem.*[47] Sie dient also als Beweisstück für den Charakter wenigstens eines Teiles derer, mit denen das römische Heer dort zu tun hatte. Der Punkt, an dem sie placiert ist, konnte kaum dramatischer gewählt sein. Die auf der Bergfeste eingeschlossenen Gallier stehen vor dem Zusammenbruch, ihre Widerstandskraft wird durch Hunger gebrochen, erwartete Hilfe ist ausgeblieben. Man berät, ob man sich ergeben oder einen Ausbruch wagen soll, und die Meinungen sind geteilt. Da tritt Critognatus auf und hält eine Rede von der Länge zweier Druckseiten, in der er beides verwirft; er verlangt strikte Solidarität mit allen Galliern und eisernes Durchhalten; er erinnert an die Cimbern und Teutonen, die in ähnlicher Lage ihre Verwundeten und Schwachen geschlachtet und den Kampftüchtigen dadurch Nahrung geschaffen haben. Schließlich hält er eine Philippica gegen den Imperialismus der Römer, die alle Völker, die sich ihrer Gnade ausgeliefert haben, zu Sklaven gemacht hätten.

Erst hier, und nur hier, erhebt sich die Darstellung Caesars zur großen rhetorischen Form historiographischer Szenenbildung. Die Rede des Critognatus ist der einzige Fall einer voll durchgebildeten Oratio, die den Stil des *commentarius* völlig hinter sich läßt und mit dem ganzen Einsatz rhetorischer Mittel Erregung erzeugt. Sie ist freilich nicht für das Buch repräsentativ, sondern nur ein aufgesetzter Glanz-

[47] Zur rhetorischen Gestalt der Rede s. den Exkurs S. 76ff.

punkt, wie denn Caesar selbst sie als eine Art Fremdkörper ankündigt (*non praetereunda videtur*).[48] Trotzdem ist allein die Tatsache, daß er hier, unmittelbar vor
dem Bericht über die schwerste und — wie er glauben konnte — definitive Entscheidungsschlacht einen solchen Ausbruch aus dem Genus unternimmt, ein Anzeichen dafür, daß er letzten Endes als Geschichtsschreiber, nicht nur als Berichterstatter gewürdigt sein wollte, und von da aus gewinnen die vorausgehenden kleineren direkten Reden das Ansehen eines behutsamen Vorspiels oder Anlaufs zum
Größeren.

Die Frage ist, ob man aus den drei Stufen des Eindringens direkten Sprechens
in seine *commentarii* den Schluß ziehen muß oder auch nur darf, daß es sich um
eine Stilentwicklung im Sinne einer Veränderung des Erzählstiles im ganzen oder
gar um eine solche seiner spontanen Sprachhandhabung handelt. Man wird dabei
folgende Tatsachen zu bedenken haben: Zunächst ist die Wahl der *commentarius*-
Form ohnehin bei Caesar eine Fiktion formaler Art[49], sei es aus literarischem Takt,
sei es aus berechnender Absicht. Denn diese Bücher sind weder echte Protokolle
oder Amtsberichte noch Materialzusammenstellungen zum Gebrauch eines Geschichtsschreibers, sondern eben Bücher im vollen Sinne des Wortes, d. h. ein
für ein breites Publikum geschriebenes Werk, das in sich ruht. Der Zweck der
Genusfiktion kann nur im Anspruch distanzierter Objektivität liegen. Dem entspricht auch der knappe, sachliche Stil; dem dient die Verwendung des Namens
Caesar und der dritten Person; dem dient ferner die fiktive Trennung des handelnden und des schreibenden Caesar — welch letzterer sich stets mit der ersten Person bezeichnet —, und schließlich der völlige Verzicht auf jede Apostrophe des
Lesers.

Diese Fiktion hält Caesar zunächst über drei Bücher hin aufrecht. Er meidet
in ihnen dramatische Szenen, direkte Reden, Exkurse. Aber die Geschehnisse werden turbulenter, der kämpfende Feldherr und sein Heer werden mit fremden Welten konfrontiert, die Situationen werden komplizierter. Das vorausgesetzte Interesse des Lesers, seine Bereitschaft zum Miterleben — nicht allein zur Kenntnis-
nahme — ist inzwischen in einer Weise angewärmt, die die Freigabe stärkerer, bisher zurückgehaltener Darstellungsmittel erlaubt. Caesar kann es sich nun leisten,
dem Bedürfnis nach Farbigkeit Schritt für Schritt entgegenzukommen — keineswegs gleich mit ausgreifenden Reden, wie die Historiker sie zu komponieren pflegen, sondern mit kurzen, sehr beherrscht gehaltenen „Momentaufnahmen" aus dem
Ablauf besonderer Kämpfe, Augenblicksausbrüchen der *summa virtus* in Entschei-
dungssituationen; mehr noch nicht. Parallel dazu treten meist sehr knappe Skizzen
aus der fernen und fremdartigen Welt, in die Caesar und sein Heer vorstoßen. Diese
begrenzte und doch wirkungsvolle literarische Lizenz hält in dieser Weise bis zum
sechsten Buch vor, mit einer einzigen Ausnahme: dem großen völkerkundlichen
Exkurs über Gallier und Germanen. In ihm wird allerdings die *commentarius*-Fik-

---

[48] Dasselbe Verfahren wendet später Sallust bei der Rede des Memmius (Jug. 31) an; vgl. die
Einführung 30,4 *quoniam ... Memmi facundia clara pollensque fuit, decere existumavi unam
... orationem perscribere* etc.
[49] Vgl. oben S. 48; ferner H. Drexler, Hermes 70, 1935, 227ff.

tion weitgehend preisgegeben; der Berichterstatter wird immer deutlicher zum Erzähler, der ins historiographische Genus vordringt.[50] Endlich krönt Caesar alles
bisher Geschriebene mit einem gewaltigen Über-Buch, das zwar den bisherigen Er-
zähltypus im ganzen bewahrt, aber neue Elemente der Dramatisierung aufnimmt.
Dieses Buch überragt alle anderen schon durch seine Länge und Stofffülle; es hält
sich frei von Einschüben und konzentriert sich ganz auf das Kriegsgeschehen, das
sich immer dichter um den Punkt der Entscheidung (Alesia) zusammenzieht und
personell ganz auf die Person des großen Gegners Vercingetorix ausrichtet, der
auf der Seite der aufständischen Gallier alle Fäden in der Hand hat. Das Buch
wird — modern gesprochen — zu einem historischen Drama großen Ausmaßes.

Nur für dieses erfindet Caesar jene Form der zweigeteilten Kurzreden, die die
commentarius-Form für kurze Zeit durchbrechen und längere Reden gewissermaßen
vorausahnen lassen. Sie halten den Sachbericht nicht auf und lassen gleichwohl
das emotionale Element zur Geltung kommen.[51] Aber erst gegen das Ende, ein
einziges Mal, gestattet sich Caesar die Freiheit, eine wirkliche, hoch erregte und
mit dem vollen Instrumentarium der Rhetorik operierende Rede einzuschieben —
die volle erzählerische Integration wird absichtlich vermieden —, um den Leser
spüren zu lassen, daß er mit allem Bisherigen weit mehr als einen gewöhnlichen
Sachbericht gelesen hat; daß dies alles vielmehr G e s c h i c h t e ist und auch literarisch der Gestaltung als *historia* würdig ist. Diese Linie macht einen Anspruch deutlich, der das anfängliche *humile genus* des *commentarius* in voller Offenheit als
das ausweist, was es von Anfang an war: eine literarische Maske, hinter der sich
nicht nur der Künstler, der Caesar in Wahrheit ist, sondern auch der Vollbringer
einer historischen Leistung, als welcher er sich fühlen darf, verbirgt, um eine
Atmosphäre von Zurückhaltung, Genauigkeit und Glaubwürdigkeit zu sichern, und
deren sich der überzeugte Attizist bedient, um die Leistungsfähigkeit der *ieiuna
brevitas*, die zu seinem künstlerischen Credo gehört, zu erproben. Das ist offensichtlich nicht der Weg einer Stil-Entwicklung, sondern literarische Strategie[52],

---

[50] In diesem Sinne hat schon J. J. S c h l i c h e r, The Development of Caesar's Narrative Style,
Cl. Phil. 1936, 212ff., ein Fortschreiten vom „dokumentarischen" (im ersten Buch sogar
„apologetischen") zu „narrativem" Stil konstatiert. Bedenken wird man hier nur gegen den
Begriff des apologetischen Stiles anmelden müssen.

[51] Vgl. R a s m u s s e n, a.O. 49: „Das Pathetische ist autonom geworden" — freilich übertreibend,
wie die Interpretation S. 77 zeigen wird.

[52] Dies ist auch das Ergebnis, das für R a s m u s s e n von Anfang an feststeht. Er sieht in dem
späten Auftreten der direkten Rede und in ihrer Ausweitung bis zur Critognatus-Rede die
Erfüllung eines von Anfang an konzipierten literarischen Planes. Darüber kann man gewiß
unterschiedlicher Meinung sein (s. L. V o i t, Gymn. 72, 1965, 115f.; K. V r e t s k a, Anz. für die
Altertumswiss. 18, 1965, 52ff.); aber gerade dies ist es, was er unter „Stilwandel" versteht.
Die (unbeabsichtigte) doppelte Irreführung, die im Titel des Buches von R a s m u s s e n
steckt, liegt erstens in der Verwendung des Begriffs „Stil" für die literarische Form (statt
für den Sprachstil), zweitens in der Einbeziehung des Entwicklungsbegriffs, der jedoch für
spontane und natürliche Veränderungen, nicht aber für einen geplanten oder bewußten Prozeß brauchbar ist. R a s m u s s e n hätte also von „Entfaltung" oder „Umstellung" der literarischen Form sprechen müssen. Jedenfalls liegen seine Beobachtungen auf einer völlig
anderen Ebene als die B a r w i c k s und seiner Vorgänger. E. M e n s c h i n g (a.O. [S. 65 Anm.
36] 492 und Anm. 13) distanziert sich im Grundsätzlichen nicht von R., wirft ihm jedoch

die ganz bewußt das alte Medium „*commentarius*" erstmals, soweit wir wissen, zu einer neuen, ganz persönlich umgestalteten literarischen Gattung macht.[53] Benötigt ein Mann wie Caesar dazu sieben Jahre? Eine Konzeption solcher Art kann sehr wohl in wenigen Wochen oder Monaten erwachsen, und man kann die Ratio ihres Werdens noch unmittelbar verfolgen — etwas, was gerade bei echten Stilentwicklungen nie möglich ist. Auch von daher erscheint uns das BG als eine völlig in sich geschlossene, jedoch dynamisch sich entfaltende literarische Schöpfung, die vom ersten Wort an auf das Ende zielt, und nicht für ein Aggregat von sieben selbständigen Aufzeichnungen, die mit Jahresabstand niedergeschrieben sind.[54]

Was dieses Ergebnis am eindrucksvollsten bestätigt, ist gerade die durchgängige Einheitlichkeit des Sprachstiles. Diese Feststellung sei hier durch die stilistische Analyse zweier kurzer Partien aus dem dritten, bzw. siebten Buch des BG untermauert, die — wenn die These von der sukzessiven Entstehung richtig wäre — mit vierjährigem Abstand geschrieben wären.

III 10,1—11,2

>   *Erant hae difficultates belli gerendi, quas supra ostendimus; sed multa tamen*
> 2 *Caesarem ad id bellum incitabant: iniuria retentorum equitum Romanorum, rebellio facta post deditionem, defectio datis obsidibus, tot civitatum coniuratio, in primis ne hac parte neglecta reliquae nationes sibi idem licere arbitrarentur.*
>
> 3 *Itaque cum intellegeret omnes fere Gallos novis rebus studere et ad bellum mobiliter celeriterque excitari, omnes autem homines natura libertatis studio incitari et conditionem servitutis odisse, priusquam plures civitates conspirarent, partiendum sibi ac latius distribuendum exercitum putavit.*
>
> 11 *Itaque T. Labienum legatum in Treveros, qui proximi flumini Rheno sunt,*
> 2 *cum equitatu mittit. huic mandat, Remos reliquosque Belgas adeat atque in officio contineat Germanosque, qui auxilio a Gallis arcessiti dicebantur, si per vim navibus flumen transire conentur, prohibeat ...*

(Es folgen weitere Anordnungen; Das Kap. 11 schließt mit dem Satz:)

> 6 *Ipse eo pedestribus copiis contendit.*

Der hier berichtete Vorgang ist seiner Natur nach zweiteilig, und so auch in Caesars Darstellung: Zuerst eine *deliberatio* mit den — im voraus schon entwickel-

---

inkonsequente Anwendung des Begriffs „Stilwandel" vor. — Zur Rolle der Reden im BG vgl. ferner Ph. F a b i a, De orationibus quae sunt in commentariis Caesaris de bello Gallico (Diss. Paris 1889); H. O p p e r m a n n, WdF LXIII 507; G. O. R o w e, TAPhA 89, 1967, 55 ff.

[53] A. K l o t z neigt eher dazu, an einen unbewußten Prozeß zu glauben (C.-Studien 11 A. 4: „C. wird unwillkürlich zum darstellenden Historiker"). Bei einem so gebildeten und literarisch versierten Autor, wie Caesar es war, würde es mir schwerfallen zu glauben, daß ihm die allmähliche Überschreitung bestimmter Genus-Normen verborgen geblieben sei.

[54] Nur am Rande sei darauf hingewiesen, daß E. B i c k e l in seinem Lehrbuch der Geschichte der römischen Literatur (²1960) S. 127 dem Problem auf eine eigenartige Weise aus dem Weg gegangen ist.

ten — hindernden und den — hier aufgezählten — bestärkenden Motiven, die am Ende in einen Entschluß mündet; danach die Aktionen des Feldherrn, die aus dem Entschluß hervorgehen. Der geistige Prozeß mündet in die Tat, die hier natürlich Befehlsausgabe ist. Das Hemmende und das Treibende stehen sich in Aufzählungen gegenüber, und zwar so, daß die Seite, die zuletzt den Ausschlag gibt, auch an letzter Stelle steht. Das gilt hier in doppelter Weise: nicht nur die antreibenden Motive im ganzen stehen hinter den zurückhaltenden, sondern unter ihnen beschließt die Überlegung oder Erkenntnis, die das größte Gewicht hat, die Reihe. Dieses letzte wird ausdrücklich mit *in primis* hervorgehoben. Mit dem *itaque* (§ 3 Anf.) ist also die Entscheidung bereits fällig, und sie wird tatsächlich in diesem Satz genannt; aber ehe sie — als Abschluß der Periode — explicite bezeichnet wird, erlaubt Caesar noch eine kurze Digression ins Allgemeine, eine Art psychologische Erläuterung, durch die dem Verhalten der Gallier etwas von der negativen Beurteilung genommen wird, aber der Mutmaßung Caesars ein höherer Gewißheitsgrad zuwächst.[55]

Nun folgen, mit ziemlich lapidaren Strichen gezeichnet, die Maßnahmen, die Caesar als Konsequenz — wiederum *itaque:* er scheut sich nicht, dieses Wort kurz nacheinander zu wiederholen — aus seiner Abwägung trifft und die ich hier nur teilweise ausgeschrieben habe. Die Verba finita, die diesen Abschnitt beherrschen, haben dabei einen hohen Stellenwert: *mittit — mandat — iubet — mittit — praeficit et — iubet ... ipse ... contendit.* Die Ähnlichkeit der Aktionen spiegelt sich in der Ähnlichkeit der Verba, in gewissem Umfang auch der Satzstrukturen. Nicht alle diese Verba stehen am Satzende, wohl aber das erste und das vorletzte (das letzte in der Befehlsreihe), und dann dasjenige, das den Aufbruch Caesars selbst mitteilt. Diese Wortstellung ist von derselben abschließenden Kraft wie die von *putavit* am Ende von Kap. 10. Strikt und präzise, und zwar genau so ausführlich, wie es zum vollen Verständnis der taktischen Absichten notwendig ist, sind die Einzelaufträge an die Offiziere formuliert; der Auftrag an Labienus steht hier als Beispiel; die übrigen sind ganz ähnlich gehalten. Es mag auffallen, daß von den Treverern ausdrücklich gesagt wird: *qui proximi flumini Rheno sunt;* dies mußte natürlich Caesar dem Labienus nicht eigens sagen; die Leser dürften es auch wissen, obwohl es bei zwei früheren Nennungen nicht erwähnt war (I 37; II 24); denn der Sachzusammenhang im Buch I läßt es deutlich werden. Der Relativsatz hat also motivierenden Sinn — wer die Germanen fernhalten soll, muß am Rhein bereitstehen — oder sogar eingrenzende Funktion („nur zu denjenigen Treverern, die unmittelbar am Rhein wohnen"). Hier steht also nichts willkürlich oder nur zu ornamentalen Zwecken, sondern jeder Teil der Aussage ist streng funktional gemeint. Auch ein Doppelausdruck wie *mobiliter celeriterque* (10,3) ist nicht etwa überschießende *ubertas,* sondern bezeichnet tatsächlich zweierlei: die Entschlüsse

---

[55] H. Fuchs will den Satz *omnes ... odisse* tilgen. Mir scheint nicht, daß dies gerechtfertigt ist. Solche Seitenblicke auf die condition humaine gibt es bei Caesar nicht selten; man müßte sie also alle streichen (und Fuchs tut dies auch), was jedoch einen grundsätzlichen Eingriff in die Überlieferung bedeutet. Was am meisten dagegen spricht, sind gerade die spärlichen Benützerspuren im Altertum und frühen Mittelalter.

der Gallier haben nie eine voraussehbare Richtung, und sie werden sehr schnell ge-
faßt.

Stellen wir nun daneben ein Kapitel des letzten Buches:

VII 10

1   *Magnam haec res Caesari difficultatem ad consilium capiendum adferebat:
si reliquam partem hiemis uno loco legiones contineret, ne stipendiraiis Hae-
duorum expugnatis cuncta Gallia deficeret, quod nullum amicis in eo praesidium positum videret; si maturius ex hibernis educeret, ne ab re frumentaria duris subvectionibus laboraret.*

2   *Praestare visum est tamen omnes difficultates perpeti quam tanta contumelia
accepta omnium suorum voluntates alienare.*

3   *Itaque cohortatus Haeduos de supportando comeatu praemittit ad Boios, qui
de suo adventu doceant hortenturque, ut in fide maneant atque hostium impetum magno animo sustineant.*

4   *Duabus Agedinci legionibus atque impedimentis totius exercitus relictis ad
Boios proficiscitur.*

Die strukturelle Nähe dieses Kapitels zu dem soeben betrachteten Abschnitt
fällt unmittelbar ins Auge. Wieder haben wir den Doppelschritt: Überlegung in
einer zweifelhaften Lage und Wertung des Pro und Contra bzw. der einen oder
anderen Alternative — danach die aus der Entscheidung erwachsende Aktion. Wieder ist spürbar, daß der erste Teil, die *deliberatio*, sprachlich „weicher", der zweite,
die *actio*, im Ausdruck „härter" ist. Sogar in einem Detail des Ausdrucks gleichen
sich beide Passagen: die *deliberatio* wird in der Vergangenheit erzählt, die *actio*
im historischen Präsens. Auch die Anordnung der Aktionen (die sich im zweiten
Beispiel auf engerem Raum drängen und geringer an Zahl sind) folgt wieder dem
Schema: Befehle — eigenes Handeln. Am Ende steht das *proficiscitur* als abschlie-
ßendes finites Verb wie in III 11 *contendit*. Und abermals enthalten die Befehle
nur genau so viele Einzelangaben, als zum Verständnis ihres Sinnes unerläßlich sind.
Eine formale Variante läßt sich darin sehen, daß Caesar von den vier Maßnahmen,
die er trifft, je zwei durch finite Formen, zwei durch Partizipialkonstruktionen
ausdrückt — nicht ganz absichtslos, wie es scheint; die Mahnung an die Häduer —
die ja schon bisher für den Nachschub an Lebensmitteln sorgen mußten — und das
Zurücklassen des Trosses sind nur Begleitmaßnahmen.

In einem allerdings unterscheidet sich die Darstellung der *deliberatio* hier von
jener im Buch III, aber nicht stilistisch, sondern dispositionell: Nicht die Überlegung, der Caesar zuletzt folgt, steht an erster Stelle, sondern diejenige, die er verwirft. Dementsprechend steht vor der *conclusio* hier *tamen* wie dort *itaque*. Die
Wirkung dieser Anordnung der Alternativen ist darin erkennbar, daß man Caesar
die Schwere des Entschlusses und das hohe Risiko, das er eingeht, glaubt, und dies
ist hier nicht belanglos: impliziert doch dieser Entschluß eine sittliche Entscheidung, und nichr nur eine taktische: das Eintreten für die *amici populi Romani*
unter Hinnahme von Opfern und Gefahren. Deshalb der einigermaßen emphatische

Hinweis auf *tanta ignominia adcepta* (was irreal verstanden werden muß: „wenn er eine solche Schmach auf sich nehmen würde" — sie soll ja gerade verhindert werden).

Auch hier fällt im übrigen das hohe Maß sprachlicher Ordnung und Durchsichtigkeit auf. Die Ankündigung eines Dilemmas — die parallel angeordnete Bezeichnung der beiden Wahlmöglichkeiten mit ihren Folgen — das Sich-Durchringen zur Entscheidung zwischen beiden (die abermals in paralleler Infinitivkonstruktion genannt werden) — zuletzt die Handlungen in der besprochenen Gliederung. Das Streben nach Parallelität, anders gesagt: nach Analogie wird noch einmal deutlich in den beiden Ermahnungen an die Boier: *ut ... permaneant atque ... sustineant.* Da gibt es keinen Chiasmus, kein geziertes Hyperbaton, keine *dissimilitudo membrorum*, d. h. keine inkonzinne Fügung wie so oft bei Sallust und Tacitus. Alles folgt einer natürlichen — oder natürlich wirkenden — Kadenz. Die Analogie ist bekanntlich eines der wesentlichsten Prinzipien des sog. Attizismus, dem Caesar als Stilist ebenso anhing wie als Sprachtheoretiker; er selbst hat ein Buch *de analogia* geschrieben — es ist Cicero gewidmet —, von dem wir leider nicht viel mehr als den Titel kennen.

Zieht man die Summe aus der stilistischen Betrachtung der beiden Abschnitte aus III und VII[56], so kann sie nur lauten: Die stilistische Struktur ist hier wie dort aufs Haar dieselbe; nichts hat sich an dem, was man „unwillkürliche Sprachhandhabung" nennen kann, geändert; die Denkform und Mitteilungsweise ist hier wie dort genau dieselbe, und das ließe sich ähnlich an vielen anderen Beispielen erhärten. Die hier gewählten mögen als schmaler Beleg dafür stehen, daß die angebliche Stilentwicklung Caesars ein Mythos ist und nicht mehr. Damit ist aber auch das letzte Argument für die sukzessive Entstehung des BG widerlegt. Dies gibt dem berühmten Satz des Aulus Hirtius (BG VIII 1,6) erst sein volles Gewicht: *ceteri quam bene atque emendate, nos etiam quam facile atque celeriter eos* (sc. *libros*) *perfecerit scimus.*

---

[56] Es empfiehlt sich, zum Vergleich die stilistische Interpretation von BG VII 27 bei M. von Albrecht, Meister römischer Prosa (1971), 80—89, heranzuziehen. Sie geht auch auf allgemeine Gesichtspunkte ein, die hier nicht behandelt werden können. — Vgl. auch die in anderem Zusammenhang besprochenen Textproben S. 147ff.

Exkurs
Die Critognatus-Rede (VII 77)

Kein Leser — weder ein antiker noch ein moderner — wird diese Rede je als echtes Dokument mißverstanden haben; Reden in Geschichtswerken waren seit Herodot literarische Fiktionen, Kunstmittel der indirekten Information oder Projektion vorgestellter innerer Vorgänge. Caesar gibt jedoch seiner literarischen Kunstrede in diesem Fall einen hohen Grad potentieller Glaubwürdigkeit innerhalb des realen Geschehens. Zwar werden Feindreden vom Berichtenden weder angehört noch gewöhnlich durch Überlieferung ihm nachträglich zugänglich; hier jedoch ermöglicht die Situation dem Leser wenigstens die subjektive Vorstellung, daß sich der Schriftsteller mindestens den Inhalt im Umriß nicht habe aus den Fingern saugen müssen. Die eingeschlossene gallische Truppe hat nach der berichteten Szene die unnützen Esser fortgeschickt; sie werden von der Bevölkerung von Mandubium aufgenommen, aber das gallische Heer zwingt die Mandubier, ihre Stadt mit Weib und Kind — und natürlich auch mit den Flüchtlingen — zu verlassen, und so bieten sich die Evakuierten in ihrer Not den Römern als Sklaven an, falls sie nur zu essen bekämen. Die Römer weisen sie freilich von ihrer Verschanzungslinie ab, und Caesar berichtet nicht, was dann aus ihnen geworden ist. Aber immerhin gehen sie nicht mit den Kämpfenden unter; die Möglichkeit, daß nach der Schlacht Berichte über die Rede des Critognatus zu Caesar oder seinem Stab gelangten, ist durch den Ablauf der Ereignisse offen geblieben. Für den Leser bleibt damit die Frage, ob er in der Rede Erfundenes oder Überliefertes liest, in der Schwebe. Unter dem Gesichtspunkt des Wahrscheinlichen hätte Caesar kaum einen günstigeren Platz für seine Feindrede wählen können.

Das *verisimile* der Rede wird aber noch dadurch gesteigert, daß als Redner nicht der Führer der Gallier, sondern ein Mann eingeführt wird, der sonst nirgends eine Rolle spielt. Sein Name sieht nicht danach aus, als wäre er frei erfunden. Da von ihm nichts als diese Rede berichtet wird, ist es eben sein Auftreten bei Alesia, das das Gedächtnis seines Namens gesichert hat. Beides ist untrennbar unter sich verbunden, also ist beides als geschichtlich zu betrachten. Die literarische Fiktion liegt also allein in der Gestalt der Rede; sie verrät den römischen Schriftsteller, der durch die Schule des Rhetors gegangen ist und sein Kunstwissen voll praktiziert; sie ignoriert zugleich das Milieu, in dem sie gehalten wird, denn sie setzt gebildete Hörer (Leser) voraus.

Von allen Reden, die Caesar in seinen *commentarii* geschrieben hat, ist sie die vollkommenste im Sinne der *ars dicendi*; sie läßt ermessen, in welcher Weise Caesar selbst als Redner geglänzt haben mag. Bekannt ist das hohe Lob, das ihm, dem Redner, Cicero im *Brutus* spendet (252f.; 255; 258; 261f.). Ausdrücklich werden neben seiner *elegantia* (252; 261) und seiner *copia* (255), seiner *locutio emendata et Latina* (258) und seiner *pura et incorrupta consuetudo* (261) auch *illa oratoria ornamenta* (ebd.) gepriesen, durch die er sozusagen „gut gemalte Bilder in gutes Licht zu stellen" wußte. Genau dies bestätigt die Critognatus-Rede.

Ihr Aufbau ist genau erwogen. Er beginnt mit einer *praeteritio* als *exordium*, die in die *circumscriptio* des zu behandelnden Gegenstandes (vgl. Quintil. 9,1,35) einmündet. Aus ihr, d. h. aus der Nennung der nach seiner Meinung falschen *sententia*, geht der Sprecher zu ihrer *refutatio* über, die sich von einem sachlich konstatierenden Anfang geradlinig bis zur *obsecratio audientium* steigert (§ 9). Der Beginn von § 10 nimmt implicite eine *interpellatio* (vgl. Cic. de or. 2,39; part. or. 8) vorweg, die im folgenden durch eine längere *argumentatio* ausgeräumt wird (10—15). Ihre wichtigsten Elemente sind ein *exemplum* § 13 Anf.), nämlich die Haltung der Vorfahren in einer ähnlichen Situation des Cimbernkrieges, und ein *contrarium* (vgl. Cic. de inv. 1,42; Rhet. Her. 4,27), nämlich die Behandlung von Besiegten durch die Cimbern und die Römer. Beide Topoi bilden zugleich eine *climax*: nach einem *periculum aequum* ein *periculum minus* bei den Cimbern (d. h. *periculum maius* bei den Galliern). Die *affirmatio* dieser Gefahr wird schließlich durch eine *demonstratio* (vgl. Quintil. 11,3,115) unwiderleglich gemacht: „Seht her, wie es den andern Galliern ergangen ist!". Die erwartete *conclusio* ist implicite schon in § 12 vorweggenommen, aber nicht formuliert; das Ergebnis der Beratung (78,1) läßt keinen Zweifel darüber, daß der gefaßte Beschluß der *sententia* des Redners entspricht. — Auch im Blick auf die Römer herrscht eine planvolle Abstufung: Im ersten Drittel der Rede bleiben sie unerwähnt; im zweiten treten sie von ferne als hart trainierende, also in Sorge vor dem bevorstehenden *discrimen* lebende Truppe ins Bild; im letzten beherrschen die das Panorama als furchtbare Wirklichkeit und Gegenwart. Dies alles ist außerordentlich rational durchgestaltet; die „Erregtheit" ist ein geplanter Effekt aus dem Zusammenspiel von Situation und Wortgewalt.

Der rhetorischen Gesamtstruktur entspricht eine nicht minder artifizielle Ausarbeitung im einzelnen. Die Zahl rhetorischer F i g u r e n ist beträchtlich: A l l i t e r a t i o n: § 3 *civium ... concilium ... censeo*; 4 *paulisper ... posse*; 8 *paene ... proelio*; 9 *animi imbecillitate omnem*; *prosternere ... perpetuae*, usw.; noch im letzten Satz (16) *securibus subiecta perpetua premitur servitute*. — A n t h i t h e s e: § 3 *servitium/deditio*; 4/5 *virtutis memoria/animi mollitia*; 9 *vestro auxilio spoliare/vestrae salutis causa*; 11 *nuntiis/testibus*, usw. — E n u m e r a t i o: 12 *iura leges agros liber tatem*. — I s o k o l i e: 3 *neque hos habendos civium loco | neque ad concilium adhibendos* (je 11 Silben; zugleich Anapher und Chiasmus!). — T r i k o l o n: 16 *in provinciam redacta | iure et legibus commutatis | securibus subacta* (mit symmetrischem Konstruktionswechsel). — Dazu kommen sechs r h e t o r i s c h e F r a g e n.

Besonders auffallend ist die starke R h y t h m i s i e r u n g der Rede: § 4 *eruptionem probant* − ∪ − | − ∪ ×; 5 *ferre non posse* − ∪ − | − ×; 8 *decertare cogentur* − ∪ − | − ×; 10 *constantiaque dubitatis* −∪∪∪ | − ×; *exerceri putatis* − ∪ − ×; 11 *in opere versantur* ∪∪∪− | − ×; 12 *Teutonumque fecerunt* − ∪ − | − ×; *hostibus tradiderunt* − ∪ − | − ∪ − ×; 13 *pulcherrimum iudicarem* − ∪ − | − ∪ − ×; 14 *nobis reliquerunt* − ∪ − | − ×; 15 *servitutem* − ∪ − ×; *bella gesserunt* − ∪ − | − ×; den Abschluß der Rede bildet eine ungewöhnlich groß angelegte Klausel: *perpetua premitur servitute* − ∪ ∪ − ∪ ∪ − | − ∪ − ×. Die Dichte der Klauseln nimmt bis zum Ende zu.

Dabei ist die Rede arm an schmückendem oder expressiv kostbarem Wortmaterial; ungeläufige Ausdrücke fehlen völlig. Die Syntax ist auch dort, wo größere Sachkomplexe zusammengefaßt sind (z. B. 6; 14), schlicht und durchsichtig. Gerade die das Verstehen leitenden Stichwörter sind durchaus so placiert, daß sie auf den ersten Blick ins Auge springen (z. B. *illorum nuntiis, his testibus; Cimbri . . .*, *Romani vero . . .*). Die Kraft des Redens — und *vis* ist in der Tat vom ersten Wort (*nihil*) an ein generelles Merkmal — beruht allein auf der Dichte gewichtiger Begriffe, auf der Stringenz der Aussagen und auf der Härte der *intentio cogitationum* (vgl. Cic. de inv. 2,46). Damit stellt sich diese Rede als das wichtigste Dokument für den Redner Caesar dar[1]; sie bestätigt in vollem Umfang das Urteil Quintilians (10,1,114): *tanta in eo vis est, id acumen, ea concitatio, ut illum eodem animo dixisse, quo bellavit, appareat; exornat tamen haec omnia mira sermonis . . . elegantia.*[2]

---

[1] Von den echten Reden Caesars (gesammelt bei E. Malcovati, Oratorum Romanorum Fragmenta [²1953] 383—397) haben sich nur spärliche Bruchstücke erhalten, die für den Charakter seiner Eloquenz wenig ergeben. Das größte (fr. 29, rund 6 Zeilen) ist ebenfalls von M. von Albrecht (a.O. 75ff.) interpretiert.

[2] Für die inhaltliche und literarische Interpretation der Rede sei hier nur auf die neueste Arbeit verwiesen: R. Schieffer, Die Rede des Cr. (BG 7,77) und Caesars Urteil über den gallischen Krieg, Gymn. 79, 1972, 477ff., wo die ältere Literatur gründlich verarbeitet ist. Schieffer betont den „grundsätzlichen Charakter" dieser Rede (494) im Sinne einer allgemeinen Charakterisierung der Gegner und einer indirekten Rechtfertigung des Vorgehens Caesars (ähnlich Rasmussen a.O. 53; auch Oppermann [1953] 33f. sieht den Zweck der Rede generell in der Charakterisierung). Mir scheint diese Sicht einseitig zu sein; Caesar selbst begründet die Einlage der Rede mit der *singularis et nefaria crudelitas* des Sprechers, nicht aller Gallier; den keltischen Haupt-Acteur trifft dieser Vorwurf gewiß nicht (vgl. unten S. 154f.), und auch sonst ist das Kennzeichen der Gallier bei Caesar nicht ihre *crudelitas*, sondern ihre *mobilitas* und mangelnde *fides*. Critognatus ist ein eindrucksvoller Sonderfall von brutaler Willenskraft.

2. Die Materialien und ihre Verarbeitung

Wenn aus dem zuletzt besprochenen Komplex vor allem hervorgeht, daß das BG entgegen seiner Bezeichnung wirklich Literatur ist und vom Verfasser als solche gemeint war, so ist doch nicht zu bezweifeln, daß Caesar diese Literatur erst durch Umgestaltung von Dingen erzeugen konnte, die zunächst nicht literarischen Charakter hatten.[1]

Caesar war in amtlicher Mission in Gallien. Er operierte mit staatlichen Truppen, mit staatlichen oder von Amtswegen requirierten Mitteln, und er traf seine Entscheidungen *pro consule*, d. h. in Stellvertretung des Oberbeamten, der seinerseits über politische Handlungen dem Senat Rechenschaft schuldete. In einem Zeitalter, das kein Telefon und keinen Funkverkehr kannte, war der einzige Weg der Auftragserteilung und der Vollzugsmeldung, des Lageberichts und der Rückfrage der schriftliche Verkehr zwischen dem Statthalter und der heimischen Zentralbehörde; mit anderen Worten: es gingen laufend *epistulae* hin und her. In einem Falle besitzen wir einen solchen Schriftwechsel noch vollständig, so daß wir den Verkehrsstil und den Grad der Abhängigkeit der Außenstelle von der Zentrale genau studieren können; es ist die Amtskorrespondenz zwischen dem jüngeren Plinius und dem Kaiser Traian. Leider ist dies eben das einzige zusammenhängende Dossier, und es ist anderthalb Jahrhunderte nach Caesar entstanden; aber einiges wenige können wir doch auch aus der Zeit Caesars selbst noch fassen. So bezieht sich Cicero in einem Brief an Pompeius aus dem Jahr 62 auf *litterae* von diesem, „*quas publice misisti*", d. h. auf einen amtlichen Bericht an den Senat, der ihn (Cicero) „zusammen mit allen anderen (sc. Senatoren) sehr erfreut hat" (ad Fam. 5,7,1). Ein anderer Fall, bei dem leider nicht so recht klar ist, ob es sich um ein amtliches oder privates Schreiben handelt, ist hier deshalb bemerkenswert, weil in ihm ein Brief Caesars von der Kanalküste aus dem Jahr 54 (26. September!) zitiert wird, der angeblich von ihm und Q. Cicero gemeinsam geschrieben war[2] und von dem M. Cicero behauptet, „er" habe ihn am 23. Oktober erhalten (ad Att. 4,18,5): *A Q. fratre et a Caesare accepi a.d. VIII Kal. Nov. litteras datas a litoribus Britanniae proximis a.d. VI Kal. Oct. Confecta Britannia, obsidibus acceptis, nulla praeda, imperata tamen pecunia exercitum e Britannia reportabant; Q. Pilius erat iam ad Caesarem profectus.* Diese Epistel ist deshalb besonders wertvoll, weil sie den ersten direkten Bericht Caesars über den Abschluß der zweiten Britannien-Exkursion reproduziert und sich inhaltlich mit BG V 22—23 deckt, also geradezu zum Vergleich herausfordert. Dieser soll vorerst zurückgestellt werden.[3] Im Augenblick ist nur festzuhalten, daß es eine *epistula* Caesars dieses Inhalts aus dem Herbst 54 gab, längst

---

[1] Das Thema ist am ausführlichsten bei M. Rambaud (Déformation 45ff.) behandelt, worauf hier für diesen ganzen Abschnitt hingewiesen sei. Nur einiges davon kann hier vorgeführt werden. — Eine in diesem Zusammenhang wichtige Einzelstelle (BG 7,90,2—3) interpretiert E. Fraenkel (Eranos 54, 1956, 189ff.) als typisches Communiqué.

[2] Q. Cicero war als Legat in Caesars Heer; über seine Rolle in den Büchern V und VI s. unten S. 88f.; 124ff.

[3] S. den Exkurs S. 93ff.

vor dem Abschluß der Jahresoperationen geschrieben, in der über das Ergebnis
einer Einzelunternehmung Meldung erstattet wurde. Es wäre sehr merkwürdig,
wenn Caesar diesen Bericht an Cicero persönlich, den er im politischen Kräftespiel damals als einen unsicheren Faktor betrachten mußte, geschickt hätte. Die
Unklarheit in der Mitteilung an Atticus löst sich am ehesten in der Weise auf,
daß man annimmt, Caesar habe an den Senat eine offizielle *epistula* gesandt, Ciceros Bruder aber habe die Gelegenheit des Kuriers wahrgenommen, um einen persönlichen Brief an M. Cicero, der ja Mitglied des Senates war, beizulegen.

Derartige amtliche „Briefe" besitzen wir aber auch von Cicero selbst, die er
als Statthalter in Kilikien im Jahre 51 an den Senat gesandt hat (Fam. 15,1; 2).
Aus dem ersten dieser Berichte sei hier zur Illustration ein Abschnitt vorgeführt
(§ 2–3), der uns gewisse Hinweise auf den Charakter des „Rohmaterials" geben
kann, das den Caesarischen *commentarii* zugrunde liegt.

> *Regis Antiochi Commageni legati primi mihi nuntiarunt Parthorum magnas*
> *copias Euphratem transire coepisse. quo nuntio adlato, cum essent nonnulli,*
> *qui ei regi minorem fidem habendam putarent, statui exspectandum esse, si-*
> *quid certius adferretur. a. d. XIII K. Oct., cum exercitum in Ciliciam ducerem,*
> *in finibus Lycaoniae et Cappadociae mihi litterae redditae sunt a Tarcondimoto,*
> *qui fidelissimus socius trans Taurum amicissimusque p. R. existimatur, Pacorum*
> *Orodi regis Parthorum filium cum permagno equitatu Parthico transisse Euphra-*
> *tem et castra posuisse Tybae, magnumque tumultum esse in provincia Syria*
> *excitatum. eodem die ab Iamblicho, phylarcho Arabum, quem homines opi-*
> *nantur bene sentire amicumque esse rei p. nostrae, litterae de isdem rebus mihi*
> *redditae sunt. his rebus adlatis, etsi intellegebam socios infirme animatos esse*
> *et novarum rerum expectatione suspensos, sperabam tamen eos, ad quos iam*
> *accesseram quique nostram mansuetudinem integritatemque perspexerant, ami-*
> *ciores p. R. esse factos, Ciliciam autem firmiorem fore, si aequitatis nostrae*
> *particeps facta esset. et ob eam causam et ut opprimerentur ii, qui ex Cilicum*
> *gente in armis essent, et ut hostis is, qui esset in Syria, sciret exercitum p. R.*
> *non modo non cedere iis nuntiis adlatis, sed etiam propius accedere, exercitum*
> *ad Taurum institui ducere.*

Jeder, der mit Caesars Berichtsstil einigermaßen vertraut ist, wird sofort sofort
die typologische Verwandtschaft dieser Mitteilung Ciceros an den Senat mit den
commentarii Caesars wahrnehmen. Ciceros *epistula* enthält genau jene Elemente, die
uns auch in jedem Caesarbuch immer wieder begegnen: Einlaufende Informationen,
Charakterisierung der Informanten bezüglich ihrer Zuverlässigkeit und ihrer Einstellung gegen Rom, Abschätzung der aktuellen Lage — wobei vor allem die *dili-*
gentia und *prudentia* des Heerführers herausgestellt und der mögliche Vorwurf der
temeritas prophylaktisch abgewehrt wird —; schließlich der Entschluß zum Handeln. Hier wie bei Caesar spielt dabei die erwartete Reaktion der einheimischen
Bevölkerung, ihre psychologische Disposition und der Grad ihrer Beeinflußbarkeit
eine wichtige Rolle.

Die Darstellung erfolgt so, daß auch die Empfänger die Möglichkeit haben, die
Lage angemessen zu beurteilen. Alles, was dazu nicht beitragen kann oder nicht

zwingend nötig ist, bleibt fort; es wird nichts über die Wegeverhältnisse oder über den Charakter des Landes, über Alltagsereignisse bei der Truppe, über die Stimmung im Heer oder über tatsächliche Erfahrungen mit der einheimischen Bevölkerung gesagt, und aus den Stabsberatungen erwähnt Cicero nur e i n e n Punkt: den lautwerdenden Zweifel an der Zuverlässigkeit des Pacorus, weil dieser Umstand das anfängliche Zögern des Prokonsuls erklärt.

Auch die sprachlichen Muster stimmen in geradezu frappanter Weise mit denen Caesars überein: *legati ... nuntiarunt* (dieselbe kontrahierte Form wie häufig im BG I!) *... copias ... transire coepisse; quo nuntio adlato, eum ..., statui* (mit a.c.i. des Gerundivs); *eodem die ... litterae mihi redditae sunt ... his rebus adlatis* etc. Cicero scheut sich so wenig wie Caesar, ein Wort wie *adlatis* zu wiederholen; ähnlich war es in § 1 (*nuntiabatur*) geschehen; bald darauf wiederholt er *transire* in *transisse*. Variatio ist also hier nicht angestrebt. Und wie wir es bei Caesar gesehen haben, so schließt auch hier der Abschnitt mit der knappen Bekanntgabe des Entschlusses, und diese selbst mit ihrem verbalen Bestand (*institui ducere*). Dieser Text ist nur etwa ein halbes Jahr nach dem BG entstanden!

Eine Interpretation des nächsten Briefes in der Sammlung Ciceros würde diese Eindrücke bestätigen; auch er ist an den Senat gerichtet, wenige Tage nach dem hier vorgeführten. Wir haben es also nicht mit einer individuellen Schriftstellerleistung zu tun, sondern mit Zeugnissen einer sprachlichen Konvention, wie jede Amtsprache der Welt sie auf ihre Weise darstellt: die der römischen Bürokratie so gut wie die des Vatikans, des Kremls, der preußischen Militärdienststellen; der Unterschied liegt nur darin, daß das Verhältnis der Sprechenden oder Angesprochenen zu den Dingen selbst jeweils anders ist und daher deren Einkleidung ins Wort entsprechend regelt: von trockener Nennung über behutsame Andeutung bis zu kunstvoller Verhüllung oder ornamentaler Präsentation. Die r ö m i s c h e Amtsprache hat, wie wir auch hier sehen, einen hohen Sachlichkeitswert und Direktheitscharakter. Der Empfänger und die Rücksicht auf seine möglichen Gefühle, die hierarchische Distanz zwischen dem Schreiber und dem Adressaten tritt in der sprachlichen Gestaltung römischer Amtsberichte so gut wie gar nicht in Erscheinung; es gibt keine Devotionsformeln, keine Bücklinge, keine Selbst-Minimalisierung und dergleichen.[4] Wohl aber ist die Mitteilungsform von dem Bewußtsein geprägt, daß der Empfänger klare Auskünfte verlangen kann und keine Umschweife duldet — ein Zug, der unserem Zeitempfinden gewiß sympathisch sein kann.

Cicero liefert uns somit den besten Beweis dafür, daß auch Caesars Kriegsbücher im ganzen nicht einen individuellen Stil, sondern die Sprache dienstlicher Berichterstattung römischer Beamter repräsentieren und daß die Rapporte, die von ihm im Archiv des Senates lagen, der Form nach nicht wesentlich anders ausgesehen

---

[4] Man muß dabei im Auge behalten, daß römische Amtsträger in den Provinzen keine Untertanen sind, sondern denselben Rängen und Instanzen angehören wie die Personen, an die ihre Berichte gehen. Natürlich ist während des Prinzipats das Verhältnis zwischen dem Provinzstatthalter und dem Kaiser nicht mehr dasselbe, eine Tatsache, die auch auf den sprachlichen Habitus der Amtskorrespondenz durchschlägt. Gleichwohl lehren uns die Briefe des Plinius, daß auch hier Devotionsformeln, wie sie später in der Kirche oder in der höflichen Gesellschaft des Absolutismus üblich wurden, durchaus fehlen.

haben können. Darüber hinaus gibt uns Sueton in der *Vita divi Iulii* (56,6) eine
äußerst interessante, aber leider auch mehrdeutige Nachricht: *Epistulae quoque
eius ad senatum extant, quas primum videtur ad paginas et formam memorialis
libelli convertisse, cum antea consules et duces nonnisi transversa charta scriptas
mitterent.* In wörtlicher Übersetzung: „Es existieren noch Schreiben von ihm an
den Senat, die er zuerst in Seiten und in die Form einer Gedenk-Broschüre umgewandelt zu haben scheint, während vorher die Konsuln und Feldherrn ausschließlich Briefe schickten, die auf ein Papyrusblatt im Querformat geschrieben waren."
      Die Angaben über die neue Briefform Caesars stehen ganz offenbar in einem sach-
lichen Zusammenhang untereinander und mit dem, was Caesar damit intendierte.
Zunächst erscheint die Aufteilung seiner Texte in *paginae* (‚Kolumnen') als Äußer-
lichkeit, die damals einer gewissen modischen Strömung entsprochen haben mag.[5]
Aber es ist wenig wahrscheinlich, daß er diese Form aus schreibästhetischen Gründen gewählt hat. Vielmehr gewinnt man den Eindruck, daß er diesen Berichten
einen anderen Charakter geben wollte; sie sollten „Denkschriften" sein. Nicht anders kann wohl *(ad) formam memorialis libelli* gedeutet werden. Der Begriff *memorialis libellus* begegnet freilich nur hier; er wird aber einigermaßen deutlich erklärt
durch Cicero (Phil. 1,19); der Redner wendet sich an dieser Stelle gegen die Berufung des Antonius auf einen *libellus* Caesars, als sei er ein offizielles Beschluß-
protokoll: *nisi forte, si quid memoriae causa rettulit in libellum, id numerabitur
in actis.*[5a] Man mag danebenhalten Cic. pro Cluent. 197 (Hinweis auf die für den
Angeklagten eintretenden Freunde) *non illi in libellis laudationem decretam miserunt, sed homines honestissimos ... adesse et hunc ... laudare voluerunt.* In beiden
Fällen ist der Zweck zwar verschieden, der Denkschriftcharakter aber eindeutig.
Caesar wollte also in gewissen Berichten an den Senat mehr geben als die üblichen
„Briefe", die bloß Rapportcharakter hatten; dies kann heißen, daß sie beträchtlich
ausführlicher waren, aber ebenso, daß sie über den Tageszweck hinaus Archivmaterial von dauerndem inhaltlichen Wert sein sollten. Aus beidem spricht ein ge-
hobener Anspruch, und beidem kommt die neue Form entgegen. Da andererseits
von Sueton nicht behauptet wird, Caesar habe alle seine Berichte in dieser Form
abgefaßt, und auch das Zeugnis Ciceros (Att. 4,18,5) diesen Eindruck nicht erweckt, so wird man am ehesten annehmen dürfen, daß Caesar außer den aktuellen,
kurzen Tagesrapporten auch zusammenhängende Berichte über längere Zeitabschnitte sandte, die in der Tat eine Vorform der *commentarii* darstellten — allerdings zunächst für den internen Dienstgebrauch bestimmt. Ob er sie von Anfang
an auch als Unterlagen für eine spätere literarische Darstellung seines Prokonsulats

---

[5] Auch in der Gestaltung epigraphischer Texte läßt sich damals ein Wandel beobachten; während die alten Bronzetafeln mit durchgehenden Langzeilen beschrieben sind, treten von 81
v.Chr. an in zunehmendem Maß solche mit mehreren Kolumnen auf (T. Mommsen, Hermes
2, 1867, 116; vgl. W. Aly, RE XVIII 2310f.), die man *paginae* nannte (z. B. CIL III p. 850
[72 n.Chr.]; XI p. 3614 [114n.Chr.]). — H. Peter, Der Brief in der römischen Literatur
(1901; Nachdr. 1965) 96, zitiert das Suetonzeugnis, ohne eine Sacherklärung zu geben.

[5a] Kurz vorher (§ 16): *an in commentariolis et chirographis et libellis se uno auctore pro-
latis ... acta Caesaris firma erunt ...* ; es handelt sich um schriftlich fixierte, aber nicht
rechtsverbindliche „Programme" beabsichtigter Maßnahmen.

konzipiert hat, können wir nicht wissen; daß er sie dabei ebenso wie seine *epistulae* verwendet hat, steht außer Zweifel.

Aus alledem läßt sich für Caesar ein dreistufiges Vorgehen rekonstruieren:

1. *epistulae* = Einzelberichte an den Senat von Fall zu Fall (Beispiel: Cic. Att. 4,18,5);
2. *libelli memoriales* = ὑπομνήματα = zusammenhängende Auflistung seiner Taten (vielleicht nach Kriegsjahren geordnet) für das Archiv des Senats;
3. *commentarii* = Gesamtdarstellung für die Öffentlichkeit.

Wenn dies richtig ist, dann läßt sich auch der Titel *commentarii* zwanglos erklären. Er suggeriert dem Leser, daß er die für den Senat bestimmten Informationsberichte nunmehr selbst in die Hand bekommt, d. h. mit Informationen erster Hand ausgestattet wird und die Gewißheit authentischer Dokumentationen besitzen darf. An nichts konnte Caesar mehr gelegen sein als daran, seinen Freunden und denen, die er zu gewinnen hoffte, zu zeigen, was er dem Senat auf Dienstpflicht mitgeteilt hatte und wie infam dessen Mehrheit handelte, wenn sie sich nach alledem nun, im Jahre 51, gegen seine Bewerbung um das Konsulat stemmt.

Selbstverständlich waren die nunmehr publizierten Bücher inhaltlich nicht mehr identisch mit den Berichten, die im Archiv lagen. Denn sie mußten vieles sagen, was man dem Senat in einem Dienstbericht keineswegs mehr zu sagen brauchte; andererseits hatte Caesar selbst zweifellos viel Material aus den Feldzügen zur Verfügung, das sich in den Senatsberichten nicht niedergeschlagen hat, einfach weil es darin keinen Platz fand. Viele Details, insbesondere taktischer Art, konnten die Behörde nicht interessieren; dasselbe gilt wohl auch für die meisten topographischen Notizen[5b], durch die eine literarisch geschilderte Schlacht an Lebendigkeit gewinnt (was der Leser braucht), wogegen der Senat erfahren mußte, was einer Unternehmung vorausging, welche Verhandlungen stattgefunden haben, welche Truppendispositionen getroffen wurden, welche Gewinne und Verluste in einer Schlacht entstanden sind.[6]

Eine wichtige Rolle müssen ferner die Operationsberichte gespielt haben, die Caesar von seinen Legaten erhalten hat. Es versteht sich von selbst, daß diese nicht unverändert, sondern nur stark reduziert, vielleicht sogar retouchiert in die Feldherrnberichte eingehen konnten; wohl aber mochten sie Material enthalten, das sich wiederum für die Ausgestaltung der *commentarii* gut eignete. Schließlich brauchte das Publikum eine Menge Informationen über die Länder und Völker, die

---

[5b] Darüber Näheres unten S. 145ff.

[6] Daß insbesondere die Mitteilungen Caesars über den Inhalt diplomatischer Verhandlungen auf verschiedensten Ebenen auf einem reichen und zuverlässigen Dokumentenmaterial in Caesars Hand beruhen müssen — eines Materials zudem, das schon die Jahre vor dem Beginn des Krieges umfaßte —, hat F. Stoeßl, Caesars Politik und Diplomatie im Helvetierkrieg, Schweizer Beitr. zur allg. Geschichte 8, 1950, 5ff., schlüssig nachgewiesen, aber auch deutlich gemacht, in welch berechnender und zweckgebundener Weise die benützten Urkunden oder Protokolle verkürzt oder vernebelt sind. Was hier für die erste Phase des gallischen Krieges ermittelt worden ist, kann unbedenklich als repräsentativ auch für die übrigen Teile des Werkes gelten, da es an mehr als einem Dutzend einzelner Vorgänge eine typische Arbeitsweise des Verfassers aufscheinen läßt.

84 IV. Das *Bellum Gallicum*

zwar Politiker im allgemeinen besitzen, nicht aber der normale Bürger in der Hauptstadt oder in den Munizipien. Schon deshalb war auf gewisse Exkurse gar nicht zu verzichten, und solange sich Caesar noch einigermaßen strikt an die reine Berichtsform des *commentarius* hielt — d. h. in den ersten Büchern —, mußte er solche Informationen anders unterbringen als in Exkursen; gewöhnlich geschieht es in einer Art Einleitung zu den jeweiligen Geschehensabschnitten.

Michel Rambaud[7] hat versucht, eine übersichtliche Analyse der Bestandteile von fünf Büchern des BG und allen drei Büchern des BC tabellarisch vorzulegen. Er unterscheidet dabei drei Elemente: Legaten-Rapporte („L")[8], Caesars eigene Mitteilungen operativen und diplomatischen Inhalts („C) und „développements littéraires" („D")[9], wobei sich ergibt, daß die literarischen Ausweitungen (D) zunächst recht sparsam eingefügt sind, später zunehmend mehr Raum beanspruchen — eine einleuchtende Parallele zu dem, was über die Exkurse und direkten Reden festzustellen war. Aber eben diese sind selbst ein wesentlicher Bestandteil der literarischen Ausweitungen.[10]

Es ist nicht in jedem Falle so einfach, die Schnitte zu legen, wie Rambauds Tabellen vermuten lassen. Immerhin ist daran vieles ganz unbestreitbar, wie sich am Beispiel des Buches VI leicht zeigen läßt.

---

[7] Déformation 51—56.
[8] Dies kann natürlich nur bedeuten, daß die Legaten in ihren Berichten die materiellen Grundlagen solcher Abschnitte geliefert haben; die Formulierungen sind in jedem Fall Caesars Eigentum. Vgl. die (zutreffende) Kritik von J. Harmand (Le portrait de la Gaule ... ANRW I 3 [1973] 543, Anm. 74) an Rambauds Darstellung.
[9] Rambaud versteht darunter alles, was den kriegstechnischen und diplomatischen Rahmen überschreitet, also vornehmlich der Information und Beeindruckung des breiteren Publikums dient. Dazu gehören auch Überlegungen und Beratungen, bestimmte Kampfszenen, Stimmungsbilder aus der Truppe u. dgl. Aber es gibt hier Überschneidungen, die Rambaud nicht in Rechnung stellt. So ist schwer zu entscheiden, wie weit man die Beschreibung von Schlachtfeldern (s. unten S. xxx), das Gespräch mit Ariovist, größere Schlachtberichte (z. B. I 22—28; III 24—26; VII 45—56) zum „récit en forme technique", wieweit zum „développement littéraire" zählen kann. Denn einerseits ist Mitteilung der wesentlichen Tatsachen auch im amtlichen Bericht unerläßlich; andererseits wäre dort eine Gestaltung der Dinge, wie sie in den *commentarii* geboten wird, schlechthin deplaciert. Die Grenzen bleiben in vielen, vielleicht den meisten Fällen fließend, und der Arbeitsprozeß ist sicher nicht einfach additiv zu denken.
[10] Wie dies bei Rambaud im einzelnen aussieht, sei am Beispiel des Buches VI vorgeführt:

D	c. 1:	introduction
L	c. 2 (1—2):	rapports sur l'activité des Trévires, provenant sans doute de Labiénus (cf. 5,6 et V 47,5; 53,1—2; 55—58)
C	c. 2,3—6:	opérations de César en Février-Mars
L	c. 7—8:	rapport de Labiénus sur ses opérations dans la même période
C	c. 9—10:	second passage du Rhin
D	c. 11—28:	digression sur la Gaule et la Germanie
C	c. 29—33:	poursuite d'Ambiorix
D	c. 34:	explications assez générales
D	c. 35—42:	récit de la seconde attaque d'Atuatuca, qui suppose des données fournies par Q. Cicéron mais qui est evidemment dramatisé
C	c. 42—43:	dernières opérations et quartiers d'hiver, indications qui correspondent à celles d'un rapport au sénat.

Da ist zunächst der große Exkurs über Gallien und Germanien (11–24 [+ 25–28]), der stofflich einen Fremdkörper darstellt. In einem amtlichen Bericht hatte er nichts zu suchen; auch wird in ihm nichts über Caesars Aktivität erwähnt (etwa eigene Erkundungen oder Erfahrungen). Er beruht also auf Literatur, und selbst wenn man annehmen muß, daß Caesar das Material dafür in bestimmter Weise – etwa zur Herausarbeitung der nationalen Gegensätze – aufbereitet hat, so haben doch diese 14 Kapitel direkt mit der *pacatio Galliae* nichts zu tun. Sie dienen – mindestens dem ersten Anschein nach – der Wißbegierde der Leser; daß Caesar diesen zugleich die Vorstellung suggerieren wollte, er habe als Prokonsul nicht naheliegende Aufgaben unerledigt gelassen, sondern das Reich bis zu einer naturgegebenen und sinnvollen Grenze ausgeweitet, ist nicht auszuschließen[11]; aber auch dann bleibt es „développement littéraire".

Etwas komplizierter ist die Situation bei Kap. 34. Ihm geht ein Bericht über die Umtriebe des Ambiorix voraus, der zuerst V 24,4 als Eburonenhäuptling vorgestellt worden ist. Ambiorix und die Eburonen schweben über den ersten Kapiteln des sechsten Buches als die einzige und permanente Gefahr: sie allein haben nie Unterhändler zu Caesar geschickt; sie bieten allen widerspenstigen Stämmen ihrer Umgebung Zuflucht, während die Aduatuker und Menapier, ihre Nachbarn, unter dem Einfluß des Ambiorix nicht zur Ruhe kommen und sogar Germanenstämme des Ardennengebietes sich bei Caesar über dessen politische Aktivität beklagen und sich von ihr distanzieren. In Kap. 33 berichtet Caesar von vorbeugenden taktischen Einsätzen des Labienus und Trebonius, die zugleich den Auftrag erhalten, möglichst bald ins Hauptlager an der Schelde zurückzukehren. Darauf folgt nun ein Kapitel (34), das von durchaus uneinheitlichem Charakter ist, aber nur durch eine Einzelheit verrät, daß in ihm zwei verschiedene Bestandteile verschmolzen sind.

Zunächst überrascht inmitten all der militärischen Anordnungen und Maßnahmen eine ziemlich lange (7 Paragraphen umfassende) generelle Erörterung über die typische Situation, in der sich die Römer damals befunden haben: Kein wirkliches Widerstandszentrum des Gegners, kein geschlossenes Heer; dafür ausgeprägtes Partisanenverhalten; der Gegner gruppenweise in waldigem Gelände versteckt und deshalb zwar nie für das gesamte römische Heer gefährlich, wohl aber für einzelne Teile, die sich „aus Beutegier" zu Sonderaktionen hinreißen lassen, ohne in der Lage zu sein, die geschlossene Formation zu wahren; und „wenn sie wollten, daß ein Auftrag erledigt oder ein Verbrecherstamm ausgerottet würde, mußte man mehrere Einheiten aussenden und die Truppen teilen; wenn sie aber die Einheiten nach den Regeln der römischen Taktik zusammenhalten wollten, dann bot das Gelände den Barbaren Schutz; und diesen fehlte es nicht an Kühnheit, einzelnen

---

[11] Man muß dabei im Auge behalten, daß er als „Eroberer des Westens" notwendigerweise im Vergleich mit Pompeius, dem ebenso gefeierten wie gefürchteten Eroberer des „Ostens", gesehen wurde. Die Leistung des Pompeius galt als definitiv und abgeschlossen (s. etwa Cic. procons. prov. 27f.; Plut. Pomp. 42,2; Cass. Dio 37,20,2). In der damaligen Situation war es für Caesar äußerst wichtig, auch seine Leistung als ein optimum et totum erscheinen zu lassen.

(*singulis!*) Fallen zu stellen und die Zerstreuten einzukesseln!"[12] Deshalb war äußerste Vorsicht nötig, und es war besser, einzelne Möglichkeiten, dem Feind zu schaden, ungenutzt zu lassen, als sie wahrzunehmen und dabei Leute zu verlieren.

Nun setzt unvermittelt § 8 ein: *dimittit ad finitimas civitates nuntios Caesar*; die benachbarten Gallier sollten sich die Gelegenheit zum Beutemachen nicht entgehen lassen und über die Eburonen herfallen. Denn lieber sollten in den Wäldern die Gallier selbst ihr Leben riskieren als römische Soldaten; außerdem sollte durch die Übermacht „das Geschlecht und der Name des Stammes wegen eines solchen Verbrechens ausgelöscht werden." Die Gallier kommen denn auch in Massen herbei.

Tatsächlich liegen hier ganz heterogene Textstücke vor. Man sieht es schon daran, daß der § 8 nicht mit *itaque, qua de causa* oder ähnlichem beginnt, wie immer dann, wenn das Schema *deliberatio — actio* vorliegt. Die §§ 1—7 zielen ganz offensichtlich auch nicht auf die *actio* hin; vielmehr könnte man den § 8 unmittelbar auf Kap. 33 folgen lassen; er setzt dessen Inhalt geradlinig fort: Die Legaten werden an bestimmte Standorte geschickt; Caesar selbst schlägt sein Hauptquartier an der Schelde auf, wo die Legaten bald wieder mit ihm zusammentreffen sollen; die benachbarten Gallier fordert er auf, an seiner Statt die Menapier zu überfallen und auszuplündern — eine Aktion, die natürlich durch die Verteilung der Legionen im Umkreis militärisch abgesichert ist. Die Ratio dieses erstaunlichen Vorgehens — § 8 ist einer der zynischsten Abschnitte des ganzen BG — ist ganz lapidar in den Rahmen eingebaut: auf diese Weise kann die eigene Truppe geschont werden und sicher sein, daß die Menapier von den eigenen Nachbarn aufgerieben werden; *pro tali facinore* ist in seiner undifferenzierten Allgemeinheit eine heuchlerische Selbstrechtfertigung.

Damit erklärt aber § 8 — der einen organischen Teil der Gegenmaßnahmen gegen die Aktionen des Ambiorix darstellt — alle im technischen Sinne notwendigen Angaben in jener knappen und präzisen Form, die bei offiziellen Berichten üblich ist. Wozu werden diese Gegenmaßnahmen, die ja ein Ganzes bilden, durch das lange Räsonnement der §§ 1—7 unterbrochen? Genau genommen wird in ihm ja nur ausführlich dargelegt und auf eine bemerkenswert unmilitärische Weise erläutert, was in § 8 konzis gesagt wird: *ut potius in silvis Gallorum vita quam legionarius miles periclitetur.*

Es gibt für diese vorhergeschobene Auswalzung des Motivs eine zwar nicht beweisbare, aber doch ziemlich naheliegende Begründung. Der Senat, dem zweifellos

---

[12] Besonders auffallend und im Rahmen caesarischen Berichtens ganz ungewöhnlich ist die Formulierung § 5f. *si negotium confici stirpemque ... interfici vellent ...; si continere ad signa manipulos vellent,* etc. Das grammatische Subjekt liegt formal in *multos* (sc. *nostros*) von § 4; der Sache nach können aber nur Truppenoffiziere gemeint sein. Dies legt die Vermutung nahe, daß sich in diesen Sätzen noch wörtliche Elemente aus den von diesen dem Feldherrn erstatteten Meldungen bzw. Rechtfertigungen erhalten haben. Damit gehören diese Sätze zur Kategorie „L", während die §§ 4 und 7 die Lagebeurteilung des Feldherrn selbst enthalten (Kategorie „C"). Die literarische Entfaltung („D") liegt somit nicht im sachlichen Inhalt dieser Teile, sondern in der Art, wie die Lagebeurteilung durch die Offiziersmeldungen untermauert wird.

der Inhalt von § 8, auch in dieser Form, vorgelegt worden ist, war damit nicht zufriedengestellt. Dieser Bericht gab vielmehr den Gegnern des Prokonsuls eine brauchbare Handhabe, um ihn der *perfidia* zu zeihen. Bei der politischen Konstellation in Rom muß unterstellt werden, daß man auch in der Öffentlichkeit mit solchen Tatsachen gegen ihn agitiert und ihn als Zerstörer der *dignitas nominis Romani* hingestellt hat. Caesar stand also bei der Abfassung des *commentarius* vor der Wahl, entweder die Aktion gegen die Eburonen ganz zu unterdrücken oder sie zusätzlich zu rechtfertigen. Das erste war problematisch; denn allzuviele Leute hatten die Geschehnisse miterlebt, und überdies war die Sache selbst im Senatsbericht erwähnt; also war es besser, die besondere Situation der Legionäre im nördlichen Gallien ausführlich zu erörtern, um deutlich zu machen, daß Caesars verschlagenes Vorgehen dem Schutz römischer Bürger diente: *in eiusmodi difficultativus, quantum diligentia provideri poterat, providebatur.*

So wird man denn — in Korrektur der Tabelle R a m b a u d s — sagen dürfen: 34,8 ist Teil des offiziellen Senatsberichtes wie die vorausgehenden Kapitel; 34,1—7 ist ein „développement plus politique que non littéraire", dazu bestimmt, ein schon vorhandenes oder zu befürchtendes Odium auszuräumen. —

Sozusagen zu beiden Seiten des 34. Kapitels breiten sich zwei annähernd gleich umfangreiche Kampfberichte aus, die man auf den ersten Blick vielleicht auch für gleichartig halten könnte. Grob bestimmt, sind sie erzählenden Charakters; wer sie aber sorgfältiger liest, nimmt einen beträchtlichen Unterschied der Darstellung wahr, und je nachdem, ob jemand Informationen oder Sensationen erwartet, wird er den ersten Abschnitt (29—33) oder den zweiten (35—41) persönlich höher einschätzen.

Sehen wir beide Abschnitte kurz auf ihren literarischen Charakter hin an. Der etwas kürzere (29—33) knüpft zunächst an Kap. 10,4 an: Die Sueben stellen sich nicht zum Kampf; Caesar entschließt sich also zum Rückzug aus dem Rechtsrheinischen, läßt aber einen Teil der Brücke stehen und sichert ihn durch eine Besatzung von 12 Kohorten und einen Turm von 4 Etagen. Er ernennt den Kommandanten der Besatzung, wendet sich selbst dem Ambiorix-Krieg zu, gibt an, wohin und wie weit er sein Heer führt und daß und wozu er die Reiterei unter Minucius Basilus vorausschickt. Wie Basilus durch Zufall den Ambiorix unvorbereitet überrascht, aber dieser ebenso zufällig eine Möglichkeit findet, zu entkommen, das ist der Inhalt des kurzen Kap. 30. In 31 wird erzählt, wie sich Ambiorix danach verhält, wie er seine Alliierten nach allen Seiten in Deckung schickt, wie er sich mit seinem Mitkönig Catuvolcus überwirft und dieser sich das Leben nimmt. Das folgende Kapitel hat zwei Themen: a) die Regelung von Caesars Verhältnis zu den germanischen Seguern und Condrusen im Gefolge der Rüstungen des Ambiorix; b) Caesars weitere Dispositionen für seine Legionen, wobei vor allem die Wahl der Verschanzung bei Atuatuca als Troßsammelstelle genau begründet wird. Den Abschluß bildet die Einsetzung des Q. Cicero als örtlichen Kommandanten. Das Kap. 33 schließt unmittelbar daran an: die Aufträge für Labienus und Trebonius und der Plan eines eigenen Abstechers von 7 Tagen an die Schelde.

Diese fünf Kapitel enthalten also eine gewaltige Zahl von Informationen, aus denen sich jedermann bei richtiger Auswertung ein Bild der Lage machen kann:

die vorläufige Bannung der Ambiorix-Gefahr, die strategische Sicherung des belgischen Gebietes, Truppenbewegungen, kleinere Einzelaktionen (über deren Verlauf im einzelnen nicht gesprochen wird). Dies ist ein typischer Generalstäbler-Bericht, aus der Blickrichtung von Leuten konzipiert, die ihre Lagekarte mit taktischen Fähnchen bestecken und anhand der gebotenen Informationen selbst aus großer Entfernung beurteilen können, womit in nächster Zeit gerechnet werden muß und welche generellen Entscheidungen — auch politischer Art — zur Zeit möglich und nötig sind. Daß zu diesem Sachbericht auch 34,8 gehört und ihn mit einer gewissermaßen sorgenmildernden Erfolgsmeldung abschließt — mit den Eburonen ist für die nähere Zukunft nicht mehr zu rechnen —, das wurde bereits gesagt. Dieser ganze Abschnitt läßt sich fast wortwörtlich als Teil eines offiziellen Lageberichts an den Senat vorstellen. Man konnte ihn also wohl auch in einem „liber memorialis"[13] für das Jahr 54 so oder ähnlich wiederfinden.

Anders steht es mit der etwas längeren Partie 35—42. Nur zum Schein setzen sich die Geschehnisse in ähnlicher Weise fort, wie sie bis dahin geboten sind: Anknüpfung an den 7-Tage-Termin von 33,4; Erinnerung an die in 31 geschilderte und in 34,1 noch einmal erwähnte Feindlage; die Fama über den Überfall der Gallier lockt 200 Sugambrer über den Rhein; sie werden von ihren Gefangenen auf die römische Troßsammelstelle von Aduatuca aufmerksam gemacht, und dort überfallen sie die ahnungslose Bewachungstruppe des Q. Cicero. Und nun befassen sich nicht weniger als sieben Kapitel mit dem eintägigen Abenteuer, das sich daraus entwickelt. Dies alles steht unter dem Leitwort: Bedeutung der Fortuna im Krieg (35,2); der Vorgang wird zur Parabel. Schon der Hinweis der Gefangenen auf das Lager bei Aduatuca wird zu einer kleinen „Szene" ausgebaut, über die früher zu reden war (35,6—10)[14]. Dann wird in Kapitel 36,1—2 zur Entlastung Ciceros ausführlich berichtet, wieso die Römer derartig überrascht und in Hilflosigkeit gestürzt werden konnten[15], was dann in 37 mit allen Merkmalen von *terror* und *metus* ausgeführt wird: Plötzlich tauchen die Germanen vor der *porta decumana* des Lagers auf; noch sind die Marketender mit ihren Waren dort; sie flüchten eilig in den Schutz der Soldaten. Die Germanen strömen rings ums Lager; kaum gelingt es, ihr Eindringen zu verhindern; *totis trepidatur castris* (37,6), und dies wird eine halbe Seite lang ausgemalt. Wie es sich bei solchen Kriegsepisoden äußerster Gefährlichkeit gehört, tritt auch ein Retter in der Not auf, ein Mann von übermenschlicher Beherztheit (der kranke *primipilus* Sextius Baculus), dessen „Aristie" ein weiteres Kapitel (38) füllt; er ist eine Art Horatius Cocles, der sich erfolgreich für die Rettung anderer aufopfert.[16] Fünf Tage lang, so erfährt man, hatte er nichts gegessen; ungeachtet seiner Schwäche rennt er waffenlos aus dem Zelt, nimmt einem der nächsten Stehenden das Schwert ab und stellt sich als Verteidiger ins Lagertor. Jetzt kommen auch die Centurionen (natürlich sind sie be-

---

[13] Suet. Iul. 56,6; vgl. oben S. 81ff.
[14] S. oben S. 67.
[15] Eine ausführliche stilistische Interpretation dieses Kapitels gibt neuerdings G. Pascucci, ANRW I 3 (1973) 508ff.
[16] Zur Person des Baculus s. Th. Horn, Greece and Rome 8, 1961, 180ff.

schämt); gemeinsam mit Baculus verteidigen sie das Lager, bis dieser ohnmächtig zusammenbricht. Zum Glück gelingt es, ihn aus dem Kampfgetümmel zu ziehen. Aber sein Widerstand hat soviel Zeitgewinn gebracht, daß nun endlich eine halbwegs geordnete Abwehr möglich wird — ein erbauliches Rührstück.

Doch es geht noch weiter in diesem Ton, und auch in dieser Kleinmalerei. Die Getreideholer geraten in das Getümmel; die Troßknechte verhalten sich — wie sollte man es anders erwarten? — töricht und vermehren die Verwirrung; und gäbe es nicht einen zweiten besonnenen und tapferen Mann, den Ritter C. Trebonius[17], der mit einer Handvoll Altgedienter sich von außen den Weg zum Lager bahnte, so wäre eine Katastrophe nicht mehr abzuwenden. Immerhin gibt es empfindliche Verluste, und nur ein Teil der erfahreneren Soldaten kann sich ins Lager durchschlagen. Das 41. Kapitel bringt endlich die Wende: Die Germanen drehen wieder ab, sobald sie erkennen, daß man das Magazin nicht einfach im Handstreich nehmen kann; sie holen sich die früher gewonnene Beute aus den Waldverstecken und gehen über den Rhein zurück. Fast gleichzeitig kommt auch — heiß erwartet — Caesar mit seinem intakten Heer: eine so unglaubliche Nachricht, daß die noch immer hektisch erregte Lagerbesatzung das Wunder zunächst nicht glauben will. Aber dann ist der böse Spuk wie weggeblasen: *quem timorem Caesaris adventus sustulit.* Die (militärische) Welt ist wieder in Ordnung.

Dies ist eine Rettung in letzter Stunde wie in Hunderten von Abenteuerromanen und Westerns. Wer zunächst mit Staunen erlebt, wie Caesar als Darsteller die ganze Misere bis in die letzten Kleinigkeiten liebevoll ausmalt, und sich fragt, ob dies nicht gegen sein eigenes Interesse, die *virtus* der römischen Truppe in hellem Licht strahlen zu lassen, unbedacht verstößt, der erhält die Antwort in diesem letzten Satz des Kapitels 41, den die Ausgaben nicht ganz zu Unrecht als eigenen Paragraphen zählen, obwohl er nur fünf Wörter umfaßt: In jedem Krieg geht manches schief, insbesondere, wenn Fortuna es so fügt; auch dann kann sich die *virtus* in Taten einzelner Beteiligter bewähren; wenn aber Caesar selbst zur Stelle ist, dann weicht die Furcht auch der Ängstlichen, und alles kommt wieder in Ordnung.

Ein solches Abenteuer in dieser Form dem Senat zu berichten, wird Caesar sich gehütet haben; derartige stories las man damals freilich in den Annalen eines Claudius Quadrigarius oder Valerius Antias, wohl auch im Epos des Ennius, und eine Generation später im großen nationalen Lesebuch des Livius, vor allem aus dem heroischen Zeitalter Roms. Wenn nun Caesar aus seinen eigenen Feldzügen ähnliche Episoden zu erzählen hatte, dann war das bei den Lesern in Rom und namentlich bei seinen Sympathisanten gewiß wirkungsvoll[18]; für sie, nicht für die Behörde, sind solche Szenen beschrieben, und daher ist die Einordnung dieses

---

[17] Nicht zu verwechseln mit dem oft erwähnten Legaten gleichen Namens (zuerst V 17,2); der hier genannte Ritter ist uns sonst unbekannt (F. Münzer, RE VI A 2282).

[18] Man kann im übrigen an solchen Partien erkennen, daß Caesar nicht nur durch Reden den Rahmen eines *commentarius* sprengt (s. oben S. 64f.), sondern auch sonst sich gelegentlich dem Erzählstil des historischen Genus nähert. Die Grenzen sind freilich nicht immer klar zu ziehen (vgl. oben S. 70f.); hier ist der Fall insofern eindeutig, als in einem amtlichen Bericht die ganze Episode beiseitegelassen werden konnte, ohne daß der Behörde etwas Wesentliches entgangen wäre.

Abschnittes in die Sachkategorie „D" bei Rambaud in vollem Umfang begründet.[19]

Zieht man nun derartige allein für die Publikation ausgearbeitete Partien ab, so bleibt oft nur wenig an echten Operations- und Lageberichten übrig. In Buch VI z. B. sind in diesem Sinne 28 von 43 Kapiteln abzuziehen; damit bleiben an wahrscheinlichem Inhalt aus offiziellen Dossiers nur 15 übrig — für ein ganzes Jahr ein äußerst spärlicher Bestand. Diese rund 12 Seiten Text berichten immerhin über sechs verschiedene *bella* (zum Teil natürlich parallel laufende), und man darf sich fragen, ob der Senat, wenn er in einem ganzen Jahr nicht mehr über die Tätigkeit eines kriegführenden Prokonsuls mit 6 Legionen und entsprechenden Hilfstruppen in einem durch und durch unruhigen und aufsässigen Gebiet zu lesen bekam, sich damit zufriedengeben konnte. Sehr wahrscheinlich ist dies nicht. Man wird also eher unterstellen dürfen, daß Caesar das vorhandene Material für seine *commentarii* sehr energisch gesiebt und nur das in sie aufgenommen hat, was ihm für seine literarischen Absichten geeignet schien. Leider haben wir dafür keine beweisenden Zeugnisse und Unterlagen. Aber es gibt nicht selten Stellen, an denen sich der kritische Leser fragt, wie es überhaupt zu gewissen Ereignissen gekommen ist, weil Caesar nichts darüber sagt, was zu einem sachlichen Verständnis hilft, obschon gerade die *causae* von wichtigen Ereignissen in einem amtlichen Bericht unter allen Umständen berührt werden mußten. Ein markantes Beispiel dafür bietet der Anfang des Buches II.

Bekanntlich endet das erste Buch mit dem Sieg über Ariovist, der sich über den Rhein rettet[20] und von da an aus der Geschichte ausscheidet. Die Operationen dieses ersten Kriegsjahres werden von Caesar durchaus als präventive Maßnahmen zum Schutz der Provinz hingestellt, deren nördlichster Zipfel bis an das Südufer des Genfer Sees reichte, deren westliches Grenzgebiet aber nur bis an die Einmündung des Tarn in die Garonne ging, rund 150 km nördlich des Pyrenäenrandes. Daran grenzten im Norden die ausgedehnten Territorien der Arverner, der Häduer und — längs des Schweizer Juras — der Sequaner. Dieses letzte Gebiet war Caesars nördlichstes Operationsgebiet im ersten Jahr; er zog Ariovist durch die Burgundische Pforte (Hauptort: Besançon) bis in die Gegend von Mülhausen am Oberrhein entgegen; die beiden andern Grenzgebiete hat er nie betreten. Für die Häduer ist er ausdrücklich als Garant der Freiheit aufgetreten[21]; sie waren *amici populi Romani* und als solche Caesars wichtigste Versorgungsbasis. Am Ende des Jahres legte Caesar sein Heer bei Vesontio ins Winterlager, in jenem Gebiet also, in dem die Operationen gegen Ariovist stattgefunden hatten, und auf dem Boden desjenigen Stammes, der angeblich die Häduer bedrohte.

[19] Daß diese Episode zudem für einen besonderen Zweck zurechtgemacht ist, soll später in einer kritischen Analyse gezeigt werden. S. unten S. 124ff.
[20] Hier eine kleine Merkwürdigkeit: Ariovist wird von Caesar später noch mehrfach erwähnt (IV 16,7; V 55,1; VI 12,2, stets konform mit dem Bericht über den Sieg von 58); nur an einer Stelle erwähnt Caesar den Tod des Germanen, und zwar so, daß man, gäbe es nur diese eine Erwähnung des Mannes, annehmen müßte, er sei im Kampf mit Caesar gefallen: V 29,3 *magno esse Germanis dolori Ariovisti mortem et superiores nostras victorias.*
[21] I 33,2; 35,3f.

Buch II beginnt nun damit, daß Caesar, der sich in der Poebene aufhält, aus dem Winterlager bei Vesontio eine Nachricht des Labienus erhält, „alle Belgier hätten sich gegen das römische Volk verschworen; denn sie fürchteten, wenn Rom alle Gallier unterworfen hätte, würde ihre Streitmacht auch gegen sie geführt werden; sie vermerkten es übel, daß Caesars Heer in Gallien überwintere und sich festsetze. Andere Gründe kämen hinzu, die von interner Natur seien." Deshalb mußte Caesar eilig nach Gallien kommen und gegen die Remer — an der Aisne! — zu Felde ziehen.

Es fällt schwer, dies dem Autor so, wie es dasteht, abzunehmen. Die Entfernung von Besançon bis zu den Remern beträgt rund 300 km Luftlinie. Die Remer sind von den Sequanern durch die Lingonen, Senonen, Leucer und andere getrennt. Nach dem Stand vom Ende des Buches I konnte von einer Bedrohung der Belgier nicht die Rede sein, wenigstens nicht von einer aktuellen Gefahr. Sie selbst hätten auch nicht ohne Verletzung anderer Stammesgebiete gegen die Römer marschieren können. Was also konnte sie zu einer Verschwörung bewogen haben?

Eine zweite Merkwürdigkeit kommt hinzu. Nach II 2,3 beauftragt Caesar die an der Seine wohnenden Senonen „und die übrigen an Belgien angrenzenden Gallier", die Aktionen der Belger auszuspionieren und ihm zu melden. Wann aber hatte er jemals Kontakte zu diesen Stämmen im Norden Frankreichs gewonnen? Wann jemals ein römischer Beamter vor ihm? Und welchen Anlaß konnten die Senonen haben, sich als Agenten Caesars herzugeben? Was konnten sie sich davon versprechen? Da sie südlich von den Remern wohnten, hätten sie sich noch eher als die Remer von Caesar bedroht und mit ihnen durch ein gemeinsames Schutzbedürfnis verbunden fühlen müssen. Überdies gibt es auch nicht das leiseste Anzeichen dafür, daß die offizielle Politik Roms irgendeine Aktion ausgerechnet gegen die am weitesten entfernten und den Römern kaum bekannten, somit geopolitisch völlig uninteressanten Belger beabsichtigt hätte.

Aber auf alle Fragen dieser Art erhalten wir von Caesar keine Antwort.[22] Da jedoch die Dinge später, d. h. seit Anfang 57, tatsächlich so abgelaufen sind, müssen in dem Spatium zwischen Buch I und dem Anfang von II Dinge geschehen sein, die diese Konstellation erst herbeigeführt haben, somit eine militärische Koalition der belgischen Stämme erst nahegelegt haben.[23] Es kann nicht anders sein, als daß Caesar an dieser Stelle wesentliche Geschehnisse verschweigt, die den Belgierkrieg des Jahres 57 erst verständlich machen, und da Caesar einen Anlaß gegeben sieht, militärisch gegen die Belger vorzugehen, drängt sich die Vermutung auf, daß entweder er selbst der Verursacher von Umständen war, die ihm die Möglichkeit aggressiven Vorgehens gegen den Norden verschafften, oder daß er sich von anderen, die an einem Eingreifen der Römer in diesem Gebiet interessiert waren, dazu

---

[22] Auf diese meist übersehene Tatsache weist neuerdings mit Recht J. Szidat, Caesars diplomatische Tätigkeit ... (Historia Einzelschr. 14, 1970) 52f. hin.

[23] Rein theoretisch ist nicht einmal auszuschließen, daß es eine Militärallianz zwischen mehreren Stämmen Nordgalliens gab; aber auch wenn eine solche bestand, wäre damit nicht bewiesen, daß sie gegen die Römer gerichtet war. Bis zum Sommer 57 wissen wir über Vorgänge und Konstellationen in diesem Bereich überhaupt nichts; von da an werden sie ausschließlich durch Caesars Präsenz bestimmt.

hat verführen lassen. Denn selbst wenn die Belger tatsächlich ein derartiges Schutz-
und Trutzbündnis geschlossen hätten — was vor allem bedeutete: ihre Stammes-
fehden beizulegen, um gemeinsame Politik machen zu können —, dann hätte dies
allein für Caesar als Statthalter der Provinz noch lange keine Bedrohung bedeutet
— es sei denn, man wollte den Belgern die absurde Idee unterstellen, durch alle
dazwischenliegenden Gebiete gegen die Provinz zu marschieren. Dazu bestand aber
weder ein Anlaß noch eine Möglichkeit.

Damit hat uns die Betrachtung der Elemente, aus denen sich die *commentarii*
aufbauen (bzw. nicht aufbauen), und die Beobachtungen über deren Umgestaltung
unweigerlich zu den immer noch aktuellsten Problem der Caesarforschung geführt:
der Frage nach der Wahrhaftigkeit des Autors und der Zuverlässigkeit seiner Darstellung.

Exkurs

Caesar BG V 22,4–23,2 und Cicero ad Att. 4,18,5 über die Kapitulation Britanniens (zu S. 82f.).

Die Briefstelle Ciceros enthält natürlich nicht mehr als ein Résumé dessen, was Caesars Bericht an den Senat enthielt, insbesondere derjenigen Tatsachen, die den Senatoren wesentlich erschienen. Für die Beurteilung der Arbeit Caesars am BG wäre der volle Wortlaut seiner *epistula* von äußerstem Wert; da er nicht rekonstruierbar ist, ist die Frage umso dringlicher, ob sich Cicero in seiner raffenden Mitteilung persönlicher Ausdrücke oder solcher bedient, die in Caesars Schreiben enthalten waren. Hierbei kommt uns nun die Parallelstelle des BG zu Hilfe; denn sie enthält in der Tat einige verbale Übereinstimmungen mit Cicero, die schwerlich zufällig sind:

Cicero:	Caesar:
obsidibus acceptis	22,4 *obsides imperat*
	23,1 *obsidibus acceptis*
imperata pecunia	(22,4 *quid in annos singulos vectigalis*
	... Britannia penderet constituit)
exercitum e Britannia reportabant	23,2 *exercitum reportare instituit*

Dazu tritt eine auf den ersten Blick weniger ins Auge fallende Übereinstimmung. Cicero formuliert sehr lapidar und vereinfachend: *confecta Britannia*. Der Begriff *confectus*[1] ist inhaltlich abgedeckt durch das *deditio*-Angebot des Cassivelaunus[2], von dem Caesar 22,3 spricht; wird die *deditio* angenommen — und dies scheint aus der Formel *obsidibus acceptis* hervorzugehen —, dann gilt nicht nur das *bellum* als *confectum*, sondern auch der Gegner als „erledigt" und seine militärische Kraft als ausgeschaltet. Nun ist zwar Cassivelaunus der gewählte Führer einer Anzahl von Stämmen (11,8), aber doch bei weitem nicht der Repräsentant ganz Britanniens, zumal nach dem Abfall der Trinovanten (20,1–2), dem sich noch fünf weitere Stämme angeschlossen haben (21,1; vgl. 22,3 *permotus defectione civitatum*). Trotzdem sagt Caesar im Zusammenhang mit der *deditio* des Cassivelaunus, er habe festgelegt, welche Tribute „Britannien" jährlich zu leisten habe. Bei der vorausgegangenen *deditio* der 6 abgefallenen Stämme war nur von Geiselgestellung und einer wohl einmaligen Getreidelieferung für das Heer die Rede (20,3f.); daß diese Stämme, die durch ihren Frontwechsel den Anstoß zur Kapitulation des Cassivelaunus gegeben haben, im nachhinein noch mit Geldzahlungen belastet wurden, ist wenig wahrscheinlich. Überdies konnte Caesar nicht Tribute von einer Institu-

---

[1] *conficere* als ‚besiegen, militärisch erledigen' ist nicht häufig und zunächst sicher kolloquial (vgl. auch BAl 42,2), dann aber von Liv. mit einer gewissen Vorliebe übernommen worden (2,40,13; 26,11,2 u.ö.); vgl. Thes. l. L. IV 204, 66ff.

[2] *deditio* kann wie in BG II 12,5 und BC 3,97,5 nur als ‚Kapitulation' verstanden werden; vgl. Thes. l. L. V 1, 264, 65ff.

tion fordern, die es gar nicht gab.[3] Wenn er hier von einer Tributbelastung „Britanniens" spricht, so tut er dies entweder grob vereinfachend oder grob entstel-
lend; er erweckt damit den Eindruck, ganz Britannien sei wirklich unterworfen
— oder er will diesen Eindruck erwecken. Cicero läßt durch seinen Brief erkennen,
daß dieser Eindruck bereits in Caesars *epistula* an den Senat geweckt wurde; es
darf also angenommen werden, daß auch die geographische Gesamtbezeichnung in
dem Ausdruck *confecta Britannia* aus Caesars Schreiben stammt.

Auffallend ist in Ciceros Résumé der Passus *nulla praeda*. Dies muß also im
Bericht des Feldherrn ausdrücklich erwähnt gewesen sein, und es war wichtig,
weil einerseits die Truppe nach einem Sieg Anspruch auf einen Teil der Beute
hatte, andererseits über die Kriegsbeute — vor allem die sog. Großbeute — zunächst der Feldherr verfügte, wie denn auch das Beutemachen selbst von dessen
ausdrücklicher Erlaubnis abhing.[4] Seine Aufgabe war, einen angemessenen Teil
davon der Truppe abzugeben.[5] Wenn also Caesars Soldaten nach der britannischen
Expedition — die als totaler Sieg hingestellt wurde — leer ausgegangen sind, konnte
Caesar der Vorwurf des *peculatus* gemacht werden. Dagegen sicherte ihn die Feststellung ab, daß keine Beute angefallen sei.

Der weit ausführlichere Bericht im BG erwähnt diesen Punkt an keiner Stelle.
Dies muß jedoch, wie die obigen Überlegungen zeigen, nicht bedeuten, daß Caesar
etwa einen für ihn peinlichen Punkt im BG unterdrückt habe[6]; vielmehr ist dieser Gegenstand, der im Senatsbericht aus dienstrechtlichen Gründen notwendig
oder mindestens zweckmäßig war, für die literarische Behandlung belanglos; zum
Verständnis dessen, was Caesar erzählen will, kann er nichts beitragen.

Will man aus dem Vergleich beider Stellen eine Summe ziehen, so läßt sich mit
Sicherheit soviel sagen: Der Abschluß der britannischen Expedition ist im BG weitgehend auf der Grundlage des Berichts vom 25. September 54 beschrieben, sogar
unter Beibehaltung bestimmter Ausdrücke. Aber trotz der sicher größeren Ausführlichkeit der Darstellung im BG sind nicht alle im Senatsbericht enthaltenen

[3] Diodor 5,21,2 nimmt diese Angabe als reine Tatsache: τοὺς Πρεττανοὺς καταπολεμήσας
    ἠνάγκασε τελεῖν ὡρισμένους φόρους [vgl. Kraner—Meusel, Komm. II 50 z. St.]. —
    Daß der Tribut jemals gezahlt wurde, ist nirgends bezeugt und ganz unwahrscheinlich; vgl.
    T. Mommsen, Röm. Gesch. V 155. Übrigens spricht Caesar auch nicht expressis verbis
    von der Gestellung der Geiseln durch Cassivelaunus, während er sich im Falle der ab-
    gefallenen Stämme in dieser Hinsicht ganz unmißverständlich ausdrückt. Es ist also nicht
    einmal auszuschließen, daß die in 23,1 genannten *obsides* eben die von den anderen Stäm-
    men abgelieferten sind. In diesem Falle wäre die *deditio* des Cassivelaunus niemals über das
    erste Verhandlungsstadium hinausgelangt; sein Angebot müßte als Versuch bewertet wer-
    den, Zeit zu gewinnen. Durch Caesars eiligen Abzug von der Insel wurde dies allerdings
    gegenstandslos.
[4] Zur Rechtslage und den praktischen Gepflogenheiten s. Vogel, RE XXII (1953) 1202ff.
[5] Vogel a.O. 1210.
[6] Wer das Buch V aufmerksam liest, weiß ohnehin, daß die Römer in Britannien zu keinem
    Zeitpunkt eine Möglichkeit hatten, Beute zu machen. Nur an einer Stelle (21,6) erfahren
    wir, daß bei der Erstürmung eines britannischen Feldlagers eine große Menge Vieh vorge-
    funden wurde; dies verbrauchte man natürlich an Ort und Stelle für die Verpflegung der
    Truppe; Vieh galt niemals als *praeda*. Der in 19,2 erwähnte Versuch, Beute zu gewinnen,
    blieb ohne Erfolg.

Einzelheiten in den *commentarius* übernommen worden; das Prinzip der Sachaus-
wahl ist in den beiden Schriftstücken nicht dasselbe.

Eine weitere Tatsache ist von Interesse. Caesars *epistula* war, wie üblich, datiert.
Da wir annehmen dürfen, daß sie unmittelbar nach der Landung in Gallien abge-
sandt wurde, gibt Ciceros Résumé das einzige genauere Datum dieses Kriegsjahres.
Caesar vermeidet im BG geflissentlich jede präzise Zeitbestimmung, was gerade
in einem *commentarius* auffallend ist; nur gelegentlich deutet er zeitliche Abfolgen
an, die zumeist keine chronologischen Erkenntnisse vermitteln[7]; ein einzigesmal
spricht er davon, daß „nicht mehr viel vom Sommer übrig war" (22,4), um seine
Eile bei den von Cassivelaunus angebotenen Verhandlungen zu begründen. Dies
letztere läßt sich durch Cicero auf die erste Hälfte des September präzisieren.

[7] 7,3 *dies circiter XXV in eo loco commoratus*; 10,1 *postridie eius diei;* 15,3 *intermisso
spatio*; 17,1 *postero die.*

3. Déformation historique?

Die Frage, die mit dieser Überschrift angedeutet wird und an dieser Stelle zur Sprache kommen muß, orientiert sich am Titel desjenigen Werkes, in dem wie in keinem anderen der neueren Zeit die Redlichkeit und Glaubwürdigkeit des Schriftstellers Caesar bestritten wird — nicht in Einzelheiten, sondern in der Gesamthaltung.[1] In Wirklichkeit ist diese Frage seit dem 17. Jahrhundert immer wieder aufgeworfen worden[2], und sie beherrscht in unserem Jahrhundert und bis heute die Caesar-Philologie in einer ungewöhnlichen Intensität[3], die die Bedeutung des Problems sicher weit übertrifft. Denn selbst dann, wenn Caesars Glaubwürdigkeit in dem von Huber, Rambaud, Walser u.a. beabsichtigten Umfang zerstört worden wäre, bliebe seinen *commentarii* noch immer der literarische Rang, der ihnen einen ehrenvollen Platz unter den besten Schriftwerken lateinischer Sprache sicherte, und überdies wären sie selbst als durch und durch tendenziöse Darstellung des Berichteten noch immer unschätzbare Primärquellen für historische Ereignisse, die uns sonst entweder nur durch eine spätere und mehrfach gebrochene Tradition oder durch andere, auch ihrerseits mehr oder minder tendenzbestimmte Zeugnisse der gleichen Zeit zugänglich sind. Doch von diesen Aspekten ist später zu sprechen.

---

[1] M. Rambaud, L'art de la déformation historique dans les commentaires de César. Thèse Paris 1952 (Annales de l'Université de Lyon, Lettres III 23, 1953; 2. Aufl. 1966).

[2] Rambaud a.O. 7f.; J. Szidat a.O. (S. 91 Anm. 22) 5f.

[3] Der erste neuere Frontalbegriff gegen Caesars Glaubwürdigkeit wurde 1914 in einem viel beachteten (danach auch publizierten) Vortrag von P. Huber geführt (,,Die Glaubwürdigkeit Caesars in seinem Bericht über den gallischen Krieg''); wirkungsvoller noch hieb in dieselbe Kerbe Ed. Meyer, Caesars Monarchie und das Prinzipat des Pompeius (1922), bes. 234; 616f. Gleichzeitig mit Rambauds Buch entstanden das Buch von K. Barwick, Caesars Bellum civile. Tendenz, Abfassungszeit und Stil (1951) und der Aufsatz von C. E. Stevens, The BG as a Work of Propaganda, Latomus 11, 1952, 3ff., beide in derselben Grundrichtung, wenn auch mit begrenzterer Zielsetzung. Von einem speziellen Sachkomplex aus sucht dann G. Walser, Caesar und die Germanen (Historia Einzelschr. 1, 1956), zu zeigen, wie wenig Caesars Darstellung der geschichtlichen Wirklichkeit entspricht. — Seit jeher fehlt es nicht an Widerspruch gegen diese These oder Tendenz, ja gegen die Fragestellung selbst, so schon in den Büchern von C. Jullian (La conquête de la Gaule, [1909]), und T. Rice Holmes (Caesar's Conquest of Gaul [1911], bes. 211ff.); in neuerer Zeit in diesem Sinne U. Knoche, Caesars *Commentarii*. Ihr Gegenstand und ihre Absicht (Gymnasium 58, 1951, 139ff. = WdF XLIII 224ff.). G. Funaioli, Giulio Cesare scrittore, St. Rom. 5, 1957, 136ff.; H. Oppermann (mehrfach, bes. in seiner Auseinandersetzung mit Rambaud und Walser (Gymn. 68, 1961, 258ff., ferner: Probleme und heutiger Stand der Caesarforschung, WdF XLIII [1974] 511ff.); J. Szidat a.O. (1970); neuerdings mit Nachdruck J. Harmand, ANRW I 3 (1973) 525ff. Eher vermittelnde Positionen nehmen ein: F. Stoeßl, Caesars Politik und Diplomatie im Helvetierkrieg. Schweizerische Beiträge zur allg. Geschichte 8, 1950, 5ff. (S. 36: ,,Er gibt die Wahrheit, aber nicht die volle Wahrheit''); J. H. Collins, Propaganda, Ethics, and Psychological Assumptions in Caesar's Writings. Diss. Frankfurt/M. 1952; ders., Caesar as Political Propagandist (ANRW I 1, 1972, 922ff.). Es gibt kaum eine Arbeit über Caesar aus den letzten Jahrzehnten, die nicht mehr oder minder explizit zu diesem Problem Stellung genommen hätte; die hier genannten Titel sind nur eine Auswahl.

Das Problem der sachlichen Redlichkeit betrifft überhaupt nicht so sehr den
Schriftsteller Caesar — es sei denn in seiner Kunst, auch entstellten Tatsachen
den Anstrich des *verisimile* zu geben — als vielmehr den „Historiker" Caesar, der
sich, wie früher angedeutet[4], in dem Dilemma jedes Politikers befand, sein eigenes
Handeln in einer seinen Absichten nicht diametral zuwiderlaufenden Weise zu erläutern, ohne sich in handgreifliche Widersprüche zu verwickeln.

Die so heterodoxe Forschung der letzten Jahrzehnte läßt immerhin ein paar
sichere Ergebnisse erkennen:

1. Die Frage der literarischen Wahrhaftigkeit Caesars, einmal aufgeworfen,
zwingt von nun an jeden, der sich mit ihm beschäftigt, sie ständig im Auge zu
behalten, und macht es unmöglich, die Berichte der *Bella* „naiv" zu lesen. Selbst
unter den Verteidigern, die Caesar in reichem Maß gefunden hat, ist kaum einer,
der dies nicht auf irgendeine Weise anerkennt.[5]

2. Die Dinge liegen bei Caesar komplizierter, als man früher annahm. Die Vorstellung von der Möglichkeit einer „dokumentarischen" Berichterstattung in strik-
ter Objektivität ist heute so wenig aufrechtzuerhalten wie der Vorwurf Hubers,
es handle sich um schlichte Tatsachenfälschung.[6] Das Problem wird noch durch
die Tatsache kompliziert, daß die *commentarii* als solche gleichzeitig Tatsachen-
bericht, Literatur[7] und politische Aktion sind und damit unterschiedlichen, zum
Teil einander widerstrebenden Gesetzmäßigkeiten gehorchen.

---

[4] S. oben S. 40f.

[5] So kann Oppermann, einer der entschiedensten Anwälte der Glaubwürdigkeit Caesars, Weg-
lassungen von Geschehenselementen nicht leugnen, auch wenn er sie mit künstlerischen Absichten oder mit der Folgenlosigkeit des Nichterwähnten erklärt (WdF 516f.). J. Szidat,
dessen o.a. Studie von L. Raditsa (ANRW I 3 [1973] 427) als die beste Kritik an Rambaud bewertet wird, schreibt wörtlich (a.O. 155): „Natürlich darf man nicht der Meinung
sein, daß die Schilderung, die Caesar von seinen Verhandlungen gibt, ein getreues Abbild
der Wirklichkeit darstellen", ... aber „man kann doch ein Bild seiner Diplomatie gewinnen,
das der Realität sehr nahekommt." Dies ist im wesentliche auch die Position von J. Beau-
jeu, Actes Congr. Budé 1958, 249ff.) und L. Canali (Personalità e stile di Cesare, Roma
2. Aufl. o.J. [1967?] 28f.), welch letzterer Caesars Parteilichkeit als „frutto di un' analisi
e di una decisione" im Rahmen seiner „ipotesi politica" bezeichnet und unter dieser Voraussetzung die *commentarii* zu den „ehrlichsten Büchern" (so nach A. La Penna, Introd.
zur Ausg. des BC [1954] XXIX) zählt, ohne das „Verschweigen und Lügen" (28) in Einzelfällen zu bestreiten. (Eine ausführliche Übersicht über die italienisch-französische Diskussion
des Problems ebd. 22ff.; vgl. auch E. Paratore, WdF XLIII 474ff.). Auch der neueste Beitrag zur Verteidigung Caesars, ein Vortrag von K. Stieve Mommsen-Gesellschaft, Trier,
17. 4. 1974), in dem die Methode Rambauds scharfer Kritik unterworfen wird, kehrt nicht
zum Bild des *auctor verax* zurück, sondern setzt an die Stelle der Verfälschung der Wahrheit die „Färbung" der Geschehnisse — dies übrigens in Übereinstimmung mit früheren Arbeiten von J. V. P. Balsdon, M. Ruch u.a. — und sucht die (rhetorischen) Mittel zu bestimmen, durch die Caesar sie bewirkt.

[6] Eine belletristische Kolportage dieses Urteils liest man in dem sonst so geistvollen Tagebuch-
roman von Bert Brecht, Die Geschäfte des Herrn Julius Caesar (1958) 8: „Er hatte sogar
Bücher geschrieben, um uns zu täuschen."

[7] Vgl. L. Raditsa, a.O. (Anm. 5) 418: „To my knowledge no one has been able to deal with
the ‚commentaries' as a highly formed work dealing with words and actions that actually
occurred." S. ferner seine Bemerkung S. 433 über den mangelnden Kontakt zwischen der
historischen und der philologischen Behandlung Caesars.

---

3. Je mehr man sich dieser Tatsache bewußt wird, desto deutlicher tritt zutage, daß die commentarii — im Gegensatz zur landläufigen Meinung — eine schwierige Lektüre sind. Hinter den in ihrer syntaktischen Form notorisch klaren Aussagen verbirgt sich, ungeachtet des Zeugnisses von Hirtius über die rasche Arbeitsweise Caesars — ein sorgfältiges Nachdenken des Autors darüber, wieviel er sagen will, wieviel nicht, wie er die Mitteilungen gestalten und anordnen will, wo er Zusammenhänge herstellen, wo er solche verleugnen oder verdecken will. Dabei kann die Motivation einmal in literarischen Absichten, ein andermal in politischen oder persönlichen Rücksichten, zuweilen auch in Caesars zusammenschauender Bewertung der Ereignisse liegen. Er selbst gibt niemals derartige Überlegungen preis, auch nicht mit leisen Andeutungen. Sein Informationsangebot ist so souverän autokratisch wie sein politisches Handeln — oder genauer gesagt: wie das Image, das er selbst seinem politischen Handeln gibt.[8]

Für den Beurteiler ist zudem die methodische Situation in den beiden commentarii-Werken nicht dieselbe. Das BC steht weniger geschützt da als das BG; denn über den Bürgerkrieg gibt es eine größere Anzahl anderer Quellen, die zum Vergleich herausfordern und deren Behandlung des Stoffes, wenn auch nicht durchaus, so doch zu einem guten Teil auf die Darstellung desselben Gegenstandes durch Asinius Pollio zurückgehen — eben jenes Pollio, der bekanntlich Caesar der Ungenauigkeit bezichtigt hat.[9] Hier also können wir den Bericht der commentarii anhand von Plutarch, Sueton, Lukan, Cassius Dio und Appian messen, leider nicht mehr anhand des Livius, dessen einschlägige Bücher verloren sind. Für den gallischen Krieg liegen die Dinge anders, da seine Einzelheiten die römische Geschichtsschreibung wenig interessieren konnten, weil sie kaum Rückwirkungen auf die gesamtrömische Entwicklung hatten. Caesars Werk steht hier allein; es gibt keine wirklich Kontroll-Überlieferung.[10] Will man hier die Sonde der Skepsis ansetzen,

---

[8] Vgl. die Feststellungen bei J. Szidat (a.O. 143; 154) über Caesars „Vorliebe für autoritäre Entscheidungen ohne consilium".

[9] Suet. Iul. 56,4; vgl. oben S. 11.

[10] Livius hatte dem BG im Rahmen seiner Bücher 104—108 beträchtlichen Raum gegeben; die erhaltene Perioche gibt nicht viel mehr als die Themen an; die ungleichmäßige Art, in der sie gearbeitet ist, läßt kein sicheres Urteil zu über den Anteil, den der gallische Krieg an den Büchern hatte; mit mehr als einem Viertel wird man kaum rechnen dürfen. Daß darin mindestens auch Caesars BG verwertet war, verraten einige wenige Züge, so die zu B. 104 eigens erwähnte Feldherrnrede Caesars vor der Schlacht gegen Ariovist (~ BG 1,40) und die Abwehr des Nervierangriffes auf das Lager des Q. Cicero (cum aliarum quoque legionum castra oppugnata magno labore defensa essent, interque ea quibus in Nerviis praeerat Q. Cicero ~ BG V 38—52; s. unten S. 131). Zusammenhängende Texte über den Gallierkrieg besitzen wir nur noch bei Cassius Dio (38, 31—50 ~ BG I), darin die Caesarrede vor der Schlacht gegen Ariovist, Kap. 36—46, d.h. mehr als die Hälfte des Berichtes über das erste Kriegsjahr; 39,1—5 ~ BG II; 47—53 ~ BG III—IV; 40, 1—11 ~ BG V, darunter der Nervierangriff auf Q. Cicero mit 4 Kapiteln: 31—43 ~ BG VI—VII). Die schwierige Frage nach dem Verhältnis zwischen Cassius Dio und Caesar auf der einen, Livius auf der anderen Seite ist ausführlich erörtert bei E. Schwartz, RE III 1700f.; 1706ff.; danach fußt die Darstellung des Cassius überwiegend auf Livius, während sich direkte Benützung Caesars bei ihm nicht nachweisen lasse. Das Überlieferungsproblem konzentriert sich sonach im Grunde auf die Frage, wieweit Livius Caesar, wieweit anderen Quellen gefolgt ist. Selbst wenn wir

so muß man den Beweis mit internen Argumenten bestreiten. Man muß fragen, was der Text selbst an evidenten Anstößen oder an nicht zu erwartenden Anomalien enthält, und zusehen, ob diese zu eindeutigen Schlüssen bezüglich tendenziöser Entstellungen des Geschehenen führen. Daß dies keine einfache Aufgabe ist, liegt auf der Hand; die Gefahr, hier von einer vorgefaßten Grundeinstellung aus selbst tendenziöse Unterstellungen zu wagen, ist beträchtlich.

Will man sich vor solchen hüten, dann sind allgemein — und zwar in Bezug auf beide *Bella* — ein paar grundsätzliche Dinge zu bedenken:

1. Wo konnte Caesar ein elementares Bedürfnis haben, die Wahrheit zu verändern? Nach den Umständen, unter denen die Berichte entstanden sind, müssen dies solche Tatsachen sein, die das Image des Autors beeinflussen oder seinen politischen Gegnern Material liefern konnten, also etwa militärische Fehlentscheidungen oder Demütigungen, politische Übergriffe, allenfalls auch Erfolge, die Caesar durch seine Unterfeldherrn vorweggenommen wurden, also von seinem Erfolgskonto subtrahiert werden konnten; endlich Randerscheinungen, die man in Rom ungern las, wie etwa die wirtschaftliche Ausbeutung Galliens für persönliche Zwecke.[11]

2. Wieweit konnten Veränderungen am faktischen Geschehen den Lesern überhaupt zugemutet werden? Denn viele Römer waren selbst Zeugen der geschilderten Ereignisse; sie konnten grobe Fälschungen in den meisten Fällen unmittelbar widerlegen. Gerade dies aber konnte Caesar politisch außerordentlich schaden. Manipulationen waren also nur dann erfolgversprechend, wenn der E i n d r u c k der Wahrheit dadurch nicht gemindert wurde. Damit scheiden auf jeden Fall alle äußerlich manifesten Tatsachen von größerem Gewicht und einfacher Erkennbarkeit als Manipulationsbereich aus: die Operationen und ihre Örtlichkeiten, die Siege und Mißerfolge im großen (nicht im kleinen: was in diesem Bereich alles geschickt vertuscht werden kann, weiß jeder, der selbst an einem Krieg teilgenommen und mit Kriegstagebüchern, Stabsmeldungen und dergleichen gearbeitet hat); ferner die meisten technischen Daten wie Brückenbau, Schiffsbauten, Anwendung von Kriegslisten, Einsatz von Belagerungsmaschinen u. dgl. Dies alles sind Dinge, die sich der Erinnerung der Teilnehmer meist unauslöschlich einprägen, folglich den Darsteller binden.[12]

---

darüber mehr wüßten, als wir wissen können, erhöbe sich sogleich die Frage, ob die anderen Quellen für den gallischen Krieg selbständiges, nicht aus Caesar geflossenes Material zu bieten in der Lage waren. Abweichungen von seiner Darstellung allein beweisen dies noch keineswegs, da Livius seinerseits die von ihm verwendeten Quellen oft sehr frei behandelt und ihre Berichte für seine Zwecke umgestaltet; die Abweichungen können sich also auch daraus erklären. Damit erweist sich das BG letztlich als einzige Primärquelle, die uns verfügbar ist.

[11] Vgl. J. H. C o l l i n s, Caesar as Political Propagandist 938f. Er rechnet zu den unangenehmen und daher verschwiegenen Tatsachen die Teilnahme des Mamurra am Krieg in Gallien (vgl. unten S. 162).

[12] C. E. S t e v e n s (a.O. 4) weist darüber hinaus auf das Vorliegen von Aktenstücken im Senat hin, die man zur Kontrolle heranziehen konnte. Von ihnen, die ja nur wenigen zugänglich waren und wahrscheinlich von keinem Leser eigens zu diesem Zweck herangezogen wurden, hatte Caesar gewiß nicht viel zu fürchten. Trotzdem bleibt S t e v e n s' Feststellung richtig, daß grober Veränderung von Tatsachen bestimmte Grenzen gezogen waren.

3. Dagegen gibt es andere Bereiche, in denen es möglich und, seit es Kriegsberichte gibt, auch üblich ist, nachträglich meinungsbildend einzugreifen. Dazu gehören vor allem die Gründe des jeweiligen Handelns, die Zeichnung und Beurteilung der Feindlage, der Tenor etwaiger Stabsberatungen, der Inhalt von echten und angeblichen Informationen, die ein Feldherr sich beschaffen konnte oder die ihm von außen zugetragen wurden, die Bewertung des physischen und moralischen Zustandes der Truppe, ihr *animus*, ihre *alacritas*, ihr *desiderium pugnandi* — ein Punkt, bei dessen Beurteilung stets große Skepsis angebracht ist —, und nicht zuletzt die Darstellung von Episoden und Intermezzi innerhalb des Kampfgeschehens, die nicht nur bei Truppenführern, sondern gerade auch bei „alten Kameraden" ein dankbares und höchst beliebtes Feld der Legendenbildung abgeben. Hier — und nur hier — kann der Zweifel an der sachlichen Zuverlässigkeit ansetzen, und er wird gerade auch unter dem Gesichtspunkt berechtigt sein, wie weit dem Heerführer gewisse Einzelheiten, über die berichtet wird, überhaupt zur Kenntnis oder zum Bewußtsein kommen konnten. Es kommt hinzu, daß ein Berichterstatter über eigene Handlungen, deren Darstellung eindeutig werbende Zwecke verfolgt, grundsätzlich darauf insistieren muß, im Recht gewesen zu sein, folglich gezwungen ist, in Rechtsfragen (besonders Fragen des Völkerrechts) zu seinen Gunsten zu argumentieren. Wenn hier die Dinge sich nicht glasklar aus sich selbst interpretieren, ist eo ipso Mißtrauen geboten, und solche Fälle sind bei Caesar nicht ganz selten.

4. Öfter wird in diesen Komplex auch ein anderer Umstand einbezogen, der eine Grundgegebenheit jedes Kriegsberichtes ist: die Verwendung von Rapporten untergeordneter Truppenkommandeure in abgeänderter Form.[13] Hier muß man besonders nachdrücklich vor falscher Einschätzung warnen. Es gibt im Rahmen jedes etwas weiträumigeren Krieges viele, oft sogar wesentliche Operationen, an denen der Oberbefehlshaber nicht persönlich beteiligt ist. In einer Zusammenfassung des Gesamtgeschehens muß er sie aber an ihrem Platz und entsprechend ihrer Bedeutung berücksichtigen. Hier ist er auf fremde Gefechtsberichte, die ihm erstattet worden sind, angewiesen, kann also nur das mitteilen, was sie enthalten. Aber er wäre ein schlechter Darsteller, ja sogar ein schlechter Stratege, wenn er sie unverändert in seinen Bericht aufnähme; denn seine Perspektive ist notwendigerweise eine andere, und zwar eine höhere, als die eines Truppenoffiziers, der natürlich aus eigener Sicht berichtet und auch Einzelheiten mitteilt, die zwar dem Feldherrn zur Kenntnis kommen müssen (oder sollen), aber für das große Ganze wenig oder nichts bedeuten. Dazu kommt, daß Caesar in seinen *commentarii* eben auch Schriftsteller ist und als solcher gestaltet; niemand bestreitet ihm gerade hierin eine exquisite Meisterschaft und einen kultivierten Stilwillen. Eine gleiche Fähigkeit etwa seinen Legaten und Militärtribunen zuzutrauen, wäre naivste Unkenntnis der Realität. Man braucht sich nur das *bellum Hispaniense* vor Augen zu führen, um eine Vorstellung davon zu gewinnen, was von solchen Leuten erwartet werden durfte — Hirtius ist noch eine rühmliche Ausnahme, so rühmlich, daß man allen Ernstes gezweifelt hat, ob er überhaupt Offizier und nicht nur Kanzleimann

---

[13] Darüber ausführlich Rambaud, L'art de la déformation ... 61 ff.

war[14] —; und man kann sich unschwer ausmalen, was herausgekommen wäre, wenn
Caesar solche Operationsrapporte aus fremder Feder unredigiert in seine Werke
aufgenommen hätte. Daß sich dies verbot, liegt auf der Hand, und Caesar wäre
nicht Caesar, wenn er das nicht gewußt hätte. Das Problem ist dabei höchstens,
ob er solche Berichte tendenziös redigiert hat oder nicht; aber gerade hier ist
ein Verdacht weit weniger begründet als bei der Mitteilung eigener Handlungen
und Entschlüsse; denn bei Rapporten Dritter fehlt in aller Regel ein einleuch-
tendes Motiv des Manipulierens. Rambaud nimmt beispielsweise an, Caesar habe
oft zum Nachteil seiner Legaten redigiert; dies konnte aber nur dort Sinn haben,
wo die Aktivität eines Legaten Caesars eigenes Licht verdunkelt hätte, d. h. auf
Schauplätzen, auf die Caesar selbst eingewirkt hat, nicht aber dann, wenn etwa
Crassus in Caesars Auftrag Aquitanien unterwirft (Buch III) oder Labienus in selb-
ständigem Auftrag mit den Senonen und Parisiern kämpft (Buch VII). Hier ist
im Gegenteil der Spielraum für Umformung von Tatsachen besonders eng begrenzt;
denn Manipulation setzt vollkommenen Überblick über alle Gegebenheiten voraus.

Jene Bereiche, in denen bewußte Verfälschung der Wirklichkeit durch die literarische Darstellung überhaupt möglich, weil schwer kontrollierbar war, sind also
ziemlich genau abgrenzbar. Sie liegen im Innern des Handlungsgewebes, in Schichten, die sich nicht für jedermanns Augen darbieten und nicht in Tagebücher und
Protokolle einzugehen pflegen. Dies trifft vor allem auf das zu, was man die Logik
der Zusammenhänge nennen kann. Dazu gehört die Behandlung der detaillierten
Chronologie, die klar oder verwischt geboten werden kann, der jeweilige Informationsstand des Feldherrn und die Beurteilung der Feindlage, die sich leicht
nach Zweckerwägungen oder auch ex eventu umgestalten lassen, nicht selten aber
sich dem Bewußtsein des Autors selbst in der Rückschau anders darstellen können
als im Zeitpunkt des Handelns; dazu gehört ferner das so oft ambivalente Bündel
von Motiven des Handelns und der Grad des „Vorauswissens", beides Dinge, in
denen es weder Selbstbindung noch Fremdkontrolle geben kann; endlich das weite
Feld der nicht erwähnten Tatsachen, die sich einer exakten Wertung von Fall
zu Fall nur selten erschließen, weil kein Darsteller alles mitteilen kann, also zur
Auswahl gezwungen ist. Das einzige Kriterium, das absichtsvolles Verschweigen
sicher zu statuieren erlaubt, ist der Einfluß, den die Erwähnung des Nichterwähnten auf das Urteil des Lesers über den Autor als Handelnden haben würde.

In allen diesen Fragen ist aber der Kritiker heutiger Zeit fast ausschließlich
auf die Kategorie des Wahrscheinlichen verwiesen, und diese ist im Einzelfall
oft irreführend genug. Was dem Wahrscheinlichen Gewicht verleihen kann, ist die
Häufigkeit des wahrscheinlichen Unstimmigen, Unlogischen, Anstößigen und Un-
aufgeklärten. Sie zu ermitteln fordert weite Umschau, exakte und unbefangene
Interpretation und eine gute Portion realer Phantasie.

In den folgenden Abschnitten soll nun versucht werden, ausgewählte Textbei-
spiele daraufhin abzutasten, von wo Impulse des Mißtrauens ausgehen können
und welchen Anteil das jeweils Problematische an den dargestellten Geschehens-
komplexen hat.

[14] Vgl. auch S. 43; 196.

4. Proben analytischer Interpretation

a. Der Ausbruch des Helvetierkrieges (I 2—10)

Der Beginn dieses ersten Krieges Caesars in Gallien[1] ist exemplarisch, weil mit ihm die römische Expansion im Nordwesten über die seit gracchischer Zeit geplante und durchgeführte Sicherung der küstennahen Gebiete um die Stadt Massilia und ihr weit ausgedehntes Territorium an der Mittelmeerküste hinaus zu einem eigenständigen Faktor der Außenpolitik Roms wurde.[2]

Gallia Cisalpina war damals noch eine der jüngeren Provinzen, aber doch bereits rund 60 Jahre alt, hervorgegangen aus langen Streitigkeiten zwischen süd- und mittelkeltischen Stämmen und dem unbequemen und zugleich wohlhabenden Nachbarn Massilia. Diese westlichste aller Griechenstädte war eng mit Rom verbunden[3]; in einer schweren Bedrängnis (154) hatte sie den mächtigen Bundesgenossen zu Hilfe gerufen; alles, was damals der Konsul Opimius im Umkreis der Stadt in seine Gewalt brachte, wurde den Massilioten als Glacis überlassen — ein Zeichen dafür, wie wichtig diese an der Straße nach Spanien gelegene Handelsrepublik den Römern war —, und rund 30 Jahre später, als wieder zwei Konsuln der Stadt zu Hilfe kommen mußten, verfuhr man ebenso, nur mit der Abweichung, daß Rom damals (122) im Gebiet der Alluvier, die Massilia angegriffen hatten, eine permanente Festung, Aquae Sextiae[4], anlegte. Bereits 120 kam ein weiteres römisches Heer unter Domitius Ahenobarbus und Q. Fabius Maximus dorthin, weil die Häduer, die inzwischen mit den Römern eine Art Klientelverhältnis eingegangen waren, von mehreren anderen gallischen Stämmen (so den Arvernern und Allobrogern) bedrängt wurden und Rom an einem sympathisierenden Stamm gerade in dieser Gegend stark interessiert war. Das Ergebnis dieses Feldzuges war die Einrichtung einer Bürgerkolonie in Narbo[5], die den Landweg nach Spanien sichern und den einzigen südgallischen Hafen — außer Massilia selbst — für Rom offenhalten sollte; im übrigen wurde das Gebiet innerhalb einer Grenzlinie, die von dort aus über

---

[1] Eingehende Interpretationen dieser Partie: A. Klotz, Der Helvetierzug, N. Jhb. 1915, 607ff., und F. Stoeßl, Caesars Politik und Diplomatie im Helvetierkrieg, Schweizer Zschr. für allg. Geschichte 8, 1950, 5ff. (weitere Lit. ebd. S. 5, A. 1). — Zu vergleichen sind ferner S. G. Brady, Caesar's Gallic Compaigns (1947) 17ff.; C. E. Stevens, Latomus 11, 1952, 165ff.; M. Rambaud, Déformation historique 112ff.; G. Walser, Caesar und die Germanen 2ff.; J. Harmand, Le portrait de la Gaule dans le BG, ANRW I 3 (1973) 552ff. Rein didaktische Absichten verfolgt W. Jäkel, Der Auswanderungsplan der Helvetier, AU 1952, 4, 40ff. (Interpr. der Kap. 2—5).

[2] Zu den geschichtlichen Vorgängen M. Gelzer, Caesar 92ff.; W. Hoffmann, Zur Vorgeschichte von Caesars Eingreifen in Gallien, AU 1952. 4,5ff.

[3] Die Einzelheiten bei H. G. Wackernagel, RE XIV 2134f.; vgl. außerdem T. Mommsen, Röm. Gesch. II 159; III 225; H. Bengtson, Röm. Gesch. (1967) 165; H. Volkmann, Der Kl. Pauly III (1969) 1067.

[4] Benannt nach dem Prokonsul C. Sextius Calvinus (RE II A 2045, Nr. 20); heute Aix-en-Provence.

[5] Vell. 1,15,6; 2,7,8; Eutrop. 4,23. E. Ziebarth, RE Suppl. VII 526f.

Tolosa, Vienna, Lugdunum nach Genava führt, zur Provinz gemacht. Ihr Zweck war vielschichtig, aber ihre Ausdehnung entsprach ihren Aufgaben vollkommen: 1. Sicherung des Landweges nach Spanien; 2. Abschirmung von Massilia gegen die Gallier; 3. Präsenz der römischen Schutzmacht für die Häduer; 4. Zähmung der Allobroger als des unruhigsten und gefährlichsten Stammes im weiteren Umkreis. Die letzteren haben sich denn auch nachher mehr als einmal gegen Rom erhoben, zuletzt im Jahr 61, also nur drei Jahre vor Caesars Amtsantritt in Gallien.[6] In einer Art Konvention mit den Häduern erklärte der Senat im gleichen Jahr sein Interesse an der Aufrechterhaltung eines politischen Gleichgewichtes unter den gallischen Stämmen, ohne sich auf allzu konkrete Verpflichtungen festzulegen[7]; wie platonisch es in Wirklichkeit war, sollte sich gleich im folgenden Jahr erweisen. Damals begann sich das scheinbar soeben gesicherte Gleichgewicht zu verschieben: die Sequaner, die alten Rivalen der Häduer, traten in ein für die Römer schwer durchschaubares Kontraktverhältnis mit einem am Oberrhein sitzenden Germanenstamm unter der Führung Ariovists, bei dem durch Geiselaustausch vereinbart wurde, daß die Sequaner Land abzugeben, die Germanen die militärische Sicherung des Landes zu übernehmen haben.[8] Die Häduer, die gegen diese sie bedrohende Allianz einzuschreiten versuchten, wurden geschlagen. Sie schickten daraufhin den ersten Mann ihres Staates, Diviciacus, nach Rom, um eine Intervention zu erreichen; er hielt sich monatelang dort auf und verkehrte in den besten Häusern, konnte aber politisch nichts erreichen[9]; ja noch mehr: Caesar, der die Vorgänge in Gallien seit langem aufmerksam beobachtete, veranlaßte in seinem Konsulat (59) den Senat dazu, dem Ariovist den Ehrentitel *rex et amicus populi Romani* zu verleihen[10]; was den Anlaß dazu gab, wissen wir nicht; aber Ariovist muß wohl der Aktion des Diviciacus durch eigene Agenten in Rom, nicht zuletzt durch seine guten persönlichen Verbindungen zu den *populares* begegnet sein.[11]

Dies war die Situation, in der Caesar im Jahr 58 durch einen unerwarteten Umstand das Amt des Prokonsuls auch in *Gallia transalpina* übernahm — der Senat hatte ihm zunächst nur Illyrien und *Gallia Cisalpina* zugewiesen, und Caesars Hauptquartier sollte Aquileia werden; als aber der im transalpinen Gallien amtie-

[6] Cic. prov. cons. 32; Liv. epit. CIII; Cass. Dio 37,47; 39,65.

[7] BG I 35.4; gegen Unterschätzung dieses Schrittes Stoeßl a.O. 16, Anm. 15.

[8] G. Walser a.O. 18ff.; vgl. unten S. 116 Anm. 1.

[9] BG VI 12,5 *infecta re;* vgl. I 31,9; Kontakte mit Cicero: Cic. div. 1,90.

[10] I 35,2; 40,2; Plut. Caes. 19; App. Celt. 16; Cass. Dio 38,54.

[11] Eines der wichtigsten Ergebnisse der mehrfach zitierten Arbeit von Stoeßl ist die Erkenntnis, daß in jenen Jahren zwischen den innerrömischen Auseinandersetzungen und den politischen Vorgängen im gallischen Raum eine enge Wechselbeziehung bestand, derart, daß die römischen Magistrate und Politiker je nach Zugehörigkeit zur Optimaten- oder Popul2aren-Partei die analogen Kräfte dort unterstützten und sich ihrer bedienten. So spiegelt sich in dem o.a. Senatsbeschluß von 61 die Parteinahme der Nobilität für die aristokratisch regierten Häduer, in Caesars Eintreten für Ariovist, den Partner der demokratisch-monarchisch regierten Sequaner, die politische Präferenz der *populares* für Stämme mit persönlichen Regimen. Wenn demgegenüber Hoffmann a.O. 10f. aus Caesars Text die Überzeugung gewinnt, daß dieser von den Vorgängen bei den Helvetiern überrascht war, beweist dies nur, wie erfolgreich er verschweigt, was er nicht sagen will.

rende Prokonsul Metellus Celer im März 58 starb, gab der Senat Caesar diese Provinz noch hinzu, ob unter dem Einfluß seiner Anhänger oder — wie manche vermuten — in hinterhältiger Absicht, ist unbekannt. Caesar mußte also seine Dispositionen ändern und sich mit Vorzug diesem problemreichen Gebiet zuwenden; daß ihm dies unwillkommen gewesen sei, wird man umso weniger annehmen, als er seit langem seine Hände in der gallischen Politik gehabt hatte.[12]

Noch ehe er sich dort etabliert hatte[13], kam die berühmte, seit Jahren vorbereitete Wanderung der Helvetier in Gang, die den Anlaß zu seinem ersten militärischen Eingreifen in Gallien bildete und dadurch eine Lawine in Bewegung setzte, deren Folgen in keinem Verhältnis zu ihrem Anlaß stehen sollten. Wie stellt Caesar selbst den Moment dieses Eingreifens dar? Wie motiviert er es?

Man möchte erwarten, daß seine Erzählung von einer Schilderung der Lage bei den Helvetiern und ihres Verhältnisses zu den sie umgebenden Mächten ausgeht, um von daher den Auswanderungsplan und seine eigene Reaktion auf ihn verständlich werden zu lassen. Caesar geht anders vor. Es ist sicher für seine Art, politische Dinge zu betrachten, bezeichnend, daß er zuerst den Blick auf eine Person lenkt, den „weitaus vornehmsten und reichsten Mann" des Stammes, Orgetorix. Das Ereignis, von dem zu berichten ist, wird damit sogleich als Ausfluß eines persönlichen Willens und als Mittel zu persönlichen Zwecken fixiert. Orgetorix habe im Jahr 61 durch einen Staatsstreich eine persönliche Herrschaft errichtet und seinem Volk — nach einem Putsch gegen die hergebrachte Adelsherrschaft? — eingeredet, *cum omnibus copiis*[14] auszuwandern; denn es sei stark genug, um die Hegemonie über ganz Gallien an sich zu reißen. Was konnte das Volk dazu bestimmen, diesen Plan sich zu eigen zu machen? Laut Caesar (d. h. wohl: nach seiner Kenntnis der Argumentation des Orgetorix) war es auf allen Seiten durch natürliche Grenzen so eingeschlossen, *ut et minus late vagarentur et minus facile finitimis bellum inferre possent;* beides, der eingeengte Bewegungsraum und die Erschwerung bewaffneter Vorstöße nach außen, habe dieses kriegslustige Volk sehr bedrückt (*magno dolore afficiebantur*). Die Größe ihres Gebietes entspreche weder seiner Einwohnerzahl noch seinem Kriegsruhm. Mit andern Worten: Was sie zum Wandern treibt, sei Chauvinismus und Expansionsdrang.

---

[12] Stoeßl a.O. passim, bes. 12f.

[13] Ein festes Statthalter-Hauptquartier hat Caesar nie eingerichtet, da die militärischen Ereignisse es nicht dahin kommen ließen. Der dafür in Betracht kommende Ort wäre Nemausus (Nîmes) gewesen, das inzwischen Narbo als Vorort der Provinz abgelöst hatte.

[14] Was mit *copiae* gemeint ist, geht aus dem Text selbst nicht ohne weiteres hervor; ich neige der Deutung von Kraner—Meusel (Komm. I S. 86 z. St.; vgl. Meusel, Lex. Caes. I 733) als ‚Hab und Gut' zu, da ‚Truppen' (so z. B. TLL IV 906,57) keinen rechten Sinn ergibt. Eine Auswanderung unter Zurücklassung der Streitmacht wäre keine denkbare Alternative; Kap. 26,6 und ähnliche Stellen sind also nicht vergleichbar. Meusels Deutung kann sich auf 3,1f. stützen (Ankauf von Wagen und Zugtieren, Ansammlung von Lebensmitteln); dazu steht dann freilich in merkwürdigem Gegensatz, daß die Helvetier nach Kap. 5 nicht nur ihre Siedlungen niedergebrannt, sondern auch alle Vorräte bis auf das für 3 Monate benötigte Mehl vernichtet haben. Will man nicht annehmen, daß die Auswanderer plötzlich ihre Planung geändert haben — auch Caesar behauptet das nicht —, dann bleibt der Widerspruch unerklärt. Die Deutung von *copiae* wird aber von ihm nicht berührt.

Schon dies ist ziemlich eigentümlich. Bis dahin sind die Helvetier ein ziemlich ruhiger Stamm, und sie bleiben es auch weiterhin[15]; darin heben sie sich vorteilhaft von den Allobrogern ab. Die Vorstellung, sie könnten bei ihrer immerhin begrenzten Volksstärke ganz Gallien unter ihre Herrschaft bringen, erscheint darüber hinaus absurd, zumal angesichts der Erfahrungen, die in ebendieser Zeit die wahrscheinlich weit stärkeren Sequaner hatten machen müssen. Daß man aber zu diesem Zweck eine Volkswanderung unternehmen, also das eigene Territorium — noch dazu ein wirtschaftlich wertvolles und strategisch gut abgesichertes — freiwillig preisgeben müsse, widerspricht aller Vernunft; denn damit begäben sie sich der natürlichen Basis für die beabsichtigte Erweiterung ihrer Macht. Der „große Schmerz" endlich über die angeblich unwürdige Kleinheit ihres Staatsgebietes trägt die Züge einer pathetischen Unterstellung im Gesicht. Dies alles bedeutet: die wirklichen Gründe dieses Planes erfahren wir bei Caesar nicht.

Im Kapitel 3 werden die Vorbereitungen des Unternehmens berichtet: Konzentration von Lebensmitteln und Transportmitteln; zu den Vorbereitungen zählt aber auch die politische Absicherung; Caesar spricht von „Bekräftigung (!) von Frieden und Freundschaft mit den Nachbarn" (*cum proximis civitatibus pacem et amicitiam confirmare*, 3,1) — nach dem, was zuvor über die Raub- und Angriffslust des Stammes gesagt war, ziemlich überraschend. Der Aufbruch soll im Jahr 58 vor sich gehen; zum Führer wird Orgetorix gewählt (von wem? Hat er sich nicht vorher an die Spitze des Staates gesetzt und den Plan aufgebracht? Sollte sich seine Führungsfunktion daher nicht von selbst verstehen?). Orgetorix entfaltet nun eine auffallende diplomatische Aktivität: Er regt den sequanischen Adeligen und Sohn eines *amicus populi Romani*, Casticus[16], zu einem ähnlichen Staatsstreich an, desglei-

---

[15] Anders — im Sinne Caesars — Haug, RE VIII 210. Tatsächlich erfährt das Urteil über die ruhige Natur der Helvetier eine scheinbare Einschränkung durch eine Notiz Ciceros, ad Att. 1,19,2 (15. März 60): *Aedui ... pugnam nuper male pugnarunt* (gegen Sequaner und Ariovist) *et Helvetii sine dubio sunt in armis, excursionesque in provinciam faciunt. Senatus decrevit ... legati cum auctoritate mitterentur, qui adirent Galliae civitates darentque operam, ne eae se cum Helvetiis coniungerent.* Dies könnte sehr wohl ein Reflex der Exodus-Vorbereitungen unter der Führung des Orgetorix einschließlich seiner diplomatischen Begleitaktionen (s. unten) sein, beweist also keine uns sonst nicht bekannte kriegerische Aktivität. *Sine dubio* läßt übrigens auf widersprüchliche Nachrichten oder Gerüchte schließen, nicht auf amtliche Meldungen. Keine zwei Monate später kann Cicero schreiben: *otium a Gallia nuntiari* (Att. 1,20,5), jetzt offensichtlich nach einem amtlichen Bericht an den Konsul Metellus, wahrscheinlich von der bei Cicero genannten „Gesandtschaft mit Autorität." — Beachtung verdient ferner das Urteil Strabos (7,293) über die Helvetier: πολυχρύσους μὲν ἄνδρας, εἰρηναίους δέ. Strabo hat sich das nicht aus den Fingern gesogen — der Goldreichtum ist durch numismatische Funde eindrucksvoll bestätigt worden —, aber mit dem von Caesar gezeichneten Bild stimmt es nicht überein.

[16] Weder Casticus noch sein Vater Catamandaloedes sind uns aus anderen Quellen bekannt. Daß der letztere vom Senat einen Ehrentitel erhalten hat, kann einfach zu dem Zweck erwähnt sein, um an Bekanntes anzuknüpfen (in diesem Fall wäre dann deutlich, daß die Leser, an die der Verfasser denkt, in erster Linie die Senatoren sind); aber es kann ebensowohl dazu dienen, die Unsicherheit des politischen Terrains spüren zu lassen: die vom Senat bisher geübte Praxis, die Randgebiete an der Reichsgrenze durch persönliche Bindung einflußreicher Ausländer an Rom (vgl. jetzt Harmand, a.O. 540) unter Kontrolle zu halten, erweist sich hier, wie bald danach im Falle des Ariovist, als unzulänglich. Insofern bereitet

chen den Häduer Dumnorix, den Bruder des Diviciacus; mit dem ersteren verschwä-
gert er sich überdies; beide bestärkt er mit dem Hinweis auf die Abschirmung, die
er ihrem Umsturz bieten könne. Er macht ihnen das Vorhaben dadurch besonders
schmackhaft, daß er ihnen vor Augen stellt, wie leicht danach ihre drei Stämme
die Vorherrschaft über ganz Gallien ausüben könnten.

Seltsame Dinge auch hier: An sich ist es ganz einleuchtend, daß ein durch Umsturz zur Macht gekommenes Regime das Bedürfnis hat, in seinem Umkreis eine
Zone ähnlicher „Revolutionsregierungen" zu fördern oder herbeizuführen; sie stützen sich gegenseitig. Weit weniger verständlich ist es, wenn derjenige, der die Vorherrschaft seines eigenen Stammes über das ganze Land anstrebt, sogleich andere
zur Herrschaft strebende Gruppen damit ködert, daß er ihnen die Beteiligung an
der Hegemonie verspricht. Daß Orgetorix dabei ausgerechnet mit Römerfreunden
bzw. ihnen Nahestehenden konspiriert, wird man nicht annehmen, schon wegen des
damit verbundenen Risikos; eine Konspiration dieser Art mußte eindeutig gegen die
politische Grundlinie Roms verstoßen.

Das 4. Kapitel berichtet von turbulenten Geschehnissen bei den Helvetiern. Sie
sind, wie Caesar gleich einleitend zu verstehen gibt, die direkte Folge der politischen
Eigenmächtigkeit des Orgetorix (3,3 *is sibi legationem ad civitates suscepit* ... ;
4,1 *ea res est Helvetiis per indicium enuntiata*). Kein Zweifel also, daß die Verhandlungen mit Casticus und Dumnorix hinter dem Rücken der Behörden und des Volkes stattgefunden haben und durch eine Indiskretion ans Tageslicht gebracht wurden. Die Folge ist die Verhaftung des Orgetorix und die Eröffnung eines Verfahrens gegen ihn wegen Hochverrats. Orgetorix mobilisiert dagegen seine *familia*
(gegen 10 000 Mann) sowie seine Klienten und Schuldner (4,2) und verhindert
den Prozeß, was wiederum die Behörden (*magistratus*, 4,3) zur Einberufung der
Wehrfähigen *ex agris* veranlaßt. Bei den folgenden Auseinandersetzungen — über
die Caesar nichts aussagt — kommt Orgetorix ums Leben.

Dies alles ist — bei größter Knappheit der Zeichnung — von solcher sachlichen
Dichte und logischen Stringenz, daß keine wirklich offenen Fragen bleiben. Dieses Kapitel ist insofern ein Musterbeispiel guter Information; es gibt genau die Antwort auf die Fragen, die das vorausgehende Kapitel aufgeworfen hat. Wir lernen
aus ihm zwei Dinge: erstens, daß Caesar über die Vorgänge bei den Helvetiern
exakt informiert gewesen sein muß und deren Zusammenhänge kannte; sonst hätte
er sie nicht mit solcher Schlüssigkeit reproduzieren können; zweitens, daß der zunächst leicht entstehende Eindruck, Orgetorix habe die Macht in seinem Volk bereits an sich gezogen, verfehlt ist, so daß auch im 4. Kapitel nicht etwa ein neuer
Machtwechsel mitgeteilt sein kann[17]; vielmehr haben die legalen politischen Or-

diese Stelle auf den Inhalt des Kap. 35,2 vor; aber auch 31,7 liegt auf der gleichen Linie:
das System der *amicitia*-Politik, das bisher zu funktionieren schien, muß sich in sein Gegenteil verkehren, wenn es zur Austragung innerrömischer Gegensätze mißbraucht wird.

[17] So die Annahme von Stoeßl, a.O. 17; er hält diesen (neuen) „Umschwung" für eine Aus-
wirkung der oben erwähnten Optimatengesandtschaft, während die Geheimverhandlungen
des Orgetorix mit Caesars Wissen und Zustimmung geführt worden seien. Dies letztere mag
eine richtige Vermutung sein — beweisbar ist es nicht —; die äußeren Ereignisse bei den
Helvetiern sind jedenfalls in sich schlüssig, also sicher korrekt nachgezeichnet.

gane das Heft nie aus der Hand verloren und sind einem vorzeitig aufgekommenen Putschversuch gerade noch rechtzeitig zuvorgekommen. Etwas anderes ist tatsächlich auch aus Caesars Wortlaut nicht herauszulesen, und damit ist die früher erwähnte „Wahl" des Orgetorix zum Führer (richtiger: Organisator) der Emigration (3,2) befriedigend erklärt. Das einzige, was Caesar aus seiner Darstellung ausschließt, ist die Frage, ob und wieweit er selbst an den Vorgängen im Hintergrund beteiligt war, und dies wäre mehr als verständlich. Daß er die Umstände, die zum Tode des Orgetorix führten, nicht kenne, also auch zum Gerücht über einen Selbstmord nicht Stellung nehmen könne (4,3)[18], ist gerade dann glaubhaft, wenn dieser tatsächlich „sein Mann" und sein Informant gewesen ist.

Nachdem nun der Urheber des Wanderungsplanes ausgeschieden ist, möchte man erwarten, daß dieser selbst damit ebenfalls „tot" sein müßte. Gerade dies ist aber nicht der Fall, im Gegenteil; die Helvetier betreiben ihn nun mit einer Intensität, die fast ans Selbstmörderische grenzt. Sie verbrennen ihre Siedlungen und vernichten ihre Vorräte außer denen, die ihre Führung ihnen mitzunehmen gestattet.[19] Dann nehmen sie auch noch drei kleinere Stämme mit und gewinnen „die Boier, die am anderen Rheinufer seßhaft gewesen und zur Zeit nach Norikum abgewandert sind und Noreia[20] angriffen". Diese letzte Aussage ist vermutlich ein Irrtum Caesars; die Boier, zwischen 190 und 80 v.Chr. in Böhmen lebend, sind später mit Teilen nach Oberitalien und Gallien, mit andern nach Dakien abgewandert; die letzteren begegnen den Römern im Gebiet östlich von Noricum.[21] Es handelt sich also um verschiedene Boier-Gruppen. Über die hier von Caesar erwähnte wird später (28,5) berichtet, sie hätten sich auf Bitten der Häduer mit Caesars Genehmigung in deren Gebiet ansiedeln dürfen; im siebten Buch (9—10) lernen wir auch ihre neue Hauptstadt Gorgobina kennen. Dieses Gesuch der Häduer ist aufschlußreich; es scheint ein Interesse dieses Stammes an Verstärkung seiner Volkskraft zu verraten.[22] Dies alles gibt nur dann einen Sinn, wenn man annimmt, daß der Auswanderungsbeschluß nicht erst von Orgetorix herbeigeführt war, son-

---

[18] Cassius Dio, der die Vorgeschichte des Helvetierkrieges sehr ausführlich berichtet, weiß nichts vom Sturz des Orgetorix (38,31,3), was K. Münzer (RE XVIII 1026) sicher zutreffend als Flüchtigkeit des griechischen Historikers erklärt. Er ist also keine Gegeninstanz gegen die Mitteilung Caesars.

[19] So mindestens nach Caesars Darstellung. Wenn die Begrenzung des Mehlvorrates auf den Bedarf dreier Monate zutrifft, ist sie nicht leicht zu verstehen. Nach 6,4 sollte der Aufbruch am 28. März erfolgen; Ende Juni konnte aber die neue Ernte nocht nicht reif sein. Die Auswanderer waren also nach dem Verbrauch ihrer Vorräte für mindestens 3—4 Wochen auf fremde Bestände angewiesen, gleichgültig, ob auf der Wanderung oder in einer neuen Heimat. Die Menge des zu transportierenden Mehles war auch nicht so groß, daß die Zuladung eines weiteren Monatsbedarfs Schwierigkeiten hätte machen können; geht man von den Getreiderationen des römischen Legionärs aus (je Monat 4 *modii* = 35 Liter ungemahlenes Korn, d.h. für 3 Monate 105 Liter ≈ 30 kg; vgl. Liebenam, RE VI 1663), so konnte im Falle der Helvetier ein Zentner Mehl pro Person die Spanne vom Aufbruch bis zur neuen Ernte leicht überbrücken.

[20] Unweit des heutigen Judenburg in Kärnten.

[21] Bald danach wurde diese Boier-Gruppe in Kämpfen mit den Dakern vernichtet (Strab. 5,1,6; 7,1,5; Polaschek, RE XVII 975).

[22] S. unten S. 114f.

dern bereits vorher verabschiedet war, aber dann von dem mächtigen und ehrgei-
zigen Anwärter auf eine persönliche Herrschaft unter dem flankierenden Schutz
benachbarter und von ihm abhängiger *reges* zu einem Mittel für die eigenen Zwecke
umfunktioniert wurde. Dadurch, daß Caesar den Plan zu einer Erfindung des Orgetorix macht, nimmt er allem, was im folgenden geschieht, seinen wirklichen Sinn
und Hintergrund; die Ratlosigkeit, die der Leser vor dem weiteren Verhalten der
Helvetier empfindet, hat hier ihre Wurzel.

Das 6. Kapitel bringt nun einen kurzen, aber für die Anschaulichkeit der nächsten Ereignisse unerläßlichen topographischen Einschub über die beiden möglichen
Wege vom Genfer See nach Westen: Der eine führt am nördlichsten Ufer der Rhône
entlang, wo der Jura dicht an den Fluß herantritt, also eine militärische Sperrung
leicht möglich ist; der andere leitet über eine Rhônebrücke bei Genf und am Südufer
des Flusses durch wesentlich offeneres Gelände. Der erste führt durch Sequanerland, der zweite durch das Gebiet der Allobroger, d. h. durch die Provinz. Die Helvetier wählen den zweiten, weil sie nach der Affäre des Orgetorix von den Sequanern Schwierigkeiten erwarten müssen, und in der Hoffnung, von den Allobrogern
die Erlaubnis zum Durchzug erhalten zu können, „weil diese den Römern noch
immer nicht wohlgesonnen waren"[23]; aber gegebenenfalls waren sie auch bereit,
den Durchzug mit Gewalt zu erzwingen.

Natürlich ist es zunächst die Wahl dieses zweiten Weges, die Caesar den Anlaß
zum Eingreifen bot. Das 7. Kapitel dient Caesar dazu, seine Argumente auszu-
breiten. Nach seiner Darstellung hat er erst in Rom (aus seiner Sicht: noch in
Rom) von den Vorgängen Kenntnis erhalten[24], ist daraufhin sofort nach Gallien
aufgebrochen, hat aber sein Eingreifen, das keinen Augenblick in Zweifel stand,
durch vorausgeschickte Befehle vorbereitet: Aushebung von Truppen in der Provinz;
Zerstörung der Rhônebrücke bei Genf. Als er selbst dort angekommen war, schickten die Helvetier eine Delegation unter hochansehnlicher Führung zu ihm, um die
Erlaubnis zu friedlichem Durchzug einzuholen. Caesar ist aber nicht bereit, sie zu
erteilen, weil „er sich erinnerte, daß der Konsul Lucius Cassius von den Helvetiern

---

[23] 6,3 *quod nondum bono animo in populum Romanum viderentur.* Leise und indirekt wird
an dieser Stelle den Helvetiern das Bewußtsein zugeschrieben, daß Rom von ihrem Vorhaben unangenehm betroffen sein könnte, somit auch der Wille, dies mindestens in Kauf zu
nehmen, während bis dahin Rom gänzlich aus dem Spiele bleibt. Dieser Relativsatz, als
psychologischer Kalkül nicht widerlegbar, ist genau an der richtigen Stelle placiert, um die
Helvetier als geheime Römerfeinde und ihre spätere Versicherung: *sibi esse in animo sine
ullo maleficio iter per provinciam facere* (7,3) als Heuchelei hinzustellen. Obgleich
Caesar den Vorwurf romfeindlicher Absichten gegen die Helvetier von da an mehrfach (7,5;
10,2) direkt wiederholt, ist dies hier die Schlüsselstelle, durch die die Meinung des römischen Lesers von ihnen bestimmt und alle weiteren Maßnahmen Caesars gegen sie schon im
voraus gerechtfertigt werden.

[24] Äußerlich gesehen ist dies sicher korrekt; daß er mit ihnen überhaupt nicht gerechnet habe,
also von den Absichten der Helvetier überrascht gewesen sein (Hoffmann a.O. 10f.), ist
schon nach Ciceros Mitteilung an Atticus vom 15. März 60 (s. oben S. 105 Anm. 15) unwahrscheinlich und nach der Untersuchung Stoeßls ganz unglaubhaft. Was Caesar aber
überrascht haben kann, ist der Zeitpunkt des Aufbruchs, der vielleicht nicht durch Zufall
mit dem Kommandowechsel in der Provinz und der Abwesenheit des neuen Statthalters
zusammenfiel.

getötet, sein Heer geschlagen und unters Joch geschickt worden war; außerdem glaubte er nicht an die Möglichkeit, ein feindseliges Volk beim Durchzug von Gewalttätigkeiten abhalten zu können" (§ 4f.). Allerdings gibt er seine Entscheidung nicht sofort bekannt, sondern täuscht vor, Bedenkzeit zu benötigen. So wird eine neue Zusammenkunft vereinbart; bei ihr spricht Caesar seine Ablehnung mit der lapidaren Begründung aus, eine solche Genehmigung entspreche nicht dem römischen Brauch (8,3). Über seine Gründe äußert er sich nicht.

Nur soweit sei der Text verfolgt; es kommt danach zu der bekannten Planänderung der Helvetier: Sie ziehen am Nordufer der Rhône, und zwar nach einem Vertrag mit den Sequanern. Damit wäre Caesars Grund zum Eingreifen, völkerrechtlich gesehen, hinfällig; auf das Haar, das er trotzdem in der (neuen) Suppe fand, soll später eingegangen werden. Zunächst ist der Vorgang bis hierher genauer zu betrachten.

Schon die elementare Frage, warum eigentlich die Helvetier auswandern wollten, wird von Caesar sehr unbefriedigend beantwortet. Zuerst soll Orgetorix der Vater des Gedankens sein, und sein Ziel ist sozusagen die Unterjochung Galliens mit Hilfe der Helvetier (so auch Kap. 30,3). Schon dies ist, wie bereits angedeutet wurde, wenig einleuchtend, um nicht zu sagen, absurd. Danach wird Orgetorix gestürzt; trotzdem hält das Volk jetzt an seiner absurden Idee fest. Wie diese — unter den neuen Umständen natürlich ohne Aussicht auf die Unterstützung durch die Sequaner — verwirklicht werden solle, darüber gibt es keine Aussage. Von welcher Basis aus man sich die Gewinnung der angestrebten Hegemonie vorgestellt habe, wird ebenfalls nicht erkennbar. Man wird wohl dieses ganze Fernziel aus dem Bereich des Wirklichen streichen dürfen; es scheint eine willkürliche Zweckkonstruktion zu sein.

Nun sind aber die Helvetier tatsächlich gewandert — warum? Ein denkbarer Grund wäre Übervölkerung, also Nahrungsmangel. Davon wird aber nichts gesagt; im Gegenteil; bei ihrem Aufbruch haben die Helvetier so reiche Vorräte, daß sie einen erheblichen Teil davon vernichten müssen (so wenigstens Caesar). Das entspricht der Tatsache, daß die Schweiz noch heute, soweit sie nicht Bergland ist, über ausgezeichnete Böden verfügt, die sich für vielerlei Spezialkulturen eignen und eine dichte Bevölkerung ernähren.[25]

Eine andere Begründung wäre permanente und übermächtige Bedrückung durch böse Nachbarn. Tatsächlich spricht Caesar — aber erst in Kap. 40,17 — von dauernden Auseinandersetzungen mit den Germanen Ariovists, aber er sagt auch, die Helvetier hätten sich tapfer ihrer Haut gewehrt und die Germanen öfter auf deren eigenem Boden geschlagen. Auch dies sieht nicht nach einem Zwang zum Verlassen der Heimat aus. Ebensowenig konnten die benachbarten Boier dazu Anlaß geben, denn sie waren Verbündete der Helvetier.

Läßt man also die Frage nach den Gründen offen, so bleibt übrig, auf das Vorgehen der Helvetier zu blicken. Warum haben sie zunächst den Weg am Nordufer

---

[25] Caesar selbst weist Kap. 28,4 auf die *bonitas agrorum* des Helvetierlandes und auf die Gefahr hin, daß sich ihretwegen Germanen hier festsetzen könnten; vgl. 30,3; Stevens, a.O. 167.

der Rhône vermieden? Caesar sagt, man hätte ihnen hier den Durchgang leicht ver-
wehren können. Aber wer hätte es tun sollen? Nur die Sequaner kamen dafür in
Frage; diese waren also, wenn Caesars Überlegung stimmen soll, nicht (oder nicht-
mehr) Feinde und Verbündete der Helvetier.[26] Nun sieht gewiß niemand gern einen
fremden Volks- oder Heereszug durch sein eigenes Land ziehen; die Begründung,
die Caesar Kap. 7,5 für seine eigene Entscheidung anführt, kann ebensowohl für
die Sequaner gelten; ein politischer Gegensatz kann, muß aber nicht unbedingt
dahinterstecken. Immerhin waren die Helvetier doch wohl der Meinung, die Durch-
zugserlaubnis von den Römern leichter als von den Sequanern erhalten zu können;
dies spricht gerade nicht für ein Unternehmen, das intentionell gegen römische
Interessen gerichtet ist. Man wird also in dieser Hinsicht an die redlichen Absichten
der Helvetier glauben dürfen. Dementsprechend wenden sie sich mit korrekter Höf-
lichkeit an den Prokonsul; dies konnten sie natürlich erst dann, wenn dieser überhaupt erreichbar war, und sie taten es offenbar unverzüglich nach seiner Ankunft
bei Genf. Caesar läßt dem eine Phase der Verhandlungen unter Druck mit den
Allobrogern vorausgehen − für uns durchaus unkontrollierbar − und stellt es so
dar, als ob sich die Helvetier erst *Caesaris adventu* auf ihre Pflicht besonnen hätten;
das Motiv des *adventus Caesaris* spielt ja bei ihm keine unbeträchtliche Rolle, hier
zum erstenmal: alle Dinge ändern sich mit seinem Erscheinen.[27] In diesem Falle
ist aber kein Grund für die Annahme ersichtlich, daß den Helvetiern plötzlich das
Gewissen geschlagen hätte. Caesar will sie vielmehr als ertappte Übeltäter hin-
stellen.

Dabei ist Caesars Verhalten den Unterhändlern gegenüber wiederum bemerkenswert. Er „erinnert sich" einer Übeltat der Helvetier, nämlich der Niederlage eines
römischen Heeres und seines Feldherrn Cassius Longinus, die unter besonders peinlichen Umständen vor sich gegangen sein soll (*sub iugum missum*, 7,4), weshalb
jedes Entgegenkommen unangebracht sei. Auf diese Schlappe kommt er später
noch mehrfach zurück[28]; sie spielte für Caesar eine besondere Rolle, weil der Groß-
vater von Caesars Schwiegervater (!), der Legat L. Piso, dabei gefallen ist (12,5).
Dazu muß man wissen, daß erstens diese Schlacht ein halbes Jahrhundert zurück-
lag (sie fand 106 im Rahmen des Cimbernsturmes statt); an ihr waren, zweitens,
nicht „die Helvetier" schuld, sondern nur ein Teilstamm von ihnen, die Tiguriner,
die sich den Cimbern angeschlossen hatten, und die Schlacht fand weit entfernt
vom Land der Helvetier statt, nämlich im Gebiet der Nitiobroger an der mittleren
Garonne (also auch nicht auf dem Boden der *provincia*)[29]. Diese Tiguriner sind
übrigens anschließend nicht mehr in ihre Heimat zurückgekehrt, sondern mit den
Cimbern nach Osten gezogen und in deren östlichem Marschkeil gegen Italien wie-

---

[26] Nach Stoeßl, a.O. 19, lag dies nahe, weil die Sequaner, die noch unter der Herrschaft des
Casticus standen, den Helvetiern, die seinen Vertragspartner und Gesinnungsgenossen Orgetorix gestürzt hatten, nicht mehr wohlgesonnen sein konnten.

[27] Vgl. oben S. 89.

[28] Kap. 12,5; 13,3−7.

[29] Vgl. Haug, RE VII 210; Linckenheld, RE VI A 1026f.; C. Jullian a.O. (S. 96, Anm.
3) III 77. Anders W. Drumann − P. Groebe, Röm. Gesch. II 113.

der in Kärnten aufgetaucht. Dort haben sie aber im Jahr 101 nicht an der Schlacht gegen Marius auf den raudischen Feldern teilgenommen, sondern kamen unter ihrem Führer Divico wieder nach Helvetien zurück.[30] Seitdem waren rund 40 Jahre ohne Reibungen zwischen Römern und Helvetiern im allgemeinen oder Tigurinern im besonderen, aber mit allerlei Veränderungen im gallischen Kräftefeld vergangen. Auffallend ist vor allem, daß man im Zusammenhang mit den verschiedenen Allobrogerunruhen in diesen Jahrzehnten nie etwas von den Helvetiern hört; offenbar haben sie seit dem Sieg des Marius eine strikte Neutralitätspolitik verfolgt. Wenn Caesar ihnen jetzt nicht entgegenkommen will, so kann er dafür keine aktuelle, sondern nur eine aus ferner Vergangenheit hergeholte „Schuld" anführen.[31] Aber ihnen selbst gegenüber spricht er darüber offensichtlich nicht; er d e n k t nur daran, verlangt aber für seine Antwort einen Aufschub, um Zeit für eigene Vorbereitungen zu bekommen. Demgegenüber sind Erwägungen wie die von Kap. 7,5 an sich ganz farblos und unspezifisch, und wenn er dabei von *homines inimico animo* spricht, so setzt er damit nur seine oben besprochene Unterstellung fort, kann sich aber keinesfalls auf neuere Erfahrungen stützen. Da ihm ferner das gespannte Verhältnis der Helvetier zu den Sequanern bekannt sein mußte, konnte er sie eher als potentielle Verbündete der Römer betrachten, und die von ihm selbst bezeugten Auseinandersetzungen mit den Germanen konnten ihn darin bestärken. In dieselbe Richtung kann — falls sie richtig ist — seine Behauptung weisen, die Helvetier hätten den Allobrogern mit Gewalt gedroht, was ja nicht gerade auf ein freundschaftliches Verhältnis schließen läßt; die Allobroger aber waren bis dahin die Sorgenkinder der Provinz.[32] Was Caesar also zu seinem Nein wirklich bewogen hat, das verschweigt er so geflissentlich wie die meisten anderen entscheidenden Hintergründe.

Bei der im Kapitel 7 mitgeteilten ersten Verhandlung erwartet man endlich zu erfahren, wohin die Helvetier eigentlich ziehen wollen und was sie zur ihrem Auszug veranlaßt. Es ist kaum vorstellbar, daß sie dies dem Prokonsul nicht von sich aus gesagt hätten, noch viel weniger, daß er sie nicht danach gefragt haben sollte, falls sie es nicht taten. Schließlich war dies das Wichtigste, was der um Öffnung der Grenze gebetene Statthalter wissen mußte, um entscheiden zu können. Aber Caesar verliert auch darüber kein Wort. Warum? Er ist ja sonst meist um sorgfältige Begründung seiner Entscheidungen bemüht; hier aber setzt er sich dem Verdacht aus, die Bitte der Helvetier gar nicht voll zur Kenntnis genommen und aus rein emotionalen Gründen oder aus nacktem Mißtrauen abgelehnt zu haben. Er riskiert damit den Vorwurf, diese in eine Feindrolle gedrängt zu haben, die sie gar nicht

---

[30] Linckenheld a.O. 1027.
[31] Völlig zutreffend S t o e ß l, a.O. 20: „Die Erinnerung an dieses Ereignis hat Caesar objektiv gewiß nicht in seinen Entscheidungen beeinflußt; diese Scheinbegründung sucht also bloß Sympathie für die getroffenen Maßnahmen zu erwecken."
[32] Wie ernst sie als solche zu nehmen waren, verrät noch die Formulierung Ciceros nach der Niederwerfung ihres Aufstands durch den Legaten C. Pomptinus (prov. cons. 32: *re publica metu liberata*) und der ausführliche Kampfbericht bei Cass. Dio 37,47f.; dazu s. J. Harmand, L'armée et le soldat à Rome de 107 à 50 av. notre ère (1967) 433; 438.

spielen wollten.[33] Man sieht es schon daran, daß sie sich an die von Caesar geforderte Bedenkzeit hielten und am festgesetzten Tage abermals bei ihm vorsprachen (8,3), obwohl sie hatten erkennen müssen, daß Caesar inzwischen fieberhafte militärische Vorbereitungen in Gang gesetzt hatte. Nach der Ablehnung wäre es dann freilich für den Versuch eines gewaltsamen Vordringens zu spät gewesen, selbst wenn sie ihn hätten wagen wollen. Stattdessen ließen sie sich nun auf einen ebenso verzweifelten wie meisterhaften und erfolgreichen diplomatischen Versuch ein, sich durch Vermittlung des Dumnorix, der seine persönlichen Pläne noch nicht aufgegeben hatte, mit den Sequanern zu einigen[34], um doch noch die Erlaubnis zum Durchzug durch das Sequanerland zu erhalten und damit einen Konflikt mit Rom zu vermeiden (Kap. 9). Nach dem, was Caesar berichtet, war dies keineswegs leicht zu erreichen und scheint auch Monate des Verhandelns in Anspruch genommen zu haben. Denn in der Zwischenzeit war es Caesar möglich, nach Italien zu gehen, drei Legionen aus dem Winterlager von Aquileia nach Gallien in Marsch zu setzen, zwei weitere Legionen in der Poebene neu auszuheben und zu etablieren, einen Alpenübergang zu leisten — diesen allerdings in 6 Tagen — und bis in die Gegend von Lyon vorzudringen, wo er gerade noch den Auszug der Helvetier erreichte (Kap. 10). Die Begegnung fand bei den Segusiavern statt, die „das erste Volk außerhalb der Provinz jenseits der Rhône sind" (10,4).

Wenn sich Caesar jetzt entschied einzugreifen, so war seine Lage anders als bei der Begegnung mit den helvetischen Abgesandten bei Genf. Dort ging es um das von ihm verwaltete Territorium, und er hatte auf eine Bitte zu antworten; dafür lag die Kompetenz eindeutig bei ihm. Hier dagegen war er weder gefragt noch in seinem Amtsbereich betroffen. Dies ist die Stelle, an der die Legitimationsfrage akut wird. Wenn die Sequaner — und offenbar doch auch die Häduer — den Helvetiern die Erlaubnis gaben, ihr Land friedlich zu durchziehen, so ging das den Prokonsul ex officio nichts an; es lag außerhalb der *cura provinciae* und der *defensio imperii*. Die Kompetenzüberschreitung bedeutete Eröffnung eines Krieges ohne Auftrag seitens der dafür zuständigen Organe; denn Abwehr eines Angriffs lag nicht vor. Sie bedurfte also einer überzeugenden, ja zwingenden Begründung.

An dieser Stelle erfährt man nun endlich das — angebliche — Marschziel der Helvetier: das Land der Santonen (heute die Saintonge) an der unteren Charente

---

[33] Sie wollten es offenbar noch nicht einmal nach dem Überfall Caesars auf ihre Nachhut an der Saône; dies darf man aus der Tatsache schließen, daß sie sich durch eine Gesandtschaft unter Divico angelegentlich bemühten, den Frieden mit Rom trotz dieser unerhörten Belastung zu retten (13,2ff.); vgl. S t o e ß l a.O. 23ff.

[34] S t o e ß l 21 schließt aus dieser Wendung auf einen abermaligen Machtwechsel bei den Helvetiern als Folge der Abweisung ihres Gesuches durch Caesar; er begründet seine Vermutung damit, daß die Bittsteller dieselben gewesen wären, die Orgetorix gestürzt hatten. Wenn diese Hypothese richtig wäre, bliebe zu fragen, warum die (neue, Caesar genehmere) Führung nicht zuerst versucht hätte, mit ihm zu einer Einigung zu kommen. Dies ist jedenfalls nicht geschehen. Ein ernsteres Problem liegt darin, daß Caesar trotzdem von nun an mit den aristokratisch geführten Häduern gegen sie zusammenarbeitet; S t o e ß l kann dies nur als einen „vollständigen Umsturz seiner bisherigen Allianzen" (23) erklären und mit einer neuen Position der militärischen Stärke nach der Massierung von 6 Divisionen begründen (34).

(10,1). Was sie ausgerechnet dort wollten, erfährt man wiederum nicht.[35] Nun mag dies ja für Caesar belanglos gewesen sein; es war nicht seine Sorge. Aber eben dieses Ziel dient ihm jetzt als Grund für sein militärisches Eingreifen: „Die Santonen wohnen nicht weit vom Gebiet der Tolosaten, welches innerhalb der Provinz liegt. Sollte dies geschehen, so war ihm klar, daß es der Provinz große Gefahr bringen müßte, wenn sie ein kriegslustiges, den Römern feindliches Volk in offener und äußerst fruchtbarer Landschaft zum Nachbarn hätte" (10,1f.).

Blickt man auf eine Karte, so sieht das ganz anders aus. Die Santonen wohnten am Unterlauf der Charente zwischen der Atlantikküste und dem Zentralmassiv; der Hauptort der Gegend trägt heute noch ihren Namen [36]; von Saintes (das 100 km nördlich von Bordeaux liegt) bis Toulouse beträgt der Luftlinienabstand nicht viel weniger als 300 km. Zwischen den Santonen und der Provinzgrenze lebten mehrere Stämme: die *Lemovices, Petrocorii, Nitiobrogi* und *Cadurci*. Von einer Nachbarschaft der Santonen kann also gar keine Rede sein, erst recht nicht von einer Gefährdung des Gebietes von Tolosa. Caesars Argument ist in diesem Falle von haarsträubender Fadenscheinigkeit [37]; er verwendet es im dreisten Vertrauen darauf, daß in Rom niemand die wirklichen geographischen Verhältnisse kennt.

Hier ist nicht nur Verdunkelung, sondern eklatante Verfälschung der Tatsachen zu greifen. Der Eingriff in die Helvetierwanderung mag politisch opportun gewesen sein; aber er war ein Übergriff, auch wenn er hinterher angeblich von gallischen Stammesfürsten Caesar gegenüber als „nicht nur im Interesse der Römer, sondern auch in dem der Gallier selbst gelegen" (30,2) gerechtfertigt wird — und dies von einer Delegation „aus fast ganz Gallien" (30,1), ungeachtet der Tatsache, daß zuvor zwei der größten gallischen Staaten offiziell den Durchmarsch freigegeben haben, ohne dazu gezwungen worden zu sein.[38] Dieser Übergriff bedurfte sehr wohl

[35] Das einzige Sichere daran ist nur, daß dieses Wanderziel die Absicht, *totius Galliae imperio potiri* (2,2; 30,3) ausschließt, wem auch immer sie zugeschrieben werden mag. Die Attraktivität dieses Gebietes mag gerade darin gelegen haben, daß es ein peripherer und relativ dünn besiedelter Bezirk war, der Zuwanderern Platz und Ungestörtheit versprach. Caesar spricht (30,3) von wirtschaftlicher Prosperität der Gegend und läßt die Helvetier deshalb hoffen, ganz Gallien tributpflichtig machen zu können (Urteil gallischer *principes*) — eine ganz unwahrscheinliche Unterstellung. Im übrigen ist es ein schlechtes Agrarland (Stevens, a.O. 168).
[36] Saintes, Dép. Charente—Maritime, mit 30 000 Einwohnern auch heute eine der unbedeutendsten Provinzhauptstädte Frankreichs.
[37] Daß sie auch Gelzer (Caesar 93) für bare Münze nimmt, ist mir schwer verständlich. Eine echte politische Argumentation dagegen, wie sie etwa A. Heuß (Röm. Gesch. 261) bietet, würde man sich weit lieber gefallen lassen. Auch W. Hoffmann, a.O. 16ff., sucht Caesars Eingreifen nicht aus den von ihm angegebenen Gründen, sondern aus seiner politischen Beurteilung der Verhältnisse bei den gallischen Stämmen zu erklären, wenn auch fraglich erscheint, ob der Helvetierkrieg wirklich deren „völlige Revolutionierung" (a.O. 17) erwarten lassen konnte. Wie fremd im Grunde den Römern jener Zeit die Verhältnisse im inneren Gallien waren, mag man aus Ciceros Worten (prov. cons. 22) heraushören: *an ego possum huic* (sc. *Caesari*) *esse inimicus, cuius litteris fama nuntiis celebrantur aures cotidie meae novis nominibus gentium nationum locorum?*
[38] Abgesehen davon mußte den Galliern, sofern sie — wie Caesar mehrfach betont — sich von den Germanen bedroht fühlten, die Schwächung der kampftüchtigen Helvetier (vgl. 1,4; 2,4; 40,7) höchst ungelegen kommen.

einer Rechtfertigung, und das war „a tricky business", wie Stevens formuliert. Diese Feststellung wird auch nicht durch die öfter vorgetragene Erwiderung entkräftet, daß ein Autor, der selbst die Argumente liefert, die man gegen ihn vorbringen kann, nicht unehrlich sein könne. Das Arrangement der Argumente im Text ist derart, daß man sie nicht auf Anhieb erkennt und nur philologische Nachprüfung sie durchsichtig macht. Zunächst muß man bedenken, daß nur wenig wirklich Unzutreffendes zwischen sehr viel Richtigem und zum Teil sehr Genauem steht; das letztere kann von den taktischen Mitteilungen ebenso gelten wie von den meisten topographischen Angaben, und auch die Chronologie scheint — soweit sie überhaupt erwähnt wird — untadelig zu sein.[39] Sodann wird man jedem Verfasser von *commentarii* die Notwendigkeit zubilligen, die Geschehnisse verkürzt zu berichten, um den Rahmen des Möglichen nicht zu sprengen. Aber gerade die wesentlichen Motivationen sind entgegen dem äußeren Anschein im Dunkeln gehalten und/oder durch Surrogate kaschiert.

So ist es bis heute nicht gelungen zu eruieren, was die Helvetier eigentlich wollten, trotz vielen Versuchen. Eine interessante Deutung von Stevens[40], die durchaus in die allgemeine politische Landschaft paßt und sich wegen ihrer Einfachheit empfiehlt, ist leider ganz unbeweisbar: Die ganze Aktion gehe auf eine Anregung der (mit den Römern befreundeten) Häduer zurück. Sie standen unter dem Druck der Sequaner und der von ihnen ins Land geholten Germanen.[41] Das Übergewicht, das die Sequaner dabei erlangt hatten, wollten die Häduer kompensieren, indem sie sich einen Teil der Helvetier ins Land holten und auf diese Weise Land gegen Wehrkraft austauschten. Die Helvetier empfahlen sich dafür durch ihre Kampferfahrung

[39] Völlig unmöglich sind freilich Caesars Angaben über die Zahl der Auswanderer (Kap. 29: 368000 Personen, aber nur 110000 Rückwanderer nach dem Scheitern des Unternehmens). Die Verlustquote (nach Caesar 258000 Personen = 70%) ist schon deshalb ausgeschlossen, weil sie zur Hälfte aus Frauen und Kindern bestehen müßte, und durch die berichteten Geschehnisse in keiner Weise begründet. Die Zahl der Waffenfähigen gibt Caesar mit 92000 an, d. h. mit genau einem Viertel der Gesamtzahl; sie ist also kein empirischer, sondern ein schematisch errechneter Wert. Bemerkenswerter Weise beträgt im Jahr 52 (VII 75,3) das helvetische Aufgebot nur 8000 Mann. Ernst Meyer, Zschr. für Schweizerische Geschichte 29, 1949, 65ff. (vgl. auch: Die römische Schweiz [1940] 355f.), sucht die Entstehung der falschen Zahlen durch Mehrfachzählung der Bundesgenossen der Helvetier zu erklären und errechnet für die Helvetier selbst 52000 Personen beim Auszug, während F. Hampl (Anz. für die Altertumswiss. 3, 1950, 32f.) nach anderen in Caesars Zahlen einfach Willkür sieht (vgl. auch Stevens a.O. 167). Interessant ist endlich das Fortleben von Caesars Zahlen bei Strab. 4,193. Strabo läßt 400000 Helvetier ausziehen, davon aber nur 8000 überleben, was natürlich grotesk, aber gleichwohl kein Fehler der Überlieferung ist: 400000 ist die nach oben abgerundete Zahl 368000 von BG I 29; in 8000 kehrt das Aufgebot vom Jahr 52 wieder (BG VII 75,3) — und dies nur ein halbes Jahr nach der Entstehung des BG! — Auch die angeblichen Stammrollen (*tabulae*) der Helvetier (I 29,1) können nicht so beschaffen gewesen sein, wie Caesar sie schildert; unproblematisch ist daran höchstens der Gebrauch der griechischen Schrift; er wird durch VI 14,3 (Schriftgebrauch der gallischen Druiden) gestützt und verrät natürlich den weitreichenden kulturellen Einfluß von Massilia.

[40] Latomus 11, 169ff.

[41] Dazu G. Walser a.O. 18ff.; über den Charakter des Vertragsverhältnisses ebd. — Verträge dieser Art sind uns auch aus dem späten Altertum geläufig, so in der Gotenpolitik der Kaiser Aurelian und Probus in Thrakien, des Constantinus, Valens und Stilicho in Gallien.

aus Gefechten mit den Germanen.[42] Ein solcher Landnahmevertrag schien das geeignete Mittel nach dem Vorgang dessen, was bei den Sequanern sich bereits bewährt hatte. — Dafür spricht immerhin, daß sich ein bei den Sequanern angesehe-
ner Häduerfürst bei diesen für den Durchzug der Helvetier eingesetzt hat, und man
könnte sogar die Angabe eines fernen Marschziels als eine den Sequanern gegenüber verwendete Verhandlungslist verstehen, um diese über den wahren Zweck
der Sache zu täuschen. Nun, der Auszug hat durch Caesars Eingreifen nicht zum
Ziel geführt, aber einen kleinen Teil dessen, was hier als Absicht der Häduer unterstellt würde, haben diese mit der Erlaubnis Caesars erreicht, die Boier bei sich anzu-
siedeln.

Wenn diese Konstruktion zuträfe, würde sie alle wesentlichen Schritte, die Caesar von den Helvetiern und ihren Verbündeten berichtet, befriedigend erklären,
auf der anderen Seite aber das von Caesar gezeichnete Gesamtbild radikal verändern und vor allem bezüglich der gerade jetzt sich einspielenden Zusammenarbeit
zwischen Caesar und den Häduern kaum lösbare Probleme nach sich ziehen. Bei
allen Spekulationen solcher Art ist also Zurückhaltung geboten. Aber die Ergebnisse jeder ernsten Kritik an der Darstellung der Vorgänge bestätigen das grundsätzliche Recht zu wachem Mißtrauen gegenüber den politischen Motivationen
Caesars und den von ihm unterstellten Feindabsichten, auch dann, wenn die äußeren Geschehnisse zweifelsfrei richtig erzählt sind. —

Die Quellenlage zum Helvetierkrieg ist eigenartig. Es gibt über ihn nur einen
wirklichen Parallelbericht, die stark verkürzte, insbesondere auf nahezu alle Verhandlungen — die Caesar in reicher Fülle einbaut — verzichtende Darstellung des
Cassius Dio (38,31,2—33,6). Dieser Bericht folgt in seinem ersten Teil, und zwar
bis zum Übergang Caesars über den Arar (= Saone) (BG I 12) in allen Einzelheiten dem Bericht Caesars, so daß wir für die hier besprochenen Vorgänge keinen
einzigen neuen Zug erfahren. Danach aber beschreibt Cassius (ab 32,4) einen total
anderen Schlachtverlauf; erst das Ende (33,6) enthält zwei Elemente, die auch
Caesar hat, jedoch in umgekehrter Reihenfolge: die Rücksiedelung eines Teiles
der Ausgewanderten (Helvetier, Tulinger, Latobriger; bei Dio nur οἱ μέν) in die
alte Heimat (= BG 28,3) und die Abspaltung eines Teiles des Gaues Verbigenus
(BG 27,4) zu einem Fluchtversuch an und über den Rhein; aber nach Dio wird
dieser Teil von den Galliern aufgerieben, nach Caesar wird er auf seinen Befehl
— unter Androhung von Repressalien — von den Galliern an ihn ausgeliefert (und
dann wohl von ihm liquidiert). Caesar drückt sich dabei zurückhaltend aus: *reduc-
tos in hostium numero habuit*. Der entsprechende Abschnitt bei Cassius Dio stammt
also nicht aus Caesar; aber woher hat er sein Material? Und welcher von beiden
Berichten ist korrekt? Bei Caesar verläuft die Schlacht zwar nicht ganz ohne Zwi-
schenfälle — an einem ist der alte Offizier Considius schuld, der die Nerven verloren hat (Kap. 22), aber im ganzen doch gewissermaßen in klassischen Operations-
folgen; bei Dio geht alles viel turbulenter und wechselvoller zu, und nicht jeder
Zug führt einen Schritt weiter; aber man gewinnt doch den Eindruck, daß man
einen Kampfverlauf, den man frei komponieren will, nicht so erfinden würde, wie

---

[42] Sie wird von Caesar mehrfach bestätigt: 1,3f.; 40,7.

er sich bei Dio abspielt, sondern viel eher so, wie Caesar ihn darstellt. Bei ihm
haben die Dinge eine Art militärischer Logik, bei Dio weit weniger oder überhaupt nicht. In der wirklichen Turbulenz des Krieges, den Caesar unter ungewohn-
ten Umständen aus dem Stegreif gegen einen noch nicht erkundeten Gegner zu
führen hatte, hat der „unlogische" Verlauf die größere innere Wahrscheinlichkeit.

b. Die erste Britannien-Expedition (IV 20—38)

Immer wieder hat man gerühmt, daß Caesars Berichte die Geschehnisse in einer
bewundernswerten Klarheit und Folgerichtigkeit vor Augen führen. Vielleicht das
bekannteste Muster seiner meisterhaften literarischen Regie ist der Bericht über
den Krieg gegen Ariovist, der die zweite Hälfte des ersten Buches füllt.[1] Hier verläuft alles mit einer Präzision des dramatischen Aufbaues, die diese Darstellung zu
einem echten Kunstwerk macht. Jeder Schritt ist ebenso vom Charakter der beiden
Handlungsträger wie in seiner Funktion als Antwort auf den jeweils vorausgehenden
Zug der Gegenseite begründet; die Charaktere sind in ihren Grundzügen lapidar bis
zur Typik gestaltet: Caesar, der verantwortungsbewußte, die Zukunft bedenkende,
die Interessen des Reiches und seiner Verbündeten wahrnehmende, zwar hart zu-
packende, aber doch auch jeden bestehenden Verhandlungsspielraum ausnützende
Gouverneur; Ariovist, der großangelegte, selbstbewußte, überhebliche Barbar, der
politische Weltluft gerochen hat (er rühmt sich seiner Verbindungen zu führenden
Kreisen in Rom), aber dennoch in erster Linie seiner Kraft vertraut, ohne Rücksicht auf bestehende Rechtsverhältnisse und ohne die Fähigkeit, seine Kraft richtig einzuschätzen, überdies heimtückisch, wie es dem römischen Barbarenbild entspricht; die Vertreter des gallischen Adels schließlich, die zwar spüren, daß ihr Heil
nur in einer Anlehnung an Rom liegen kann, aber aus Furcht vor schwer abschätz-
baren Konsequenzen ängstlich lavieren und mit den Tatsachen hinter dem Berg halten — dies sind Figuren, aus denen man eine klassische *fabula praetextata* aufbauen
könnte.

Weil es sich aber nicht um ein Bühnenstück, auch nicht um einen Mythos aus
heroischer Zeit handelt, sondern um einen *commentarius* über Selbsterlebtes und
Selbstgeleistetes, liegt es nahe zu fragen: Sind diese Charaktere historisch wahr

---

[1] Zur Rolle Ariovists im Rahmen des BG, die in diesem Buch nicht weiter besprochen werden
soll, sei hier angemerkt, daß auch sie in der Forschung sehr unterschiedlich bewertet wird.
Auf der einen Seite wird die angeblich von ihm ausgehende Bedrohung der Provinz ernstgenommen (z. B. M. Fiévez, Les ét. class. 18, 1950, 179ff.; J. Harmand, a.O. (S. 102 Anm.
1) 552; L. Raditsa, ANRW I 3, 424ff.), auf der anderen Seite als Fehldeutung oder ab-
sichtsvolle Übertreibung Caesars gewertet (z. B. G. Walser a.O.; D. Timpe, Caesars gallischer
Krieg und das Problem des römischen Imperialismus, Historia 4, 1965, 189ff.). — Weitere
Lit. zur Ariovist-Frage: H. Diller, Caesar und Ar., Das Hum. Gymn. 49, 1935, 189ff. (= WdF
XLIII 189ff.); E. Koestermann, Caesar und Ar., Klio 33, 1940/1, 308ff.; Ch. Jordan, Ar.
et les Germains chassés d'Alsace en 58 av. J. Chr. (1951); S. Gutenbrunner, Ar. und Caesar, Rh. Mus. 96, 1953, 97ff.; M. L. Deshayes, Caesar und Ar., Hum. (RES), Lettres Class.
38, 1960/1. 8,23ff; K. Christ, C. und Ar., Chiron 4, 1974, 251ff.

oder stilisiert? Sind die Motive ihres Handelns, wie Caesar sie darstellt, auch ihre historischen Beweggründe? Es ist nicht unwichtig, daß rund ein Drittel des Berichtes durch indirekte Reden — teilweise lange Reden mit kräftigem Pathos — besetzt ist; gerade Reden dienen ja der Stilisierung in weit höherem Maß als der einfache Bericht. Umstritten bleibt natürlich auch die juristische und strategische Interpretation des Autors: ist das Verhältnis des Ariovist zu den Sequanern — und im Gefolge davon die angebliche Bedrohung der Häduer — zutreffend dargestellt? Wenn nicht (wofür man Gründe anführen kann): Liegt die unangemessene Beurteilung an mangelnder Information Caesars oder an seinem Wunsch, den Krieg mit Ariovist als *bellum iustum* erscheinen zu lassen?[2] Denn immerhin handelt es sich um einen Krieg gegen einen *amicus populi Romani* (was 35,2 von Caesar selbst unumwunden ausgesprochen wird, aber in Form einer Mahnung an Ariovist, sich dementsprechend zu verhalten). Hat ferner Caesar Ariovists Bedeutung und die Stärke seiner Volksgruppe im Elsaß nicht erheblich übertrieben — und dementsprechend auch die geschilderte Angst seines Heeres?[3] Denn dieser einzige Sieg Caesars über ein organisiertes Germanenheer — der erste seit Marius — durfte keine belanglose Episode bleiben. Endlich: Hat Caesars eigenes Verhalten, besonders sein rascher Vorstoß nach Norden über die Grenze der Provinz hinaus, nicht den Waffengang erst unvermeidlich gemacht? Diese Frage wird nur dann gegenstandslos, wenn sein Vorgehen als wohlbegründete Präventivmaßnahme erwiesen wird.

Alle diese Fragen sollen hier nicht erörtert, sondern nur angedeutet werden; sie stellen sich gerade wegen des ungemein kunstvollen Arrangements dieser Buchhälfte, die schon dadurch den Typus des reinen Sachberichtes hinter sich läßt und die Geschehnisse weitgehend durch das Medium menschlicher Empfindungen, Gedanken und Äußerungen aufbaut, die ihrerseits bereits gedeutetes oder deutendes Geschehen sind.

Daneben stehen aber andere Partien, in denen schon die dargebotenen Tatsachen selbst in sich nicht völlig schlüssig scheinen und den Verdacht verkürzender oder verschleiernder Berichterstattung wecken. Als Beispiel dafür kann die Britannien-Expedition des Jahres 55 gelten, die in IV 20—38 dargestellt ist.[4]

---

[2] Dazu M. Gelzer, Caesar als Historiker, Kl. Schr. II (1963) 320ff. = WdF XLIII 455ff. — Zum Prinzip des *bellum iustum* s. ebd. 319 [453] mit Anm. 34 (frühere Lit.); hier auch die Definition des Rechtshistorikers H. Hausmaninger (Österr. Zschr. für öff. Recht 11, 1961, 342): „*Bellum iustum* ist ein Krieg, der zur Durchsetzung eines Rechtsanspruches (*iusta causa*) in der rechtlich vorgesehenen Form eröffnet wird."

[3] Caesar stellt sie in Kap. 39 ungewöhnlich breit dar, ohne auf den Hintergrund der alten Cimbern-Angst zu verweisen, der jedem römischen Leser der Zeit gegenwärtig sein mußte. Die lange Feldherrnrede (40), mit der er sie zu überwinden sucht, ist ein wichtiges Dokument der Selbstdarstellung, doch ohne die Paniksituation im Heer von nur mäßiger Wirkung.

[4] Eingehende philologische Untersuchung zu dieser Partie sind mir nicht bekannt (mir nicht erreichbar: H. Schneider, Untersuchungen zur Darstellung von Ereignissen bei Caesar, Diss. Freiburg/Br. 1929, Masch.). Einen neuen, instruktiven Kommentar bietet M. Rambaud in seiner Einzelausgabe des BG IV (Collection Erasme Nr. 19, 1967). Eine vorzügliche kritische Nachzeichnung und Wertung dieser Expedition liest man bei R. G. Collingwood und J. N. L. Myres, Romain Britain and the English Settlements (²1937) 32ff.; zu Caesars Darstellung vgl. auch Stevens, Latomus 11, 1952, 8ff.; Rambaud, Déformation historique 98ff.

Bekanntlich war die Expedition nach England im ganzen ein verlustreicher Mißerfolg, für den Feldherrn also kein Ruhmesblatt.[5] Schon der erste Versuch einer
Landung auf der Insel mißlingt; sie wird dann in einem zweiten Anlauf mit erheblichen Risiken und Verlusten erzwungen. Auch die erste Schlacht auf ihrem Boden
bleibt nur ein Teilerfolg; sie hat die Wirkung, daß die Britannier sich neu formieren und unterdessen Caesar mit Scheinverhandlungen hinhalten (Kap. 27), falls die
dort geschilderten Verhandlungen überhaupt so abgelaufen sind, wie wir sie lesen.
Gleichzeitig wird die Flotte Caesars von einer Springflut schwer ramponiert, zum
Teil sogar unbrauchbar gemacht. Eine Legion, die die mangelhafte Versorgungs-
lage durch Requisitionen aufbessern soll, geht in eine Falle und wird eingeschlossen
und schwer angeschlagen; Caesar kann sie zwar heraushauen, ist aber nicht in der
Lage, seinerseits offensiv zu werden. Er schlägt ein Lager, in dem er durch tage-
langes Sturmwetter festgehalten wird (34,3–6). Währenddessen formieren sich die
Britannier zum Angriff; dies führt zu einer Schlacht, aus der Caesar siegreich hervorgeht. Die Britannier kapitulieren und stellen Geiseln (36,1–2); Caesar aber
setzt sein Heer unverzüglich auf den notdürftig reparierten Schiffen auf das Festland über, wobei seine Transportflotte zunächst vom Sturm abgetrieben wird. Seine
Landung muß aber erst mit Gewalt erzwungen werden, weil die Moriner, die vorher (22,1) wegen ihres früheren Verhaltens um Entschuldigung gebeten und Caesar ihrer friedlichen Gesinnung versichert hatten, ihn jetzt an der Landung hindern. Der letzte Akt des Jahres ist eine Strafexpedition gegen die Moriner, mit
der Labienus beauftragt wird (38).

Die Bilanz dieses Unternehmens ist bescheiden genug. Jeder kritische Leser wird
feststellen, daß Caesar es zur falschen Zeit und mit unzureichender Vorbereitung
begonnen hat; er wird erkennen, daß das Verhalten sowohl der Britannier wie der
Moriner sich nur dadurch erklärt, daß für jedermann offenkundig war, daß sich
Caesar in eine für ihn letztlich nachteilige Pattsituation manövriert hatte. Die römische Autorität war nach dem Unternehmen nicht gestärkt, sondern gemindert;
die gebrachten Opfer an Menschenleben waren vergeudet.[6]

Daß Caesar selbst eine solche Bilanz expressis verbis zieht, wird man gewiß nicht
von ihm erwarten; dies heißt aber nicht, daß er sich selbst über den Ausgang der
Expedition irgendwelche Illusionen gemacht hätte; schon die umfangreichen Vorbereitungen für die Wiederholung des Versuches im folgenden Jahr lassen dies erkennen. In der Tat versucht Caesar auch in seiner literarischen Darstellung, den
Vorstoß des Jahres 55 nicht.in einen großen Erfolg umzumünzen; dies wäre schon
deshalb töricht, weil beim Erscheinen seiner *commentarii* noch genug Teilnehmer

---

[5] Mit Strenge gewürdigt von T. Mommsen, Röm. Gesch. III 271f.; je nach Annahme des
Expeditionszieles differenzierend von Collingwood—Myres a.O. 39ff. — Was das Ergebnis
der Expedition betrifft, äußert sich schon Cassius Dio 39,53,1 (oder seine Quelle) sehr un-
verblümt: μηδὲν ἐκ τῆς Βρεταννίας μήτε ἑαυτῷ μήτε τῇ πόλει προσκτησάμενος πλὴν τοῦ
ἐστρατευκέναι ἐπ' αὐτοὺς δόξαι (!). τούτῳ γὰρ καὶ αὐτὸς ἰσχυρῶς ἐσεμνύνετο καὶ οἱ οἴκοι
Ῥωμαῖοι θαυμαστῶς ἐμεγαλύνοντο. Dagegen ganz im Sinne Caesars Diod. 5,21,2 τοὺς Βρετ-
ταννοὺς καταπολεμήσας.

[6] In diesem Sinne auch Collingwood—Myres a.O. 41, obgleich sie das Ziel des Unternehmens in einer Erkundung, nicht in der Eroberung der Insel sehen (ebd.).

am Leben waren, die es besser wissen mußten. Man darf vielmehr davon ausgehen, daß die einzelnen Geschehensphasen, die berichtet werden, sich wirklich so oder ähnlich abgespielt haben. Worauf es Caesar hier ankommen mußte, war die Entkräftung des möglichen Vorwurfs mangelnder *cura* und *providentia*.[7] Wie schützt er sich gegen sie?

Das erste und für die Meinungsbildung wichtigste Element ist naturgemäß die Darlegung seiner Absicht. Dabei geht er sozusagen offensiv vor (20,1−2): Er stellt sogleich fest, daß das Jahr für ein *bellum* zu weit fortgeschritten war, zumal angesichts der frühen Wintereinbrüche in dieser geographischen Breite. Das Unternehmen habe aber auch gar kein *bellum* werden sollen, sondern lediglich auf Erkundung von Land und Leuten gezielt (§ 2). Daß es trotzdem ein Kriegszug wurde, lag an dem feindseligen Verhalten der Britannier (24,1 *at* [!] *barbari ... nostros navibus egredi prohibebant*). Damit werden sofort zwei kritische Fragen nahegelegt: Wollte Caesar wirklich nicht mehr als eine Erkundung durchführen? Und war für ihn nicht voraussehbar, daß die Britannier alles unternehmen würden, um das Eindringen einer fremden Streitmacht in ihr Territorium zu verhindern?

Die erste Frage beantwortet sich, wie ich glaube, von selbst. Eine bloße Erkundung, die etwa ähnlich verlaufen würde wie die Rheinübergänge, war ganz offensichtlich nicht Caesars Absicht. Er begründet sein Vorgehen mit den bisherigen Hilfeleistungen der Britannier an ihre gallischen Nachbarn gegen die Römer (20,1, stark übertreibend, *omnibus fere Gallicis bellis*). Er hat also vor, sie zu bestrafen, mindestens aber sie an künftigen Aktionen solcher Art zu hindern. Niemand ist aber so töricht, ein aggressives Vorhaben im Jahre davor durch einen bloßen Erkundungsvorstoß gegen den Gegner des nächsten Jahres diesem anzuzeigen und ihm damit die Möglichkeit zu geben, sich zur Abwehr langfristig vorzubereiten. Ferner sagt Caesar (22,2) ganz eindeutig, die Unterwerfung der Moriner sei ihm sehr gelegen gekommen, weil er in diesem Jahre nicht auch noch einen Krieg in Gallien hätte führen können. Dies letztere drückt er so aus, als wäre es dafür zeitlich zu spät (nämlich nach seiner Rückkehr aus Britannien); das wirkliche Motiv liegt in den Worten: *quod neque post tergum hostem relinquere volebat*. Dies ist völlig plausibel, wenn man sich mit einem wichtigen Teil seiner Kampfkraft auf einen neuen und geographisch abgeschnittenen Kriegsschauplatz begeben will, wobei das bisher besetzte Gebiet als Operationsbasis dienen soll.

Und tatsächlich war dies auch beabsichtigt. Man sieht es an den Rüstungen für die Operation, die in 22,3−6 aufgezählt werden: 80 Transportschiffe, auf denen zwei Legionen (d. h. 10 000 bis 12 000 Mann) befördert werden sollten, dazu 18 Lastschiffe mit der Reiterei.[8] Dies zusammen ist nicht ein Kontingent für eine

---

[7] Vgl. Collingwood−Myres a.O. 39: „It is clear from the apologetic tone which more than once creeps into Caesar's narrative of his expedition that his conscience was not at ease", und die anschließende Aufzählung der Vorwürfe, die Caesar wegen dieses Unternehmens erwarten konnte.

[8] Caesar sagt über die Stärke der Reiterei nichts aus; also wird sie sich im Rahmen des Normalen gehalten haben. Das Normale waren bei jeder Legion 10 *turmae* zu 33 Pferden, vgl. F. Lammert, RE I A 544f.; Kromayer−Veith, Heerwesen und Kriegführung der Griechen und Römer [1928] 387). Dies wird hier durch die Zahl der für den Pferdetransport bestimm-

„gewaltsame Erkundung", sondern für ein echtes *bellum*. Man ist also berechtigt anzunehmen, daß Caesar hoffte, durch einen spät im Jahr eröffneten und daher von den Britanniern nicht erwarteten „Blitzkrieg" die Insel zu unterwerfen oder wenigstens die Kampfkraft ihrer Bewohner soweit zu brechen, daß die widerspenstigen Gallier an der Kanalküste sich der Hilfsquellen jenseits des Kanals beraubt sehen sollten. Erst die Tatsache, daß er nach dem Mißerfolg von 55 im folgenden Jahr einen zweiten Versuch unternehmen mußte, gab ihm die Möglichkeit, die erste Expedition als einen Erkundungsvorstoß zu deklarieren[9], gleich als hätte schon damals der Plan für das folgende Jahr festgestanden.

Was das Verhalten der Britannier im Jahr 55 betrifft, so darf man wieder sagen, es wäre ganz unverständlich, wenn sie sich anders verhalten hätten. Schon der Umfang der Rüstung Caesars für die Überfahrt erklärt hinreichend, daß die Inselbewohner von der bevorstehenden Invasion Wind bekamen (21,5) und sich auf die Abwehr vorbereiten konnten. Selbst dann, wenn Caesar wirklich nur das Land hätte erkunden wollen, war dies doch ein erster Schritt zu einer feindlichen Invasion. Nun bemüht sich aber Caesar darum, daß diese natürliche Reaktion der anderen Seite bereits als ein Akt der *perfidia* verstanden wird; er läßt vor seiner Expedition britannische Unterhändler auftreten, die ihm die Bereitschaft zur Unterwerfung ihrer Auftraggeber unter die Herrschaft Roms aussprechen und durch Geiselstellung bekräftigen. Danach wäre natürlich jeder bewaffnete Widerstand Vertragsbruch. In diesem Sinne beschwert sich Caesar später (27,5) ausdrücklich.

Das Auftreten solcher Unterhändler in seinem Hauptquartier noch vor jeder Kampfhandlung ist nicht ohne weiteres verständlich, aber es einfach zu bezweifeln, wäre reine Spekulation. Caesars Formulierung kann indes einen Fingerzeig bieten: *a compluribus ... civitatibus*; nach ihrer Zahl darf man nicht fragen, aber die Mutmaßung, daß diese *civitates* keineswegs repräsentativ für die gesamte Bevölkerung Südbritanniens waren und auch nicht im Einvernehmen mit den übrigen gehandelt haben, drängt sich auf. Britannien war kein geschlossenes Staatsgebiet, so wenig wie Gallien; erst in Buch V (11,8) erfahren wir, daß sie sich in einer ge-

---

ten Schiffe wohl nur geringfügig modifiziert. Geht man davon aus, daß bei 80 Schiffen für 2 Legionen und einer Sollstärke der Legion von 6000 Mann jedes Schiff mit 150 Legionären belastet wird, d.h. jede Kohorte über 4 Schiffe verfügt (natürlich auch für ihr Marschgepäck), so liegt es nahe anzunehmen, daß die Reitertransportschiffe mit nicht mehr als je einer *turma*, d.h. 33 Mann und 33 Pferden, belastet wurden, wobei das Pferd sinnvoll als Äquivalent von 3–4 Mann gerechnet wurde. Wenn diese Annahme stimmt, trugen die 18 Schiffe theoretisch 594 Reiter, d.h. fast genau die Zahl der bundesgenössischen Reiterei, die in einem konsularischen Heer dem Feldherrn als Leibwache üblicherweise zustand (Lammert a.O. 545, 31ff.). Die Kontingentierung der Transportschiffe scheint sich also an den taktischen Normen orientiert zu haben.

[9] Kap. 20,2: *si tempus anni ad bellum gerendum deficeret, tamen magno sibi usui fore arbitrabatur, si modo insulam adisset, genus hominum perspexisset, loca portus aditus cognovisset.* Der erste *si*-Satz gibt aber nicht eine faktische Voraussetzung, sondern eine Eventualität an: Caesars Planung läßt also nach seiner eigenen Formulierung die Möglichkeit eines *bellum* offen; die bloße Erkundung wäre das Alternativ-Ziel bei ungünstiger Entwicklung der Witterung. — Im übrigen beweist auch diese offenkundige Retouche, daß die Bücher nicht einzeln Jahr für Jahr entstanden sein können.

meinsamen Notlage ad hoc auf einen gemeinsamen Oberbefehl unter Cassivelaunus geeinigt haben. Im übrigen ist mit alten Rivalitäten und Feindschaften zu rechnen, und einigen Gauen, die sich von anderen bedrückt oder bedroht fühlten, mag Caesars Bereitschaft, über den Kanal zu kommen, als die gute Stunde erschienen sein, um sich einen mächtigen Freund zu sichern. Daß sie „von sich aus" (*ultro*, 27,5) Gehorsam versprachen und gleich Geiseln mitbrachten, läßt darauf schließen, daß sie ihrerseits etwas von Caesar wollten, und es läßt sich wohl nicht ausschließen, daß sie selbst und ihr Versprechen, ihm sich unterzuordnen, Caesar überhaupt erst zu dem überraschenden Entschluß bewogen haben, noch in diesem Herbst überzusetzen. Unter diesen Umständen konnte er gute Chancen sehen, in kurzer Zeit die Herrschaft über die britannische Kanalküste zu gewinnen. Allerdings wäre in diesem Falle der kausale Zusammenhang der Dinge ganz anders, als Caesar ihn zeichnet; seine Aktion war dann auf einer Voraussetzung aufgebaut, die sich alsbald als Windei herausstellte.

Interessant und eigenartig ist auch die Tatsache, daß er diesen Unterhändlern nun seinerseits einen Agenten mitgab, den Atrebatenhäuptling Commius (21,7).[10] Er sollte die caesarfreundlichen *civitates* als Aktionsbasis benutzen, um bei möglichst vielen anderen für einen Anschluß an Rom zu werben und anzukündigen, daß Caesar in Kürze selber kommen werde. Auch dies spiegelt die Situation wider; es setzt die Tatsache einer Spaltung unter den Britanniern voraus, bei der die Hoffnung begründet schien, durch einen Wink mit Vorteilen bei rechtzeitiger Umorientierung Überläufer oder Sympathisanten zu gewinnen und das Gewichtsverhältnis der politischen Kräfte zugunsten Roms zu verschieben. Wie wenig realistisch diese Spekulation war, sollte sich freilich schnell herausstellen: Commius wurde bei seinem Werbefeldzug rasch verhaftet (27,3), zweifellos weil er als „Quisling" angesehen wurde; denn er war erst kürzlich den unterworfenen Atrebaten von Caesar als „König" aufoktroyiert worden.[11] Erst als die Britannier eine erste Niederlage

[10] Vgl. oben S. 63 Anm. 32. – Daß Commius für diesen Auftrag der richtige Mann war, erweist sich aus der Tatsache, daß er im folgenden Jahr als Vermittler zwischen Caesar und Cassivelaunus fungierte (V 22,3) und später nach seinem Abfall von Caesar und seiner Kapitulation (Hirt. VIII 47f.) sich mit den verbliebenen Angehörigen nach Kent absetzen und dort eine regionale Herrschaft einrichten konnte (Frontin. strat. 2,13; Münzer, RE IV 770f.).

[11] Der völkerrechtliche Status des Commius scheint nicht ganz klar gewesen zu sein. Auch als *rex* eines Staatsgebietes, das nach Kriegsrecht Rom untersteht, kann er die Funktion eines *legatus* mit allen Implikationen (vgl. von Premerstein, RE XII 1134f.), insbesondere der der Unverletzbarkeit (vgl. BG III 9,3), übernehmen; aber er war weder Anführer noch Mitglied einer römischen Legation (deshalb 27,3 nur *oratoris modo*!), sondern lediglich Reisebegleiter einer zurückkehrenden britannischen, und nach Caesars eigener Formulierung (IV 21,8 *quas possit adeat civitates horteturque, ut populi Romani fidem sequantur*) hatte er keinen präzisen Gesandtschaftsauftrag und vor allem keinen bestimmten Gesprächspartner, konnte also als feindlicher Agent betrachtet und behandelt werden. Die spätere Rückgabe des Commius und die Entschuldigung der Britannier für seine Festnahme (27, 2–4) zeigt allerdings, daß auch bei diesen selbst hierüber Unklarheit herrschte, mindestens im Augenblick der eigenen Unterlegenheit. Bezeichnenderweise geht aber Caesar auf dieses *facinus*, das er in einem anderen Falle hart rügt (III 9,3), obgleich es sich dort gar nicht um echte *legati* handelt, sondern um reines Militärpersonal (III 7,3 *praefecti tribunique militum complures*), hier mit keinem Wort mehr ein.

hatten einstecken müssen und sich um einen Waffenstillstand und Frieden bemühen
mußten, war es unvermeidlich, auch Commius zurückzugeben, weil sie anders keine
Zugeständnisse von Caesar hätten erwarten können. Es ist nach allem evident:
Caesar w o l l t e Britannien in seine Hand bringen; er rechnete dabei mit einer günstigen politischen Konstellation im Land und mit der tätigen Hilfe einer Gruppe der
Bevölkerung. Die wahre Lage hat er falsch eingeschätzt, seine Informationen erwiesen sich als unzulänglich und irreführend; sobald er die Insel betreten hatte,
war von irgendeiner britannischen Unterstützung seiner Invasion nichts mehr zu
sehen. Gerade diesen Irrtum gibt Caesar aber nicht zu.

Auch sonst war seine Vorerkundung offenbar schlecht angelegt. Nach 21,1
schickte er den Militärtribunen C. Volusenus mit einem Kriegsschiff zur Erkundung der Landemöglichkeiten voraus; dieser Offizier hat, wie Caesar selbst sagt
(21,9), die britannische Küste nirgends betreten, und seine Erkundungsleistung
mag nun gut gewesen sein oder nicht[12], sie hat jedenfalls nicht verhindert, daß
Caesars Expeditionskorps an einem ausgesprochen ungünstigen und für die Verteidiger vorteilhaften Küstenabschnitt zur Invasion ansetzte (23,3). — Auch von
der Vollmond-Springflut, die später seine Flotte schwer beschädigt hat, sagt Caesar,
er habe von einem solchen Naturereignis nichts ahnen können (29,1 *luna plena,
qui dies maritimos aestus maximos in oceano efficere consuevit, nostrisque id erat
incognitum*), obwohl die römischen Truppen bereits im zweiten Jahr im Bereich
der Atlantik- und Kanalküste operierten.

Die Wahrheit ist, daß Caesar sich in diesem Fall schlicht und einfach übernommen hat. Die Britannier hatten natürlich jedes Recht, die sich ihnen bietende Gelegenheit zu nützen und zu versuchen, den geschwächten Feind aus dem Land zu
drängen oder im eigenen Land aufzureiben. Wie stellt Caesar dies dar? Nach Kap.
27,6f. hatten die Britannierführer mit Caesar Frieden gemacht, ihr Heer „auf die
Äcker" geschickt (d. h. demobilisiert) und sich von überall her im römischen Hauptquartier eingefunden, „um sich und ihre Staaten Caesar zu empfehlen" (§ 7). Caesar beginnt das nächste Kapitel mit den Worten: *his rebus pace confirmata*, als wäre
damit die Unterwerfung perfekt; wer aber das 26. Kapitel liest, erkennt sogleich,
daß Caesar aus einer äußerst beengten Situation heraus nicht mehr als ein momen-
taner taktischer Erfolg gelungen war und die britannische Streitmacht zwar das
Feld räumen mußte, aber sich dem Zugriff der Römer entziehen konnte (daher
Caesars stolzes Bedauern, § 5: *hoc unum ad pristinam fortunam Caesari defuit*).
Schon von daher wird das Verhandlungsintermezzo des Kap. 27 schwer erklärbar
und das Buhlen der *principes* um Caesars Gunst völlig unverständlich. Nun aber
kommt der Sturm und bringt die Römer in eine mißliche Lage. Dies nehmen die
principes Britanniae — wie man glauben soll, noch im Lager Caesars (30,3) — zum
Anlaß, „unter sich zu sprechen" (30,1) und eine „neue Verschwörung" anzuzetteln
(*rursus coniuratione facta*), d. h. also ein Verbrechen gegen die legitime Obrigkeit

---

[12] Meist wird sie günstig beurteilt (vgl. G. Walter, Caesar 238ff.; H. Gundel, RE IX 1961,
895), allerdings im Blick auf die Landung im folgenden Jahr, für die Volusenus nur die An-
legestelle ausgesucht haben könnte — was reine Mutmaßung ist; Caesar selbst sagt darüber
nichts.

zu begehen, als welche sich Caesar in diesem Augenblick geriert. In den folgenden Kapiteln sehen wir ihn wieder in größter Not, was durchaus glaubhaft ist; und um diesen Wechsel seiner Lage entschuldbar zu machen, widmet er ein ganzes Kapitel der Kampfesweise seiner Gegener (33).[13] Um ein Haar wäre die ganze 7. Legion vernichtet worden, wenn ihr Caesar nicht im letzten Augenblick mit dem Rest seiner Truppen zu Hilfe gekommen wäre. Zu einem eigenen Gegenangriff sieht er keine Möglichkeit. Der Feind bleibt offensiv und bedrängt das römische Lager. Caesar ist also eingeschlossen, und nur ein Ausfall kann ihn retten, wenn er sich nicht aushungern lassen will.

Dieser letzte Akt verdient noch einmal unser Interesse. Im Kap. 35 wird die entscheidende Schlacht erzählt: Caesar nimmt die Legionen aus dem Lager, greift die Britannier an und schlägt sie in die Flucht; er verfolgt die Fliehenden, soweit es möglich ist, und tötet eine Anzahl von ihnen, zündet dann die umliegenden Siedlungen an und geht ins Lager zurück. Dieser — wie man erwarten möchte — schicksalswendenden Schlacht sind weniger als sechs Zeilen gewidmet; man liest keine Verlustzahlen für beide Seiten, keine Gefangenenzahlen, keinen Schlachtverlauf, keine heroische Einzelleistung. Es kann also kaum ein Zweifel bestehen: auch diese Schlacht war nur ein taktischer Augenblickserfolg, der Caesar aus der Umklammerung befreite. Der Feind nutzt seine mobile Taktik und entzieht sich wieder dem entscheidenden Zugriff. Und um dieses Ergebnis einem psychologisch vorbereiteten Leser präsentieren zu können, steht bereits im Anfang des Kapitels, Caesar habe mehr auch gar nicht erwartet (*etsi idem quod superioribus diebus acciderat fore videbat*).

Wieder kommen Unterhändler und bitten um Frieden; wieder geht Caesar darauf ein, wenn auch unter Verdoppelung der geforderten Geiselzahlen, und zwar mit der Auflage, die Geiseln aufs Festland zu schicken. Sogleich danach verlädt er sein Heer auf die Schiffe und setzt nach Gallien über; im Kap. 38,4 erfährt man, daß die meisten britannischen Stämme gar nicht daran dachten, die geforderten Geiseln zu schicken.[14]

Caesars Gepflogenheit war es, nach einer echten Unterwerfungsschlacht zur Sicherung des Erfolgs eine oder mehrere Legionen im neu eroberten Gebiet ins Winterlager zu verlegen. Hier aber denkt er nicht nur keinen Augenblick daran, dies zu tun, sondern verweilt nicht einmal eine Woche im Land, um die Verhält-

---

[13] Die Nachricht über die britannische Streitwagentaktik — deren soziologischen Hintergrund (vgl. Tac. Agr. 12; Diod. 5,29) Caesar noch nicht kennen konnte — ist für die Römer eine authentische Erstinformation (Vgl. W. Till, Britannische Streitwagen, Klio 36, N. F. 16, 1944, 238ff.), die Caesar natürlich nicht erst mit der Veröffentlichung des BG vermittelt hat. Daß sie großen Eindruck gemacht haben muß, sieht man hübsch an den scherzhaften Anspielungen Ciceros in Briefen vom Mai und Dezember 54 (ad fam. 7,6,2; 7,10,2) an Trebatius, der sich als Rechtsberater bei Caesar aufhielt. Daraus allerdings auf Zirkusspiele mit britannischen Streitwagen in Rom noch im gleichen Jahre zu schließen (so Pollack, RE VI 685f.), geht am Sinn dieser Texte vorbei.

[14] Die auf den ersten Blick isoliert wirkende Notiz darüber ist sachlich und chronologisch begründet, weil die wenigen tatsächlich geschickten Geiseln erst nach der Einrichtung des Winterlagers bei den Belgern (Amiens?) dort angekommen sind (... *hiberna constituit. eo ... obsides miserunt*).

nisse dort zu regeln. Vielmehr ist er froh, das Festland zu erreichen und dort sich gegen Rebellionen zu sichern. Dafür wird es seine erste Unternehmung im kommenden Jahr sein, eine neue, wesentlich besser vorbereitete Expedition zu starten (V 2), womit er der Tatsache Rechnung trägt, daß der erste Versuch auch von ihm als mißlungen betrachtet worden ist. Trotzdem stellt er am Ende von Buch IV die Sache so hin, als sei wenigstens eine Teilunterwerfung geglückt und hätten die Britannier kapituliert.[15] Die Kapitel 35 und 36 sind also eine vorsichtige Beschönigung eines eben noch verhinderten Debakels, bei dem es Caesar geschickt gelungen ist, den Kopf aus der Schlinge zu ziehen. Er gewinnt damit einen relativ guten Abhang aus dem vierten Kriegsjahr; der Leser kann wenigstens die Standhaftigkeit und Energie des Prokonsuls bewundern, der durch seine Entschlußkraft und Wendigkeit einen noch schwereren Rückschlag verhindert hat. Daß er ihn selbst provoziert hat, und wahrscheinlich ohne zwingende Notwendigkeit, das haben sie — hoffentlich — bereits vergessen oder gar nicht erst begriffen.

c. Zwei episodische Krisenlagen

VI 36—41

Jede Stilisierung von Geschehnissen trägt ihren Zweck in sich; aber nicht in jedem Fall bedeutet sie schon Verfälschung, und auch das Schweigen über Tatsachen, die der aufmerksame Leser zu erfahren wünscht, kann verständliche, ja sogar legitime Gründe haben.

Ein solcher Fall liegt in Buch VI vor. Caesar hatte gegen Ende des Jahres 53 nur noch einen wirklich gefährlichen Gegner, den Eburonenfürsten Ambiorix, der es lange Zeit verstanden hatte, einerseits den Römern empfindliche Verluste beizubringen, andererseits sich jedesmal dann, wenn er unterlegen war, ihrem Zugriff listig zu entziehen. Eine Situation dieser Art wird im Kapitel 33 gezeichnet. Ambiorix geht mit seinem Anhang in den Untergrund; sein Mitkönig Catuvolcus, der der ewigen Kriegszüge und der Taktik des Ambiorix müde geworden ist, nimmt sich das Leben. Caesar teilt nun sein Heer in mehrere Teile auf, um das Land zu durchkämmen; drei Legionen schickt er unter Labienus zur Küste ins Menapiergebiet, drei weitere unter Trebonius in das Gebiet, das dem Aduatucer-Land benachbart ist; er selbst zieht mit drei Legionen angeblich zur Schelde[1], weil er ge-

---

[15] Der an den Senat geschickte Lagebericht (38,5) scheint dies noch stärker herausgestellt zu haben; andernfalls wäre die vom Senat beschlossene 20tägige *supplicatio* kaum verständlich, denn das vierte Kriegsjahr enthält im übrigen kein *bellum confectum* von einiger Bedeutung.

[1] Diese Angabe wird aus guten Gründen angezweifelt: einmal, weil die Schelde nicht, wie Caesar angibt, in die Maas mündet, zum andern wegen der Entfernung zwischen Aduatuca (= Tongern) und der Schelde, die rund 100 km beträgt und von einem Heer, das das Land durchkämmt, nicht in 7 Tagen zweimal zurückgelegt werden kann (s. den kritischen Anhang zu Kraner—Meusels Kommentar II [20 1965] 533). Th. Bergk hatte daher vorgeschlagen, *ad flumen Calbin, quod influit in Mosellam* zu lesen, d. h. Caesar an den Kyll (ca. 70 km südlich Aduatuca) marschieren zu lassen, was Meusel für denkbar hält. Dann macht aber die

hört hat, dort halte sich Ambiorix auf. Eine Legion läßt er mit dem gesamten Troß und 300 Reitern in einem festen Lager bei Aduatuca, wohl dem heutigen Tongern[2], zurück und überträgt das Kommando dort Q. Cicero mit dem Auftrag, sich sieben Tage lang — bis zu Caesars beabsichtigter Rückkehr — strikt im Lager zu halten, bis der Prokonsul die Versorgung der Besatzung selbst in die Hand nehmen könne (33,4).

Zufällig haben Germanen jenseits des Rheines davon gehört, daß das Eburonengebiet von den Römern geplündert werde (35,4); sie entschließen sich, über den Rhein zu kommen, ziehen dort flüchtige Eburonen an sich, dazu 2000 Reiter aus dem Stamm der Sugambrer, und begeben sich mit diesen auf einen Beutezug, erfahren dabei von gallischen „Gefangenen"[3], sie könnten auf bequemere Weise zu Beute kommen, wenn sie nur drei Stunden weiter zögen; dort hätten die Römer reiche Vorräte gelagert und ihr Lager werde von einer lächerlich geringen Besatzung geschützt (35,8ff.). Sie beschließen also, dieses Lager zu überfallen.

Nun heißt es im Kap. 36, Cicero habe bis dahin Caesars Anweisung aufs korrekteste befolgt und auch nicht einem einzigen Troßknecht erlaubt, das Lager zu verlassen. Schließlich aber habe er, teils im Zweifel an Caesars pünktlicher Rückkehr, teils unter dem Druck einer verdrossenen Stimmung unter den Soldaten, einige Kohorten zur Beschaffung von Getreide ausgesandt und auch anderen Gruppen (Reitern, Rekonvaleszenten, Troßleuten) gestattet, das Lager zu verlassen, und dies ausgerechnet in dem Augenblick, als die Germanen sich ihm näherten. So kommt es zu einer Überrumpelung, die beinahe zum Verlust des Lagers und zur Vernichtung seiner Besatzung geführt hätte und folglich zu jener Panikstimmung, über deren literarische Ausgestaltung bereits gesprochen worden ist[4], aber auch zu der Heldentat des *primipilus* Sextus Baculus, zu dem beherzten Eingreifen des Ritters Trebonius und dem Heldentod altgedienter und bewährter Offiziere. Gewiß war dies nur ein lokales Ereignis ohne nachhaltige Folgen, aber doch eine peinliche und gefährliche Situation, wenn man berücksichtigt, daß dabei das römische Heer beinahe seinen ganzen Troß eingebüßt hätte.

So ist der Leser mit Recht erstaunt, wenn er im Anfang von Kap. 41 die Feststellung des Autors vorfindet: *Germani desperata expugnatione castrorum ... cum ea praeda, quam in silvis deposuerant, trans Rhenum sese receperunt.* Sie hätten nach dem, was sich abgespielt hatte, gewiß nicht an der Möglichkeit, das Lager zu nehmen, verzweifeln müssen, wenn sie überhaupt einen ernstlichen Angriff beabsichtigt hätten. Ganz offenbar war es aber gar nicht ihre Absicht, sich auf ein

---

Angabe *extremas Arduennae partes* Schwierigkeiten, da sie sich nur auf die — von der Provinz aus gesehen — entferntesten Ausläufer beziehen kann. Wir werden uns also wohl mit Caesars Text abfinden und allenfalls eine Verwechslung zwischen Schelde und Sambre annehmen müssen.

[2] J. Breuer, La Belgique Romaine (1946) 67. Die Topographie ist aber umstritten; s. R. Mueller, Gymn. 61, 1954, 326ff.; F. A. Charles, Pares Nationaux 1956. 4,127ff.; A. Grisart, Actes Congr. Budé 1958, 238ff.; LEC 28, 1960, 129ff.

[3] *ex captivis quaerunt* (35,7); dies ist ein verkürzender Ausdruck, da an einen Widerstand der Eburonen gegen die Germanen nicht zu denken ist. Vielmehr sind jene gemeint, die sie *ex fuga dispersos excipiunt* (§ 6).

[4] S. oben S. 88ff.

größeres Unternehmen einzulassen, und sie waren wohl auch nicht darauf vorbereitet. Vielmehr sahen sie sich in der Erwartung, ohne Risiko und stärkeren Einsatz reiche Beute mitnehmen zu können, enttäuscht und zogen sich beim ersten ernsteren Widerstand zurück. Das ganze war eben kein *bellum*, sondern ein Plünderungszug, dessen zahlenmäßige Stärke man sich wohl auch nicht allzu groß vorstellen muß.[5] Umso blamabler war natürlich das Desaster, das er bei den Römern auslöste. Allein Caesar vertuscht das nicht nur nicht; er unterstreicht es sogar noch; denn er versichert in Kap. 41,2ff., die Panik habe „selbst nach dem Abzug der Feinde" unvermindert angedauert und dazu geführt, daß dem von Caesar vorausgeschickten C. Volusenus, als er mit seinen Reitern das Lager erreichte, niemand glauben wollte, daß Caesar mit den Legionen in Kürze wohlbehalten zurückkehren werde. Es ist die Rede von *terror*, von *timor*, der „alle" in Bann gehalten habe, von einer *paene alienata mens* der Truppe; ihre psychische Obsession so nachdrücklich auszumalen, konnte an dieser Stelle keineswegs dazu dienen, das weitere Kriegsgeschehen verständlich zu machen, denn dieses bricht für das laufende Jahr mit eben dieser Episode ab; es muß also einen Zweck eigener Art haben.

Angenommen, die Ereignisse haben sich alle so abgespielt, wie sie erzählt werden, so war es gewiß ein aufregender und zudem für die Lagerbesatzung, vor allem ihre Führung, wenig rühmlicher Zwischenfall. Aber sein Stellenwert im historischen Geschehen war doch vergleichsweise gering. Diese Geschichte gehört somit zu denen, die den auf einen echten *commentarius* eingestellten Leser befremden konnten. Zunächst einmal: Warum ist die Episode so breit ausgesponnen? Ihr Stil ist der einer dramatisierenden Geschichtsschreibung; „Handlungen" solcher Art finden sich bei Livius in großer Zahl[6], aber sie waren schon bei manchen hellenistischen Historikern beliebt.[7] Der Typus ist geläufig: Aus einer scheinbar harmlosen Situation entwickelt sich unerwartet eine ernste Gefahr, die — großenteils aus psychologischen Gründen — sich zur Krise auswächst und in eine Katastrophe münden müßte, wenn nicht im letzten Augenblick beherzte Einzelne über sich hinauswüchsen und die rettende Tat vollbrächten. Am Ende steht die Erlösung von den Schrecken, aber die Furcht der Betroffenen (und des Lesers) zittert noch nach. Erich Burck hat sie für Livius beschrieben[8]: die Reduktion der Geschichte auf geschlossene Einzelhandlungen, deren Ablauf durch die Gesetze der dramatischen Kunst beeinflußt ist; die Rolle der Figuren in Spiel und Gegenspiel; die Bedeutung von $\varphi\acute{o}\beta o\varsigma$ und

---

[5] In diesem Zusammenhang wird insbesondere die große Zahl der sugambrischen Reiter problematisch. Wer hat sie festgestellt? Caesar selbst hat sie nie gesehen, Cicero schwerlich abzuschätzen vermocht. Die Zahl übersteigt das Reiterkontingent, von dem üblicherweise 6 römische Legionen begleitet wurden.

[6] P. G. Walsh, Livy. His historical aims and methods (1963) 200ff.; vgl. auch E. Burck, Die Erzählungskunst des T. Livius (²1964) 219ff.

[7] P. Scheller, De hellenistica historiae conscribendae arte. Diss. Leipzig 1911, 60f.; G. Avenarius, Lukians Schrift zur Geschichtsschreibung. Diss. Frankfurt/M. 1956, 118ff. Vgl. aber auch die besonders strenge Auffassung des Polybios gegenüber pathosgeladenen Einzeldarstellungen von minder bedeutenden Ereignissen: 15,34ff.; K. Ziegler, RE XXI (1952) 1503f.

[8] Burck a.O. 176ff. Vgl. Avenarius a.O. 130ff. über die Elemente des $\dot{\epsilon}\nu\alpha\rho\gamma\acute{\epsilon}\varsigma$.

ἔκπληξις; die Forderung nach ἐνάργεια (Anschaulichkeit), die durch kleine und scheinbar unwesentliche Einzelheiten erreicht wird und verhindert, daß die Geschichtsschreibung im Allgemeinen, Summarischen und Abstrakten verweilt; ferner die Schnelligkeit u.a.m. Alle Prinzipien, die diese historiographische Theorie entwickelt hat, finden sich hier berücksichtigt. Caesar tritt damit aus dem Formprinzip des *commentarius* heraus, und selbstverständlich war er sich dessen voll bewußt. Er wollte mit dieser Episode ein kleines Kunstwerk im Rahmen des Buches bieten — eines Buches, das sonst nichts annähernd Vergleichbares enthält.

Man kann dafür zunächst einfach eine Überlegung der literarischen Ökonomie ins Feld führen. Das sechste Buch enthält ungewöhnlich wenige militärische oder politische Geschehnisse von einiger Bedeutung. Außer den — zwar ermüdenden, aber kaum ergiebigen — Unternehmungen gegen Ambiorix, die nicht einmal zu einer darstellungswürdigen Schlacht geführt haben, ist nur noch der — gleichfalls resultatlose — zweite Rheinübergang zu melden. Der selbstgewählte Zwang, mit den Ereignissen je eines Kriegsjahres ein Buch zu füllen, das die Aufmerksamkeit des Lehrers fesselt, mußte Caesar zu Überlegungen nötigen, wie er dem Raum dieses Buches einen angemessenen Inhalt geben konnte.[9] So wählte er neben den spärlichen Kampfaktionen als „Bausteine" zwei Elemente völlig gegensätzlicher Art, um das offensichtlich ereignisarme Jahr mit Substanz aufzufüllen: den großen geographisch-ethnographischen Exkurs über Gallier und Germanen[10] und die dramatische Einzelepisode — wie es scheint, ein belehrendes und ein emotionierendes Stück Literatur.

Um eine Vorstellung von den rein äußeren Gewichten dieser Glieder zu vermitteln, mögen ein paar Zahlen dienen. Der Exkurs füllt in der Ausgabe von Seel $12\frac{1}{2}$ Teubner-Seiten, die Episode bei Aduatuca 7 Seiten; beide zusammen machen $19\frac{1}{2}$ von $32\frac{1}{2}$ Seiten, also $\frac{3}{5}$ des Ganzen aus, während nur $\frac{2}{5}$ des Buches dem eigentlichen *commentarius*-Inhalt gehören. Es ist also ohne weiteres einsichtig, daß Caesar erst durch die Einlagen dem Buch VI ein erträgliches Eigengewicht vor dem ungemein inhaltsreichen und erregenden Bericht über das Jahr 52 zu geben vermochte und daß ihn dazu nur der Einsatz von Mitteln der großen Historiographie instand setzte.[11]

---

[9] Vgl. M. R a m b a u d, Caesar de bello Gallico I (Coll. Erasme, 1962), Introd. 5; ferner die oben S. 89f. gemachten Bemerkungen zu dieser Partie.

[10] Zur inhaltlichen Seite dieses bedeutendsten Exkurses im BG kann auf mehrere Behandlungen verwiesen werden: F. B e c k m a n n, Geographie und Ethnographie in Caesars BG (1930) 146ff.; A. K l o t z, Rh. Mus. 83, 1934, 66ff.; E. N o r d e n, Die germanische Urgeschichte ... (⁴1949) 84ff. (= WdF XLIII 116ff.); G. G ö t t e (s. S. 54 Anm. 12) 29ff. — Die Frage der literarischen Funktion dieser Partie ist dagegen noch kaum untersucht worden; vgl. die folg. Anm.

[11] Man hat mehrfach darauf hingewiesen, daß dieser Exkurs an sinnvoller Stelle eingeordnet sei; so B e c k m a n n a.O. 146 ohne weitere Begründung; E. N o r d e n, a.O. 87ff. (WdF 119f.) läßt durch ihn verständlich werden, weshalb Caesar nicht weiter gegen die Germanen vorgeht (im gleichen Sinne auch G ö t t e a.O. 208f.), verweist aber auch auf das allgemeine Interesse des Lesers an allem Völkerkundlichen (S. 92) unter Hinweis auf Tac. ann. 4,33,3

Wem dies einleuchtet, der wird sogleich zu weiteren Überlegungen genötigt. Gewiß ist die Episode voll Spannung, Plastizität, Erlebniskraft; aber das Bild, das sie vom römischen Legionär zeichnet, ist nicht eben vorteilhaft, von den *equites* und *calones* ganz zu schweigen. Der Ausbruch einer Panik, wie Caesar sie bei seinen Leuten schildert, sollte zu denken geben; das Gespenst der Germanenfurcht taucht plötzlich wieder auf[12], das die Römer in den letzten Jahren des 2. Jahrhunderts gepeinigt hat und das durch den Sieg über Ariovist sozusagen ein zweitesmal gebannt schien. Caesar wiegelt nicht etwa ab, sondern malt in grellen Farben: Allein neunmal spricht er in den Kapiteln 37, 39 und 41 von *timor, terror, perturbatio, novae religiones, trepidare* usw., als käme es darauf an, eine demoralisierte Truppe darzustellen. Doch sieht man genauer zu, so erkennt man die Differenzierung: die Panik erfaßt in erster Linie neu ausgehobene Soldaten; neben ihnen stehen aber alte Krieger, zum Teil als Rekonvaleszenten, und erprobte Unterführer (40,4; 5; 7; 8), und sie sind es, die die Katastrophe verhindern, zum Teil unter Opferung ihres Lebens, und wenigstens einem Teil derer, die das Lager verlassen haben, die Rückkehr und Rettung ermöglichen (§ 4f.; 7f.). Es gehört nun seit Ennius und Cato zum Typus solcher Schlachtepisoden, einzelne *viri fortissimi* mit oder ohne Namen einzuführen (was wiederum dem *commentarius* von Hause aus fremd ist) und ihre Sonderleistung ausführlich erleben zu lassen. Hier sind es der Ritter C. Trebonius, der außerhalb des Lagers die Führung übernimmt — Caesar nennt keinen militärischen Rang des Mannes, er scheint also keinen besessen zu haben, sondern den Krieg als quasi privater Stabsangehöriger mitgemacht zu haben —, und vor allem eine rechte Winkelried-Figur, der *primipilus* Sextus Baculus, der schon früher mehrfach hervorgetreten ist und hier zum eigentlichen Retter des Lagers wird: ein kranker Mann, der durch seinen Einsatz die Gesunden rettet.[13]

(*nam situs gentium ... retinent ac redintegrant legentium animum*) und auf den offensichtlichen Nachhall solcher Nachrichten vom gallischen Kriegsschauplatz bei Cic. prov. cons. 22. Auf jeden Fall handelt es sich auch hier um ein „développement littéraire" (Rambaud), das sich ohne Schaden für den militärischen Bericht herauslösen ließe (so auch Norden 92 [125]). Tatsächlich könnte man unschwer auch andere Stellen nachweisen, an denen Caesar diesem Leserbedürfnis mindestens ebenso zweckmäßig hätte Genüge tun können (z.B. im Anschluß an IV 16—19), und dies umso mehr, als der Exkurs eben nicht nur über die Germanen, sondern auch über die Kelten informiert, mit denen der Leser implicite bereits 5 Bücher lang befaßt ist, ohne eine ethnographische Belehrung über sie erfahren zu haben. Die Stelle im VI. Buch ist also eine nachgeholte Gelegenheit, zugleich die letzte, die sich dafür anbot; sie hier wahrzunehmen, rettete zugleich das Buch als solches. — Auch Rambaud a.O. (Anm. 9) spricht von einer künstlichen Ausweitung dieses Buches.

[12] Vgl. I 39 und oben S. 117.

[13] Vgl. oben S. 88. In einer Krisenlage der 10. Legion im Nervierkrieg (II 25,1) ist er einer der wenigen überlebenden Unterführer der 4. Kohorte und der einzige mit Namen genannte (*in his P. Sexto Baculo fortissimo viro multis gravibusque vulneribus confecto, ut iam se sustinere non posset* — ganz ähnlich wie hier; der Mann ist fast ein Topos). Die Nennung ist dort deshalb überraschend, weil er die Kampflage nicht wesentlich beeinflußt. Er wird in III 5,2 abermals in einer Krisenlage in Aktion gezeigt (s. unten S. 135), nun jedoch aus einsichtigem Grund. Man darf also annehmen, daß die Heraushebung im Buch II schon im Vorblick auf seine Rolle in den späteren Situationen erfolgte — wiederum ein Indiz für die Abfassung des Werkes in einem Zug.

Die Größe der Gefahr, die scheinbare Hoffnungslosigkeit der Lage dient also auch dazu, eine bestimmte Gruppe des Heeres, nämlich die *veteres legionarii Caesariani*, in ihrer Tapferkeit und Zuverlässigkeit herauszustellen, ihre *virtus in discrimine rerum* erstrahlen zu lassen: eine Beobachtung, die man bei Caesar auch sonst machen kann, aber seltener, als man erwarten möchte.[14] Sicher trifft die Feststellung zu, die Armee sei für Caesar ein untergeordnetes Thema[15]; sie ist für ihn vor allem das Instrument des eigenen Handelns; über ihre äußere und innere Verfassung, ihre Stärke und ihre Mängel spricht er selten und dann meist knapp und schematisch[16]; die Armee ist auch kein „Berufsstand" mit eigenen Sorgen und Bedürfnissen außer der rein organisatorisch verstandenen *cura frumentaria*. Und dies scheint nicht etwa von persönlicher Gleichgültigkeit gegen die Truppe zu zeugen, sondern einfach außerhalb des Stiles und typischen Materials der Statthalterberichte zu liegen. Aber solche eingeschobenen Einzelerzählungen aus dem wirklichen Kriegserleben, die die taktische oder strategische Abstraktion vorübergehend hinter sich lassen, bieten eine Gelegenheit, auch die Truppe selbst in ihrem Empfinden und ihren Aktionen sichtbar werden und die Bedeutung einzelner Gruppen in ihr hervortreten zu lassen.

Alles dies könnte bereits die Ausgestaltung dieser Episode zu einem kleinen militärischen „Drama" erklärbar machen; doch unerklärt bleibt dabei noch immer das Merkwürdigste: Wo bleibt in diesem Drama, das ja angesichts der Gefahr, die

---

[14] Parallelen sind die Schilderung der Heldentat der Centurionen L. Pullus und L. Vorenus (V 44) — eine ausführliche Doppel-Aristie —, der kürzere Abschnitt über den Centurio M. Petronius (VIII 50,4) und die extemporierte Führungsleistung des Aurunculeius Cotta (V 33,2). Bloße Erwähnung von tapferen Unterführern anläßlich ihres Todes (V 15,5 Q. Laberius Drusus; V 37,5 der *aquilifer* L. Petrosidius; VII 50,3 der Centurio L. Fabius) oder ihrer Verwundung (V 35,6–8 T. Balventius, Q. Lucanius und C. Cotta). Da natürlich in sieben Kampfjahren weit mehr Chargen des Heeres in tapferem Kampf umgekommen sind, wäre es wissenswert, nach welchen Gesichtspunkten Caesar diese nicht eben häufigen namentlichen Auszeichnungen verteilt hat. Für die Entwicklung der Darstellungsform des Werkes ist es beachtenswert, daß die einschlägigen Stellen sich nur in den Büchern V–VII finden; auch hier tritt die formale Lockerung zutage, die an anderen Merkmalen beobachtet werden konnte.

[15] Rambaud, Déformation historique 245.

[16] Allgemeine Mitteilungen über Zusammensetzung, Altersstruktur, Kampfwert und Moral seiner Legionen gibt Caesar nirgends; dies ist zwar auch bei Geschichtsschreibern des Altertums nicht üblich, läge aber bei einem schreibenden Feldherrn einigermaßen nahe. Gelegentlich fallen knappe Bemerkungen über die Bereitschaft der Männer zum Kampf (III 26,2 ; V 17,3 f.; VII 14,4) oder zum Durchhalten (V 52; VII 24,1) oder ein Tadel über ihre *temeritas* und *cupiditas* (VII 52). Sonst sind es vor allem Momente der Krise, in denen Caesar den Blick auf eine vom Verfall der Disziplin bedrohte Truppe freigibt, jedoch stets als Anlaß seines eigenen Eingreifens, das die Gefahr der Demoralisierung behebt (I 39–41; II 19–21; 24–27; ähnlich IV 26). Eine gewisse Transparenz nimmt auch die große Auseinandersetzung zwischen Cotta und Sabinus (V 28–31) an, die von der Truppe mitgehört (30,1) und wohl auch in ihr diskutiert wird; ihre flehentliche Bitte an die Unterführer um Einigung (31,1 f.) macht freilich den Eindruck einer idealisierten Rolle als „Volksgewissen". Ebenso könnte die Kritik der Soldaten an der Vorsicht des Sabinus (III 17) ein reiner Topos sein. Im übrigen erlebt man die Truppe nur pauschal als *corpus pugnans*, d.h. als funktionierendes Instrument in der Hand des Feldherrn oder Legaten. Vgl. im einzelnen H. Oppermann, Caesar (1933) 101 f.

es einer ganzen Legion und den Versorgungsgütern von zehn Legionen brachte, einen ernsten realen Hintergrund hatte, die erwartete Hauptfigur, der militärisch verantwortliche Mann? Was hat der als Lagerkommandant eingesetzte Q. Cicero getan, um die Krise zu verhindern oder zu überwinden? Darüber schweigt sich Caesar völlig aus. Zwar versichert er am Anfang (36,1) den Leser des korrekten Verhaltens Ciceros bis zu diesem Zeitpunkt; dann aber versinkt dieser gewissermaßen unter dem stärkeren Willen der anonymen Truppe, innerlich bereits durch eigene Zweifel an Caesars Pünktlichkeit darauf vorbereitet, dem Drängen der Soldaten nachzugeben. Aber immerhin beläßt Caesar dem Leser die Vorstellung, mindestens aus der Sicht des Kommandanten hätte sich sein eigenmächtiger Entschluß rechtfertigen lassen: er habe in Sorge um die Versorgung der ihm Anvertrauten gehandelt, ohne das Risiko erkennen zu können. Von diesem Augenblick an verschwindet Cicero völlig aus dem Bild, so als gäbe es ihn überhaupt nicht. Die Legion und alles, was ihr angeschlossen ist, bleibt im entscheidenden Augenblick sich selbst überlassen; ein kranker Centurio übernimmt die Führung am Lagereingang; ein Ritter ohne Charge organisiert die Rettung der Einheiten außerhalb des Lagers. Cicero tritt nicht einmal dann in Erscheinung, als die am Leben gebliebenen Teile der Mannschaft wieder im Lager versammelt sind; keine Rede, kein Befehl, nicht einmal bloße Präsenz, von einer Führung gar nicht zu reden. Die eingeschlossenen Verteidiger wirken eher wie ein selbsttätiger Organismus, der erst dann wieder zu einer geführten Truppe wird, wenn Caesar zurückkehrt und aus den verstörten Männern wieder eine Truppe in der Hand eines Feldherrn macht. Hat also Cicero versagt? Wurde er selbst ein Opfer der allgemeinen Panik, nachdem er zuerst einen Führungsfehler begangen hatte? Hat er sich während des Abwehrkampfes in sein Zelt verkrochen? In welcher Weise hat er nach Caesars Rückkehr Rapport erstattet? und wie hat dieser darauf reagiert?

Caesar begnügt sich mit der taktvollsten Andeutung, die in diesem Falle möglich war: 42,1 (*Caesar*) *eventus belli non ignorans unum, quod cohortes ex statione et praesidio essent emissae, questus — ne minimo quidem casui locum relinqui debuisse — multum Fortunam in repentino hostium adventu potuisse iudicavit, multo etiam amplius, quod paene ab ipso vallo portisque castrorum barbaros avertisset.* Dies sind ungemein vorsichtige, ja verhüllte Andeutungen, die die Unzufriedenheit des Feldherrn zwar durchschimmern lassen, aber zugleich vor der Öffentlichkeit herunterspielen, indem sie Fortuna mit der Verantwortung belasten. Doch die Rolle der Fortuna ist ambivalent: Sie hat Cicero in die mißliche Lage gebracht (was ihn entlastet); sie hat ihn auch wieder aus ihr befreit[17] (was an das Glück der blinden Henne erinnert). Warum diese Schonung nach offenkundigem Versagen?[18] Man

---

[17] ... *barbaros avertisset:* „Fortuna oder Caesar?" fragt Meusel z.St. (S. 230) und entscheidet sich aus grammatischen Gründen für Fortuna. Aber wie hätte Caesar nach 41,1 diese Leistung im Ernst für sich selbst in Anspruch nehmen können! Den leisen Spott des Autors hat Meusel nicht bemerkt.

[18] Sie steht in Gegensatz zu der harten Kritik, die Caesar dem Q. Titurius Sabinus nach dessen Versagen im vorhergehenden Jahr angedeihen läßt (V 33,1; 34,2; die zweite Stelle erinnert auffallend an unsere hier: *nostri ... ab duce et a Fortuna deserebantur*) und V 22,6 nachdrücklich wiederholt.

wird zwei Umstände dafür ins Feld führen können: die Rücksicht auf Ciceros Bruder Marcus, dem Caesar damals eine geradezu werbende Freundlichkeit entgegenbrachte und den zu kränken vor der angestrebten Wahl zum Consul gewiß nicht in seinem Interesse liegen konnte[19], und ein bedeutendes Verdienst, das sich Q. Cicero im vorausgehenden Jahr um Caesar erworben hatte und das eine kleinere Schlappe sehr wohl aufwiegen konnte.

In der Tat wird man unsere Episode nur im Zusammenhang mit jener Belagerung Ciceros in seinem Winterlager in der Gegend der Sambre richtig würdigen können. Der heroische und erfolgreiche Widerstand der auch damals unter Cicero eingeschlossenen Besatzung war eine entscheidende Leistung, denn unmittelbar vorher war es Ambiorix gelungen, die beiden Legaten Titurius und Cotta sowie die Masse ihrer Legionen zu vernichten. Eine Kapitulation oder Vernichtung der Legion Ciceros konnte damals zum Signal für einen allgemeinen Aufstand gegen Rom werden und den politischen Untergang Caesars nach sich ziehen. Dieser mußte sich darüber im klaren sein, was er in dieser Situation Cicero verdankte.[20]

Caesar berichtet darüber in Buch V, Kap. 38—52. Es handelt sich um den Versuch der Eburonen und Nervier, Cicero in seinem Winterlager zu überfallen und zu vernichten (38,4). Cicero, der keine Verbindung mit Caesar hatte und trotz mehrfacher Versuche sie auch längere Zeit nicht herstellen konnte, verteidigte sich trotz stark angegriffener Gesundheit mit größter Energie und Umsicht, war Tag und Nacht auf den Beinen und entfaltete auch ein beachtliches kriegstechnisches Talent (40). Als ihm schließlich Delegierte der Nervier ungehinderten Abzug anboten für den Fall, daß er ihr Gebiet verließe, wahrte er Haltung und Würde. Der Gegner setzte die Belagerung mit allen Mitteln, aber ohne Erfolg fort. Als es endlich gelingt, Kontakt mit Caesar aufzunehmen, eilt dieser im Augenblick der äußersten Not mit zwei Legionen zu Hilfe. Die Kunde davon zieht die Gallier — angeblich eine Kampfkraft von 60 000 Mann (49,1) — vom Lager Ciceros ab, worüber

---

[19] Über Ciceros Kontakte zu Caesar in jener Zeit — sie laufen vornehmlich über Quintus — s. F. Münzer, RE VII A 1295. Am lapidarsten Cic. ad Q. fr. 3,1,9 (Sept. 54) *scribis de Caesaris summo in nos amore; hunc et tu fovebis et nos quibuscumque poterimus rebus augebimus.* Auch das Intermezzo von Aduatuca scheint daran wenig geändert zu haben, vgl. Cic. ad Att. 4,18,2 (Ende Nov. 53) *cum Caesare suavissimam coniunctionem ...; qui quidem Quintum meum tuumque — di boni! — quemadmodum tractat honore, dignitate, gratia, non secus ac si ego essem imperator.* Doch scheint es, daß Caesar seine Enttäuschung dem Redner ganz offen mitgeteilt hat, falls das Fragment aus einem nicht erhaltenen Brief (Charis. GL I 126, 11) wirklich auf diesen Vorfall zu beziehen ist: *Caesar epistularum ad Ciceronem* (also nach einer damals vorliegenden Sammlung): *Neque, inquit, pro cauto et diligente se castris retinuit.*

[20] Der ungewöhnliche Akt der Ehrung Ciceros und seiner Soldaten (V 52,2—4; s. unten) läßt das auch erkennen, obgleich Caesar offenbar nur die Kampfleistung als solche, nicht auch ihre strategische Bedeutung hervorhebt (*pro eius merito*, 52,4, ist vielleicht absichtlich blaß gehalten). Plutarch (Caes. 25,1) deutet diese wenigstens an: τοῦτο τὰς πολλὰς ἀποστάσεις τῶν ἐνταῦθα Γαλατῶν κατεστόρεσεν; der breite Bericht des Cassius Dio (40,7—10) bringt nur die taktischen Einzelhandlungen; Sueton (Caes. 25) übergeht den Vorgang überhaupt mit Stillschweigen. Eine positive Beurteilung des Q. Cicero aufgrund dieser Leistung geben G. Boissier, Cicéron et ses amis (1865) 254; F. Münzer a.O. 1298. Vgl. ferner Gelzer, Caesar 130.

dieser Caesar durch eine raffiniert zugespielte Botschaft informiert. Caesar fängt die feindliche Macht auf, läßt sich dann seinerseits zum Schein einschließen, erringt alsbald durch einen allseitigen Ausfall einen vollen Sieg und kommt noch am gleichen Tag zu dem aus der Umklammerung befreiten Cicero. Dort besichtigt er mit Bewunderung die Verteidigungsanlagen (*institutas turres ... admiratur*), erfährt, daß es kaum noch Männer ohne Verwundungen im Lager gebe, und zollt dem Geleisteten hohe Anerkennung; *ex his omnibus iudicat rebus, quanto cum periculo et quanta cum virtute res sint administratae.* Er belobigt Cicero „wegen seiner Verdienste" sowie die Legion und zeichnet besonders tapfere Offiziere nach Vorschlägen Ciceros aus. Cicero ist also der Mann des Tages[21]; kaum sonst einmal streicht Caesar die persönlichen Leistungen eines seiner Legaten so geflissentlich und plakativ heraus. Auch diese Kapitel waren wohl für das Auge des Bruders in Rom bestimmt. Im Falle des Intermezzos von 53 war es dann ein Gebot nicht nur der *aequitas*, sondern auch der psychologischen Konsequenz, ein Auge zuzudrücken; daß der große Senator in Rom dies richtig verstehen werde, durfte Caesar mit Sicherheit erwarten.

Dies also ist ein persönlicher Aspekt, der gewiß nicht ohne Einfluß auf die Art der Darstellung, vor allem auf die Behandlung der „Schuldfrage" geblieben ist. Aber ein allgemeinerer kann darüber nicht übersehen werden, der offensichtlich für Caesar selbst große Bedeutung hatte und der das Intermezzo aus seiner okkasionellen Vereinzelung heraushebt und zum *exemplum* macht. Caesar stellt den Vorgang nachdrücklicher als irgendeinen anderen im ganzen BG unter das Leitwort *Fortuna.* Dieses Wort fällt nicht beiläufig wie an manchen anderen Stellen, sondern zweimal, jeweils an Stellen von interpretatorischer Bedeutung: Caesar bezeichnet mit Nachdruck das Geschehnis als einen derjenigen Fälle, an denen man das Gewicht des Zufalls (oder Fortunas?) im Kriege ermessen könne.[22] Der Zusammenhang macht deutlich, daß es dabei um das Problem von Berechenbarkeit und Verantwortung geht. Fortuna tritt als selbständig wirkender Faktor neben die Aktionen der verantwortlichen Menschen[23] und nimmt ihnen einen Teil der Verantwortung ab. Dies ist für Caesar natürlich nicht eine konventionelle Redensart, um Mißerfolge vor einem Publikum zu entschuldigen[24], sondern eine elementare Kriegserfahrung, wie sie nicht nur jeder Feldherr, sondern jeder einfache Soldat im Kriege ungezählte Male machen kann: Erfolg und Mißerfolg sind gleichermaßen ein Produkt aus menschlicher Leistung (oder menschlichem Versagen) und dem Imponde-

---

[21] Eine zusätzliche Ehrung Ciceros durch Caesar — vielleicht aus diesem Anlaß — erfahren wir nur aus Cic. ad Att. 4,18 (19),2: *hiberna legionis eligendi optio delata commodum, ut ad me scribit.* Die Stationierungsorte bestimmte Caesar grundsätzlich selbst nach strategischen Rücksichten; dies war so unerläßlich, daß auch in diesem Falle das Verfügungsrecht des Legaten sicher an einen vorgegebenen Raum gebunden war.

[22] 35,2 (einleitend) *hic quantum in bello Fortuna possit et quantos adferat casus, cognosci potuit.* 42,1 (im abschließenden Urteil) *multum Fortunam in repentino hostium adventu potuisse iudicavit* e.q.s. — Dieselbe Formulierung kehrt übrigens wieder im BC 3,10,6 und — besonders nachdrücklich — 3,68,1.

[23] Vgl. BC 2,41,8 *si quos ex periculo Fortuna servare potuisset.*

[24] So etwa M. Rambaud, Déformation historique 264.

rabile, das beides abschwächen oder illusorisch machen kann[25]; doch liegt es nahe, daß der Blick der Beteiligten vornehmlich dann auf das Unvorherberechenbare und somit Unvermeidliche fällt, wenn es sich zum Nachteil der eigenen Sache auswirkt, wenn es sich dem *labor*, der *cura* des Menschen in den Weg stellt und diesen zum Nachgeben zwingt.[26] Der wirkliche Führer hat freilich die Pflicht, Fortuna zu korrigieren[27]; gerade dies verbietet, Caesars soldatischen *fortuna*-Begriff als Element epikureischen Denkens zu deuten.[28] Vielmehr stehen im Kriege Mensch und Fortuna besonders fühlbar in einer schwer zu definierenden Korrelation zueinander[29], bei der die wertenden Vorzeichen vertauschbar sind.

Unter diesem Aspekt ist die hier zu betrachtende Episode als Lehrstück ausgewählt und dargestellt. An ihm läßt sich das Unberechenbare als Faktor des Krieges in nuce vielfältig beobachten: „Zufällig" im Sinne des Nicht-Koordinierbaren trifft hier eine Menge Umstände zusammen: die Gleichzeitigkeit des Vorstoßes der plündernden Germanen mit der mehrtägigen Abwesenheit des Feldherrn; die Aussendung eines Teiles der Lagerbesatzung unter Umständen, die, rational gesehen, unbedenklich schienen, genau zu der Zeit, in der der Plündererzug sich dem Lager näherte; das Wissen einiger Gallier, die sich dem Zug angeschlossen hatten, über Art und Ort des römischen Lagers; die große Zahl Kampfunfähiger in der Lagerbesatzung; die Anwesenheit eines besonders beherzten Subalternoffiziers; der mindestens aus der Sicht der Römer schwer verständliche Entschluß der Angreifer, trotz ihrer Überlegenheit vom Lager abzulassen — Faktoren also, die teils gegen die Lagerbesatzung, teils auch zu ihren Gunsten wirkten. Darüber hinaus zeigt

[25] S. darüber vor allem die wichtigen Ausführungen von L. Canali, Personalità e stile di Cesare (Roma o.J. [1967], 61ff. Über die unterschiedliche Verwendung des *fortuna*-Begriffs durch Caesar: H. Ericsson (= Erkell), Eranos 42, 1944, 57ff. (= WdF XLIII 48ff.); er subsumiert unsere Stelle unter die Zeugnisse für „*fortuna = dea Fortuna*, vielleicht *casus, fors*", entsprechend der in den Ausgaben üblichen Großschreibung an beiden zitierten Stellen; doch wäre Einordnung unter die Zeugnisse für „*fortuna = casus, fors,* vielleicht *dea Fortuna*" ebensowohl zu vertreten.

[26] Vgl. Canali, a.O. 77: „cedere alla fortuna ... è quasi sempre considerato da Cesare ... come una eventualità negativa, quando anche non addirittura un atteggiamento disonorevole" (mit Hinweis auf BG II 31,6; III 8,3; BC 2,17,4. Natürlich kennt Caesar Fortuna auch als helfende Macht im Kriege; vgl. etwa die Formel *beneficio fortunae uti,* BC 1,40,7; 3,26,4; 95,1.

[27] Vgl. z.B. BC 3,73,4 *fortunam esse industria sublevandam.* H. Preiswerk, Mus. Helv. 2, 1945, 213ff.; Canali a.O. 86f.

[28] So F. R. Dale, Greece and Rome, 2nd ser. 5, 1958, 181ff. Noch weniger hält es Caesar für berechtigt, den Zufall wie ein Stoiker herauszufordern: BG I 31,14; 36,3; III 6,4; V 55,2; BC 1,72,2; 3,10,3; 60,3. Canali 104f.

[29] Völlig fernzuhalten ist aus diesem Zusammenhang jener für Caesars Selbstverständnis wichtige und für die Caesar-Legende konstitutive Fortuna-Begriff, der als „Lebensbestimmung", „Glücksstern" oder „Sendung" umschrieben werden kann und die Erfahrungswelt transzendiert. Dieses sprichwörtliche „Glück Caesars" (dazu F. Bömer, Gymn. 73, 1966, 63ff. = WdF XLIII 89ff. [die antiken Zeugnisse dort in Anm. 1]; ferner W. H. Friedrich, Thesaurismata, Festschr. I. Kapp [1954] 1ff.) war zweifellos ein wirkendes irrationales Element seines Bewußtseins, in dem sich Lebenserfahrung, Vision und Charisma verbanden. Hier dagegen geht es Caesar um eine generelle Aussage über die Bedingungen, unter denen sich Kriege vollziehen.

der Vorgang auch die Komplexheit des Geschehens. Es resultierte weder aus einer
unvorsichtigen Nachgiebigkeit des Kommandanten allein noch aus widrigen Umständen ohne sein Zutun, weder aus der Planlosigkeit der Angreifer und Hilflosigkeit der Troßknechte noch aus dem todesmutigen Einsatz einer Kampfgruppe;
und alle diese Faktoren hätten nicht einmal dann, wenn sie im einzelnen vorher
bekannt gewesen wären, einen Kalkül auf den Ausgang erlaubt.

Dieser letzte Abschnitt des Buches VI ist also dafür bestimmt und darauf angelegt, ein Modell des Krieges als solchen darzustellen, von dem aus man auch auf
den Grad der Unwägbarkeiten schließen kann, die bei der Eroberung Galliens im
ganzen im Spiele waren.[30] Daß am Ende eben doch der Feldherr als die letztlich
zuverlässige und stabilisierende Kraft das Feld beherrscht, gehört in dieses Bild
wie in das abgebildete Ganze hinein; man mag dies propagandistisch nennen, aber
es hat den Vorteil, historisch zutreffend zu sein. Auch der Platz, an dem das
Exempel vorgeführt wird, erscheint unter diesen Umständen nicht zufällig, sondern
wohlbedacht. Denn es ergänzt den Völker-Exkurs, der das reale Milieu dieses Krieges zeichnet, durch den Blick auf die Bedingungen, unter denen er sich abspielt, zu
einer Umschau, einer Atempause der Besinnung und Anschauung, ehe das atem-
lose Drama des VII. Buches anhebt, dieses überwältigende Finale, das auch sonst
die Dimension eines *commentarius* hinter sich läßt.

III 1–6

Wieder etwas anders ist ein Abschnitt zu beurteilen, der über eine Expedition
der 12. Legion unter Galba in das obere Rhônetal (Vallis) im Herbst 57 berichtet[31] und bereits durch seine Anordnung im Anfang des dritten Buches aus dem
sonstigen Zusammenhang des Jahresberichts herausgelöst ist; er eröffnet ein Jahr,
zu dem er nicht gehört, und ist der einzige Nachtrag zu einem vorausgehenden
Jahr, den das Werk enthält.[31a] Caesar hatte, als er für die Winterzeit nach Rom
ging, den Legaten Servius Sulpicius Galba dorthin detachiert mit dem Auftrag, den
Weg über die Alpen für den römischen Handel freizuhalten. Galba hatte sein Stabs-

---

[30] Ein Analogon dazu findet sich im BC 3,68,1, wo Caesar einem völlig unerwarteten eigenen
   Mißerfolg dieselbe Deutung als *exemplum* der Abhängigkeit vom Unerwarteten gibt: *sed
   fortuna, quae plurimum potest cum in reliquis rebus, tum praecipue in bello, parvis momen-
   tis magnas rerum commutationes efficit; ut tum accidit.* In diesem Falle lag das Impon-
   derabile in einem topographischen Irrtum einiger Unterführer.

[31] Eine spezielle Behandlung dieses Abschnittes ist mir nicht bekannt. Für alle Einzelheiten
   kann aber jetzt auf die sorgfältige Kommentierung durch M. Rambaud in seiner Ausgabe
   der Bücher II und III (Coll. Erasme, 1965) 129ff. verwiesen werden.

[31a] Nach H. Oppermann, Caesar (1933) 10, hätte die Anordnung am Ende des Buches II
   den günstigen Eindruck des Sieges über die Belgier, mit dem das Buch tatsächlich endet,
   beeinträchtigen müssen. Doch ist nicht auszuschließen, daß Caesar auch einen quantitativen
   Ausgleich zwischen den Büchern II und III angestrebt hat; denn ohne diesen — von den Ereignissen in Nordgallien leicht abtrennbaren — Abschnitt wäre das Buch III extrem kurz
   ausgefallen (in Seels Ausgabe unter Abrechnung des kritischen Apparats weniger als 11
   Druckseiten!).

quartier im großen Rhôneknie beim heutigen Martigny aufgeschlagen[32] und war nach einigen erfolgreichen Gefechten[33] und der Einziehung von Geiseln der dort lebenden Bergstämme[34] dabei, in Octodurus ein festes Winterlager auszubauen, wobei er einen Teil des Ortes den einheimischen Kelten überließ. Plötzlich erfuhr er, daß diese über Nacht den Ort verlassen und mit zahlreichen Nachbarn die Berghänge besetzt hätten. Hierfür führt Caesar in Kap. 2,2—5 drei Gründe an: 1. das Bergvolk habe sich zahlenmäßig überlegen gefühlt und die Kleinheit des Besatzungskontingents verachtet; 2. es habe durch die Besetzung der Höhen eine gute Ausgangsposition für einen Angriff gewonnen; 3. es sei über die Geiselnahme der Römer (1,4) erbittert gewesen und habe eine dauernde Besetzung des eigenen Landes und der Bergpässe gefürchtet.[35]

Galba, der weder den Ausbau des Lagers vollendet noch die Versorgung seiner Truppe für längere Zeit geregelt hatte, rief seine Offiziere zur Stabsbesprechung zusammen. In ihr wurden zwei Meinungen vorgetragen: Eine Minderheit war für einen Ausbruch nach Westen unter Zurücklassung des Trosses; die Mehrheit votierte für Verteidigung des Lagers auch unter den gegebenen erschwerten Umständen. Sogleich erfolgte der Angriff der Gallier. Die Verteidigung wurde mit Mut und Energie aufgenommen, aber die Unterlegenheit der Römer machte sich rasch und empfindlich spürbar. Nach sechs Stunden schweren Kampfes[36] waren die Römer am Ende ihrer Kraft; da ergriffen der bereits bekannte *centurio primi pili* Sextius Baculus und der Tribun C. Volusenus[37] die Initiative: sie machen dem Legaten klar (*docent*), daß jetzt eine Rettung nur noch durch einen Ausbruch möglich sei, wie er zuvor schon von der Minderheit im Rat vorgeschlagen worden war. Dieser wird also angeordnet und durch eine kurze Kampfpause vorbereitet. Der Ausbruch selbst überrascht die Feinde derart, daß sie keine Möglichkeiten finden, sich zu formieren, ja daß sie sich plötzlich ihrerseits eingekesselt sehen und im Kampf 10000 Mann — ein Drittel ihrer Gesamtstärke — verlieren. Galba wird dadurch — *commutata fortuna*[38] — zum Sieger, so sehr, daß die Gallier sogar von

[32] Der keltische Name des Ortes ist *Octodurus*; über die unterschiedlichen Deutungen des Namens s. Rambaud a.O. 133 z.St. Über die Geographie der Gegend in caesarischer Zeit eingehend D. van Berchem, Rev. Hist. Vandoise 52, 1944, 175ff.
[33] Sie werden lediglich durch eine Reihe von absoluten Ablativen kursorisch angedeutet (1,4), worin Rambaud a.O. 132 eine Reduktion der positiven Leistung Galbas auf ein Minimum erblickt. Doch scheint Caesar nicht die Absicht gehabt zu haben, die verschiedenen Aktionen der detachierten Legion auf diesem Nebenkriegsschauplatz zu erzählen, sondern nur ihre Krise und die Befreiung aus ihr als geschlossenen „dramatischen" Vorgang zu gestalten. Unter diesem Gesichtspunkt hat das erste Kapitel den Charakter einer Exposition, die die Ausbreitung einzelner Aktionen nicht gestattet.
[34] Sie umfassen immerhin das Rhônetal vom Genfer See bis oberhalb des heutigen Sitten/Sion (*fines Sedunorum*) in einer Längenausdehnung von rund 80 km.
[35] Dasselbe Motiv nennt Caesar für die „Verschwörung" der Belger (II 1,3).
[36] Die Angabe der genaueren Dauer des Kampfes ist eine Ausnahme; sie stammt mit großer Sicherheit aus Galbas Gefechtsbericht. Daß Caesar sie hier stehen läßt, kann auf die Absicht hindeuten, die Truppe gegen den Vorwurf mangelnder Härte zu schützen.
[37] Über Volusenus s. oben S. 122.
[38] Vgl. oben S. 130f.

den Bergpässen verschwinden und ihre Truppe total aufgelöst und entwaffnet ist. Aber Galba zieht es gleichwohl vor, das ungastliche Tal zu verlassen und mit seiner Legion im Allobrogerland, d. h. südlich von Lyon, ins Winterlager zu gehen.[39]

Dieser Bericht zeichnet einen an sich ganz einfachen Vorgang; gleichwohl enthält er eine Anzahl Merkwürdigkeiten, die es schwer machen, ihn als sachadäquate Darstellung der Ereignisse hinzunehmen.

Die auf den ersten Blick am nächsten liegende Frage, worin der wirkliche Zweck des Unternehmens bestand — denn etwa besetzt gehaltene Alpenpässe in dieser Jahreszeit freizukämpfen, wäre eine absurde Absicht, und es geschieht ja auch nichts dieser Art —, kann heute als gelöst gelten, freilich nicht aus dem Text Caesars, sondern aus der Kombination seines Berichtes mit den geographischen und verkehrsgeschichtlichen Gegebenheiten, die Caesar unerwähnt läßt.[40] Caesar begründet seinen Befehl damit, *quod iter per Alpes, quo magno cum periculo magnisque cum portoriis mercatores ire consuerant, patefieri volebat.* Dies ist ebenso einleuchtend wie unklar gesagt. Die Erwähnung von Gefahren läßt zunächst an die Schwierigkeit von Transporten über die Pässe denken[41]; doch daran kann er selbst nicht gedacht haben; denn die Pässe des oberen Rhônetales waren mindestens 7 Monate im Jahr unpassierbar und konnten in dieser Zeit so wenig besetzt gehalten wie freigekämpft werden; aber auch die technischen Gefahren des Warentransportes in den Sommermonaten konnte eine Truppe nicht beseitigen oder mindern; sie konnte nur dafür sorgen, daß die Pässe in dieser Zeit nicht von den Einheimischen gesperrt wurden.[42] Vielmehr scheint es sich um ein ganz spezielles lokales Hindernis zu handeln, das sich am wirksamsten durch die Unterwerfung der anwohnenden Bevölkerung ausschalten ließ. Unmittelbar bei Martigny ist der von zwei Pässen herabkommende und sich zuletzt vereinigende Weg durch einen Bergsturz so verengt, daß er von den Anwohnern mühelos gesperrt und zur Eintreibung einer Durchzugsgebühr benutzt werden konnte, falls die Transporte an dieser Stelle nicht überhaupt auf die Hilfe

---

[39] Diese Entscheidung kann nicht als Befehlsübertretung bewertet werden; Caesar hatte Galba anheimgestellt (*permisit*, 1,3), im Wallis Winterlager zu beziehen, wenn er es für nötig ansah; den Versuch dazu hatte er tatsächlich unternommen, ohne an einen strikten Befehl gebunden zu sein.

[40] D. van Berchem, Du portage au péage. Le rôle des cols transalpins dans l'histoire du Vallois celtique. Mus. Helv. 12, 1956, 199ff.

[41] Von Octodurus (Martigny) aus sind sowohl der Große St. Bernhard als auch der Simplon erreichbar. Der seit alter Zeit bevorzugte Paß war jedoch der Gr. St. Bernhard, über den später Kaiser Claudius einen Fahrweg bauen ließ, der im Norden bei der von ihm errichteten *Civitatis Vallensium* endete (van Berchem, M. H. 12,208). In Caesars Zeit konnte er nur mit Tragtieren überwunden werden.

[42] In willkürlicher Kombination dieses Berichtes mit einer Mitteilung des Vitruv (2,9,15f.) über eine alpine Unternehmung Caesars — wohl aus der Poebene heraus — wollte neuerdings P. Thielscher (RE IX A [1961] 434, Art. ‚Vitruvius') einen kombinierten Angriff von Norden und Süden auf die den Übergang sperrenden Kelten erkennen. Vitruvs Text gibt dafür nicht den geringsten Anhalt. Das Jahr läßt er unbestimmt; als Ziel des Vorgehens bezeichnet er das *Castellum Lavignum,* als Grund die Weigerung der dort sich verschanzenden Gallier, zur Versorgung seines Heeres — das im Winterlager lag — beizutragen. Als das Kastell erobert war, war auch die Expedition beendet. Mit dem Unternehmen Galbas hat sie also nichts zu tun.

von Einheimischen zur Überwindung der Engstelle angewiesen waren; solche Mauten und Gebühren waren in dieser Gegend bis in die Neuzeit hinein die Hauptverdienstquelle der örtlichen Bevölkerung.[43] Dieses Hindernis zu beseitigen, konnte am besten durch eine andauernde Besetzung des Hauptortes gelingen, allenfalls auch durch Absicherung eines Mautverbotes durch Geiseln. Galba hatte also, *obsidibus datis*, sein Ziel bereits erreicht; die Anwesenheit seiner Legion gerade im Winter konnte darüber hinaus nichts bezwecken — es sei denn, sie sollte eine dauernde Eingliederung des Gebietes in den Reichsverband vorbereiten. Dies aber wird von Caesar nicht als seine Absicht, sondern als (unbegründete?) Furcht der Rhône-Kelten angeführt (2,5). Wie alle bisherigen Unternehmungen wird auch diese als durch eine a k t u e l l e Notwendigkeit veranlaßt erklärt und damit gerechtfertigt, die tatsächlich erfolgte Unterwerfung aber als Folge des treubrüchigen Verhaltens der Kelten interpretiert.

Eine weitere Merkwürdigkeit betrifft die Schilderung der Erwägungen und Bewegungen der Gallier (Kap. 2). Über Nacht seien sie aus dem Ort — der nur Octodurus sein kann — verschwunden, und die Höhen im Umkreis seien von S e d u n ern und Veragrern besetzt worden — was für die Seduner jedenfalls nicht von heute auf morgen möglich war, da sie dafür mindestens zwei Tage benötigten; denn der Weg, den sie zurücklegen mußten, betrug zwischen 20 und 50 km. Über den dritten der anfänglich genannten Stämme, die Nantuaten, ist hier nichts gesagt, obgleich ihre Mitwirkung für eine beabsichtigte Vernichtung der römischen Legion wesentlich sein mußte, weil sie allein ihr den Rückzug nach Westen abschneiden konnten; im übrigen bildeten sie zusammen mit den beiden anderen Stämmen ein Volk.[44] So melden sich Zweifel, ob in diesem Falle die S e d u n e r zu Recht genannt sind, ob es sich also nicht eher um einen Überfall nur der Veragrer, d. h. der Bevölkerung im Umkreis von Octodurus allein, handelt.

Noch merkwürdiger ist das Verhalten Galbas, nachdem die wirkliche Situation offenkundig geworden war. Er beruft einen Offiziersrat ein[45], in dem sich zwei Empfehlungen gegenübertreten. Die Entscheidung fällt durch Mehrheitsbeschluß — ein Verfahren, das im Senat, aber nicht in der Truppenführung üblich ist. Der Leser gewinnt den Eindruck, als ob Galba in diesem Rat keine eigene Meinung oder seine Meinung kein eigenes Gewicht gehabt hätte. Es ist überdies eigenartig, wie Caesar die Beratung darstellt (3,2—4). Die Meinung der Minderheit wird in mehr als 7 Zeilen, die der Mehrheit in ganzen 2 Zeilen entwickelt. Die erste Empfehlung ist zwar auf Gründe gestützt, aber sie bestehen weniger aus taktischen Erwägungen als aus affektiven Momenten: der Überraschung, dem Schrecken vor dem Anblick der Feindmassen auf den Höhen[46], dem Gefühl der Hilflosigkeit, zu-

---

[43] van Berchem, a.O. 202f. — Ähnliche Passiergebühren in den Turiner Alpen (1. Jh. v. Chr.) erwähnt Strabo IV 205; Brückenmauten an der Saône als Streitobjekt zwischen Häduern und Sequanern: Strabo ebd. 192. — Über den Begriff *portorium* s. F. Vittinghoff, RE XXII 348.

[44] van Berchem, a.O. 201f.; Howald—Meyer, Die römische Schweiz (1940) 195ff.

[45] Dieses Verfahren ist auch bei Caesar nicht unüblich; vgl. I 40; V 28 u. ö.; Liebenam, RE IV 919.

[46] Wie bei einem theaterartig offenen Höhengelände heißt es Kap. 3,2: *omnia fere superiora loca multitudine armatorum completa conspicerentur*; in Wahrheit gab es nur e i n e Berg-

sammengefaßt in dem Ausdruck *prope iam desperata salute*. Das zweite Votum bringt keine Gegenargumente, sondern begnügt sich damit, fürs erste jedenfalls die Verteidigung des Lagers zu fordern und sich den Weg des ersten Vorschlags offen-zuhalten — was sich ja bald als unumgänglich herausstellt. Diese zweite Meinung gibt zweifellos die Haltung wieder, die Caesar billigte; war sie auch die Meinung des Galba? Wenn ja, wird Galba dies in seinem Bericht an den Prokonsul, gerade im Hinblick auf den Erfolg, nicht verschwiegen haben; warum verschweigt es Caesar? Wenn nein — was höchst unwahrscheinlich ist —: warum hat er dann seinen Willen nicht durchgesetzt, zumal er am Ende recht behielt? Und warum liefert er Caesar keine besseren Argumente für seine Lagebeurteilung? In Wahrheit spricht alles dafür, daß der Abschnitt 3,2—5 überhaupt nicht auf dem Bericht des Legaten fußt, sondern Caesars freie schriftstellerische Leistung ist, und dasselbe gilt noch viel sicherer vom ganzen Kapitel 4 mit seiner ebenso leidenschaftlichen wie un-spezifischen Schlachtmalerei; es konnte, ohne Schaden für die Sache, ebensogut lauten: *nostri castra diu et acerrime defendebant*. Die Rolle des Galba bleibt hier so unsichtbar wie die Rolle des Q. Cicero in VI 40.

Was schließlich die Gründe der Kelten für ihren Angriff angeht (2,3—5), so ist ganz offenkundig, daß auch sie von Caesar selbst ersonnen sein müssen; Galba konnte über sie keinerlei Kenntnisse haben, und überdies wäre eine Raisonnement dieser Art in einem knapp gehaltenen Gefechtsbericht ein stilfremdes Element ohne Relevanz für die taktische Situation. Dieser Abschnitt dient vielmehr allein dem Bedürfnis des Autors, dem Leser das Verständnis der Lage und der Vorgänge zu erleichtern.[47]

Unbezweifelbar ist natürlich, daß die Verteidigung des Lagers versucht wurde, aber nicht gelungen ist. Der daraufhin versuchte Ausbruch (nach Westen) war also eine letzte Möglichkeit, und als solche wird er auch am Ende von 5,2 klar bezeich-net (*unam esse spem salutis ..., si eruptione facta extremum auxilium experiren-tur*); mißlang auch er, so war die bereits schwer angeschlagene Legion verloren. Aber wieder ist es nicht der Kommandeur der Legion, der dies erkennt und die Konsequenzen zieht, sondern zwei ihm unterstellte Offiziere. Sie werden als die eigentlichen Retter der Legion hingestellt; ja noch mehr, der Ausbruch verwandelt sich — scheinbar ohne Zutun Galbas — in einen grandiosen Sieg, bei dem eine

seite, an der eine feindliche Bereitstellung möglich und sinnvoll war, nämlich die südliche und südwestliche beiderseits der Ausmündung des Paßweges in das Tal. Sie ist — und war damals — so stark bewaldet, daß man an ihr versammelte Streitkräfte schwerlich sehen konnte, und zum Teil so steil, daß sich Ansammlungen nicht überall bilden konnten. Die gegenüberliegende nördliche Talbegrenzung ist durch den Flußlauf und eine breite Ebene vom Ort des Lagers getrennt, kam also für diese Aktion nicht in Betracht.

[47] In derselben Weise grenzt K. Stiewe den Abschnitt 2,3—5 aus dem Gefechtsbericht des Galba aus (Vortrag vor der Mommsen-Gesellschaft, Trier April 1974, noch ungedruckt). Er deutet dies als ein „rhetorisches Element" in der Darstellung Caesars, wie die Schilde-rung der Schlacht; doch scheint mir hier ein Unterschied zu bestehen. Die Gründe der Kelten für ihr Verhalten fügen sich in eine Reihe ähnlicher erläuternder Zusätze ein, mit denen sich Caesar gleichsam als „Historiker", d.h. als Erklärer des Geschehens auch auf der Seite der Gegner, an seine Leser wendet; vgl. etwa II 17,2; 33,2; III 8,3ff.; 18,6; 24,2; IV 34,5; V, 3; 8,6; 11,8f. u.ö., meist mit Angabe seiner Quelle.

stark reduzierte Legion[48] ein Feindheer von 30 000 Mann in kürzester Zeit einschließen und 10 000 Gegner niedermachen konnte, darüber hinaus die ganze Einheimischenbevölkerung zum Aufgeben des Widerstandes veranlaßt haben soll. Ist dies schon märchenhaft genug[49], so ist man als Leser umso mehr erstaunt zu erfahren, daß Galba nach einem so phänomenalen Sieg unverzüglich die Gegend räumt und sich in die Provinz zurückzieht, als ob er froh wäre, seine Haut aus diesem Hexenkessel retten zu können, obwohl er damit seinen taktischen Auftrag preisgibt. Man fragt sich weiter, woher eigentlich Galba (oder Caesar) von der Freigabe der Paßstraßen und der Demobilisierung der Gallier Kenntnis haben soll. Dies alles ist so inkohärent, daß niemand am Vorliegen einer völlig frei erfundenen dramatisierenden Umgestaltung eines wahrscheinlich höchst banalen örtlichen Debakels zweifeln kann.

Zieht man alles ab, was unser Verwundern ausgelöst hat, so bleibt wohl nur folgender Tatbestand übrig: Galba hat nach ersten erfolgreichen Scharmützeln im Rhônetal mit den Einheimischen Verhandlungen aufgenommen und sich dabei hinters Licht führen lassen. Die Gallier überfallen sein Lager in Kenntnis der geschwächten Abwehrkraft der Legion − und vielleicht nach dem Abfangen der abgeordneten Kohorten −, und dabei entgleitet Galba die Führung. Der Versuch der Verteidigung schlägt fehl; die vom Untergang bedrohten Kohorten retten sich durch einen erfolgreichen Ausbruch nach Westen und setzen sich längs des Südufers des Genfer Sees ab. Die Einheimischen haben kein Interesse daran, das abziehende Römerheer zu verfolgen, weil sie ihr unmittelbares Kriegsziel erreicht haben. Die Episode verlief nicht eben rühmlich, aber ernstere Folgen sind nicht eingetreten; dafür war das Unternehmen zu peripher.

Das Bemerkenswerte an diesem Bericht ist nicht so sehr, daß Caesar ihn zu einem dramatischen[50] Kabinettstück umstilisiert, als dessen eigentlicher Held der *miles Romanus,* verkörpert sowohl in zwei Subalternoffizieren als auch in der bedrängten Schar im ganzen, dasteht, als vielmehr, daß er dieses Intermezzo überhaupt darstellt und nicht nur beiläufig erwähnt. Für das große Geschehen in Gallien hatte es keine Bedeutung; auch später knüpft keine Operation an diesen mißlungenen Versuch an. So hätte die Sache ohne Schaden übergangen werden können, oder Caesar hätte − wenn er nicht darauf verzichten wollte − das Nötige in wenigen schlichten Worten sagen können, wie er das in so vielen anderen Fällen tut.[51]

[48] Nach Kap. 1,4 waren zwei Kohorten zu den Nantuaten (am Süd- und Ostufer des Genfer Sees) abgestellt, nach 2,3 einige weitere zur Beschaffung von Lebensmitteln in Marsch gesetzt. Die Truppe im Lager umfaßte also höchstens 5−6 Kohorten, die nach den vorausgegangenen Kämpfen (1,4) nicht mehr volle Kampfstärke haben konnten (also etwa 2 500− 3 000 Mann). Dazu kam ein detachiertes Reiterkorps von höchstens 300 Mann. − Was aus den abgeordneten Einheiten geworden ist, bleibt ungesagt.

[49] Auch hier spricht Caesar von einer Peripetie des Kriegsglücks (*commutata fortuna,* 6,2) und läßt Galba davor zurückschrecken, das Glück noch einmal herauszufordern (6,4); vgl. oben S. 130.

[50] Das Drama zeigt folgende Entwicklungsstufen: Täuschende Ruhe − Zweifelssituation − Überfall − drohende Katastrophe − Peripetie − Triumph.

[51] Dies hätte z. B. genügt, wenn es Caesar nur darum gegangen wäre, den an der Öffnung der Paßstraßen interessierten römischen Kaufleuten zu erklären, warum er ihren Wunsch nicht erfüllen konnte.

Statt dessen steht das Ereignis, getrennt von den Vorgängen des gleichen Kriegsjahres, am Beginn eines Buches, an herausgehobener Stelle also, und nimmt sechs
von 29 Kapiteln eines Jahresberichtes ein, was in keiner Weise seinem Gewicht entspricht. Da Caesar kein literarischer Tölpel ist, muß dahinter eine Absicht stecken,
und der Philologe hat nach ihr zu fragen.

Die Antwort wird man am sichersten aus der Wirkung gewinnen, die von der
Erzählung auf den Leser ausgeht. Er erlebt hier eine relativ kleine Truppe in einem
fernen, tief eingeschnittenen Alpental, weit abseits von seinem Heer und seinem
Feldherrn, weit abseits von den vertrauten Städten und Verkehrswegen, inmitten
einer barbarischen, feindseligen, heimtückischen Bevölkerung, die den Vorteil der
Ortskenntnis und der Vertrautheit mit der Landesnatur hat. Diese Legion gerät
über Nacht in eine fast ausweglose Lage, in der der Untergang wahrscheinlicher ist
als das Entkommen. Wenn sie gleichwohl entkommt, dann verdankt sie dies ausschließlich der unerschütterlichen Tapferkeit und Disziplin, die dem Legionär selbstverständlich ist — weshalb die Mehrheit für ihre Haltung keine weitere Begründung
braucht — und zuweilen ans Übermenschliche grenzt. Darin liegt sein einziger, aber
von Ort und Zeit unabhängiger Vorteil, und diese Überlegenheit bewährt sich
auch dann, wenn der Statthalter fern und der Legat kein Mann von überragenden
Fähigkeiten ist. Es ist das Gemälde einer exemplarischen Situation, die dem Bürger
in Rom eine Vorstellung davon bieten konnte, was dieses Heer in Gallien zu leisten
und durchzustehen hatte, geeignet, ihm bei ernsterer Vergegenwärtigung kalte Schau-
der über den Rücken zu jagen, aber auch ihn ahnen zu lassen, daß dieses Heer das
Fürchten verlernt hat. In diesem Effekt der Episode liegt ihre Funktion, und die
Vorstellungen, die sie weckt, färben naturgemäß auf den gesamten gallischen Krieg
ab, der in einem Land mit unzähligen unbekannten Faktoren und tückischen Un-
berechenbarkeiten geführt werden mußte. Konnte dem etwa Pompeius, der in einer
vielbewunderten Folge von Siegeszügen Vorderasien zum römischen Besitz gemacht
hatte, etwas Vergleichbares gegenüberstellen? Sein Heereszug bewegte sich ausschließlich im wohlbekannten und hochkultivierten Orbis antiquus, und die Zahl
der Risiken und Überraschungen, denen er ausgesetzt war, mußte sich bescheiden
ausnehmen, wenn man sie an den Umständen maß, denen Caesars Erfolg abgerun-
gen werden mußte. —

Ein letztes sei zu den besprochenen Episoden noch bemerkt, das sich auf die
beiden so wenig eindrucksvoll agierenden Legaten bezieht. Sowohl Ser. Sulpicius
Galba als auch Q. Tullius Cicero verschwinden mit diesen Episoden aus dem gallischen Kampfgeschehen; Ciceros Name taucht am Ende von VII (90,7) bei der Verteilung der Winterquartiere noch einmal auf; über Galba berichtet Hirtius (VIII
50,3), daß er bei der Bewerbung ums Konsulat für 50 leer ausgegangen sei, weil
er eng mit Caesar verbunden war. Er war im Jahr 56 — also nach dem 3. Kriegsjahr — aus dem Krieg in Gallien ausgeschieden[52], Cicero blieb bis zum Ende an
ihm beteiligt; aber ihre Namen haben keinen Platz mehr in den Kampfberichten,
sei es, daß sie tatsächlich keine Rolle mehr gespielt haben, sei es, daß Caesar sie
für ihr Versagen schweigend strafen wollte.

---

[52] Cass. Dio 39,65,2.

5. Der Kunstcharakter der commentarii

Die bisherigen Beobachtungen und Überlegungen betreffen fast nur einzelne sachliche Bereiche und das Bild, das diese durch die Feder Caesars angenommen haben; gleichwohl konnte jedes der Einzelprobleme zugleich Blicke auf das Ganze öffnen und Maßstäbe bereitstellen, nach denen dieses als Gesamtwerk beurteilt werden kann. Es ist nun an der Zeit, unter Berücksichtigung der Einzelergebnisse einige allgemeine Aussagen über das BG als literarisches Werk zu versuchen. Wenn wir dabei nach dem Kunstcharakter dieses Werkes fragen, so geschieht es mit der bewußten Vorgabe, daß das BG in keiner Hinsicht dem BC so nahe steht wie in der Realisierung literarischer Ideale durch den Autor; dies bedeutet, daß die meisten hier zu treffenden Feststellungen praeter propter auch für das BC zutreffen und an späterer Stelle nicht eigens neu getroffen werden müssen. Nur was den literarischen Charakter beider Werke unterscheidet, ist in einem eigenen Kapitel nachzutragen.

Es wurde früher schon festgestellt, daß die *commentarii de bello Gallico* vor allem den Zweck verfolgen, dem römischen Volk die Leistungen des Autors als Statthalter, d. h. in seiner offiziellen Funktion als Beauftragter des Senates und Repräsentant des *populus Romanus* in der Provinz sowie bei der — selbstgewählten — Aufgabe der *propagatio imperii* vorzustellen. Angesichts der politischen Kritik, die sich in dieser Hinsicht gegen ihn richtete, kam es ihm wesentlich darauf an zu beweisen, daß beides, die *administratio provinciae* und die *propagatio imperii*, nicht zwei verschiedene und voneinander abzutrennende Dinge sind, sondern im letzten Grunde ein und dasselbe, d. h. daß die *cura provinciae* zwangsläufig zur bewaffneten Auseinandersetzung mit den jeweiligen Anrainern und zur Unterwerfung bisher selbständiger Völker führen mußte, weil nur dadurch die Sicherheit der bereits bestehenden Provinz und der in ihr investierten römischen Interessen garantiert war. Es versteht sich, daß die Beweislast dafür vor allem vom ersten Jahresbericht getragen werden mußte; denn hier mußte der Übergang von der defensiven Abschirmung zur offensiven Machtpolitik glaubwürdig als unvermeidlich erkennbar gemacht werden. Tatsächlich zeichnet sich das erste Buch durch einen ungewöhnlich hohen Anteil an Reden, Gesprächen, Botschaften und diplomatischen Erwägungen aus. Jeder einzelne Schritt wird hier durch argumentierende und deliberative Vorstufen gründlich untermauert. Ist der erste Schritt überzeugend gerechtfertigt, so ist es nicht mehr besonders schwierig, einsichtig zu machen, daß der Träger der Verantwortung den aus ihm sich ergebenden Folgesituationen gerecht zu werden hatte; der Beweis für die Notwendigkeit des Handelns findet jeweils Ansätze bei der Reaktion der vom ersten Eingreifen Betroffenen, und jeder Leser begreift, daß ein Ausweichen oder Kapitulieren vor dieser die römische Sache in eine schlimmere Lage versetzt hätte als ein Verzicht auf offensive Politik von Anfang an.

Dies bedeutet, daß die Kunst des Motivierens eine zentrale Aufgabe des Verfassers war. Wenn sie in den Büchern, die dem ersten folgen, nicht in gleicher

Weise wie in diesem in den Vordergrund tritt, so deshalb, weil Caesar damit rechnen konnte, daß seine Leser etwas von der Macht des Faktischen spüren würden.
Aber grundsätzlich hält Caesar überall dort, wo er über einen neuen Entschluß
berichten muß, an dem Verfahren der vorausgeschickten Offenlegung der *causae*
fest — mag man sie für triftig oder für fadenscheinig halten. Typische Fälle sind
etwa die Verlagerung des Krieges zu den Belgern, der Vorstoß nach Britannien,
der Übergang über den Rhein. Die Gründe, die dafür ins Feld geführt werden, sind
meist von ähnlicher Art; manchmal sind es Nachrichten oder Gerüchte, die Be-
fürchtungen wecken und prophylaktische Maßnahmen zu fordern scheinen, manchmal ist es eine direkte Herausforderung, wie im Falle Ariovists; manchmal treten
gallische Stämme, denen Caesar verbunden ist oder die sich seiner Hilfe bedienen wollen, durch ihre Sprecher an ihn heran und bitten um Schutz vor einer
äußeren oder inneren Bedrohung; manchmal werden Aktionen auch einfach mit
bisher mangelndem Wohlverhalten der betreffenden *barbari* motiviert, wie bei den
Morinern, Menapiern und Britanniern: eine Feststellung, die der Leser naturgemäß
besonders schwer nachprüfen kann und wo es besonders wichtig ist, seinen National-
stolz vorauszusetzen zu können.[1] Immer aber ist Caesar bemüht, die Operationen der
sieben gallischen Jahre, die er beschreibt, als ein logisch sich entwickelndes Ganzes
hinzustellen, das, einmal begonnen, zwingend nach Vollendung und definitiver
Sicherung verlangt.[2]

Es gibt aber einzelne Etappen, bei denen dieser verbindende Faden ziemlich
schwach erscheint, andere, bei denen er überhaupt nicht erkennbar wird. Dafür
ist der Anfang des zweiten Buches ein bemerkenswertes Beispiel. Caesar hatte im
Jahre 58 Ariovists Germanen bis ins Oberelsaß zurückgedrängt und über den Rhein
geworfen, danach sein Heer bei den mit den Germanen angeblich verbündeten Sequanern, d. h. in der burgundischen Pforte, ins Winterlager gelegt. Beides ließ sich als
Schutzmaßnahme für den Nordflügel der Provinz interpretieren. Im Anfang des zweiten Buches erfahren wir ohne jeden Übergang, Labienus habe Caesar über eine be-
vorstehende Verschwörung der Belger gegen die Römer unterrichtet. Daraufhin

---

[1] Caesar bemüht sich ununterbrochen, an das Nationalgefühl seiner Leser zu appellieren; so
I 12,6 (Niederlage des L. Cassius, später noch mehrmals erwähnt); 33,2 (Größe des Reiches);
IV 19,4 (*laus et utilitas populi Romani*); V, 21,8 (*populi Romani fides*); VI 1,4 (*populi
Romani disciplina et opes*); VII 17,3 (*maiestas et victoriae*). Hierher gehören auch die häufi-
gen Hinweise auf die „Gepflogenheiten" des römischen Volkes, (I 8,3; 43,8; 45,1; III 23,6;
V 41,7; VI 7,8), die immer Anspruchscharakter haben. Auffallend ist in diesem Rahmen
die Seltenheit des Begriffs *dignitas* (nur IV 17,1; angedeutet VII 17,3), der in den Ps-Caesa-
riana eine so große Rolle spielt.

[2] In diesem Sinne „ergibt sich" die Auseinandersetzung mit Ariovist aus der durch den Sieg
über die Helvetier geschaffenen Lage (I 30f.), der Belgerkrieg aus dem Ariovistkrieg (II 1);
der erste Zusammenstoß mit den Aduatukern (II 29) ist ein Nachspiel des Sieges über die
Nervier; die Erhebung des Viridovix (III 17ff.) eine direkte Folge der bisherigen Unterwerfungen, zuletzt der Veneter (17,2—4). Der Zug gegen die Moriner und Menapier im Jahr
56 wird damit begründet, daß sie die einzigen waren, die bisher die Dedition verweigert
hätten, d. h. sich weigerten, die neue politische Lage anzuerkennen (eine andere Begründung schien unter diesen Umständen unnötig). Die erste britannische Expedition ergab sich
aus der Unterstützung rebellischer Gallier durch die Inselbewohner, die zweite aus dem un-
länglichen Erfolg der ersten; usw.

habe Caesar einen Legaten beauftragt, mit zwei Legionen ins Innere Galliens ein-
zumarschieren; gleichzeitig habe er den Senonen — an der mittleren Seine — „und
den übrigen Nachbarn der Belger" „den Auftrag erteilt" (*dat negotium*), alles aus-
zukundschaften und zu melden, was bei den Belgern geschieht. Für die Absichten
der Belger werden auch *causae* angegeben (1,2f.), aber sie können nicht darüber
hinwegtäuschen, daß hier in Wahrheit jeder einleuchtende Zusammenhang zwischen den beiden *bella* des ersten Jahres und der Unterwerfung der Belger im
zweiten fehlt. Die Belger waren bis dorthin weit vom Schuß und von den Geschehnissen zwischen Rhône und Oberrhein in keiner Weise betroffen. Caesars
Winterlager war rund 300 km von ihnen entfernt. Was also hätte sie zu einem solchen Komplott mit umfangreichen Kriegsrüstungen veranlassen sollen? Die Senonen
hatte Caesar bisher mit keinem Wort erwähnt und durch nichts zu erkennen gegeben, daß er mit irgendeinem Stamm im heutigen Nordfrankreich Verbindungen hatte;
wie kamen also diese Stämme dazu, von ihm einen Erkundungsauftrag gegen ihre
Nachbarn im Norden anzunehmen? Dies alles kann nicht überzeugen; eher ist man
versucht zu glauben, daß es eben jene Stämme waren, die sich von den Belgern
bedroht fühlten und ihrerseits nach dem Vorbild der Häduer sich des Wohlwollens
und der Hilfe der Römer zu versichern suchten[3] — wodurch Caesars Krieg gegen
die Belger zu einer Einmischung in innergallische Auseinandersetzungen würde.
Jedenfalls ist dem Autor hier die Herstellung des Continuums nicht gelungen, wahrscheinlich deshalb, weil es faktisch nicht bestand.[4] Aber die Tendenz in dieser Richtung ist auch hier mit Händen zu greifen, und so mußten die Belger eben mit
römerfeindlichen Umtrieben und „einige Gallier" mit einer gegen Rom gerichteten
Agitation bei ihnen belastet werden.

　　Doch sieht man davon ab, daß es zuweilen ein erhebliches Defizit an einleuch-
tender Begründung der militärischen Aktionen gibt, so muß doch zugegeben werden, daß gerade das Prinzip der Kettenmotivation dem ganzen Werk eine starke
innere Geschlossenheit verleiht und optisch aus den zahlreichen Einzel-*bella* ein
einziges großes *bellum* macht. Dieser Eindruck wird noch dadurch verstärkt, daß
Zeitabschnitte, in denen überhaupt keine oder keine erwähnenswerten Kampfhandlungen stattfinden, schlicht übergangen werden. Nie spricht Caesar über Monate
der Ruhe, obwohl man bei Nachrechnung der mitgeteilten Ereignisse leicht erkennen kann, daß es deren nicht wenige gegeben hat. Caesar versteht die Kunst
des Raffens und Aussparens, und das Ergebnis ist der subjektive Eindruck,
als hätten sich die militärischen Aufgaben nicht nur dicht gedrängt, sondern als
wäre in Wirklichkeit noch viel mehr geschehen, als der knappe Bericht aufzunehmen in der Lage war.

---

[3] Einen gewissen Hinweis darauf kann man in dem Kollaborationsangebot der Remer (II 3,1f.)
erblicken, das Caesar freilich als Schreckreaktion auf sein rasches Erscheinen hinstellt. Ihr
Verhalten ist aber ohne bereits bestehende tiefere Spannungen schwer zu verstehen. Vgl.
auch oben S. 120f. über das Verhalten einzelner britannischer Stämme.

[4] Noch um einen Grad schlechter ist der Feldzug des P. Licinius Crassus gegen Aquitanien im
Jahr 56 begründet (III 20,1). In III 7—9 ist Crassus noch im Gebiet der Belger; Kap. 20,1
kommt er plötzlich nach Aquitanien — warum, wird nirgends gesagt — und „erkennt", daß
er dort Krieg führen müsse: einen Vergeltungskrieg für alte Niederlagen!

Wer den Bericht liest, ohne im einzelnen nachzurechnen, fühlt sich im allgemeinen in eine Atmosphäre angespannter und erregender Rastlosigkeit versetzt. So wird Caesar im Jahr 56 völlig überraschend, wie er nachdrücklich betont (III 7,1), in einen neuen Krieg verwickelt, mit dem er nach dem völligen Sieg des Vorjahres nicht mehr rechnen zu müssen glaubt. Die Veneter halten ein paar römische Offiziere fest, die bei ihnen Lebensmittel requirieren sollen — Caesar interpretiert dies dann als Freiheitsberaubung an Gesandten, um diesen Akt zu einer Verletzung des Völkerrechts zu machen[5] — und veranlassen die benachbarten Stämme, dasselbe zu tun. Daraus entwickelt sich ein weit gespannter Krieg, der Caesar zwingt, nach allen Seiten zu operieren: Schiffe müssen gebaut werden, das nordöstliche Gallien muß durch Labienus von einer Parallelaktion abgehalten und vor möglicherweise eindringenden Germanen abgeschirmt werden; Caesar selbst muß den Kampf bei den Venetern aufnehmen und sich mit vielen Schwierigkeiten herumschlagen (10,2) — sie werden unter anderem durch besondere Kapitel über die *oppida* der Gegner und ihre Art des Schiffsbaues und der Bewaffnung der Schiffe illustriert (12—13). Eine Anzahl der gegnerischen *oppida* wird erobert, aber die Entscheidung kann nur auf See erzwungen werden — ein *novum belli genus* für die gallischen Legionen. Noch während diese Operation im Gange ist, bildet sich bei den Unellern unter Viridovix eine Koalition mehrerer Stämme unter dramatischen Begleitumständen (17,1—5), gegen die Titurius Sabinus mit einem Teilheer abgestellt werden muß. Er ist den Verschwörern zahlenmäßig fast hoffnungslos unterlegen, lockt sie aber als kluger *cunctator* in eine Falle und schlägt sie vernichtend (19). *Eodem fere tempore* (20,1) kommt bei P. Licinius Crassus, dem wir eben noch (Kap. 7—9) bei den Anden begegnet sind, nach Aquitanien und führt dort — offenbar auf eigene Faust, was im Heer Caesars sonst nicht üblich ist[6] — einen Krieg gegen die Sotiaden. *Eodem fere tempore* (28,1) hält es Caesar für nötig und möglich, noch unter Ausnützung des Herbstes die spröden Moriner und Menapier an der Atlantikküste, die bis dahin keine Kampfberührung mit ihm gehabt haben, niederzuwerfen, weil er hier mit einem nur kurzen Waffengang rechnet.

Alle diese Ereignisse scheinen in einer atemlosen Hektik abzulaufen. Aber der Schein trügt — und soll trügen. Caesars Eingreifen in die Ereignisse bei den Venetern erfolgt so früh, wie es die Jahreszeit eben erlaubt[7], also im Frühjahr, kaum später als im April. Wie lange die Veneteraktion dauert, verrät Caesar nicht; nur einmal (14,1) sagt er, daß er sich entschließen mußte, auf die angeforderten Schiffe zu warten; wie lange, bleibt ebenfalls ungesagt. Es kann sein, daß die entscheidende Seeschlacht erst im Juni oder Juli zustandegekommen ist. Die lokalen Unternehmungen des Titurius Sabinus und des Licinius Crassus werden als zeitlich parallele Aktionen deklariert; andererseits soll Caesars eigener Vorstoß gegen die

---

[5] Er tut dies nicht weniger als dreimal (9,3; 10,2; 16,4). Diese für Caesar ganz untypische Wiederholung derselben Aussage verrät, wie sehr er darauf dringt, daß man diese Deutung im Auge behalte.

[6] Vgl. oben S. 136 Anm. 39.

[7] 9,2 *cum primum per anni tempus potuit.*

Moriner zeitlich mit dem Sieg des Crassus über die Aquitanier zusammenfallen, und hier sagt Caesar ausdrücklich: *prope exacta iam aestas erat* (28,1), was frühestens für den September zutrifft. Dies bedeutet, daß der aquitanische Feldzug Monate gedauert haben muß und keineswegs eine permanente Abfolge von Schlachten darstellte[8]; es bedeutet ferner, daß Caesar selbst zwischen dem Sieg über die Veneter und dem Entschluß, gegen die Moriner vorzugehen, mindestens zwei, wenn nicht mehr Monate der Ruhe hatte. Labienus endlich scheint in diesem Jahr überhaupt nur zum Sicherungsdienst eingesetzt gewesen zu sein; jedenfalls hören wir von keinem Waffengang im nordöstlichen Gallien.

Dieses Beispiel zeigt eindringlich Caesars Umgang mit der Zeit. Sie existiert nur soweit, als sie militärische Aktionszeit ist, und die Kämpfe werden wie in einem Film durch „Schnitte" verdichtet. Es gibt nur Sommerzeiten, und diese erscheinen gleichsam auf wenige Wochen verkürzt, in denen eine Aufgabe die andere drängt, eine *necessitas* der anderen im Nacken sitzt.

Und dennoch kann man nicht sagen, dies sei der Stil eines Ergebnisprotokolls. Denn während Protokolle alle Punkte einer Tagesordnung grundsätzlich gleich knapp oder gleich ausführlich zu behandeln haben, wahrt Caesar vom ersten Buch an die Freiheit, bestimmte Vorgänge bis in alle Einzelheiten durchzuzeichnen, andere im Vorbeigehen nur eben anzudeuten, darunter so gewichtige wie die Entscheidungsschlacht gegen Indutiomarus (V 58,4—7) oder die *pacatio* des Gebietes an der Seine (VI 2—4), deren betonte Schnelligkeit durch die Komprimierung des Berichts auf Stichworte potenziert erscheint. Drei Dinge sind es, denen Caesar Zeit zu geben liebt: Schlachten (und zwar sowohl die großen „historischen" wie die krisenhaften von nur augenblicklicher Bedeutung), technische Maßnahmen und diplomatische Verhandlungen. Dies gilt für beide Werke ganz gleichermaßen. Hier sieht Caesar wohl nicht nur spezielle Bereiche seines eigenen Talents, sondern auch Punkte, mit denen er das Interesse, die Bewunderung und das Vertrauen seiner Leser zu gewinnen erhofft.

Man hat Caesars Fähigkeit gerühmt, durch seine Darstellung Geschehnisse nicht nur im Ablauf nacherleben zu lassen, sondern sie auch so in den konkreten Raum zu stellen, daß sie gewissermaßen aus ihm herauswachsen. Gern verweist man dabei auf das Gelände der Nervierschlacht (II 19—28), das im Kap. 18 eine ziemlich detaillierte Beschreibung erfährt. In der Tat gewinnt durch den vorgeschalteten Blick auf das Kampfgelände der Ablauf der Schlacht — mindestens in seinen ersten Phasen — bedeutend an Durchsichtigkeit und Lebendigkeit.[9] Aber dieses Kapitel hat im BG nur wenige Parallelen[10], und nicht mehr im BC.[11] Etwas übertreibend stellt Oppermann fest, daß im BC topographische Schilderungen nahe-

---

[8] Dies wird sogleich deutlich, wenn man erfährt, daß nach der Kapitulation des Adiatuanus (22,4) sich eine neue *coniuratio* gebildet hat, für die erst Sukkurs aus Nordspanien angefordert und abgewartet werden mußte (23,3). Auch hier waren die militärischen Schritte durch längere Ruhezeiten unterbrochen.

[9] Ausführlich aufgezeigt von H. Oppermannn, Caesar (1933) 37ff.

[10] Genau genommen sind es nur zwei: VII 46,1—3 (Gergovia) und 69,1—4 (Alesia). — IV 10 ist davon fernzuhalten; es handelt sich hier um einen kleinen geographischen Exkurs.

[11] I 45,2—3; II 1,2. Vgl. Oppermann a.O. 52.

zu völlig fehlen. Sieht man aber diejenigen des BG genauer an, so handelt es sich fast in allen Fällen um äußerst knappe, geradezu formelhafte Notierungen einiger weniger Merkmale des Geländes, und zwar ausschließlich solcher, die bestimmte taktische Schritte oder Situationen begründen. Wenige Beispiele seien hier angeführt:

I,43,1   *planities erat magna et in ea tumulus terrenus satis grandis. hic locus ... aequum spatium a castris utrisque aberat.*

II 9,1   *palus erat non magna inter nostrum atque hostium exercitum. hanc si nostri transirent ... e.q.s.*

III 19,1   *locus erat castrorum editus et paulatim ab imo acclivis circiter passus mille.*

IV 23,3   *cuius loci haec erat natura atque ita montibus angustis mare continebatur, ut ex locis superioribus in litus telum adigi posset.*

Dies ist der eigentlich geläufige Typus.[12] Die Schauplätze sind so allgemein und so wenig individuell gezeichnet, daß man sie überall finden kann und daß sie vielleicht niemals einer örtlichen Wirklichkeit genau entsprechen. Lehrreich ist ein Blick auf ihr Vokabular: An Nomina begegnen: *planities, tumulus, collis, mons, radices montis (collis); flumen, palus; vallis, silva*; am häufigsten *locus*; an qualifizierenden Adjektiven: *magnus, altus, mediocris, editus, acclivis (declivis), mollis, angustus, impeditus, silvestris, apertus; opportunus, difficilis.* Hinzu treten häufig Entfernungsangaben in Fußzahlen. Es ist das Vokabular, das ausreicht, um taktische Sandkastenspiele zu entwerfen, und ganz ohne Zweifel hat Caesar Landschaften ausschließlich mit den Augen des Taktikers gesehen. Hier allerdings entwickelt er eine Meisterschaft in der Beschränkung auf die für den Operationscharakter wesentlichen Züge, und dies muß notwendigerweise zu einer stark generalisierenden Typik der skizzierten Geländeformen führen. Es ist gewiß kein Zufall, daß die sichere Ortung einer so entscheidenden und so stark geländeabhängigen Schlacht wie der von Alesia[13] ein fast unlösbares Problem darstellt, obgleich in diesem Falle die Beschreibung des Geländes ausführlicher als in fast allen anderen Fällen geboten ist.

    So summarisch also in der Regel die örtliche Komponente behandelt ist, so genau pflegt Caesar Handlungsketten aufzubauen, bei denen es darum geht, Motive (bzw. Notwendigkeiten), Voraussetzungen und Konsequenzen als logischen Kom-

---

[12] Weitere Beispiele: I 12,1; III 1,5; 14,9; V 9,1; 3; 19,1; 21,2; 52,1; VII 19,1; 36,5; 44,3; 55,1. — Im BC: 1, 43,1; 65,3; 68,2 (vgl. auch 70,3); 2, 34,1; 3, 19,1; 37,2; 42,1; 43,1; 75,4; 77,2; 88,6; 97,4. — Im BC 3,49 werdenTerrainangaben und militärische Aktionen eng mit einander verwoben. Eine Beschreibung des Schlachtfeldes von Pharsalos fehlt auffallenderweise ganz (Oppermann a.O. 53).

[13] VII 69,1—4. — Aus der umfangreichen neueren Diskussion — J. Kroymann, ANRW I 3,474f. zählt allein aus den Jahren 1947—1970 rund 30 Titel auf — seien nur erwähnt: J. Carcopino, Alésia (1958; [2]1970); J. Harmand, Une campagne césarienne. Alésia (1967; vgl. die Rez. von R. Schmittlein, Gnomon 41, 1969, 168ff.); J. Le Gall, REL 47, 1969, 72ff.; aus der älteren Lit. nenne ich Napoléon III., Histoire de Jules César, II (1865) 316ff. Einen Überblick über das Problem und seine Erforschung bis in die 50er Jahre zeichnet M. Gelzer, RE VIII A 995ff. (Art. ‚Vercingetorix').

plex einsichtig zu machen. Die Struktur solcher Abläufe kommt nicht selten nahe an die Form des Beweises in den exakten Wissenschaften heran; man verfolge etwa die logistischen Schritte des folgenden Systems aus Absicht, Kalkül und Realisationsfolgerung (BG I 9,1—14) [14]:

1. *Relinquebatur una per Sequanos via,*	1. Gegebenheit (ermöglichend)
2. *qua Sequanis invitis ... ire non poterant*	2. Gegebenheit (sachgebunden, einschränkend)
3. *his cum sua sponte persuadere non possent,*	3. Gegebenheit (personengebunden, ausschließend)
4. *legatos ad Dumnorigem Haeduum mittunt,*	4. Kalkulierte Aktion
5. *ut eo deprecatore a Sequanis impetrarent.*	5. Resultaterwartung (Ziel)
6. *Dumnorix* a) *... apud Sequanos plurimum poterat* b) *et Helvetiis erat amicus, quod ...,* c) *et ... novis rebus studebat* d) *et quam plurimas civitates ... habere obstrictas volebat.*	6. Erfolgs-Voraussetzungen des gewählten Mediums (zugleich Elemente der Kalkulation)
7. *Itaque rem suscipit*	7. Motivierte Aktion
8. *et a Sequanis impetrat, ut ... Helvetios ire patiantur.*	8. Resultat (Erfolg)

Hier ist zunächst evident, daß dem Leser ein lückenloses System schlüssigen Konstatierens, Folgerns und Agierens geboten wird, das keine offene Stelle enthält. Die drei Gegebenheiten, vor denen die Helvetier stehen, ergänzen sich im Sinne einer fortschreitenden Einengung der Möglichkeiten. Die Wahl des Mittelsmannes erscheint danach nicht mehr als eine Möglichkeit, neben der andere Alternativen bestehen, sondern als die einzige und zwingend notwendige, sofern die beabsichtigte Wanderung überhaupt gelingen soll (Gewaltlosigkeit vorausgesetzt). Die Wahl der Person, die dabei der einzige noch freie Akt ist, ist so vielseitig gerechtfertigt, daß in ihr die letzte Chance und der beste Ausweg in eins zusammenfallen. Die Folgerung der Helvetier aus den gegebenen Umständen scheint daher vollkommen zu sein. — Die in der Person gelegenen Voraussetzungen gliedern sich ihrerseits in objektive Gegebenheiten (Beziehungen zu beiden Stämmen) und persönlichen Intentionen (politische Ziele des Dumnorix), so daß sich die Eignung des Mannes für die gedachte Intervention mit einer in ihm liegenden Motivation verbindet: erst aus der Koinzidenz der Ziele beider Seiten erwächst seine Aktion.

---

[14] Ich gebe den Text mit leichten Kürzungen, die die Überschau erleichtern, ohne den logischen Ductus zu beeinträchtigen.

Aber auch die Disposition der Glieder ist schlüssig. Das gilt für die drei Vorgegebenheiten, deren jede folgende der jeweils vorausgehenden nachgeordnet ist; dies gilt für die Einführung des Dumnorix an der von Caesar gewählten Stelle; denn sie entspricht dem Gedankenprozeß auf der Seite der Helvetier (wobei der Denkschritt: „Ein Mittelsmann ist nötig; welcher kommt in Frage?" ausgespart werden konte, weil er sich aus dem Vorausgehenden ergibt); das gilt ferner von der Abfolge der Gründe, die für seine Wahl sprechen, da die beiden ersten für die Helvetier primär, die beiden letzten aus ihrer Sicht sekundär bestimmend sind, also nur unterstützenden Charakter haben. Da sich endlich die Intervention des Dumnorix mit nahezu zwingender Logik aus den genannten Voraussetzungen ergibt, konnte Caesar die Phase des Verhandelns mit ihm in seiner Darstellung aussparen. Im Sinne der Geschehenslogik ist der Bericht nicht nur vollständig, sondern auch streng auf die motivationsrelevanten Elemente beschränkt.

Dies ist natürlich kein Einzelfall; er ist vielmehr typisch für Caesars Denkstil. Der Autor sieht und schildert Menschen in begründetem und rational nachvollziehbarem Handeln — auch insofern ist er im eigentlichen Sinne Geschichtsschreiber. Wie nicht anders zu erwarten, erstreckt sich diese Präzision in der Gestaltung von Entscheidungs- und Handlungsmechanismen vor allem auf die eigene Person. Auch dafür mag ein Beispiel für viele stehen: BG VII 49; die Form, in der der Text hier ausgeschrieben erscheint, wird zugleich den Zusammenhang zwischen Denkstruktur und Sprachstruktur erkennen lassen.

Caesar	
cum iniquo loco pugnari	Naturgegebenheit
hostiumque augeri copias	Feindlage
videret,	
praemetuens suis	innere Reaktion
ad T. Sextium legatum,	1. Entschluß
quem minoribus castris praesidio	
praesidio reliquerat	
misit, ut cohortes	verwirklicht (Auftrag)
ex castris celeriter educeret (et)	
sub infimo colle ab dextero latere	
hostium constitueret,	
ut	gedachter Zweck
si nostros loco depulsos	
vidisset,	
quominus libere hostes insequerentur terreret.	
Ipse	2. Entschluß (zugleich Abschluß des Gesamtvorganges).
paulum ex eo loco cum legione progressus, ubi constiterat,	
eventum pugnae expectabat.	Ende der Bewegung

Der Informationswert dieser kurzen Partie — knapp 8 Zeilen im Teubner-Text — ist ungewöhnlich hoch; aber auch die Strukturierung der Information darf als optimal bezeichnet werden; sie entspricht genau der Logik der Dinge und Verhaltensweisen; die einzelnen Glieder sichern sich gegenseitig Verständlichkeit.

Caesar ist der verantwortlich Handelnde; ersteht daher sinnvoll an der Spitze des ganzen sprachlichen Komplexes. Wir sehen ihn zunächst als kritischen Beobachter eines Kampfverlaufes, der nicht seinen Erwartungen entspricht: ein Blick auf die Situation der eigenen Legionen; ein zweiter Blick auf die Entwicklung beim Gegner. Beides ist auslösendes Moment für eine besorgt vorausschauende Lagebeurteilung (*prae-metuens* [15] *suis*), die einen Führungsentschluß notwendig macht. Dieser erscheint unmittelbar in Form eines taktischen Auftrages an den Führer der Eingreifreserve, und zwar unter Einschluß aller Elemente, aus denen er sich zusammensetzen muß:

1. dessen, was sofort zu tun ist (*educere, constituere*), wobei der Ort für die Bereitstellung der Reserve genau bezeichnet wird (erstes *ut*);
2. des Zweckes der neuen Disposition, dessen Kenntnis dem Legaten die Möglichkeit gibt, im Bedarfsfall auch selbständig einen sinnvollen Entschluß zu fassen [16]; doch wird der Zweck so formuliert, daß er zunächst in der erwarteten Wirkung des unmittelbar vollzogenen Auftrags und nur möglicherweise — falls die Wirkung sich nicht einstellt — im Entschluß zu weiterem Eingriff liegt (zweites *ut*).

Auch hier ist also nichts vergessen, nichts unvollständig oder undeutlich ausgedrückt, aber auch kein Wort unnütz verschwendet; die Kunst des Darstellers spiegelt den Meister der Befehlstechnik. Der Melder, der den Befehl überbringt, wird nicht erwähnt; er ist als Individuum unwichtig, austauschbar, unpersönlich wie ein moderner Funkspruch. Dagegen gehört es zur Sache, wo er den Legaten finden wird. Sachlich wichtig ist endlich, wie Caesar sich selbst in das taktische Arrangement einordnet: er geht mit einer bei ihm selbst befindlichen und noch nicht eingesetzten Legion ebenfalls in einen geeigneten Bereitstellungsraum und bildet dadurch eine zweite Eingreifreserve — die wirkungsvollere von beiden, einmal wegen ihrer Stärke, sodann weil sie in der Hand dessen liegt, der die Gesamtoperation leitet. Diese letzte Mitteilung steht sonach zurecht am Ende des Abschnittes. Dies entspricht aber auch dem zeitlichen Ablauf des Geschehens am Gefechtsstand: zuerst Befehlsausgabe, dann eigener Stellungswechsel des Kommandierenden. Die sprachliche Gestaltung steht in vollkommener Übereinstimmung mit dem dargestellten Vorgang; kein Element in ihm bleibt ungeklärt.

---

[15] Das Wort ist bei Caesar sonst nirgends verwendet; überhaupt fehlt es in der Prosa; es gehört den Dichtern, wenn auch hier nicht häufig (Lucr. 3,1017; Verg. Aen. 2,573; Phaedr. 1,16,4 und Spätere; vgl. Meusel z.St.). Die Wortgruppe *praemetuens suis* stellt metrisch die zweite Hälfte eines Asclepiadeus minor dar (vgl. Hor. c. 1,1,1 *edite regibus*). Sollte sich Caesar hier die Freiheit einer Dichteranspielung geleistet haben?

[16] Caesar drückt dies sehr behutsam, aber gleichwohl klar und verständlich aus. Er sagt nicht, etwa: *si nostri depulsi essent,* sondern *si depulsos vidisset,* was nur scheinbar in einem logischen Widerspruch zu *deterreret* steht. Der Legat ist aufgefordert, selbst zu beobachten und sein Verhalten der sich entwickelnden Kampflage anzupassen.

Gelegentlich geschieht es, daß Caesar auch Vorgänge auf der Seite des Gegners mit derselben Schlüssigkeit und komprimierten Vollständigkeit beobachtet und wiedergibt. Dafür sei diesmal ein Beispiel aus dem BC gewählt (3, 54).[17]

> *Pompeius*
> > *noctu magnis additis munitionibus*
> 1. *reliquis diebus turres exstruxit, et*
> > *in altitudinem pedum XV effectis operibus*
> 2. *vineis eam partem castrorum obtexit, et*
> > *quinque intermissis diebus*
> > *alteram noctem subnubilam nactus*
> > *obstructis omnibus castrorum portis et*
> > *ad impediendum ob⟨icibus ad⟩iectis*
> 3. *tertia vigilia silentio exercitum eduxit et*
> 4. *se in antiquas munitiones recepit.*

Naturgemäß hat dieser Abschnitt nicht genau dieselbe sprachliche Struktur wie der vor ihm betrachtete. Was Caesar hier mitzuteilen vermag und folglich allein mitteilt, sind Aktionen des Gegners (Pompeius), die er in einer Reihe von Tagen von seiner eigenen Seite aus beobachten konnte, nicht jedoch Zusammenhänge zwischen Erwägungen und Handlungen des Gegners, die ihm unbekannt bleiben mußten. Die Mitteilung muß daher in weit höherem Maß aufzählenden Charakter haben. Was aber der Aufzählung Ordnung und Akzente verleiht, ist die Unterscheidung von wesentlichen Aktionen, die das Geschehen voranbringen, und solchen Maßnahmen und Vorgängen, die nur deren Voraussetzungen darstellen und daher in Gestalt vorgeschobener Partizipialkonstruktionen erscheinen; diese letzteren sind es zugleich, die den zeitlichen Rhythmus der Vorgänge wahrnehmen lassen. Auch hier fällt wieder ins Auge, wie genau auf alles sachlich Unnötige, lediglich die Phantasie des Lesers oder die emotionale Wirkung Steigernde verzichtet ist: *magnis* (zu *munitionibus*) ist das einzige beschreibende Adjektiv; alle anderen adjektivischen Attribute (*reliquis, alteram, subnubilam, omnibus, tertia, antiquas*) haben unterscheidende Funktion[18], sind also Sachangaben, deren Weglassung die Genauigkeit der Vorstellung beeinträchtigen würde. Keine der Handlungen wird durch adverbiale Zusätze differenziert, da es dem Verfasser nur auf ihre jeweiligen Ergebnisse ankommt. Das gegnerische Personal tritt völlig in den Hintergrund, nur das zum Kampf antretende Heer als Ganzes hat für Caesar wirklich Bedeutung. Es bleibt Caesars künstlerisches Geheimnis, wie er gerade durch die Verbindung von reicher Sachinformation und äußerster sprachlicher Knappheit

---

[17] Natürlich lassen sich dafür auch Beispiele aus dem BG nachweisen (etwa III 8; IV 30; V 3; 22,1–3; VII 2 u. a.; zu III 2 s. oben S. 137f.); die Wahl einer Stelle aus dem BC soll nur betonen, was im Grunde keiner Betonung bedarf: Alle hier getroffenen Feststellungen zur Präzision von Darstellungen einzelner Abläufe gelten ohne Einschränkung auch für das zweite Werk aus Caesars Feder. Dies eben ist Caesars „Stil" im umfassendsten Sinne.

[18] Eine genaue Untersuchung über den Gebrauch des Adjektivs bei Caesar liegt, soweit ich sehe, nicht vor, könnte aber zu aufschlußreichen Ergebnissen hinsichtlich seiner Art der *brevitas* führen, namentlich im Vergleich mit Sallust und Tacitus.

die Vorstellungskraft des Lesers nicht einengt, sondern zu ergänzender eigener Leistung anregt; denn vor dessen Auge spielen sich in Wahrheit viel mehr Dinge ab, als der Text verbal enthält; der Bericht selbst liefert nur die Markierungspunkte, an denen sich die nachvollziehende Phantasie orientiert, und diese Punkte verlangen geradezu gebieterisch nach lebendiger Ausfüllung durch das aktivierte Vorstellungsvermögen.

Caesars vielgerühmte *elegantia*[19] ist nichts anderes als diese Fähigkeit, mit einfachsten, aber gezielt eingesetzten Ausdrucksmitteln Situationen und Geschehnisse faßbar und lebendig werden zu lassen. Seine Darstellungskunst ist nicht malerisch, sondern plastisch, nicht akustisch, sondern optisch; sie wendet sich nicht an die rezeptive Hingabe des Lesers, sondern an seine energetische Vorstellungsproßduktivität. In diesem Sinne ist sie das genaue Gegenteil jener Eleganz, die später von den Meistern der Zweiten Sophistik, wie Apuleius und Fronto, angestrebt wird. Es ist, alles in allem, eine männliche Sprachkunst, eine postulierende Darstellungsweise, die noch alles Aufdringliche meidet. Es ist die Eleganz der Strenge, die Schönheit natürlicher Ordnung im Wesentlichen und Unerläßlichen.[20] Hierin hat kein Römer Caesar übertroffen und nur Tacitus in gewisser Weise erreicht, wenn auch unter Preisgabe der elementaren Durchsichtigkeit.

---

[19] Zu diesem Thema s. O. Dernoschek, De elegantia Caesaris ..., Diss. Leipzig 1903; E. Wölfflin, Elegantia Caesaris, ALL 12, 1902, 142f.; K. Deichgräber, Elegantia Caesaris, Gymn. 57, 1950, 112ff. — Die antiken Urteile s. oben S. 10f.

[20] Aus den zahlreichen neueren Arbeiten zum Stil der caesarischen *commentarii* (vgl. J. Kroymann [o. Anm. 13] 480f.): C. Perrotta, Cesare scrittore, Maia 1, 1948, 5ff.; M. Rambaud, Essai sur le stile du BC, L'information littéraire 14, 1962, 60ff.; 108ff.; P. T. Eden, Caesar's Style. Inheritance versus Intelligence, Glotta 40, 1962, 74ff.; L. Canali, Personalità e stile di Cesare (1963); G. Pascucci, Interpretazione linguistica del Cesare autentico. ANRW I 3 (1973) 488ff. — Auf die oben S. 147ff. und 67ff. (Exkurs) gegebenen Interpretationen darf hier verwiesen werden.

6. Der Quellenwert des Bellum Gallicum

Seiner Bestimmung nach ist jeder *commentarius* in irgendeiner Weise „Quelle"; er soll Materialien enthalten, die andere − oder auch der Verfasser selbst[1] − verwerten können, für welche Zwecke auch immer. Es wäre abwegig zu glauben, Caesar habe eine andere Vorstellung davon gehabt, als er den Begriff für den Titel seiner Kriegsbücher wählte. Jedermann, der sie zur Hand nahm, durfte und sollte erwarten, in ihnen vor allem Informationen zu finden, die − unabhängig von der Person des Mitteilenden und seiner aktuellen Situation − sachlich und verläßlich sind. Die Grenzen menschlichen Vermögens, die die Erfüllung dieses Versprechens einschränken, sind damit nicht ignoriert; aber seriöse Haltung und Vertrauenswürdigkeit liegen mindestens in der Intention und dem Anspruch des Autors; der „Quellenwert" dessen, was er schreibt, ist grundsätzlich sein vorrangiges Anliegen.

Steht jedoch hinter einem Werk solcher Art ein persönlicher Zweck, etwa eine politische Absicht, eine apologetische oder polemische Tendenz, dann ist gerade wegen der Objektivitätsgeste, die in der Form des *commentarius* liegt, Vorsicht und Mißtrauen eine natürliche Reaktion. Die Caesarphilologie ist, wie oben ausgeführt[2], stark von ihr bestimmt, ohne zu einem Consensus gelangt zu sein; die Frage nach dem Quellenwert des BG ist also dringlich. Eine Auswahl von Textproben, die wir daraufhin befragt haben, konnten bestätigen, daß das Problem besteht, aber subtiler ist, als daß es sich auf die plane Alternative „Wahrhaftigkeit − Unwahrhaftigkeit" reduzieren ließe, und weniger mit den Fakten selbst als mit ihrer Beleuchtung oder Abdunkelung zu tun hat. Caesars notorische Tendenz im Auge zu behalten und ihre Einwirkung auf das Arrangement der Geschehnisse in seiner Darstellung zu beobachten, kann nicht bedeuten, ihn als Autor − der auch als solcher nicht aufhört, Politiker zu sein − abzuwerten, sondern nur die für ihn natürlichen und aus seiner Lage heraus notwendigen Grenzen der Objektivität zu definieren, innerhalb deren er sich allein bewegen kann. Sie sind der Preis, den der Historiker für den unschätzbaren Vorteil, den Handelnden, Verantwortlichen und Hauptbetroffenen selbst zu hören, gerne bezahlen wird. Ein so fundamentaler Quellentext wie die *Res gestae Divi Augusti* unterscheidet sich darin von Caesars *commentarii* in keiner Weise; auch sie sind eine interpretatio sui ipsius.[3]

Es kann also gar nicht daran gezweifelt werden, daß das BG − nicht anders als das BC − nicht nur ein Kunstwerk, sondern auch ein Text von eminentem histori-

---

[1] Ein schönes Beispiel für die letztere Zweckbestimmung ist das hübsche Büchlein des Frontinus *de aquis urbis Romae*.

[2] S. oben S. 96ff.

[3] Vgl. ihre schöne Würdigung durch F. Vittinghoff, Kaiser Augustus (1959) 10ff. (Der Tatenbericht des Kaisers − die Selbstdarstellung eines Lebens für den Staat); mit speziellerer Fragestellung E. Hohl, Das Selbstzeugnis des Augustus, Mus. Helv. 4, 1947, 101ff. (= Augustus. hgg. von W. Schmitthenner, WdF CXXVIII [1969] 168ff.).

schen Erkenntniswert ist.[4] Je genauer wir das persönliche Interesse und das literarische Verfahren des Autors kennen, umso wertvoller und auswertbarer werden seine *commentarii* für den modernen Historiker, umso sicherer verfügt er über das, was nach angemessener Würdigung der subjektiv „deformierenden" Elemente an konkretem Sachgehalt übrigbleibt, und dies ist wahrlich nicht wenig.

Einschränkend mag vorweg festgestellt werden, daß es ganz bestimmte Punkte sind, bei denen man gut tut, Caesar nicht unbedingt wörtlich nehmen zu wollen. Ein Komplex, der stets auf berechtigte Skepsis stößt, ist die *iniuria* (*superbia, perfidia*) *hostium*. Im Völkerrecht der Römer ist sie eine feste Größe; die imperiale Politik Roms beruht auf dieser *causa belli*.[5] Die römische Annalistik spiegelt diese Axiomatik getreu wider, und auch Caesar ist in dieser Tradition aufgewachsen und ihr verhaftet. Wo immer Römer Kriege führen, fühlen sie sich im Recht und befugt, ihre Gegner wegen moralisch verwerflichen Verhaltens zu bestrafen – eine Argumentationsform, deren sich auch Caesar bedient, aber weit seltener, als man es erwarten möchte.[6] Natürlich können seine Eingriffe in die Existenz freier Völker gar nicht anders als provoziert sein. Wer etwas anderes von ihm erwartet, verkennt nicht nur die römische Mentalität.[7] Die Frage, die jeweils bei Caesar zu stellen ist, betrifft die Richtigkeit seiner politischen Interpretation der Situation.

[4] Als Quellenwerk hat es schon Cicero verstanden (Brut. 262 *voluit alios habere parata, unde sumerent* etc.). – Zu den notwendigerweise knappen Ausführungen dieses Kapitels ist vor allem die instruktive und temperamentvolle Erörterung von M. Gelzer, C. als Historiker (Kl. Schr. II [1963] 307ff. = WdF XLIII 438ff.) zu vergleichen.

[5] Vgl. N. Erb, Kriegsursache und Kriegsschuld in der ersten Pentade des Livius, Diss. Zürich 1963, 27ff. In negativer Spiegelung erscheint das Argument in der Senatsrede Catos zur Verteidigung der Rhodier (Malcovati, ORF² p. 64, fr. 164): *haud scio an partium eorum* (sc. *Rhodiorum*) *fuerint, qui non nostrae contumeliae causa id noluerunt evenire* e.q.s.; noch weitergehend Fr. 169 (p. 66) *Rhodienses superbos esse aiunt ... sint sane superbi: quid id ad nos attinet? idne irascimini, si quis superbior est quam nos?*

[6] Den *superbia*-Begriff verwendet Caesar so gut wie nie (nur I 31,12 über Ariovist durch den Mund des Diviciacus!). Öfter spricht er von der *iniuria* der Gegner (I 7,5; 14,4; 14,6; 20,5; 30,2 [Helvetier]; 31,16; 36,5 [Ariovist]; III 10,2 [Veneter]; IV 18,3 [Sueben]; V 1,7 [Pirusten]; 20,2 [Cassivelaunus]; VI 10,5 [Cherusker]; doch an den meisten Stellen bezieht es sich auf solches Unrecht, das sie anderen gallischen Stämmen oder Personen angetan haben. Gelegentlich spricht er von einer *coniuratio* der Feinde (II 1,1f. u.ö. [Belger]; III 8,3; 10,2 [Treverer]; 23,2 [Aquitanier]; V 27,4 [*Gallorum*]; in konkret begründeten Einzelfällen von ihrer *perfidia* (I 46,3 [Ariovist]; IV 13,4; 14,3 [Germanen]; VII 3,1 [Carnuten]; 5,5f. [Bituriger]; 4,2 [Häduer]). Eine Überprüfung des einschlägigen Vokabulars zeigt also, daß Caesar das politische Verhalten seiner Gegner mit Ausnahme der Häduer i.J. 52. (s. unten S. 154f.) fast nie mit moralischen Urteilen belegt. Dem entspricht, daß er außer bei den Helvetiern (I 12,7; vgl. 14,5) und den Usipetern und Tenktherern (IV 19,1) seine Siege nie als Vergeltungsaktionen (*ulcisci*) bezeichnet, sondern strikt unter politischem Aspekt betrachtet wissen will. VII 34,7 distanziert er sich vom Rachedurst seiner Truppe aus Gründen der *ratio belli*. Er weicht in diesem Punkt von der mehr emotionalen Haltung der meisten seiner Landsleute erheblich ab.

[7] Es wird schwer sein, in der Weltgeschichte viele Parallelen zu dem sittlich redlichen politischen Dilettantismus des Reichskanzlers von Bethmann–Holweg zu finden, der 1914 beim Einmarsch deutscher Truppen in Luxemburg und Belgien erklärte: „Meine Herren, das widerspricht den Geboten des Völkerrechts" ... „Das Unrecht, das wir damit tun ..." (Reichstags-

Eine Einschränkung minder gewichtiger Art hat sich aus den Darstellungen militärischer Krisen und ihrer Überwindung ergeben. Daß es solche gab, wird man so wenig bezweifeln, wie daß sie für die Eroberung Galliens nur ephemere Bedeutung hatten, mit Ausnahme des gesamtgallischen Aufstandes vom Jahr 52 unter Vercingetorix. Wie schon früher gezeigt, ist gerade die Darstellung dieser turbulenten Geschehensfolge stark durch gemischte Gattungsmerkmale gekennzeichnet[8], was bedeutet, daß ihre einzelnen Abschnitte nicht gleichen Wert für die historische Rekonstruktion der Ereignisse besitzen. Trotzdem bietet dieses Buch eine völlig ausreichende Grundlage, um die bedeutende Gestalt des Vercingetorix in ihrem Wollen und Vermögen gerecht zu beurteilen.[9] Damit ist zugleich Caesars eigene Feldherrnleistung — unabhängig vom Tenor seiner Erzählung — objektiv bestimmbar, auch wenn man dort, wo sie sich zu dramatischer Geste erhebt, die Einzelheiten mit vorsichtiger Zurückhaltung zur Kenntnis nehmen wird.

Vercingetorix ist aber ein relativ einfacher Fall. Caesar durfte die Bezwingung des dynamischen jungen Gallierführers mit berechtigtem Stolz als seine größte militärische Leistung in Gallien betrachten, und nichts am Verhalten seines Gegners konnte ihn zu einer abwertenden Zeichnung veranlassen. Ihm gegenüber ist er nur Feldherr und Taktiker ohne persönliches Ressentiment. Anders liegen die Dinge im Falle des Verrates der Häduer, der in jüngster Zeit eine lebhafte wissenschaftliche Debatte ausgelöst hat.[10] Caesar stellt ihn mit spürbarer Empörung dar[11], handelt es sich doch um denjenigen Stamm, auf dessen Loyalität er vom ersten Jahr an gebaut hat und der als Kristallisationsbereich der römischen Herrschaft

---

rede vom 4. August 1914). — Den Textnachweis verdanke ich der Freundlichkeit von Dr. K. Möckl, München.

[8] S. oben S. 124ff., 134ff. und unten S. 156.

[9] Bezeichnenderweise gibt es in der Forschung darüber keine Differenzen von Gewicht. Man vergleiche etwa die Beurteilung des Vercingetorix bei C. Jullian, Vercingetorix ([5]1911; Nachdr. 1963); ders., Hist. de la Gaule III (1920) 534f.; M. Gelzer, RE VIII A (1955) 981f.; A. Heuß, Röm. Gesch. 262f.; H. Bengtson, Grundriß der röm. Gesch. I (1967) 216f.

[10] Einen energischen Versuch, Caesars Urteil über die Politik der Häduer im J. 52 zu widerlegen, hat E. Thévenot unternommen: Les Éduens n'ont pas trahi. Essai sur les relations entre les Éduens et César au cours de la guerre des Gaules et particulièrement au cours de la crise de 52 (Coll. Latomus L, 1960; vorweggenommen in einer Artikelreihe im Latomus 19, 1960). Die zahlreichen Besprechungen des Buches (s. J. Kroymann, Bibl. S. 472) reagieren auf die Hauptthese des Buches ganz verschieden; zustimmend M. Rambaud, REL 39, 1961, 394f. (vgl. schon Déformation 312ff.); H. H. Scullard, Cl. Rev. 12, 1962, 177f.; kritisch bis ablehnend E. W. Marsden, J. R. St. 51, 1961, 230f.; H. Volkmann, Gymn. 70, 1963, 158f.; H. T. Wallinga, Mnem. 17, 1964, 201, u. a. — Der Hauptwert des Buches liegt in seinen Fortschritten auf dem Gebiet der Caesar-Topographie für das Jahr 52.

[11] Er selbst nennt seine erste affektive Reaktion *magna sollicitudo* (40,1). Den Verrat der Häduer und ihrer Adeligen empfindet er vor allem als Akt der Undankbarkeit; daher die häufige Erwähnung seiner *merita* gegen sie (33,1; 37,1; 40,1; 41,1; 54,3), zu denen schließlich auch seine eher erzwungene Nachgiebigkeit bei der (verlogenen, s. 43,3) ersten *purgatio* gerechnet werden soll (43,4); dazu kommt der Vorwurf des Opportunismus (37,1; 42,2; 55,4). Entsprechend lebhaft ist seine Schadenfreude über die angeblich zähneknirschend hingenommene Unterwerfung der Häduer unter das Kommando des Vercingetorix (63,8f.). Ob die Rolle des Eporedorix und Viridomarus in Kap. 55,4 zutreffend gezeichnet ist, hat schon F. Münzer (RE VI 250f.) angezweifelt.

über Gallien einen unschätzbaren Wert besaß. Doch Caesar argumentiert in diesem Falle nicht politisch; er wertet moralisch. Er fühlt sich ausgenutzt und hintergangen; sein Vertrauen ist enttäuscht, seine *beneficia* sind verschwendet. Es liegt in der Natur der Sache, daß er den Abfall der Häduer — an dem objektiv weder Thévenot noch seine Parteigänger zweifeln — nicht aus psychologischen oder strategischen Faktoren zu würdigen vermag, sondern schlicht als *perfidia* verurteilt.[12] Daß der Parteiwechsel der Häduer zugleich den größten politischen Erfolg des Vercingetorix darstellt, dem es damals — freilich zu spät — gelang, die seit jeher zerstrittenen Gallierstämme zu einer gemeinsamen Widerstandfront zusammenzuführen, ist eine Feststellung, die wir nicht von Caesar, sondern nur von unbeteiligten Historikern erwarten können.[13] Für Caesar bedeutete er zunächst den Zusammenbruch einer fast sieben Jahre lang verfolgten Politik, und es ist schwer denkbar, daß dieser nicht mehr als die Folge politischen Abenteurertums aufseiten einiger häduischen Adeligen gewesen sei. Die historische Erfahrung läßt vermuten, daß er auf einer falschen Behandlung des Stammes[14] und einer Fehleinschätzung der Verhältnisse in ihm durch Caesar beruhte. Aber es bleibt für uns — und gewiß schon für die zeitgenössischen Leser, sofern sie die Frage überhaupt stellten — undurchsichtig, ob Caesar selbst sich mit derartigen selbstkritischen Überlegungen aufgehalten hat; sie zu äußern, wäre in jener Zeit fast selbstmörderisch gewesen.

Auf einem anderen Blatt steht die Mitteilung der Aktionen, die durch den Abfall der Häduer ausgelöst wurden. Er hatte Caesar in eine fast ausweglose Notlage versetzt[15], die ihn zur Aufgabe eines schwierigen Belagerungsvorhabens, zur Zersplitterung seiner Streitmacht und zum defensiven Operieren an getrennten Schauplätzen nötigte. War es nun für den Feldherrn eine imponierende Leistung, in die-

---

[12] *perfidia* als Stichwort: 54,2; *infidelis* 59,2; *furor* 42,4; das Urteil wird vor allem durch die Schilderungen in 38,2ff.; 42,5 und 43,3 gestützt. — Ein modernes Gegenstück zum Abfall der Häduer ist der Austritt Italiens aus dem Dreibund im Jahr 1915, der damals und noch lange danach vom deutsch-österreichischen Standpunkt aus als „schmählicher Verrat" gewertet wurde. Die hoffnungslose strategische Situation, in der sich Italien in einem Krieg gegen die britische Seemacht befand, wurde erst aus zeitlichem und gefühlsmäßigem Abstand heraus als zwingender Faktor gewürdigt; ein Vorwurf könnte allenfalls die italienische Vorkriegsdiplomatie treffen, weil sie diese potentielle Situation nicht im voraus bedacht und deshalb eine strikte Neutralitätspolitik angestrebt hat.

[13] So M. Gelzer, RE VIII A 994 „Der Umschwung bei den Häduern bezeichnet den größten Erfolg des Siegers von Gergovia." Vgl. auch Jullian, Verc. 312; Rice Holmes, Caesar's Conquest of Gaul (dtsch. von W. Schott), 1913) 228ff.

[14] Dafür spricht u. a. die Reaktion der Häduer auf die Einsetzung des Dumnorix als König (V 6,2).

[15] Caesar spricht dies nur ein einzigesmal in der ihm gewohnten trockenen Form direkt aus: 35,1 *erat in magnis Caesari difficultatibus res*; aber es bezieht sich in Wahrheit nur auf ein taktisches Problem, nicht auf die allgemeine strategische Lage. Die ganze folgende Partie bis zur Schlacht von Alesia (69ff.) enthält keine vergleichbare Äußerung, nur einige Hinweise von der Art wie 40,2 (*res posita in celeritate videbatur*); 43,5 (*maiorem Galliae motum expectans*) oder 45,9 (*occasionis esse rem, non proelii*). Die aufschlußreichste Andeutung ist wohl der Satz 44,1: *haec cogitanti accidere visa est facultas bene gerendae rei*, weil sie einen vorausgehenden Zweifel am Erfolg voraussetzt. Aber auch diese Äußerungen sind ganz an die jeweilige Einzelsituation gebunden. Die kritische Gesamtlage geht allein, aber ganz unmißverständlich aus dem erzählten Geschehensablauf hervor.

ser verworrenen Situation den Überblick zu behalten, so war es gewiß auch für den
Darsteller nicht leichter, die Ereignisse so zu berichten, daß der Leser sich in ihnen
zurechtzufinden vermag. Gerade dies ist ihm in einer erstaunlichen Weise gelungen,
und zwar nicht weil, sondern obwohl sein Bericht sich in variierenden stilistischen
Formen bewegt.[16] Die Mittelpartie des Buches bewältigt einen der komplexesten
Kriegsabläufe in einer Weise, die zwar nicht die Rekonstruktion eines Kriegstagebuches erlaubt — antike Kriegsgeschichte gibt dies auch in keinem anderen Falle
her —, wohl aber die Abfolge der Phasen und Handlungsschritte einschließlich ihrer
Zusammenhänge vollkommen durchsichtig macht, auch dort, wo sie aus psychologischen Gründen taktvoll behandelt sind, wie beim mißlungenen Sturm auf Gergovia. Darin hat Caesar in der gesamten lateinischen Literatur kein Ebenbild; bei
den Griechen steht Thukydides ziemlich einsam neben ihm, wenn auch sein Ziel
ein anderes ist. Die Verbindung von Sachverstand, Auturgie und darstellerischer
Sicherheit bewirken einen für antike Begriffe kaum zu übertreffenden Grad an
sachlicher Zuverlässigkeit in allem, was die Taktik betrifft, und dies gilt — von
wenigen durchschaubaren Ausnahmen abgesehen — für beide Kriegsberichte gleichermaßen; es genügt, für das BC auf die Kampfverläufe in Spanien und Epirus
hinzuweisen. Der Historiker könnte sich bessere Unterlagen kaum wünschen.

Ein bekanntes Problem stellen bei den meisten antiken Kriegsberichten die Zahlen von gegnerischen Heeren, besonders von Feindtoten und -Verwundeten dar.
Einiges war dazu bereits im Zusammenhang mit dem Helvetierkrieg zu sagen.[17]
Das Problem ist so alt wie die antike Geschichtsschreibung; schon Herodots Angaben über die Perserheere und ihre Verluste beruhen nicht auf verläßlichen Unterlagen, sondern auf Phantasievorstellungen[18], die nicht nur von der Schwierigkeit
der Beschaffung exakter Materialien, sondern auch von mangelnder realistischer
Vorstellung über die Sache Zeugnis ablegen. Beide Faktoren scheiden bei Caesar
von vornherein aus. Soweit er es wollte, hatte er die Möglichkeit, genaue oder
doch annähernd genaue Informationen zu liefern. Umso auffälliger ist es, daß er
in den meisten Fällen — sogar nach großen Entscheidungsschlachten — darauf verzichtet, die Verluste der Gegner zu präzisieren oder abzuschätzen, und sich mit
allgemeinsten Formeln wie *multi, magnus numerus, complures* begnügt, um eine
ungefähre Vorstellung von der Gewichtigkeit eines Sieges zu vermitteln.[19] Selbst

---

[16] Neben reinem Sachbericht (z. B. 42—43; 45; 56—58 u.a.) stehen mit Einzelheiten ange-
reicherte Erzählungen (50; 57), eine dramatisierte Szene (38), eine Feldherrnrede (52).
Freilich bleibt der „Berichtstil" auch hier dominierend und verbindend; der Genus-Charak-
ter wird aufgelockert, aber nicht verlassen.

[17] S. oben S. 114.

[18] Zu Herodots Angaben über das Perserheer des Xerxes s. H. Bengtson, Griech. Gesch.
²163f. (mit älterer Lit.); ebd. 171 A. 2 (Herodot über Plataiai); 157 A. 4 (Justin 2,9 [= Tro-
gus Pompeius] über Marathon); 236 (Thuk. 7,75,5 über das Ende der sizilischen Expedition).
Zu Ephoros s. E. Schwartz, RE VI 13. Die exorbitanten Zahlen des Valerius Antias wurden schon von Livius angeprangert (O. Hirschfeld, Kl. Schr. 291; H. Volkmann, RE VIII
A 2323). Daß Caesar nicht in diese Reihe gehört, steht für die Forschung fest; seine Voraussetzungen für die Fixierung von Zahlen waren auch ungleich günstiger als die der meisten Geschichtsschreiber.

[19] S. die tabellarische Übersicht im Exkurs, S. 165f.

da, wo man eine „Bilanz" am ehesten erwarten möchte, nämlich nach der Schlacht von Alesia, spricht er nur beiläufig von der „großen Zahl" der gefallenen und gefangenen Gallier, obwohl sich wenigstens die Zahl der letzteren aus der Beuteliste, die üblicherweise aufzustellen war[20], hätte ermitteln lassen. Dabei läßt sich beobachten, daß sein Bedürfnis, konkrete Zahlen zu nennen, mit dem Fortschritt des Werkes deutlich abnimmt. Nach Buch III begegnet eine numerische Angabe über Feindverluste im Kampf nur ein einziges Mal, und zwar in der Weise, daß berichtet wird, wieviele Kämpfer aus einem ad hoc zusammengestellten Elitekorps des Vercingetorix zu diesem wohlbehalten zurückgekommen sind (VII 28,5); die Verlusthöhe ist also durch Subtraktion zu ermitteln, wobei offenbleibt, wieviele der verlorenen Krieger tot oder verwundet oder etwa auch desertiert waren. Die Verlustquote ist hier mit 87,5% allerdings ungewöhnlich hoch; eine noch höhere findet sich nur in II 28,2 (98,75%!), wobei die Art des Ausscheidens der gallischen Kämpfer wiederum ungeklärt bleibt. Sieht man von diesen beiden Fällen ab, dann wekken Caesars Angaben eher den Eindruck großer Vorsicht und Zurückhaltung.[21] Schwer zu sagen, ob er Verluststatistiken gegenüber zunehmende Skepsis hegte oder in späteren Jahren überhaupt noch Aufzeichnungen darüber herstellen ließ. Diejenigen des zweiten und dritten Kriegsjahres sind in ihrem Wert jedenfalls zweifelhaft[22], die des ersten eindeutig falsch. Wesentlich ist jedoch die offenkundig geringe Bedeutung, die Caesar solchen Angaben beimißt; man darf sie sicher nicht gewichtiger nehmen, als er selbst sie nahm.

Sehr selten spricht er von eigenen Verlusten. Zahlen nennt er dafür nur zweimal, und zwar dort, wo der Ungehorsam der ihm unterstellten Unterführer oder der Truppe Verluste verschuldet hat. Sonst vermeidet er Angaben darüber aufs peinlichste, was man psychologisch wohl verstehen kann. Die eigenen Opfer will er den römischen Lesern nicht ins Bewußtsein rufen, obschon sie nicht unbedeu-

---

[20] Eine Spur davon findet sich ganz vereinzelt in II 33,7 (Verkauf der Kriegsgefangenen).

[21] Im Gegensatz zu einem gewissen Mißtrauen, das Rice Holmes, a.O. 202f., bekundet, ist auch Rambaud (Déformation 179ff.) geneigt, die Zahlen Caesars im ganzen für zuverlässig zu halten, mehr sogar als M. Gelzer, Kl. Schr. II 313f. (WdF XLIII 446).

[22] II 28,2 beruht auf Angaben von Abgesandten der geschlagenen Nervier, die daran interessiert waren, ihre totale Ungefährlichkeit zu demonstrieren. — III 6,2 geht auf einen Gefechtsbericht Galbas zurück, der aus seinem schließlich gelungenen Ausbruch aus feindlicher Umklammerung einen respektablen Sieg zu machen bemüht sein mußte; wie er jedoch in seiner besonderen Lage überhaupt zu einer Abschätzung der Feindverluste fähig sein konnte, ist so unerfindlich wie sein Erfolg gegen eine angeblich 7—8-fache Übermacht. — III 16,6 stammt aus dem Gefechtsbericht des Crassus; die Angabe, daß bei der tief in die Nacht reichenden Verfolgung der Feinde durch die Kavallerie nur ein Viertel „übriggeblieben" sei (*relicta*), ist schon in Anbetracht der Tageszeit fraglich und sicher eine willkürliche Übertreibung. Dagegen ist in II 33,7 die Zahl 4000 eine geschätzte Obergrenze, die im Bereich des Möglichen liegt. — Bei allen Fragen dieser Art sollte man bedenken, daß Zahlen von Feindverlusten auch in modernen Gefechts- und Heeresberichten oft kraß übertrieben sind. Im letzten Vietnam-Krieg wären nach den Erfolgsmeldungen der Amerikaner die Kräfte Nordvietnams spätestens 1972 erschöpft gewesen. Im zweiten Weltkrieg habe ich selbst Doppel- und Dreifachzählungen der Feindverluste vor demselben Gefechtsabschnitt beobachten können.

tend gewesen sein können. Wenn er allerdings behauptet, die Vernichtung zweier Germanenstämme von zusammen 430000 Menschen habe außer ein paar (*perpauci*) Verwundeten keinerlei Opfer gekostet (IV 15,3), so fällt es bei beiden Größenwerten schwer, ihm Glauben zu schenken; der letztere würde zudem das Gegenteil von dem bedeuten, was VI 24,4ff. über die *virtus* der Germanen gesagt wird.

Weit größeres Interesse als die Verlustzahlen verdienen zwei Heerbann-Statistiken, die Caesar im BG übermittelt. Die erste (II 4,5—10) führt die Kontingente auf, die den koaliierenden Belgierstämmen am Anfang des zweiten Kriegsjahres zur Verfügung standen. Sie sind zwar auf Tausende — bei größeren Stämmen auf Zehntausende — abgerundet, innerhalb dieser Vereinfachung aber ziemlich genau differenziert; ihre Summe beträgt 268000 Wehrfähige, zu denen noch 40000 zugezogene und verbündete Germanen kommen. Die hier zusammengestellten Zahlen stammen aus glaubwürdiger Quelle, nämlich von jenen Remern, die Caesar über die Lage bei den Belgern informierten (4,4) und offensichtlich authentische Unterlagen mitbrachten. Ihre Heerbann-Liste ermöglicht einigermaßen sichere Schlüsse auf die Bevölkerungszahl und -dichte im Norden Galliens; nach einem leidlich zuverlässigen Schlüssel[23] führen sie zu einer Volksstärke von rund 1,3 Millionen, was einer Bevölkerungsdichte von etwas weniger als 50 Einwohnern je km² entspricht — eine Zahl, die durchaus im Bereich des Möglichen liegt, also Glauben verdient.[24]

Daneben ist die Statistik über die von Vercingetorix im siebten Kriegsjahr, also nach vielen Kampfverlusten der Vorjahre, angeforderten Kontingente der vereinigten gallischen Streitmacht (VII 75) von besonderem Interesse. Ihre Summe ergibt 276000 Mann, nur unwesentlich mehr als die Stammrollensumme der weit kleineren belgischen Koalition von 57.[25] Dies erklärt sich leicht aus dem Vermerk am Beginn der Liste, daß es sich um ein Teilaufgebot handelt, weil ein Gesamtaufgebot weder geführt noch verpflegt werden könnte (75,1). Daß hier „amtliche" Zahlen nach einer authentischen Unterlage vorliegen, scheint unbezweifelbar zu sein; die einzige Frage ist die nach dem Weg, auf dem sie Caesar zugekommen sein können. Zwei naheliegende Gelegenheiten bieten sich an: die Vernehmung des Vercingetorix, die nach seiner Auslieferung (89,4) ohne Zweifel in aller Ausführlichkeit stattgefunden hat, und die Verhandlungen, die Caesar nach dem Sieg

---

[23] Bei einem Wehrfähigkeits-Spatium von 18 bis 45 Jahren darf man die männliche Bevölkerung unter 18 Jahren etwas niedriger als die Wehrfähigen, diejenige über 45 Jahre etwas höher als die Hälfte von jenen ansetzen. Dies ergibt einen Schätzwert von rund 670000 männlichen Personen. Die Zahl der weiblichen Personen dürfte bei der anzunehmenden hohen Kindbett-Sterblichkeit in Friedenszeiten spürbar niedriger liegen, also höchstens bei 640000.

[24] L. Pareti, Athen. 22/3, 1944/5, 63ff., errechnet aufgrund eines niedriger angesetzten Anteils der Bewaffneten eine Gesamtbevölkerungsstärke von 2,85 Millionen, die ebenfalls nicht aus dem Rahmen des Möglichen fällt. Zu weit niedrigeren Ansätzen gelangt J. Harmand, Les Celtes au Second age du Fer (1970) 62. Caesars Zahlen sind also auf keinen Fall übertrieben.

[25] Die tatsächliche Kampfstärke unter Vercingetorix betrug sogar nur 268000 Mann, da die Bellovaker statt 10000 nur 2000 Krieger in das gemeinsame Heer abzustellen bereit waren (75,5). Für die Bevölkerungsberechnung ist diese Notiz an sich belanglos; sie stützt aber die Glaubwürdigkeit der gesamten Liste.

von Alesia und der Reetablierung der römischen Oberhoheit[26] über die Häduer mit diesen und den Vertretern der Arverner geführt hat (90,1f.).[27]

In beiden Fällen verdanken wir also Caesar unverdächtige und höchst wertvolle Materialien zur Demographie und militärischen Organisation Galliens. Aber sie sind natürlich bei weitem nicht die einzigen Informationen, die das BG über das eroberte Land und seine Völker zu bieten hat. Weit über die militärischen Begegnungen hinaus enthält das Werk eine bisher kaum ausgeschöpfte Fülle von Aussagen zur frühen Geschichte und Verfassung Galliens, durch die nicht nur der Ertrag der archäologischen Forschung mit lebendigem Inhalt aufgefüllt wird, sondern diese selbst erst angeregt worden ist. Es fällt auf, daß dieser Aspekt in der Caesar-Literatur bis in die neueste Zeit kaum hervorgehoben wird[28]; in der Praxis stützen sich jedoch seit langem alle Erforscher der gallischen Frühgeschichte auf das, was Caesar im BG mitteilt oder andeutet. Die geographisch-ethnographischen Exkurse nehmen seit langem das Interesse der Forscher in Anspruch; eine systematische Wertung und Auswertung der teilweise verstreuten, ja versteckten Einzelmitteilungen auf diesem Gebiet verdanken wir vor allem den Forschungen von Jacques Harmand, der wohl als erster den Versuch unternahm, das gesamte BG auf seine Ergiebigkeit für die historische Gallien-Forschung zu testen.[29]

Der sachliche Gewinn für unsere Kenntnis der Verhältnisse in Gallien steht hier nicht zur Rede; die grundsätzlichen Erkenntnisse über den Quellenwert des BG sind weit positiver, als bisher angenommen worden ist, und verdienen hier wenigstens andeutungsweise zusammengefaßt zu werden.[30]

[26] Dies besagt der unübertroffen knappe und trocken sachliche Ausdruck *civitatem recepit* (90,1). Dieselbe Formel gebraucht Liv. 2,39,3 *inde Lavinium recepit* (*Cn. Marcius Coriolanus*); vgl. 21,67,7 (*Scipio*) *Ilergetes pecunia etiam multatos in ius dicionemque recepit* (sie waren zuvor abgefallen!). Auch bei Caesar muß also nicht an eine Begnadigung gedacht werden; sein Schweigen über die Modalitäten der *receptio* wirkt eher grimmig verschlossen.

[27] Etwas anders Gelzer, Kl. Schr. II 325 (WdF XLIII 460) („Unterlagen seines Hauptquartiers"; „... es gehörte gewiß zum ersten bei der Bestandsaufnahme der neuen Provinz, daß er sich über die Wehrkraft der großen und kleinen Volksgemeinden unterrichtete"). Für die hier angenommene Absicht konnten die Kontingentzahlen des Vercingetorix nach dem Zusammenbruch der gallischen Koalitionsarmee natürlich nicht mehr aussagekräftig sein. – Die von Gelzer (nach Napoleon I.) wieder aufgeworfene Frage, ob die genannten Kontingente tatsächlich in dieser Stärke angetreten sind, ist in unserem Zusammenhang ohne Bedeutung; Caesar selbst hätte sie nicht beantworten können.

[28] So fehlt er nicht nur in den Einleitungen zum Kommentar von Kraner–Meusel und zur Budé-Ausgabe von L. A. Constans (1926), sondern auch in den Würdigungen des Werkes in den maßgeblichen Literaturgeschichten. Selbst der mehrfach zitierte Beitrag von M. Gelzer, der Caesar als Historiker zur würdigen unternimmt, geht darauf nicht ein.

[29] Harmands grundlegende Untersuchung ist der umfangreiche Aufsatz: Une composante scientifique du Corpus Caesarianum: Le portrait de la Gaule dans le De Bello Gallico I–VII, ANRW I 3 (1973) 523–595. Vgl. aber auch sein Buch Les Celtes (1970) 55; 113f.; 126. – Der Aufsatz beschränkt sich auf zwei Hauptthemen: die Geschichte Galliens vor dem Feldzug Caesars und die politischen Verhältnisse in den gallischen *civitates* zur Zeit Caesars. Die grundsätzlichen Ergebnisse bezüglich des Quellenwertes des BG gelten jedoch ganz allgemein.

[30] Zusammenfassung nach Le portrait ... 557ff. und 591ff.

Caesars Werk kann seinem Wesen nach nicht alle Fragen der Geschichtsforschung zur Frühgeschichte Galliens beantworten; aber es bietet für viele Probleme eine erhebliche Anzahl wertvoller Informationen. Dies gilt in hohem Maß für das Alltagsleben der Bevölkerung, insbesondere aber für den Bereich der Politik und der Verwaltung; die letztere stellt sich uns bei genauer Auswertung Caesars bedeutend komplizierter und „moderner" dar als bisher. Caesar ist aber auch für die vorausliegende Geschichte Galliens eine wichtige und vertrauenswürdige Quelle, freilich für bestimmte Regionen (besonders den Norden) mehr als für andere (namentlich Aquitanien). Seine Angaben stehen zum Teil in engem Zusammenhang mit dem Kriegsgeschehen, aber keineswegs immer; viele haben einen „durchaus autonomen Informationscharakter" und verraten ein echtes wissenschaftliches Interesse (z. B. die Mitteilungen über die Herkunft der Belger sowie über die *Parisii* und *Senones*); auch wo es sich nur um isoliert eingestreute Bemerkungen handelt, zeigen sie ein Höchstmaß an Präzision des Konstatierens und Formulierens. Stets tragen sie einen strikten Rationalismus zur Schau, der Beeinflussungen durch emotionale Regungen oder die landläufigen *barbari*-Klischees ausschließt.

Dem stehen verständliche Mängel und Einseitigkeiten gegenüber. Zu ihnen zählt der Vorrang des Interesses für die Verhältnisse der Häduer gegenüber anderen Stämmen, insbesondere denen des Südwestens, den Caesar nie betreten hat und der folglich außerhalb seines Gesichtskreises geblieben ist; die unzulängliche Behandlung der politischen Funktion der Druiden; die fehlende Klarstellung des Begriffs *pagus*; das starke Zurücktreten oder Fehlen des wirtschaftlichen und zivilisatorischen Aspekts und anderes mehr; doch handelt es sich dabei überwiegend um Desiderate, die sich ganz von selbst aus der speziellen Zielsetzung des Werkes ergeben. Eine gerechte Beurteilung wird vielmehr anerkennen müssen, daß Caesar, über das, was zum Verständnis der Eroberungsgeschichte nötig war, hinausgehend eine bedeutende Menge Nachrichten bietet, die ein zusätzliches Geschenk darstellen („ont un caractère marqué de gratuité"). Das abschließende Urteil, daß „die Forschung über kein mit dem BG vergleichbares Zeugnis für Gallien oder für eine andere Gegend oder andere Völker des Westens verfügt" (595), kann nicht überraschen, darf aber nunmehr als breit begründet gelten. In der Tat ist die Zahl der historischen Werke des Altertums, von denen sich Ähnliches bezüglich ihres Gegenstandes sagen läßt, nicht allzu groß. Dem BG kommt sonach auch unter diesem Aspekt der Wert eines Quellenwerkes von erstem Rang zu.

Probleme tauchen für den Historiker viel eher dort auf, wo die Politik Caesars sich mit den gallischen Gegebenheiten kreuzt, wo beide aufeinander einwirken, in der Zone, die ich als „Konflikt-Linie" bezeichnen möchte. Dies betrifft unter anderem die „diplomatischen" Kontakte, die zwischen Caesar und gallischen Personen und Gruppen bestanden. Bei allen Fortschritten, die neuerdings von J. Szidat[31] erzielt werden konnten, bleibt vieles im Dunkeln. Auf das Problem der Remer und ihres Verhältnisses zu Caesar im Jahr 57 wurde schon hingewiesen.[32] Welche Realitäten stehen jeweils dahinter, wenn Caesar berichtet, ein Stamm habe

---

[31] S. oben S. 50 Anm. 3.
[32] Oben S. 91.

Unterhändler geschickt, um zu erklären, er wolle seinen Anordnungen gehorchen? Wieweit sind gallische Bitten um eine Intervention des Römers oder Beschwerden über Nachbarn spontan erfolgt? Wieweit waren sie so motiviert, wie Caesar es angibt? Zwar kann am Charakter der allgemeinen politischen Landschaft, wie sie im BG gezeichnet ist, nicht gezweifelt werden; denn ohne den Hintergrund der gallischen *mobilitas* und der vielschichtigen Rivalitäten innerhalb der Stämme und zwischen ihnen hätte sich die Unterwerfung Galliens nicht so abspielen können, wie sie es tat. Aber daß die Konflikte so oft zu einem erwünschten Augenblick an ihn herangetragen wurden und die notwendigen Anlässe zum Eingreifen boten, sieht eher nach geschickter Regie als nach historischem Zufall aus. Das Schweigen Caesars stellt den Beurteiler jedes Einzelfalles auf einen unsicheren Boden. Es ist besonders auffallend, daß Caesar nie die leiseste Andeutung über eine Bestechung ihm wichtiger gallischer Politiker macht: angesichts der sonst wohlbekannten Praxis römischer Außenpolitik eine bedenkenswerte Enthaltsamkeit, auch wenn sie aus mehr als einem Grund verständlich ist.

Es hat also wenig Sinn, das BG über Zusammenhänge solcher Art befragen zu wollen. Was danach bleibt, ist das Bild des tatsächlichen Ablaufs der Eroberung des Landes mit allen den Einzelphasen, wie Caesar sie zeichnet; und hier besteht in keinem einzigen Falle die begründete Vermutung, es seien von ihm Unternehmungen frei erfunden, entscheidende Schritte nicht erwähnt oder ihnen ein anderes Resultat zugeordnet worden, als es der Wirklichkeit entspricht. Im wesentlichen darf dies auch von den Personen auf beiden Seiten gesagt werden. Selbst wenn wir ihre Rolle nicht immer bis ins einzelne erkennen können, so hat ihr Auftreten in Caesars Bericht, wo immer es geschieht, offensichtlich dokumentarischen Wert. Vorsichtiger wird man auch hier bei Schlüssen aus seinem Schweigen sein müssen. Ein Legat, der ständig im Heer Caesars mitgewirkt hat, muß deshalb nicht in jedem Buch erscheinen. Q. Cicero, der seit 54 dauernd in Gallien war[33], sehen wir nur in den Büchern V und VIII agieren; im Buch VII, das die gesamte Armee der Römer im angespanntesten Einsatz zeigt, erfahren wir von keiner einzigen Aktion Ciceros, und wäre er nicht im letzten Kapitel bei der Gruppierung der Besatzungsarmee erwähnt, so könnten wir zweifeln, ob er in diesem Jahr überhaupt noch am Feldzug beteiligt war. Nur wenige Legaten, wie Labienus und Q. Titurius Sabinus, treten fortlaufend von Buch zu Buch in Erscheinung. Andererseits erfahren wir über Ser. Sulpicius Galba, der im Herbst 57 (III 1ff.) eine wenig rühmliche Rolle spielte[34], danach aber nicht mehr erwähnt wird, aus anderen Quellen, daß er tatsächlich im Sommer 55 wieder in Rom gewesen sein muß; denn er ließ sich dort für 54 zum Prätor wählen und spielte auch in den nächsten Jahren eine Rolle in der Innenpolitik.[35] Aller Wahrscheinlichkeit nach gehörte er aber schon 58 als Legat zum Heer Caesars[36], ohne daß er in den

---

[33] M. Gelzer, Caesar 122; F. Münzer, RE VII A 1295. Über seine bevorzugte Behandlung durch Caesar s. Cic. ad Att. 4,19,2.
[34] Vgl. oben S. 134ff.
[35] Münzer, RE IV A 770.
[36] Vgl. Suet. Galba 2,3; Cass. Dio 39,5,7; Hirt. VIII 50,3; Münzer, a.O.

Büchern I und II je genannt wird. Es gab aber im Stab Caesars auch Persönlichkeiten, deren Namen wir im BG überhaupt nicht lesen, obgleich sie teilweise beachtliche Ränge innehatten.[37] Dazu zählt z. B. Caesars juristischer Berater C. Trebatius Testa, über dessen Aufenthalt im Lager Caesars wir nur durch Ciceros Briefwechsel mit Trebatius unterrichtet sind[38], und — weit erstaunlicher noch — seine *praefecti fabrum* L. Cornelius Balbus, der zu seinen treuesten Anhängern zählte[38a], und L. Vitruvius Mamurra, der als Leiter aller technischen Maßnahmen mehr als einmal Anlaß zu rühmender Erwähnung geboten hätte.[39]

Gerne wüßten wir oft auch Genaueres über die Landschaften, in denen Caesar operierte: Wie haben sie ausgesehen? wie waren sie besiedelt und bebaut? was wurde dort produziert? usw. Wieweit lassen sich Lagerplätze, Schlachtorte, Brückenstellen anhand topographischer Angaben noch identifizieren? Auf alle diese Fragen erhalten wir in der Regel von Caesar keine Antwort, und die Ergebnisse, die die ungemein rührige französische Lokalforschung im Laufe der Jahrzehnte erzielen konnte, entsprechen in keiner Weise der aufgewendeten Mühe und Akribie. Wie für die wirtschaftliche Struktur des Landes, so hat Caesar offensichtlich auch für seine Flora und Fauna kein zur Mitteilung drängendes Interesse. Was er angibt, sind die allerdürftigsten Charakterisierungen von Schlachtfeldern, soweit sie uner-

---

[37] Selbstverständlich wird man nicht ohne weiteres erwarten, im BG solchen Finanzmännern (*negotiatores*) wie Q. Lepta und Q. Fufius Cita aus Arpinum zu begegnen, welche Cicero dem Prokonsul in Gallien als Verwalter der eingehenden *vectigalia* vermittelt hat (Cic. ad fam. 7,5,2; Catull 54; Münzer, RE VII 200 (Nr. 2); 202 (Nr. 5); XII 2070f.; E Bickel, Rh. Mus. 93, 1949, 13ff.; J. Rougé, Recherches sur l'organisation du commerce maritime en méditerranée sous l'empire romain [1966] 275). Ihre Namen gehörten allenfalls in eine Verwaltungsgeschichte der gallischen Provinzen; für die Eroberungsgeschichte sind sie unwesentlich. Wenn Fufius gleichwohl erwähnt wird, so nur deshalb, weil er neben anderen römischen Bürgern von den Carnuten ermordet wurde, bei denen er als *negotiator frumentarius* eine für Caesar besonders wichtige Aufgabe zu erfüllen hatte.

[38] Cic. ad fam. 7,5—18, dazu die Erläuterungen bei Tyrell, The Correspondance of M. Tullius C. II (1886), 212ff. und L. A. Constans, Cicéron. Correspondence III (1960) 37ff.; 147ff. Vgl. auch Sonnet, RE VI A 2256f.

[38a] S. unten S. 192.

[39] Nach Plin. nat. 36,48 war Mamurra *praefectus fabrum C. Caesaris in Gallia;* danach war er nicht nur für alle pioniertechnischen und poliorketischen Aufgaben verantwortlich, sondern auch der geniale Konstrukteur der Rheinbrücken; daß er niemand anderer war als Vitruv, der Verfasser des Werkes de architectura, hat erst vor wenigen Jahren P. Thielscher überzeugend aufgezeigt (RE IX A [1961] 427f.; über seine Tätigkeit in Gallien ebd. 433ff.). Eine einschlägige Episode aus der Zeit seines Dienstes unter Caesar berichtet Vitruv selbst (de arch. 2,9,15f.). Dieser Mann gehörte seiner Stellung nach zu den wichtigsten Personen im Stab des Prokonsuls (vgl. Lengle, RE VI A 2443; Kornemann, RE VI 1920); man wird zu der Annahme berechtigt sein, daß der Brückenbaubericht IV 17 auf ihn zurückgeht und wenig oder gar nicht verändert von Caesar übernommen worden ist. Daß er konsequenterweise auch einer der Hauptbeteiligten an der gallischen Beute war, hat möglicherweise Catull zu seinen berüchtigten Haßtiraden gegen ihn motiviert, die den Techniker völlig unglaubwürdigerweise auch zum sexuellen Partner Caesars machen wollen. Man mag erwägen, ob seine Erwähnung im BG angesichts der Verleumdungen durch Catull opportun gewesen wäre; jedenfalls ist er weder bei Caesar noch bei dem in Sittenfragen penibleren Octavianus-Augustus jemals in Ungnade gefallen; der letztere hat ihn bis ins hohe Alter als Architekten und Hydrotechniker beschäftigen lassen (de arch. 1 pr. 2).

läßlich sind, um den Ablauf eines Kampfes verständlich zu machen, und sie bewegen sich in ständig wiederkehrenden allgemeinen Formeln, meist nur in einem einzigen Satz, etwa in der Art wie *planities erat magna et in ea tumulus terrenus satis grandis*[40]; nicht selten genügt zur Zeichnung der Örtlichkeit auch nur ein Satzteil innerhalb einer operativen Aussage; z. B. *(Caesar naves) in litore molli atque aperto deligatas ad ancoras relinquebat.*[41] Manche Interpreten rühmen Caesars Anschaulichkeit in der Gestaltung des örtlichen Milieus und weisen dabei gerne auf BG II 18 hin[42]; dies ist aber eine Ausnahme, der man allenfalls die Topographie von Gergovia (VII 46,1−3) und von Alesia (VII 69,1−4) zur Seite stellen kann. Aber selbst diese letztere ist so allgemein gehalten, daß sich die geschilderte Landschaft überall und nirgends finden läßt. In Wahrheit haben Caesar Örtlichkeiten keinerlei individuelles Gepräge.[43] Es ist gewiß kein Zufall, daß die lokale Bestimmung der Schlacht von Alesia, der entscheidenden Kampfhandlung des BG, so schwere Probleme aufgibt, daß es bis heute nicht gelungen ist, über sie einen Consensus herbeizuführen.[44]

Ganz anders verhält es sich bei vielen taktischen Einzelangaben. Sie sind bei Caesar nicht selten von einer bis ins Pedantische gehenden Genauigkeit. Wir erfahren nicht nur Tatsachen über Marschformationen, Frontgliederungen, taktische Anlage von Schlachten, Reaktionen auf Angriffe, Durchbrüche und Umgehungsmanöver des Gegners, sondern auch die Dispositionen, die Caesar mit seinen Truppenteilen trifft, bis zur Nennung der Legionsziffern, der Kommandeurnamen, der Stärke detachierter Teilkontingente u. dgl. mehr. Darüber hinaus spricht Caesar

---

[40] I 43,1; weitere Stellen dieses Typus: BG II 9,1; III 1,5; 14,9; 19,1; IV 23,3; VII 19,1; 36,5. Ähnlich im BG: 1,43,1; 45,4; 65,3; 68,2; 2,34,1; 3,19,1; 43,1; 97,4. Vgl. auch oben S. 146.
[41] II 9,1; weitere vergleichbare Stellen: V 9,3; 19,1; 21,2; 52,1. Ähnlich im BC: 1,68,2; 3,37,2; 42,1; 49; 75,4; 88,6; 97,4.
[42] H. Oppermann, Caesar (1933) 43.
[43] So zutreffend Oppermann, a.O. 51.
[44] Alesia ist einer der umstrittensten Gegenstände der Caesar-Forschung. Kroymanns bibliographischer Überblick (a.O. 474f.) weist 36 Arbeiten darüber nach; die Diskussion ist eine nahezu rein französische Angelegenheit und dadurch charakterisiert, daß ein Teil der damit befaßten Forscher (G. Colomb, A. Nochet, J. Harmand und vor allem E. De Saint-Denis) sich immer neu zu Worte melden. Die Mehrzahl setzt sich seit langem (so schon 1906 G. Veith, Gesch. der Feldzüge C. Julius Caesars 190ff.) für Alise-Ste. Reine auf dem Mont Auxois (ca. 40 km nw. Dijon) ein, wo das bekannte Vercingetorix-Denkmal steht. Hauptkonkurrent dieses Ortes ist Alaise-Saraz im Gebiet des Doubs (G. Colomb, La Bataille d' Alésia [1950]; vgl. F. Miltner, Gnomon 23, 1951, 210f.). Eine zusammenfassende Würdigung der Argumente beider Seiten gibt E. De Saint-Denis, Les ét. class. 37, 1969, 285ff.; er selbst tritt − sicher mit Recht − für die Höhen des Mont-Auxois als Schlachtort ein; sie haben den Vorteil, daß sich auf ihnen eine keltisch-römische Stadt befindet, die zu einem Teil ausgegraben ist (s. J. Joly, Guide des sièges d'Alésia [1966]; die erhaltenen Reste stammen allerdings vorwiegend aus dem 2. Jh. n.Chr.), während in Alaise-Saraz bis jetzt eine Keltensiedlung nicht nachgewiesen werden konnte. Das Gelände dort scheint jedoch kaum weniger gut auf Caesars topographische Angaben zu passen (VII 69). Mit geringerer Aussicht auf Erfolg hat man neuerdings das *oppidum Cornu* (50 km nördl. Genf) in Betracht gezogen (R. Potier, Un nouveau site pour Alésia. L'information historique 30, 1968, 79ff.; 129ff.; dazu P. Grillon, ebd. 216ff.; L. Richard, ebd. 218ff,; R. Pera Maia 26, 1974, 153). Das Problem ist jedenfalls noch nicht ad acta gelegt.

oft über Versorgungsmaßnahmen für seine Truppe, nicht ganz so häufig über die Zeitplanung seiner Operationen und — für uns oft besonders interessant — über die technischen Mittel, die er einsetzt. Der Bau der Rheinbrücke (IV 17f.) ist nur eines von vielen Beispielen, wenn auch das bedeutendste; es gibt eine Reihe anderer, aus denen wir ganz detaillierte Einblicke in die Technik der Feldbefestigung und des Stellungskrieges erhalten, die Caesar bekanntlich stark fortentwickelt hat. Paradebeispiele sind die Grabenanlagen an der Aisne (II 5ff.) und bei Alesia (VII 73).[45] So ist es nur natürlich, daß die *commentarii* die klassischen Quellenschriften, ja Lehrbücher der römischen Kriegstaktik und Kriegstechnik der ausgehenden Republik geworden sind. Das bekannte Standardwerk von Kromayer—Veith (s. Anm. 45) ist ein anschauliches Zeugnis dafür, wie unersetzlich diese Bücher für unsere Kenntnis römischen Heer- und Kriegswesen sind.[46] Als militärischer Schriftsteller sah Caesar unzweifelhaft hier sein eigentliches Sachinteresse und seine vorrangige Sachkompetenz, und auf keinem Gebiet darf er auch vom modernen Leser so unbegrenzt als Autorität betrachtet werden.

Sonach ist der Quellenwert des BG zwar in mancher Hinsicht begrenzt, jedoch innerhalb der gegebenen Grenzen von einem Gewicht, das es nach wie vor als das erstrangige Zeugnis für die dargestellten Geschehnisse und ihr politisches Milieu qualifiziert. Jede historische Forschung in diesem Bericht hat von ihm auszugehen und wird wieder zu ihm zurückkehren.

---

[45] Zu ihnen und ganz allgemein zu Caesars Defensiv-Technik s. Napoléon III, Hist. de Jules César 316ff.; Kromayer—Veith, Heerwesen und Kriegführung der Griechen und Römer (1927) 441ff.
[46] Der Abschnitt S. 384—469 ist weitgehend auf Caesar aufgebaut.

Exkurs. Tabellarische Übersicht: Numerische und nicht-numerische
Angaben des BG über Feindverluste und eigene Verluste

Stelle	Feind-stärke	Feindverluste (Zahlen)			Feindverluste in allgem. Ausdrücken	Römische Verluste
		getötet	verwund.	gef.		
I 29,2f.	368000[a]	558000[a]				
53,2f.	12000[b]				reliqui omnes (außer perpauci)	
II 28,2	40000	39500				
33,5.7	57000[a]	4000		53000[a]		
III 6,2	30000	12000				
26,6	50000	37500				
IV 12,3	800					74
15,3	430000[a]				magnus numerus	0 (verw. perpauci)
34,3					complures	
37,4					magnus numerus	
V 17,4					magnus numerus	
21,6					multi	
34,2					magnus numerus	
43,5					maximus numerus	(dies gravissimus)
49,1–51,4	60000				magnus numerus	
VI 8,7					tot: magnus numerus gef.: complures	
39,8						militum pars
VII 13,1f.					multi	
16						(magno incommodo)
21,2/28,5	10000 40000[ac]	9200				
51,4						700
62,7.9					interfecti omnes	
67,5					complures	
70,7					multi	
83,1	268000[d]				magno cum detrimento	
88,7					tot: magnus numerus gef.: magnus numerus[e]	

[a] Zahl der Gesamtbevölkerung   [b] Angabe nach I 48,5.
[c] Ob das Elitekorps des Vercingetorix (10000 Mann) darin eingeschlossen ist, geht aus dem Text nicht hervor.   [d] Angabe nach VII 75.
[e] Die allgemeine Angabe wird durch zwei weitere Aussagen partiell ergänzt: 1. Jeder Mann des Caesarischen Heeres erhielt aus der Gefangenenmasse einen Gallier praedae nomine (89,5). 2. Den Häduern und Arvernern werden 20000 Gefangene zurückgegeben (90,3). Caesars 10 Legionen hatten nach den schweren Kämpfen natürlich nicht mehr volle Kriegsstärke (je 6000 Mann), sind also höchstens mit 45000 − 50000 Mann zu veranschlagen. Die Gesamtzahl der Gefangenen muß danach gleichwohl 70000 bei weitem überschritten haben; auch dies verträgt sich gut mit der Summe der Zahlen von VII 75.

V. Die Sonderart des *Bellum Civile*

Es gehört zu den Besonderheiten dieser zweiten erhaltenen Schrift Caesars, daß sie in der Wissenschaft und im allgemeinen Bewußtsein der Literaturkenner eine unvergleichlich bescheidenere Rolle spielt als das BG. Man bruacht nur auf ihre vergleichsweise stiefmütterliche Behandlung in den gängigen Literaturgeschichten zu blicken, auf die viel bescheidenere Zahl gelehrter Abhandlungen, die ihr gewidmet sind, gemessen an der unübersehbaren Menge von Spezialarbeiten über das BG; das BC hat weniger Ausgaben, weniger Kommentare erhalten; nie ist es zur Schullektüre erhoben (oder, wenn man will, degradiert) worden, obgleich die in ihm berichteten Vorgänge selbst vielfach weit fesselnder sind als die Eroberung Galliens mit ihrem Einerlei von Unterwerfungen, Rückschlägen und Kleinkriegen. Fast könnte man den Eindruck gewinnen, es handle sich um ein Parergon geringerer sachlicher Bedeutung oder minderer literarischer Qualität.[1]

Keines der beiden Kriterien ist in Wahrheit gegeben. Der Stoff des Werkes ist nichts Geringeres als die folgenreichste Umwälzung, die der römische Staat erlitten hat, eine irreversible Revolution, die der längst in Agonie liegenden republikanischen Verfassung das Lebenslicht ausgeblasen hat und nach der alle Welt, vor allem die Römer selbst, erkennen mußte, daß das Reich künftig nur noch von e i n e m Mann — wer immer dies sei — würde regiert werden, aber auch, daß in dieser Entscheidung zugleich der Weg zu einer Versöhnung der zerstrittenen Bürger liegen konnte — Caesar selbst hat dies in Rom und in Spanien sogleich im ersten Bürgerkriegsjahr demonstrativ vorgeführt.[2] Die Darstellung dieser Ereignisse ist nicht nur ungleich wechselvoller in dem, was geschieht, reicher an Schauplätzen — sie reichen

---

[1] Die riesige Zahl von BC-Handschriften, die wir heute kennen — V. B r o w n, The Textual Transmission of Caesar's Civil War [Leiden 1972] 44ff. weist über die 8 den heutigen Ausgaben zugrundegelegten hinaus 168 *Recentiores* nach, z. T. noch unkollationierte — darf nicht täuschen: nur eine von ihnen geht auf das 12. Jh., eine auf das 13., 6 auf das 14., alle übrigen auf das 15.—16. Jh. zurück, gehören also zur Massenproduktion der Humanisten. Die neueste Forschung (W. H e r i n g, Die *Recensio* der Caesarhandschriften [1965]50; B r o w n, a.O. 13f.) konnte aus der Familie SLN, die für das BG (nicht für das BC!) zur Klasse α zählen, L und N als *codd. descripti* ausscheiden, damit bleibt neben MU TV (Kl. β) nur S (10. Jh.) als ältester Zeuge des BC übrig. Dies bekräftigt die von F a b r e, Introd. (s. Anm. 4) XLIIIf. als wahrscheinlich empfohlene Annahme, daß das BC in die Klasse α erst sekundär — wohl eben durch S — eingedrungen sei, indem mit einer Abschrift des BG aus einer α-Quelle eine solche des BC aus der allein verfügbaren β-Tradition verbunden wurde. Alle Zeugen des BC-Textes hängen somit an einem — in Minuskel geschriebenen, vgl. B r o w n 37ff. gegen H e r i n g 110f. — Archetyp, der in Frankreich entstanden und dort im Hochmittelalter ein paarmal kopiert worden ist. — Beachtenswert die Feststellung von B r o w n a.O. 14: „The Civil War was not a widely-read work in the Middle Ages; unlike the Gallic War it was apparently never consulted by medieval writers" (mit Hinweis auf M. M a n i t i u s, Philol. 48, 1889, 567ff.).

[2] BC 1,32; 85ff.

vom südlichen Spanien über Italien und Nordgriechenland bis nach Ägypten —, an Entscheidungen und Risiken — Caesars Gegner sind nicht mehr *barbari* und Guerilleros, sondern römische Legionäre unter dem berühmtesten Feldherrn der Zeit —, an tragischen Situationen — Bürger stehen gegen Bürger, Verwandte gegen Verwandte, alte Freunde und Partner Caesars gegen diesen selbst. Die Dramatik des Stoffes selbst übertrifft den gallischen Krieg bei weitem; sein Risikogehalt, sein weltgeschichtliches Gewicht, seine menschliche Problematik und seine exemplarische, sozusagen didaktische Bedeutung für politisches Geschehen überhaupt sind ungleich größer, und seiner Darstellung eignet kein geringerer Authentizitätsgrad als derjenigen der Eroberung Galliens. Daß sie so tief in den Schatten des früheren Werkes getreten ist, läßt sich auch nicht mit einem bescheideneren literarischen Rang erklären. Wir haben es mit einer jener unkontrollierbaren Ungerechtigkeiten des Schicksals zu tun, die in der Geschichte der Literatur nicht selten begegnen.[3] In diesem Falle ist aber die moderne Caesarforschung daran nicht unbeteiligt: Sie hat dem BC zeitweilig fast gar keine und bis heute eine nur mäßige Aufmerksamkeit geschenkt. Es gibt kaum eine literarische Würdigung des BC.[4] Wo Caesars literarische Kunst beschrieben wird, geschieht es fast nur an Hand des BG; das BC scheint vornehmlich als Objekt der Kriegsgeschichte und der historischen Quellenkritik zu interessieren. Die moderne Schule hat es, soweit ich sehe, fast völlig verschmäht, obwohl die Geschichte des Untergangs einer ehrwürdigen Staatsverfassung in der blutigen Entzweiung der Führungsschicht, die sie einst getragen hatte, gewiß ein fesselndes und instruktives Drama ist. Die Sprache des späteren Werkes kann daran keine Schuld treffen; sie ist, bis auf unbedeutende Details[5],

---

[3] Die Zurücksetzung des BC in der Neuzeit läßt sich in mancher Hinsicht als Analogon jenes Prozesses verstehen, der im späten Altertum den Verlust so zahlreicher — auch bedeutender — Literaturwerke herbeigeführt hat. Eine objektive Begründung scheint nicht gelingen zu wollen; der moderne Monograph der verlorenen lateinischen Literatur, Henri B a r d o n, untersucht am Ende seines Werkes La littérature latine inconnue (2 Bde., 1952) die Gründe, die manche literarische Werke überleben, manche untergehen lassen, und gelangt schließlich zu dem resignierenden Resultat (II 320): „Le hasard préside à la transmission des oeuvres", und: „Du sauvetage des oeuvres, l'instable Fortune s'est chargée." Daß das BC nach seiner Entdeckung durch die Humanisten nicht mehr verlorengegangen ist, verdanken wir wahrscheinlich nicht den Lesern, sondern allein dem Buchdruck und der Philologie. Es ist bezeichnend, daß das Werk bis zu Ende des 19. Jh. fast nur in Verbindung mit dem BG (und meist auch den Spuria), kaum einmal selbständig ediert wurde (B r o w n, a.O. 2).
[4] Eine der wenigen Ausnahmen macht die Studie von E. P a r a t o r e, II *Bellum Civile* di Cesare, Annali dell'Accademia 1964/5 (Roma 1965). Mit Einzelfragen befassen sich die Aufsätze von A. La P e n n a, Tendenze e arte del bellum civile, Maia 5, 1952, 191ff.; M. R a m b a u d, Essai su le style du BC, L'information littéraire 14, 1962, 60ff.; 108ff.; G. O. R o w e, Dramatic Structures in BC, TAPhA 98, 1967, 399ff.; H. F u g i e r, Un thème de la propagande césarienne dans le BC: César, maître du temps, Bull. de la Fac. des Lettres de Strasbourg 47, 1968, 127ff. Die umfangreiche Studie von K. B a r w i c k, Caesars *Bellum Civile*, Abh. Ak. Leipzig, Phil.-hist. Kl. 99,1 [1951], 178 Seiten!) berührt die Frage des literarischen Charakters des Werkes mit keinem Wort, sondern beschränkt sich auf das Problem der „déformation historique". Die beste Einführung ist nach wie vor die Einleitung, die P. F a b r e seiner Ausgabe in der Coll. Budé (1954) vorausgeschickt hat.
[5] Gute Übersicht und besonnene Beurteilung bei F a b r e a.O. XXXVff.; vgl. aber auch B a r w i c k 165ff. und die älteren Untersuchungen von R. F r e s e, Beiträge zur Beurteilung der

in allen Hauptmerkmalen dieselbe wie im BG.[6] Es mag aber sein, daß in früheren Jahrzehnten dem Bild imperialer „Mehrung des Reiches", wie es im BG vor Augen tritt, größere erzieherische oder erbauende Wirkung zugesprochen wurde als dem Drama der politischen Selbstzerfleischung.

Gleich sind sich beide Werke nicht nur in ihrem literarischen und sprachlichen Charakter, sondern auch in ihrer Bestimmung als Instrumente der Beeinflussung der öffentlichen Meinung; darüber ist sich die Forschung heute im ganzen einig.[7] Es macht dabei nur einen geringen Unterschied, ob man mit Knoche von einer „politischen und moralischen Rechtfertigung seines Vorgehens" spricht oder mit Oppermann[8] von der „Aufgabe, dem Leser das Verständnis des Geschehens zu zu vermitteln", da dieses „Verständnis" eben nur das von Caesar gewünschte und durch seine Darstellung suggerierte sein kann. Caesar war sich von Anfang an bewußt, daß sein militärisches Vorgehen in Italien im Jahr 49 juristisch gesehen Hochverrat war, und nicht ohne Grund gibt er sich im ersten Großabschnitt des ersten Buches alle Mühe aufzuzeigen, daß es nicht an ihm, sondern an seinen Gegenspielern in Rom lag, wenn es zu keinem den Bürgerkrieg abwehrenden Kompromiß kam.[9] Es war das wichtigste und durchgängige Ziel der Schrift, den Leser davon zu überzeugen, daß Caesar den Konflikt nicht gewollt habe und ihm nur unter Preisgabe seiner Würde hätte aus dem Wege gehen können. Das zweite Ziel, nicht weniger konsequent verfolgt als das erste, war der Nachweis, daß er bei aller Entschlossenheit, den erzwungenen Kampf siegreich zu bestehen, dennoch bei jeder sich bietenden Gelegenheit den Rückweg zum inneren Frieden zu finden und den ehemaligen Gegnern, sobald sie bereit waren, den Kampf gegen ihn aufzugeben, ein bis dahin ungekanntes Maß an Schonung und Großzügigkeit zu gewähren. Blieb er Sieger in der Auseinandersetzung — und damit scheint er doch nach dem Tode des Pompeius gerechnet zu haben —, dann konnte das römische Volk nur von ihm die Heilung der erlittenen Wunden erwarten, nicht von denen, die diesen Krieg provoziert hatten.

Hier berühren wir aber sogleich einen der wesentlichen Unterschiede zwischen beiden Werken. Im BG stellt sich der Verfasser — bei aller zugegebenen Härte, ja Brutalität des Eroberungskrieges, der bis zur Ausrottung ganzer Völker führte —

Sprache Caesars, mit besonderer Berücksichtigung des BC (Diss. München 1900) und O. Dernoschek, De elegantia Caesaris sive de commentariorum de BG et de BC differentiis animadversiones (Diss. Leipzig 1903). Ergänzendes im Exkurs S. 180ff.

[6] Dazu Rambaud, Essai (Anm. 4).

[7] Fabre a.O. XXff.; W. Lehmann, Die Methode der Propaganda in Caesars Schriften unter Berücksichtigung der *commentarii* vom Bürgerkrieg, Diss. Marburg 1951 (Masch.); Rambaud, Déf. 13ff.; ders., Introd. zur Ausg. von BC I (1962) 9; U. Knoche, Gymn. 58, 1951, 150f.; vgl. auch Schanz—Hosius I[4] 341. Im Gegensatz dazu weist Oppermann diese Fragestellung auch bezüglich des BC beharrlich zurück (zuletzt in: Caesar, WdF XLIII [1967] 552: „... der Persönlichkeit Caesars inkommensurabel").

[8] a.O. 164.

[9] Zur Deutung der Eingangskapitel, die dafür wesentlich sind, s. jetzt L. Raditsa, ANRW I 3, 433ff. (weitgehend in Übereinstimmung mit Oppermann, Caesar (1933) 15ff.). Hier auch eine scharfsinnige, aber nicht voll überzeugende Erklärung der chronologischen Verschiebungen im BC.

als den offfiziell beauftragten Feldherrn und Repräsentanten des römischen Volkes vor, der den Führern anderer Völker ohne persönliche Aversion gegenübertritt und nicht wenigen von ihnen einen ritterlichen Respekt bekundet. Ariovist, Dumnorix, Ambiorix, Cassivelaunus, Litaviccus, Vercingetorix — mögen sie arrogant, listenreich oder politisch unzuverlässig erscheinen — werden doch als entschlossene, kraftvolle, respektable Persönlichkeiten von überdurchschnittlichem Rang bezeichnet, und ihre Motive werden zuweilen ausdrücklich von Caesar als ehrenhaft anerkannt[10]; auf ihre Art erscheinen sie als dem Römer ebenbürtig. Ganz anders liegen die Dinge im BC. Hier suchen wir vergeblich nach einer imponierenden Figur auf der Seite der Gegner. Die pompeianischen Heerführer machen durchaus den Eindruck von Persönlichkeiten zweifelhaften menschlichen Formats und zweit- oder drittrangiger militärischer Führerqualitäten. „Tous les Pompéiens qui défilent sous les yeux du lecteur sont présentés comme antipathiques ou incapables", sagt F a b r e zutreffend[11]; ob es sich um den geldgierigen und kopflosen Lentulus Spinther oder den skrupellosen Scipio, den mutlosen Afranius, den unfähigen, unbeherrschten und zugleich sinnlos grausamen Bibulus oder den feigen, seine Truppe im entscheidenden Augenblick verlassenden Domitius Ahenobarbus oder auch um den abtrünnig gewordenen und von tiefem Haß erfüllten Labienus handelt, immer tritt die Geringschätzung Caesars für diese Männer eindeutig und einseitig hervor — nicht als ob sie nicht weitgehend begründet gewesen wäre; was aber Gewicht hat, ist die Absicht des Autors, seine geringe Meinung erkennbar auszudrükken und dem römischen Leser die politischen Folgerungen daraus zu überlassen.[12]

Am stärksten wird von dieser Geringschätzung Pompeius selbst betroffen. Gewiß versteigt sich Caesar nicht zu entehrenden Attributen; aber durch das, was er über ihn und von ihm berichtet, und durch die Art, wie er die Akzente setzt, bewirkt er beim Leser viel nachhaltiger den unvorteilhaften Eindruck einer anspruchsvollen politischen und feldherrlichen Diva ohne persönliche Größe und Entschlossenheit. Pompeius fordert vom Senat Entschlossenheit, aber er läßt sich dort durch einen Mittelsmann vertreten (1,1,4—21). Er spiegelt dem Senat eine imponierende Kampfkraft vor, die noch gar nicht existiert, und läßt sich von ihm mit stattlicher Finanz-

---

[10] Am nachhaltigsten bei Vercingetorix, dem Caesar nicht nur Freiheitsliebe (VII 4,4; 14,10; 66,4; 71,3; 89,1) und Sorge um das Gemeinwohl (14,5; 20,8; 29,7), sondern auch *diligentia* und hohe Führereigenschaften bescheinigt (4,9; 29,6; 21,1), wenn auch auf seine indirekte Art des Darstellens. Aber auch seine Urteile über Commius (IV 27,7; VII 76,2) und Dumnorix (V 6,1; 7,8; dazu D. T i m p e, Historia 14, 1965, 209) sind eher schmeichelhaft als gehässig.

[11] F a b r e a.O. XXXII mit Aufzählung der betreffenden Personen und der an ihnen hervorgehobenen Eigenschaften; vgl. auch R a m b a u d, Déformation 344ff.

[12] Einen Einblick in die Verfahrensweise bietet der Vergleich von BC 1,4,4 (*ipse Pompeius, ab inimicis Caesaris incitatus et quod neminem dignitate secum aequari volebat, totum se ab eius amicitia avertebat et cum communibus inimicis in gratiam redierat, quorum ipse maximam partem illo adfinitatis tempore iniunxerat Caesari*) mit 1,8,3 (Botschaft des Pompeius an Caesar durch den jungen L. Caesar: *velle Pompeium se Caesari purgatum, ne ea, quae rei publicae causa egerit, in suam contumeliam vertat; semper se rei publicae commoda privatis necessitudinibus habuisse potiora*). Die politische Glaubwürdigkeit der Pompeius ist damit bereits zerstört.

masse ausstatten (1,6,1ff.), um gegen Caesar vorzugehen, bittet aber Caesar durch einen persönlichen Geheimboten um Verständnis (s. Anm. 12), wie es einem fortbestehenden Vertrauensverhältnis entspricht. Anstatt sich dem in Italien einrückenden Caesar entgegenzustellen und den Staatsboden zu verteidigen, detachiert er ein bescheidenes Korps nach Corfinium, um Zeit zum Übersetzen seines Heeres nach Epirus zu gewinnen. Anstatt die Bevölkerung Italiens für seine und des Senates Sache zu gewinnen, verprellt er sie durch hochfahrendes Auftreten und treibt sie auf Caesars Seite (1,28,1). Nicht Caesar, sondern der junge Cato fällt über die miserable Führung des Pompeius das vernichtendste Urteil (1,30,5). Derselbe Pompeius, der nach einem partiellen Erfolg über Caesar aller Welt die Nachricht über einen vollkommenen Sieg ausposaunen läßt (3,72,4; 79,4)[13], zieht sich in der Entscheidungsschlacht beim ersten Mißerfolg seiner Reiterei ins Lager zurück (3,94,5) und flieht beim Eindringen der Caesarianer ins Lager — wenn man der Schilderung Caesars glauben darf — incognito und allein oder beinahe allein nach Larissa und von dort mit 30 Reitern an die Ostküste, während sein Heer noch immer tapfer versucht, dem Angriff der Caesarianer standzuhalten (3,96,3f.). Außerdem wirft ihm Caesar vor, ganz elementare Regeln der Truppenführung nicht gekannt zu haben (3,92,4f.).[14] Obwohl Caesar der Sieg über Pompeius nicht leicht gefallen ist, ist ihm die Destruktion der „Größe" des *Magnus* offenbar wichtiger als die Steigerung seiner eigenen Leistung durch die Vorstellung, daß sie gegen einen bedeutenden Feldherrn erzwungen werden mußte. War die Unterwerfung Galliens ein Sieg über kampfentschlossene Völker unter kraftvollen und leidenschaftlichen Führern, so war der Sieg über die Pompeianer eher die Erlösung Roms von einer unfähigen und egoistischen Führungsschicht. Das politische Leitmotiv Sallusts in seiner Schriftstellerei kündigt sich hier bereits an: seine Anklage gegen die falschen Männer, die Rom viel zu lange beherrscht und an den Rand des Untergangs getrieben haben, setzt nur ausweitend fort, was Caesar im BC an den wenigen Jahren des ersten Bürgerkriegs deutlich macht; nur fehlt Sallust, im Unterschied zu Caesar, die Folie der eigenen großen Leistung, die dem bitteren Urteil Autorität verleiht.

Die eigenen Leistung Caesars ist auch im BC in vorderster Linie die militärische Bewältigung der Gegner, und Schlachtberichte und Erwägungen zur Planung des strategischen und taktischen Vorgehens beherrschten daher weitgehend den Bericht. Dieser erfolgt nunmehr aber vom Handelnden unmittelbar an den Leser; niemand wird der Fiktion erliegen, es handle sich um die Reproduktion offizieller Rapporte; denn es gab hier keine amtliche Instanz, der zu berichten war — es sei denn der *populus Romanus* in seiner Gesamtheit. Aber die Darstellungsform, in der Caesar über den gallischen Krieg geschrieben hatte, hatte sich offenbar bewährt; Caesar konnte sie beibehalten und sich weiterhin ihrer Eigenarten bedienen: der distan-

---

[13] Zu seiner Ruhmredigkeit vgl. auch 3,45,6.

[14] Vgl. Barwick, a.O. 92f. — Es ist im übrigen überraschend. daß Barwick, der doch den tendenziösen Charakter des Werkes aufzuzeigen unternimmt, den Aspekt der Personencharakterisierung für diese Absicht nirgends nutzbar macht, sondern sich ganz auf die wirkliche oder vermeintliche Entstellung der Geschehnisse beschränkt.

zierenden Selbstdarstellung in der dritten Person, der raffenden Strichzeichnung, soweit die Vorgänge auf müheloses Verstehen treffen würden, aber auch der Freiheit, da und dort ausführlicher ins Einzelne zu gehen[15], punktuell zu dramatisieren[16], technische Arrangements genau zu erläutern[17], auch zuweilen kürzere oder längere Reden einzufügen.[18]

In mancher Hinsicht erscheint das BC reicher und vielfältiger als das BG. Die größere Zahl von Schauplätzen, die im Auge behalten werden müssen, bringt es mit sich, daß die Geschehnisse, deren Leitung Caesar selbst in Händen hält, nicht selten unterbrochen werden und den Blick auf andere Szenen freigeben. So erfährt man gelegentlich von Fernwirkungen der Kämpfe Caesars auf andere Bereiche[19] oder von Vorgängen innenpolitischer Art in Rom[20]; neben dem Kampf in Spanien wird die Belagerung von Massilia als Nebenkriegsschauplatz weitergeführt; ausführlicher noch und umfangreicher schiebt sich der Kampf des Curio in Nordafrika, der zwar in Caesars Auftrag, aber doch als ganz selbsständiges Unternehmen durchgeführt wurde, in die Darstellung ein[21]; da Curios Mission scheiterte und er selbst dabei den Tod fand, konnte Caesar hier nicht einmal auf eine vollständige Berichterstattung seines eigenen Legaten zurückgreifen. Es ist eine respektable Leistung des Schriftstellers Caesar, daß sich dieser Mangel an authentischem Material — das natürlich aus anderen Quellen behelfsmäßig ersetzt werden mußte — weder im Stil noch in der sachlichen Dichte dieser Kapitel bemerkbar macht. Weit tiefer als in die Gedanken und Pläne seiner gallischen Gegner blickt Caesar in die Erwägungen und Erörterungen der pompeianischen Seite, die er nicht selten so darstellt, als wären sie seine eigenen.[23] Insgesamt fühlt sich der Leser über die Situationen beider Seiten durchaus gleichmäßig informiert; er hat in ganz anderem Maß als beim BG, den Eindruck, die Darstellung eines Geschichtsschreibers zu lesen, der beiden Seiten gleich nahe oder gleich fern steht.

[15] Darin geht das BC sogar wesentlich weiter als das BG. Neben der Schilderung des Stellungskrieges bei Dyrrhachium (3,39ff.) fällt vor allem die ausführliche Mitteilung des taktischen Ringens im Raum zwischen Ilerda und dem Ebro auf (1,41—55; 59—83), der sich aus dem BG nichts Vergleichbares zur Seite stellen läßt.

[16] Dazu G. O. R o w e, TAPhA 98, 1967, 399ff.

[17] Das bedeutendste Beispiel ist die Belagerung von Massilia, bes. 2,8ff.

[18] Bemerkenswerterweise erscheinen die ersten direkten Reden wiederum erst in der Mitte des Werkes (2,31; 32), doch diesmal gleich zwei lange *orationes suasoriae*, nicht nur eine kurze Interpellation. Es folgen, zum Teil mit kurzem Abstand, mehrere *hortationes* (vgl. oben S. 67f.): 2,34,4; 39,2f.; 3,19,8; 64,3. Gegen Ende des Werkes steht als einmalige Besonderheit eine Redensequenz (3,85,4 Caesar; 86,2—4 Pompeius; 87,1—4 Labienus). Sie kennzeichnet die innere Situation auf beiden Seiten vor der Entscheidungsschlacht aus dem Munde der führenden Männer. Die Rede Caesars — die kürzeste und trockenste, nur aus drei kurzen Sätzen bestehend — ist zugleich die einzige direkte Rede, die Caesar sich jemals in den Mund gelegt hat, und zwar unter Verzicht auf jegliche rhetorischen Kunstmittel. Sie drückt nichts als die Entschlossenheit aus, die angebotene Chance zu nützen, während die Reden des Pompeius und Labienus sich in törichtem Optimismus und leerer Großsprecherei ergehen.

[19] 1,53 Rom; 2,17 Südspanien.

[20] 3,1; 20f.

[21] 2,23—44.

[23] 3,4.

Der Kampf von Römern gegen Römer hat zur Folge, daß in diesem Krieg die natürliche Überlegenheit der römischen Manipulartaktik über die minder entwickelte Kampfweise naturhafter und bisher nur mit lokalen Kriegen bescheideneren Umfangs befaßten *barbari* entfällt. Caesar, der im Bürgerkrieg zudem stets mit zahlenmäßig unterlegenen Kräften kämpfen mußte, konnte nur durch Ausnützung aller technischen und taktischen Raffinessen sich zu behaupten hoffen. So ist es nicht verwunderlich, daß gerade taktische und kriegstechnische Erörterungen in diesem Werk einen breiten Raum einnehmen, weit mehr als im BG.[24] Caesars eigene „Erfindungen" auf diesem Gebiet liest man — abgesehen von BG VII — vor allem im BC[25]; das gilt besonders für die Taktik des Ausmanövrierens durch Stellungswechsel (bei Ilerda in Spanien), für den Festungskrieg (vor Massilia) und für den Stellungskrieg (bei Dyrrhachium) sowie für die Sperranlagen am Hafen von Brundisium.

Dagegen fehlen in diesem Werk zwei Elemente, die im BG eine beträchtliche Rolle spielen: Exkurse (vor allem geographisch-ethnographischen Inhalts) und das, was wir oben als „Einzelerzählungen" bezeichnet haben. Zwar läßt sich Caesar in diesem späteren Werk, wie schon erwähnt, auf viel mehr Einzelheiten des militärischen Geschehens ein und bietet auch gelegentlich ausführlichere Situationszeichnungen[26], aber alles hält sich strikt im Rahmen der Generallinie des Kriegsablaufs und führt diese jeweils um einen Schritt weiter; nie ist eine Episode um ihrer selbst Willen ausgemalt und beliebig herauslösbar. Während im BG gelegentlich die Ereignisarmut eines Jahres zu stofflicher Auffüllung des zugehörigen Buches geradezu nötigte, befindet sich Caesar im BC gerade in der umgekehrten Lage: die Ereignisfülle zwingt ihn, sich strikt ans Wesentliche zu halten, und läßt trotzdem die Bücher über den im BG üblichen Umfang weit hinauswachsen. Das sog. 3. Buch stellt sich mit seinen 112 Kapiteln auf 76 Teubnerseiten neben jene langen Bücher, die wir vielfach im kunstmäßigen historischen Genus antreffen; es wird an Umfang nur von Sallusts Bellum Iugurthinum, von den Büchern des Livius und von Vell. Pat. II übertroffen[27]; das siebte Buch des BG hat annähernd denselben Umfang wie BC 3; aber es ist ein gewaltiger Schlußpunkt eines großen Werkes, was man vom BC 3 nicht behaupten kann.

Damit stoßen wir auf gewisse äußere Gegebenheiten, die es verständlich machen können, daß das BC nicht dieselbe Anziehungskraft auf das Leserpublikum ausüben konnte wie das BG. Sie betreffen den Zustand des Werkes, wie es uns vorliegt.

Schon seine Einteilung in drei Bücher ist problematisch.[28] Rein äußerlich gesehen umfaßt Buch 1 87 Kapitel (= 52 Teubnerseiten), Buch 2 nur 44 Kapitel (= 30 Teubnerseiten); beide zusammen überschreiten den Umfang von Buch 3 um nur 6 Seiten. Dies allein wäre angesichts ähnlicher Differenzen zwischen den Büchern des BG ohne große Bedeutung, wenn nicht Hirtius, der nach Caesars Tod

---

[24] Taktisches: 1,44; 58; 79; 3,43f.; 47; 50, um nur Hauptstellen zu nennen. Technische Schilderungen: 1,25,5f.; 273f.; 2,2; 8f.; 3,40,2f.; 46,1 und öfter.
[25] Liebenam, RE VI 2236ff.; Kromayer—Veith, Heerwesen und Kriegführung 417ff.; F. Lammert, RE Suppl. IV 1082ff.   [26] Z. B. 1,47—53; 58,1—3; 3,32; 44.
[27] Sämtliche Bücher bei Tacitus und Ammianus Marcellinus bleiben weit dahinter zurück.
[28] Vgl. oben S. 44.

schrieb und das BC gekannt haben muß — falls er nicht überhaupt sein Herausgeber war —, ausdrücklich erklärte, Caesar habe jedem Kriegsjahr, das er darstellte, ein Buch gewidmet[29], und sich dafür entschuldigte, daß er am Ende seines eigenen Buches (BG VIII) davon abweicht. Bei der uns überlieferten Buchzahl des BC trifft dies aber nicht zu. Tatsächlich stellen die Bücher 1 und 2 zusammen nur ein Kriegsjahr dar (49), Buch 3 das folgende (48), jedoch dieses unvollständig. Schon deshalb hält die Mehrzahl der modernen Forscher die tradierte Bucheinteilung für falsch und sieht in den Bücher 1 und 2 nach der Absicht Caesars ein einziges Buch.[30] Dies wird aber auch durch die inhaltliche Disposition nahegelegt. Folgt man den Handschriften, so ist zwar der Krieg in Spanien im ersten Buch zu Ende berichtet, aber die Belagerung von Massilia auf zwei Bücher verteilt (1,34—36; 56—58; 2,1—16), obgleich die Operationen auf diesem Nebenschauplatz ununterbrochen mit denen in Spanien einhergehen und wie diese noch im ersten Kriegsjahr beendet werden. Mit dem letzten Akt dieses Unternehmens in Massilia ein neues Buch zu beginnen, scheint nicht eben sinnvoll, und der Anfang dieses Abschnitts (*dum haec in Hispania geruntur*) unterscheidet sich in nichts von ähnlichen Überleitungen bei einfachem Schauplatzwechsel innerhalb der Bücher in beiden Werken. Der Text läßt jedenfalls nicht erkennen, daß Caesar einen Neueinsatz beabsichtigt habe. Die Wahrscheinlichkeit ist somit groß, daß die Buchteilung der Handschriften auf einem Irrtum beruht. Aber nicht einmal sie selber ist eindeutig.

Am Ende von 1,87 verzeichnen nur vier Handschriften (URTV) einen Buchwechsel; sie gehören sämtlich der β-Klasse der Überlieferung an, sind aber nicht alle, die diese Klasse bilden. Einer ihrer Vertreter, der Cod. Mediceus 68,8 [31], notiert hier keinen Buchübergang, und dasselbe trifft für S und seine Deszendenten aus der σ-Klasse zu.[32] Von den drei Zweigen, in die sich die BC-Überlieferung

---

[29] Hirt. BG VIII 48,8 *scio Caesarem singulorum annorum singulos commentarios confecisse.*
[30] Eine Ausnahme macht Rambaud, Introd. zur Ausg. von B. 1 (1962) 5f.
[31] Die Hs. heißt bei Klotz und Meusel W, bei Holder und Du Pontet L, bei Fabre M. Die unterschiedliche Notierung der Hss. in den Ausgaben ist eine ärgerliche Erschwerung der Verständigung bei der kritischen Arbeit. Nachdem sich in jüngster Zeit Rambaud den Bezeichnungen Fabres angeschlossen hat und diese zum großen Teil mit denen von Klotz übereinstimmen, sollte man in Zukunft bei den Siglen Fabres bleiben. Ich halte mich im folgenden an sie.
[32] Aus praktischen Gründen bezeichne ich im Text die Klassen noch nach dem Stemma von Klotz (Praef. IV; übereinstimmend mit ihm Fabre, Introd. LIV), das jetzt durch Brown (s. Anm. 1) S. 33 durch folgendes Stemma ersetzt wird:

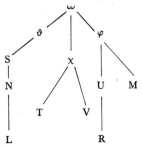

ϑ = σ Klotz
φ = β Klotz
χ = π Klotz

gliedern läßt[32a], ist er also je in einem und der „Hälfte" des zweiten notiert bzw. nicht notiert. Entsprechend unsicher, aber nicht genau damit übereinstimmend ist die Bezeugung des Anfangs des 3. Buches. Je eine Hs. der σ- und der β-Klassen (L, M) haben hier weder *explicit* noch *incipit*. N, ein Nachfahre von S und L, kündigt mit den Hss. der β-Klasse URV den Übergang von Buch 2 nach Buch 3 an; in T (der σ-Klasse) wird hier das Ende von 2 und zugleich der Anfang von Buch 2 (sic!) notiert, was evident fehlerhaft ist, aber kein Urteil darüber erlaubt, ob der Fehler bei der ersten oder der zweiten Zahl liegt.[33] Besonders interessant ist die *subscriptio* von S: *incipit liber decimus de bello civili*; diese Zählung geht auf eine Gesamtausgabe des BG und des BC zurück, aber schwerlich auf das antike Corpus Caesarianum[34], und wenn diese Ausgabe das gesamte BG einschließlich des Buches VIII (Hirtius) enthielt — was ich für ziemlich sicher halte —, dann bedeutet diese Zählung, daß die Vorlage von S die sog. Bücher 1 und 2 als ein geschlossenes Buch auswies. Dadurch würde die oben zitierte Aussage des Hirtius über die annalistische Disposition Caesars auch für das BC bestätigt. In der Tat ist der Anfang von Buch „3" die einzige Stelle des BC, die den Charakter eines echten Buchanfangs aufweist: *Dictatore habente comitia Caesare consules creantur Iulius Caesar et P. Servilius,* e.q.s.[35]

Sonach spricht alles dafür, daß die Einteilung in drei Bücher nicht der Absicht Caesars entsprach; selbst wer angesichts der mehrdeutigen Überlieferungsbefundes an ihr festhalten möchte, sollte sich hüten, daraus weitreichende Folgerungen für den literarischen Charakter des BC zu ziehen.[36] Ein exakter Beweis läßt sich weder für die eine noch für die andere Annahme führen; mißlich ist nur, daß es noch keine plausible Erklärung für das Aufkommen einer falschen Trennung nach 1,87 gibt.

Weit gewichtiger ist der offenkundig unvollständige Zustand, in dem wir das Werk vorfinden. Zunächst hat es keinen Anfang, wie schon J. Glandorp richtig erkannt hat.[37] Der erste Satz heißt — mit einer verräterischen Störung in den

---

Bei dem hier besprochenen Sachverhalt müßte danach der Wechsel der Buchzählung zwischen S(L) und N (s. unten im Text) mit Kontamination erklärt werden.

[32a] Dies ist die wichtigste Neuerung in Browns Stemma, und ihre Einführung ist mit gesundem Urteil begründet. Wenn sie sich bewährt — und dazu vgl. die kritische Textprobe Brown S. 69–72 —, bietet sie der Konstitution des Textes die bekannten Vorteile jeder dreigeteilten Überlieferung und engt das *liberum arbitrium* des Herausgebers, auf das sich Klotz (Ausg. 1957, Praef. VIf.) noch berufen konnte, erheblich ein. Dies könnte eine neue kritische Ausgabe zu einem lohnenden Vorhaben machen.

[33] Ein später Korrektor hat in T die zweite „II" in „III" abgeändert, natürlich aufgrund der *subscriptio* nach 1,87.   [34] S. unten S. 193f.

[35] Ähnlicher Bucheinsatz mit den neuen Konsuln BG IV und V.

[36] Vgl. Rambaud, Introd. 6. Falls man mit ihm an ein Schwanken Caesars selbst in der Frage der Buchdisposition glauben möchte (was ich nicht tue), sollte man auch die Möglichkeit in Rechnung stellen, daß sich ihm ebenso wie nach ihm dem Sallust das monographische Einzelbuch als Möglichkeit anbot, doch dieses danach aus praktischen Gründen an der Stelle des Jahreswechsels aufgeteilt wurde. Bemerkenswert ist, daß Caesar nach Buch 1 niemals auf ein früheres Buch zurückverweist, wie er es im BG immer wieder tut.

[37] J. Glandorp, Sylva in enarratione commentariorum C. Juliii Caesaris ... pronunciata (Leipzig 1551). Klotz bestreitet dies zu Unrecht; auch Fabre hält diese Annahme für nicht erforderlich.

Hss. —: „Als das Schreiben Caesars von Fabius den Konsuln übergeben worden war, konnte bei diesen nur mit Mühe durch den äußersten Einsatz der Volkstribunen durchgesetzt werden, daß es im Senat verlesen wurde."[38] Was das Schreiben enthielt, was sein Anlaß und sein Zweck war, aus welcher Situation heraus es geschrieben wurde, wird mit keinem Wort verraten, auch nicht in den folgenden Sätzen. Der Widerstand der Konsuln gegen seine Verlesung vor dem Senat bleibt unerklärt, ebenso die Verweigerung einer Senatsdebatte über seinen Inhalt. Über die Person des hier genannten Fabius erfahren wir so wenig über die Tatsache, daß dieses Schreiben Caesars nur ein Glied in einer zusammenhängenden Kette von Verhandlungsschritten war, und keineswegs der erste. Mindestens der Mobilmachungsauftrag des Senates an Pompeius vom Anfang Dezember 50, die Übernahme des Auftrags durch Pompeius am 21. 12. und die Überbringung der Information darüber durch Curio nach Ravenna mußte vorausgehen, um den überlieferten Text für den Leser verständlich zu machen. Überdies fehlt jeder Hinweis auf die Zeit der Ereignisse.[39] Aber die einfache schriftstellerische Logik besagt, daß niemand eine Darstellung des Bürgerkrieges — oder irgendeines anderen geschlossenen Geschehens — in dieser Weise beginnen kann. Auch das Prinzip der *brevitas* rechtfertigt keine *obscuritas*. Was aber fehlt, um den Anfang lesbar und sinnvoll zu machen, ließ sich leicht auf einem Handschriftenblatt unterbringen, und so ist es die nächstliegende Erklärung der Anomalien, den Verlust des ersten Blattes im Archetypus der Überlieferung anzunehmen.[40]

Problematischer ist die Tatsache, daß am Ende des Werkes nicht nur Caesars Ankunft in Alexandria (und dabei, auffallend beiläufig, seine Unterrichtung über das Ende des Pompeius, 3,106,4), sondern auch noch die Anfänge des Krieges in Alexandria bis zur Tötung des königlichen Vormundes und Reichsverwesers Pothinus durch Caesar (112,12) erzählt wird. An dieser Stelle endet der Text mit dem Satz: *haec initia belli Alexandrini fuerunt.* Da aber die Kampfhandlungen zwischen Caesar und den Alexandrinern schon in Kap. 106,4 beginnen, die allgemeine Situation und Caesars erste Entschlüsse zum Eingreifen in 107—109 ausführlich berichtet werden und der Beginn des alexandrinischen Krieges eindeutig am Ende von 109,6 signalisiert wird[41], da ferner ferner die Hinrichtung des Pothi-

---

[38] *a Fabio* in den Hss. ist eindeutig falsch; die meisten Herausgeber setzen dafür *a Curione* ein. Die Wortfolge *litteris Caesaris a F.* hat nur L; die übrigen bieten *litteris a F. (C.) Caesaris.*

[39] Rambaud vermerkt deshalb, daß vor *consulibus* die Namen der Konsuln ausgefallen seien; doch ist *consulibus* als Dat. zu *redditis* unentbehrlich, weil sonst das folgende *ab his* in der Luft hinge. Wenn also Caesar eine Datierung gegeben hat, dann vor dem Beginn des erhaltenen Textes.

[40] Die Überlieferungssituation ist hier dieselbe wie am Anfang von Cato de agricultura, wo sich ebenfalls die Mehrzahl der Kritiker nicht bereitfindet, den Verlust des Textbeginns zuzugeben, während etwa am Beginn des 1. Buches des Velleius Paterculus ein Textverlust allgemein anerkannt wird. Auch in diesen beiden Fällen kann es sich nur um den Ausfall eines Blattes handeln.

[41] *Quo facto ... Caesar effecit ..., ut potius privato paucorum et latronum quam regio consilio susceptum bellum videretur.* — Zu den Abweichungen des Caesarberichtes von der Darstellung bei Cassius Dio s. Barwick, a.O. 91f.; sie spielen für unsere Frage keine Rolle.

nus weder den Abschluß eines Vorgangs noch den Grund oder Anlaß des Krieges bedeutet, drängt sich der Eindruck auf, daß der scheinbar abschließende und zu einem neuen *bellum* überleitende Satz von einem späteren Redaktor des *Corpus Caesarianum* angehängt wurde, um dem Buch eine notdürftige Abrundung zu geben.[42]

Wenn Caesar seine Darstellung des Bürgerkrieges nicht mit dem Tode des Pompeius abschließen wollte — und die Behandlung dieses Ereignisses in 3,104,2f. und 106,4 deutet eher auf die Absicht, ihn nicht als das entscheidende Ereignis hinzustellen —, so mochte er entweder sachliche oder persönliche Gründe dafür haben. B a r w i c k (a.O. 87f.) hat versucht, vor allem die letzteren zu ermitteln, und kam zu dem Schluß, Caesar habe Anlaß gesehen, seinen Lesern verständlich zu machen, weshalb er sich nach dem Tode seines bedeutendsten Gegners monatelang in Ägypten habe aufhalten müssen. Dies mag nun zutreffen oder nicht. Im ersteren Fall konnte die Erwähnung einiger weniger Konflikte die Dauer des Aufenthalts in Alexandria nicht rechtfertigen, im anderen war ihre Darstellung völlig unbegründet und konnte höchstens einen angemessenen Abschluß des Buches verhindern. Es spricht vielmehr alles dafür, daß Caesar sich die Behandlung auch des Krieges in Ägypten vorgenommen habe, aber nicht mehr zur Ausführung des Vorhabens gekommen ist. Trifft dies zu, dann ist nicht einmal auszuschließen, daß das Werk überhaupt keine authentische Büchereinteilung hatte, als Caesar starb und den Torso unvollendet hinterließ.

Auf den ersten Blick sieht es so aus, als ob dies auch durch den internen Zustand des Werkes bestätigt würde. Man hat wiederholt festgestellt, gestützt auf die Argumente von A. K l o t z[43], daß das BC einen unausgearbeiteten Text aufweise, der skizzenhaft anmute und an vielen Stellen einer abschließenden Redaktion bedurft hätte. Dabei beruft man sich wiederum gerne auf die von Sueton[44] mitgeteilte Äußerung des Asinius Pollio, wenn Caesar die Möglichkeit gehabt hätte, das Werk zu revidieren, würde er manches geändert haben. Nun ist der Rekurs auf Pollio in diesem Zusammenhang irreführend; denn seine These (oder Mutmaßung) bezieht sich wohl ausschließlich auf die sachlichen Unstimmigkeiten und Ungenauigkeiten, die er bei Caesar moniert; von der Struktur des Werkes ist bei ihm nicht die Rede. Auch sonst gibt es kein Zeugnis dieses Inhalts von dritter Hand[45]; der „skizzenhafte Charakter" des BC müßte also aus Unstimmigkeiten im Ablauf der Darstellung selbst hervorgehen. K l o t z hat sie in einer größeren Zahl von lückenhaften oder den Zusammenhang der Dinge zerreißenden Partien zu erkennen geglaubt und solche Stellen in seiner Ausgabe[46] durch Sternchen gekennzeichnet;

---

[42] Vgl. R. G i o m i n i, Bellum Alexandrinum (Ausg. mit Komm.) 7. Liest man den Text ohne diesen im Grunde nichtssagenden Satz, so wird das Unfertige und Abrupte schlagartig deutlich. — Daß der Satz in der Hs. L fehlt, hat bei dessen Stellung im Stemma (s. S. 173). keine kritische Bedeutung.

[43] A. K l o t z, Rh. Mus. 66, 1911, 80ff.; RE X 270.

[44] Suet. Iul. 56,4 (s. oben S. 11).

[45] Hirt. BG VIII pr. 2 meint auf keinen Fall den inneren Zustand des Werkes, sondern die Tatsache, daß Caesar den Bürgerkrieg nicht bis zu seinem Ende dargestellt hat.

[46] Ich benütze den von W. T r i l l i t z s c h überarbeiteten Nachdruck der 2. Auflage von 1957.

aber andere Herausgeber, wie Du Pontet oder Fabre, haben die von Klotz empfundenen Anstöße nicht angenommen, jedenfalls nicht notiert. Es handelt sich dabei
um zweierlei: 1. um Störungen, die sich durch abgebrochene syntaktische Einheiten
und unausgeführte Aussagen verraten[47] und somit nicht auf das Konto des Autors,
sondern der Überlieferung gehen; 2. um angeblich unmotivierte Übergänge von
einem Berichtsstil zum andern[48]; in keinem dieser wenigen Fälle läßt sich jedoch
beweisen, daß die Abfolge der berichteten Tatsachen sinnwidrig oder dringend
korrekturbedürftig sei. Unvoreingenommene Kritik wird also die These vom Skiz-
zencharakter des BC fallen lassen und sich mit der auch sonst notorischen Tatsache der schlechten Überlieferung des Textes abfinden. Was uns vorliegt, ist ein in
sich geschlossener Entwurf, an dem Caesar schwerlich nachträglich tiefergreifende
formale Änderungen hätte vornehmen müssen; auch der tatsächliche Herausgeber
des Werkes hatte keinen Anlaß zu Bedenken, es so zu edieren, wie es vorlag.

Von dieser Voraussetzung aus muß die heiß umstrittene Frage beurteilt werden, wann und von wem das Werk veröffentlich worden sein kann. In der Forschung
schwanken die Meinungen zwischen einer Publikation zu Caesars Lebzeiten, und
zwar durch ihn selbst[49], und einer postumen Edition, für die im allgemeinen Hirtius verantwortlich gemacht wird.[50] Die Tatsachen, die wir kennen, bringen beide
Seiten in eine gewisse Beweisnot, da sie zu einer sicheren Ausschließung der einen
oder anderen Position nicht ausreichen. Zunächst steht nur fest, daß Hirtius zu
dem Zeitpunkt, als er das Buch VIII des BG verfaßte, das BC als vorliegendes
Werk kannte und seine Kenntnis bei Balbus und anderen Leuten voraussetzen
konnte, ferner daß er das letzte Buch als unvollständig betrachtete.[51] Was er nicht
sagt, ist dies, daß es bereits veröffentlicht sei; doch wäre ein literarischer Hinweis —
als solchen darf man den „Brief" an Balbus betrachten — auf einen noch unver-
öffentlichten Text ziemlich ungewöhnlich. Hirtius fiel im April 43 bei Mutina,
13 Monate nach Caesars Ermordung, einer Zeitspanne, in der er zeitweise schwer
erkrankt war.[52] Seine Äußerung darf in die zweite Hälfte des Jahres 44 gesetzt werden. Er ist der erste, der das Werk erwähnt. Der nächste, von dem wir es wissen,
ist Asinius Pollio[53]; seine Bemerkung, daß Caesar, falls er dazu gekommen wäre,
an diesem Werk noch manches geändert hätte, ist nur unter der Voraussetzung sinnvoll, daß der Verfasser eben nicht letzte Hand an das Werk gelegt hat und daß dies
bekannt war. Wenn es so gemeint war, dann ergänzt es die auf den äußeren Bestand

---

[47] Solche liegen vor in 1,39,2; 2,14,3; 34,1; 3,8; 10; 18,4; 22,2; 50,2; 73,6. Von ihnen sind
   die meisten durch Ausfall eines Wortes (3,73,6) oder einer Zeile erklärbar; nur vier beruhen
   offensichtlich auf Verlust eines Blattes im Archetypus (1,39,2; 3,8; 10; 50,2).
[48] 2,22,6; 29,4; 32,14; 35,1. — Von anderer Art ist die offenkundige Vertauschung der Kapitel
   3,55/56, nach deren Umstellung sich ein einwandfreier Text ergibt.
[49] E. Kalinka, Philol. 69, 1910, 487; W. St. 34, 1912, 203ff.; K. Barwick, a.O. 106ff.; F. E.
   Adcock, Caesar als Schriftsteller (1962 [engl. 1956]) 63f., u. a.
[50] A. Klotz, Rh. Mus. 66, 1911, 86; Fabre, Introd. XXIVf.; U. Knoche, Gymn. 58, 1951,
   145; J. H. Collins, JAP 80, 1959, 113.
[51] *commentarios rerum gestarum ... contexui* (nämlich mit B. VIII) *novissimumque imperfectum ab rebus gestis Alexandriae* (d. h. Kap. 107—112) *confeci.*
[52] Belege bei Barwick, a.O. 107.
[53] S. Anm. 44.

bezogene Feststellung des Hirtius (*imperfectum*) gewissermaßen nach innen, d. h. mit Bezug auf die Beschaffenheit dessen, was vorlag. Andererseits ist die obere Grenze der Zeit der Niederschrift durch die noch berührten Ereignisse in Alexandria (November 48) festgelegt. Theoretisch konnte Caesar den Text schon in der ersten Hälfte des Jahres 47 abgeschlossen haben und, falls er es wollte, auch veröffentlichen. Gerade unter dem Gesichtspunkt der gewünschten politischen Wirkung konnte er sich damals dazu veranlaßt sehen, obgleich er wußte, daß der Kampf um seine Herrschaft weitergehen würde[54], vielmehr gerade deshalb, weil seine Gegner trotz dem Tode des Pompeius nicht bereit waren aufzugeben, sondern verstärkte Anstrengungen machten, ihn von Afrika aus zu stürzen. Wenn Klotz und andere darauf hinweisen, daß Cicero im Brutus (46 v.Chr.) von dem Werk noch keine Kenntnis hatte, so beweist dies in Wahrheit nichts, umso weniger als die Formulierung *compluris ... commentarios quos ... scripsit rerum suarum* nicht verrät, welche *commentarii* Cicero meint. Es bleibt aber auch die Möglichkeit offen, daß Caesar das BC erst in den letzten Monaten seines Lebens in Rom geschrieben oder diktiert hat und durch den Tod am Abschluß gehindert wurde, so daß sich die Notwendigkeit postumer Edition ergab.

Diese letztere Vorstellung hat in den jüngsten Jahrzehnten den meisten Anklang gefunden; doch stellt sich ihr, wie Collins in dem oben zitierten Aufsatz[55] gezeigt hat, ein gewichtiges Hindernis entgegen, das im inneren Charakter des Werkes liegt. Caesar stellt in ihm konsequent eine politische Gesinnung zur Schau, die auf Wiederherstellung der republikanischen Verfassung und der legalen Gewalten gerichtet ist. Nach 3,57,4 ist sein Ziel: *quies Italiae, pax provinciarum, salus imperii*[56]; auf dieses Ziel versucht er noch kurz vor der Entscheidungsschlacht in Griechenland den Pompeius durch Vermittlung des Scipio zu verpflichten. Caesar versäumt im BC keine Gelegenheit zu betonen, daß er nicht als Umstürzer, sondern als Wiederhersteller von Recht, Wahlfreiheit und *dignitas* zu den Waffen gegriffen habe[57], und in Rom versucht er alles, um den Senat und das Volk für die Wiederaufnahme ihrer politischen Funktionen zu gewinnen.[58] Cicero, der noch als Partner gewonnen werden soll, wird geflissentlich nicht erwähnt, obwohl er 49/8 der politisch wichtigste Gegner Caesars ist. Trotz der unübersehbaren *clementia*-Propaganda wird der Begriff *clementia* offenbar absichtlich gemieden, da sie die spezifische Tugend der *reges* ist. Das BC ist ein durch und durch republikanisches Buch mit ausgesprochener „Legalitätstendenz" (Wickert), dazu bestimmt, der gegnerischen Propaganda das Wasser abzugraben. Diese Einstellung aber und diese

[54] Immerhin sollte man bedenken, daß er auch das BG veröffentlicht hat, ehe seine Operationen in Gallien abgeschlossen waren.
[55] S. oben S. 177 Anm. 50.
[56] Vgl. auch 3,102; 1; 106,3. Gelzer, Caesar 223.
[57] Belege dafür außer bei Collins schon bei Barwick, a.O. 109f.; Vgl. ferner L. Wickert, Klio 30, 1937, 246ff.
[58] Mit Recht deutet Collins die Drohung mit der Alleinherrschaft vor dem Senat (1,38,7) als ein äußerstes Mittel, diesen an seine Pflicht zur *administratio rei publicae* zu erinnern. Es ist die einzige Stelle, wo der Gedanke der Autokratie ausgesprochen wird. Vgl. dazu M. Gelzer, Vom römischen Staat I 126.

Art der Selbstdarstellung wäre nach dem Sieg von Thapsus und der Umstellung Caesars auf den Gedanken eines orientalisch-monarchischen Regiments[59] — an der übrigens seine Bindung an Kleopatra und sein Studium des ägyptischen Verwaltungssystems erheblichen Anteil hatten — weder möglich noch sinnvoll.

Daraus folgt zweierlei, und man wird sich dieser Konsequenz nicht verschließen können: 1. Die Bücher des BC sind sehr bald nach den in ihnen dargestellten Vorgängen, also in Alexandria, niedergeschrieben; 2. nach dem Ende des Krieges haben sich die Umstände in einer Weise gewandelt, daß die Fortsetzung und Publikation des Werkes für Caesar selbst überholt scheinen mußte. So ist es ein Nachlaßwerk geworden, das eine vergangene und der neuen Situation nicht mehr angemessene Position des Autors widerspiegelt. An der postumen Edition wird man also trotz der relativ frühen Entstehung festhalten müssen, und nach der Formulierung im Balbus-Brief (§ 2 *novissimum* [sc. *commentarium*] *imperfectum ab rebus gestis Alexandriae confeci*) ist es doch wohl am wahrscheinlichsten, daß Caesar selbst im weiteren Verlauf des Krieges nach dem ägyptischen Aufenthalt das Interesse an dieser Schrift verloren hat.[59a]

Man könnte fragen, ob die Veröffentlichung nach seinem Tode überhaupt noch im Sinne des Verfassers war. Die Herausgeber haben diese Frage gewiß nicht gestellt; sie hatten ihrerseits gewichtige Gründe, das Nachlaßwerk zur Kenntnis der Öffentlichkeit zu bringen, und einer der wesentlichsten war wohl eben jene „Legalitätstendenz", die aus ihm spricht. Denn es ging nach den Iden des März um die Rechtfertigung und Bewahrung oder Verurteilung und Auslöschung des politischen Erbes des Diktators, in dem sie, seine Anhänger, ihre Rolle zu spielen hatten. Wie total anders man die Vorgänge von 49/8 sehen konnte, mag man nicht nur aus Ciceros Äußerungen im inmittelbaren Anschluß an die Ermordung des „Tyrannen"[60], sondern auch am beharrlichen Weiterleben des Cato-Mythos in der frühen Kaiserzeit und an der Gestaltung des Bürgerkrieges durch Lucan[61] ersehen, die Caesar zum Gegenteil von dem macht, was er im BC darzustellen sich bemüht.

---

[59] Ed. Meyer, Caesars Monarchie ... 520ff.; Gelzer, Caesar 257f.; 288f.; zu den Einzelheiten s. P. Groebe, RE X 250f.

[59a] Vgl. Adcock a.O. 64 „(Nach dem Sieg über Pompeius) hatte er keine Lust mehr weiterzuschreiben" — mit der schwer verständlichen Fortsetzung: „und veröffentlichte die Bücher, wie sie gerade waren".

[60] Die wichtigsten Zeugnisse sind seine beiden ersten Philippischen Reden; vgl. ferner de off. 1,26; 86; Att. 12,45,2; 13,40,1. Ed. Meyer, Caesars Monarchie ... 443ff.; M. Gelzer, RE VII A 1030f. Zur Wirkung von Ciceros republikanischem Denken auf die Folgezeit s. auch O. Seel, Cicero (1953) 411ff.

[61] Eine genaue inhaltliche Vergleichung des Epos mit dem BC bietet jetzt A. Bachofen, Caesars und Lukans Bellum Civile, Diss. Zürich 1972.

Exkurs

Einige Bemerkungen zum Wortschatz beider *Bella*

Daß Caesars Wortschatz[1] in den beiden *Bella* weder für das klassische Latein im ganzen noch für den Verfasser persönlich repräsentativ ist, ist so bekannt, daß es kaum erwähnt werden muß. Das Lexikon der beiden Kriegsberichte stellt nur eine schmale Auswahl aus dem Latein der Zeit dar; dies ist durch eine Reihe Faktoren bedingt; die wichtigsten unter ihnen sind 1. der Stoffbereich der Werke, 2. Caesars attizistische Stilrichtung, 3. der literarische Charakter des *commentarius*, der zwar, wie oben dargelegt, nicht in puristischer Strenge durchgehalten ist, aber doch auch die sprachliche Haltung des Verfassers weitgehend bestimmt. Alle drei Faktoren wirken in Richtung auf eine Reduzierung des Vokabulars; es ist dabei nicht verwunderlich, wenn die beiden Werke zu den lexikalisch sparsamsten der klassischen Literatur zählen. Die Mehrzahl aller Lebens- und Denkbereiche wird in ihnen nicht berührt; die Welt erscheint in der Sicht des Soldaten und Politikers, meist in Situationen, die einander grundsätzlich ähnlich sind. Der Attizist strebt nach *Latinitas pura*, meidet die Ausdrucksfülle und vor allem das Exotische, Exzentrische und Spielerische, aber auch alles, was den Ruch des Altertümlichen und Überholten hat. Der *commentarius* fordert vor allem Sachlichkeit und Knappheit, schließt daher Malerisches und Klangeffektives weitgehend aus und verzichtet in der Regel auch auf ausgedehntere Erörterung, auf Vergleich und Räsonnement. Das jeweils Gleiche wird meist auch mit denselben Wörtern bezeichnet; Ausdrucksvariation ist kein Stilprinzip des *commentarius*. Aus alledem ergibt sich ein grundsätzlich restriktiver sprachlicher Habitus.

So selbstverständlich dieser Sachverhalt auch scheinen mag, so gibt es im Caesarlexikon doch Tatbestände, die überraschen. Eine erschöpfende Studie zu Caesars Wortwahl ist vorerst ein Desiderat.[2] Auch auf diesen Seiten kann nicht mehr gegeben werden, als ein paar knappe Hinweise auf einige Besonderheiten, die eher zu weiterer Prüfung anregen als ein endgültiges Urteil über Caesars Wortwahl ergeben sollen.

1. *Fehlstellen im Caesar-Vokabular insgesamt* [3]

a) Fehlende Wörter, die dem militärisch-politischen Bereich angehören können:

Nomina: *accessio — alimentum — clades — fluvius — hostilis — impiger — manubiae — nota — pactio — strenuus — sitis — transfuga — trepidus — tutela — validus — vehiculum — vehemens*

---

[1] Die im folgenden Abschnitt gebotenen Daten stützen sich auf das Lexikon zu den Schriften Caesars und seiner Fortsetzer von H. Merguet (1886; Nachr. 1963).

[2] Einige ältere Arbeiten sind oben S. 167f. Anm. 5 genannt; sie sind nicht mehr als nützliche Vorstudien, die auf viele Fragen noch keine Antwort geben.

[3] Hier sollen nur besonders auffallende „Fehlbestände" von sonst sehr häufigen Vokabeln des klassischen Sprachgebrauchs in willkürlicher Auswahl nachgewiesen werden; die Bildung einer Wortwahl-Theorie ist dabei nicht beabsichtigt, wohl aber ein Appell an die Forschung, sich um eine solche zu bemühen.

Verba: *aberro — abrumpo — advoco — alloquor — amoveo — arceo — attendo — capto — clamo — figo — metuo — paciscor — pervado — resto — ruo — scisco — sedeo — sisto — suadeo — transfugio*

b) Fehlende Wörter aus dem gegenständlichen Bereich des Alltagslebens[4]:

Substantiva: *actus — aedes — aevum — agricola — alveus — area — arvum — astrum — aurum — calor — calumnia — gaudium — grando — harena — imago — incola — lumen — medicina — medicus — mensa — messis — metallum — nubes — oleum — penuria — principium — rigor — series — sexus — ubertas — umbra — vestis*

Adjektiva: *aegrotus — aequabilis — amoenus — atrox — aureus — calidus — candidus — fessus — foedus, a, um — mutus — noixus — obnoxius — profundus — purus — rigidus — simplex — solidus — sordidus — ṣuavis — sublimis — subtilis — vanus —*

Verba: *abigo — abnuo — absumo — acclamo — adhaereo — aegroto — aestuo — ambulo — appono — aufero — bibo — canto — cieo — clamo — ĕdo — dormio — frequento — gigno — haereo — impleo — inspicio — inveho — ludo — molior — narro — nequeo — ordior — pendeo — perdo — promo — redundo — surgo — torqueo — uro — vitupero*

c) Fehlende Wörter des geistig-seelischen Bereichs

Substantiva: *elegantia — gaudium — ingenium — neglegentia — risus — sapientia — scriba — scriptor — sensus — serenitas — superbia*

Adjektiva: *anxius — avidus — clemens — fallax — ferus — impotens — prudens — rudis — securus — serenus*

Verba: *adulor — amo — assentior — erudio — mentior — nescio — rideo — scrutor*

d) Fehlende Wörter des religiösen Bereichs:

   auspicium — dea — festivus, festus — Mars — omen — pius — prodigium — sacer — sepelio — sollemnis

e) Adverbia und Wörter mit (vorwiegend) syntaktischer Funktion:

   abhinc — alibi — alicubi — olim — scilicet — tamquam — utique — videlicet

Bei allen Lemmata der vorstehenden Zusammenstellung handelt es sich um Wörter, die zwischen 100 vor und 100 nach Chr. weiteste Verbreitung hatten und in der Gesamtliteratur meist mit Hunderten von Belegen vertreten sind. Kaum eines von ihnen betrifft einen Lebens- oder Gedankenbereich, der sein Vorkommen in

---

[4] Die meisten der unter a) aufgeführten Wörter gehören auch diesem Bereich an.

den *commentarii* von der Sache her unwahrscheinlich gemacht hätte, und keines ist aus stilistischen Gründen von der Sprache Caesars auszuschließen. Ein erheblicher Teil von ihnen wird auch von den Autoren der Postcaesariana verwendet. Man darf also davon ausgehen, daß das Fehlen vieler dieser alltäglichsten Vokabeln bei Caesar auf Zufällen beruht. Aber es gibt andere Fälle, bei denen diese Annahme nicht auszureichen scheint. Bei manchen Wörtern läßt sich mit ziemlicher Sicherheit behaupten, daß Caesar sie bewußt gemieden hat. Besonders auffallend ist das Fehlen von *valde*, für das es keine logisch oder statistisch einleuchtende Indikation gibt: Caesar sagt stets *magnopere* oder *vehementer*, die beide utrierter wirken als *valde*. Fast ebenso merkwürdig ist das Fehlen der Verba *molior*, *nequeo*, *nescio* und *reor*, von denen keines den berichteten Dingen oder dem Berichtsstil an sich fremd ist und die von Plautus bis Cassiodor in allen Genera unzähligemale verwendet werden. Es scheint schlechthin unmöglich, dafür andere Gründe als eine persönliche (vielleicht unbewußte) Abneigung geltend zu machen.

Scheinbar gilt dies auch für Verba wie *arceo* und *perdo*. Obgleich beide klassisch und ubiquitär verwendet sind, ersetzt sie Caesar stets durch *prohibeo* und *amitto*. Trotzdem lassen sich hier zwei mögliche Wahlindizien vermuten; das eine wäre die Vermeidung derjenigen Wörter, die in stärkerem Maße der Dichtersprache verbunden sind, ohne jedoch „poetische" Wörter zu sein; das zweite könnte einfach in der Neigung liegen, sich für e i n e Sache möglichst auch auf e i n e n Ausdruck festzulegen. Unter dem ersten Gesichtspunkt läßt sich ganz sicher das Fehlen von Wörtern wie *aedes* (neben *aedificium*), *aevum* (neben *tempus*), *alloquor* (neben *[ad]hortor*), *capto* (neben *capio*, *persequor*), *ordior* (neben *incipio*), *principium* (neben *initium*), *validus* (neben *firmus*), *hostilis* (neben *hostium*), wohl auch *narro* (neben *refero*) begreifen. In solchen Fällen wählt Caesar stets das „prosaischere" Wort.

In anderen Fällen erlauben die lexikalischen Belege eine so klare Unterscheidung nicht. So gebraucht Caesar stets *fortis*, nie *strenuus* oder *impiger*, stets *reprehendo*, nie *vitupero* oder *corripio*, stets *praesidium*, nie *fessus* oder *fatigatus*, stets *resisto*, nie *resto*, stets *cogito*, nie *reputo*, usw., obwohl diese Entscheidung jeweils ohne Einfluß auf die Stilhöhe des Ausdrucks bleibt. In solchen Fällen ist man eher geneigt, ein Streben des Autors nach einheitlicher Sachbezeichnung zu sehen — vielleicht in Anlehnung an Sprachkonventionen, die sich im Truppenmilieu herausgebildet haben. Denn außer *resto*, das der Autor des *b. Afr.* zweimal gebraucht, fehlen diese von Caesar gemiedenen Wörter auch in den Postcaesariana. Hier läßt sich sehr wahrscheinlich noch die spracheinengende Wirkung eines bestimmten Milieus fassen, wenn auch nur in einzelnen Proben.

In anderen Fehlstellen spiegeln sich deutlich sachliche Einengungen wider. In jedem Heer wird gegessen, getrunken, geschlafen, gelacht, gespielt, gestritten; es gibt Kranke und Verwundete, folglich auch Feldärzte[5]; aber die einschlägigen Wort-

---

[5] Vgl. Liebenam, RE VI 1662f.; Kromayer—Veith, Heerwesen und Kriegführung 414. — Caesar erwähnt die Verwundetenfürsorge nur an drei Stellen (BG I 26,5; BC 3,75,1; 78,1), und zwar in äußerster Knappheit und nur mit Bezugnahme auf die von ihr beeinflußten taktischen Schritte. Wer sie besorgt, wird an keiner Stelle gesagt.

felder fehlen nahezu völlig. Soweit sie überhaupt auftreten (*annona, commeatus, frumentum, fames*), berühren sie ausschließlich den taktischen und administrativen Aspekt.[6] Das eigentliche Leben der Truppe bleibt im Schatten.[7] In gewissem Umfang gilt dies auch für Witterungsbedingungen, denen sie ausgesetzt ist; wenn von *tempestas, ventus, imber, nix* und *frigus* gesprochen wird, dann im Blick auf die Auswirkungen auf das Kampfgeschehen; da solche in zahlreichen Fällen gegeben sind, ist auch das entsprechende Wortfeld relativ stark vertreten.

Sehr bezeichnend für Caesar ist das Fehlen von sonst geläufigsten Wörtern des religiösen Bereichs, die uns etwa bei Livius in großer Zahl begegnen: *auspicium, omen, prodigium*. Die Götter und ihr Einwirken auf die Kämpfe haben bei Caesar keinen Raum; *Mars* ist nicht einmal als Metonymie gegenwärtig, und weder der Feldherr selbst noch einer der Offiziere oder Legionäre wird als *pius* charakterisiert; gleich als wäre ihnen allen ebenso wie Caesar selbstverständlich, daß im Feld nur die Trias *virtus, prudentia* und *fortuna* regierten. Nichts zeigt den streng sachlichen und anti-epischen Charakter der caesarischen Kriegsdarstellung deutlicher. Nicht nur zwischen Caesar und Aeneas, sondern auch zwischen Caesar und den *duces* des Livius klafft eine Welt.

2. Wortschatzdifferenzen zwischen BG und BC

Auch wenn beide Werke ohne die Bezeugung ihres Verfassers überliefert wären, würde doch niemand ernstlich an dessen Identität in beiden Werken zweifeln können. Ein rascher Leser wird eher den Eindruck völliger Stilgleichheit gewinnen; erst subtilere Untersuchungen können diesen Eindruck durch eine differenziertere Vorstellung ersetzen, aber es bleibt gleichwohl bei der Tatsache engster stilistischer Übereinstimmung.[8] Sie wird auch dadurch nicht aufgehoben, daß Caesar im BC nicht mehr in allem dasselbe Wortmaterial verwendet wie im BG.

Es wäre weder möglich noch sehr sinnvoll, hier alle Vokabeln aufzuzählen, die nur im BG, nicht mehr aber im BC erscheinen, und umgekehrt alle diejenigen, die Caesar im BC erstmalig verwendet. Eine genaue Zählung wäre schon angesichts der zahlreichen textkritisch umstrittenen Stellen und der mutmaßlich interpolierten Partien im BG unmöglich. Es genügt zunächst festzustellen, daß nahezu 400 Vokabeln des BG im BC nicht auftreten, dafür aber mehr als 300 im BC neu erscheinen. Das numerische Verhältnis ist einigermaßen natürlich; es entspricht dem geringeren Umfang des späteren Werkes, und auch die Tatsache einer gewissen Wortschaftdifferenz an sich ist nicht verwunderlich, denn schließlich sind die berichte-

---

[6] Ausnahmen davon sind äußerst selten; sie begegnen z. B. bei Mitteilungen über die Verwundung einzelner herausragender Personen der Führung, wie Cotta, Cornelius Balbus, Plotius, Octavius), doch auch dann hat das Ereignis meist Bedeutung für den Fortgang des Krieges.

[7] Vgl. oben S. 161;

[8] Vgl. P. Fabre, Introd. XXXff., bes. XXXVIf.; M. Rambaud, Essai (s. oben S. 167 Anm. 4) 61; 111ff. – H. Oppermann (1933) geht nicht auf die Sprache im engeren Sinne ein, sondern sucht aus stilistischen Beobachtungen allgemeinerer Art den Unterschied beider Werke zu bestimmen, m.E. mit zu weitreichenden Schlüssen auf die Person Caesars.

ten Geschehnisse nicht einfach dieselben. Aber es gibt in diesem Bereich doch einige auffallende Verschiebungen, die vielleicht ein Licht auf den besonderen Charakter des BC werfen können.

1. Wörter, die im BG mehrfach verwendet sind, im BC fehlen: (in Klammern gebe ich die Häufigkeit des Vorkommens im BG):

defectio (13)	*enuntio* (5)	*densus* (4)
servitus (11)	*exiguitas* (5)	*disco* (4)
ferus (9)	*leniter* (5)	*dubitatio* (4)
potior, -iri (9)	*posco* (5)	*egregius* (4)
rogo (8)	*quaestio* (5)	*exuo* (4)
exercitatio (7)	*septentrio* (5)	*incursio* (4)
pendeo (7)	*temeritas* (5)	*inscientia* (4)
praedor (7)	*ulciscor* (5)	*introrsus* (4)
rescindo (7)	*acclivis* (4)	*observo* (4)
aliter (6)	*aridus* (4)	*obtestor* (4)
depopulor (6)	*coniuro* (4)	*sedes* (4)
fames (6)	*consulto* (Verb.) (4)	*succendo* (4)
interdico (6)	*cultus* (4)	*territo* (4)
continuus (5)	*dediticius* (4)	*vexo* (4)
egregie (5)	*demum* (4)	

Das Verschwinden dieser Wörter im BC ist insofern auffallend, als sie bis auf wenige Ausnahmen (z. B. *servitus, praedor, depopulor*) nicht an spezifische Dinge, Vorgänge oder Situationen gebunden sind, die nur im BG behandelt werden. Bemerkenswert ist ferner, daß *plebs* (7) im BC nur noch in der Verbindung *tribunus plebis* erscheint, obgleich der Gegenstand des BC die Innenpolitik weit mehr berührt als derjenige des BG. Das Ausscheiden dieser geläufigen Wörter aus dem Wortschatz Caesars kann schwerlich auf ein eindeutiges Motiv zurückgeführt werden.

2. Mehrfaches Auftreten von Wörtern im BC, die im BG fehlen (in Klammern die Häufigkeit im BC):

adversarius (26)	*expectatio* (4)	*lignum* (3)
antesignanus (5)	*administratio* (3)	*locuples* (3)
iuxta (5)	*asservo* (3)	*mutuus* (3)
praedo (5)	*corripio* (3)	*praemunio* (3)
propositum (5)	*fortasse* (3)	*salvus* (3)
aperio (4)	*incedo* (3)	*struo* (3)
castigo (4)	*industria* (3)	

Nur die Verwendung von *adversarius* erklärt sich aus der Situation des Bürgerkrieges; es tritt an die Stelle von *hostis*. Bei allen anderen Vokabeln ist nicht erklärbar, weshalb sie nicht bereits im BG verwendet werden. Keine von ihnen deutet auf eine bestimmte Stiltendenz.

3. Verlust und Zugewinn von Adjektiven (ohne Berücksichtigung der Häufigkeit des Vorkommens)

Es ist hier nicht möglich und für das Problem auch nicht ergiebig, alle nur in einer Schrift vorkommenden Adjektive aufzuzählen; es geht allein um die Funktion des adjektivischen Attributs und Prädikatsnomens in der Darstellung, d. h. um Zahlen und Bedeutungsbereiche des Adjektivs. Meine Zusammenstellungen ergeben folgende Tabelle:

	nur BG	nur BC
insgesamt	62	50
davon unterscheidend-klassifizierend	11	19
messend-wertend	29	11
schildernd-beschreibend	22	20

Die Verschiebung des Wortschatzes in diesem Bereich vollzieht sich danach vor allem auf Kosten der messenden und (besonders) der wertenden Adjektiva, in erster Linie zugunsten der unterscheidenden und klassifizierenden, in eng begrenztem Maß auch der schildernden und beschreibenden, die trotz der geringeren absoluten Zahl ein Anteilsübergewicht erhalten; anders ausgedrückt: das objektiv konstatierende Element erfährt eine leichte Verstärkung gegenüber dem subjektiv beurteilenden und dem literarisch ausgestaltenden. Der Gesamteffekt dieses „Wörter-Austausches" bleibt freilich angesichts der bescheidenen Zahlen gering; um ihn zu kontrollieren und in seiner tatsächlichen Bedeutung zu erfassen, wäre es nötig, in beiden Werken alle Adjektive einschließlich ihrer Vorkommenszahlen statistisch aufzunehmen. Es ist nicht auszuschließen, daß sich in diesem Falle die vermutete Verschiebung der Stiltendenz mit größerer Stringenz bestätigt.

4. Verlust und Zugewinn abstrakter Substantiva (ohne Berücksichtigung der Häufigkeit):

Meine Zusammenstellungen ergeben folgende Zahlen:

	nur BG	nur BC
insgesamt	50	36
davon für Aktionen und Bewegungen (z. B. *incursio*)	21	17
„ „ adhärente Eigenschaften (z. B. *industria*)	13	3
„ „ äußere Zustände (z. B. *vetustas*)	3	3
„ „ innere Zustände (z. B. *luctus*)	8	5
„ „ Bereichs- oder Kategorie-Zugehörigkeit (z. B. *consulatus*)	1	4

Markante Verschiebungen ergeben sich demnach nur im Bereich der adhärenten Eigenschaften, wo ein beträchtlicher Verlust auftritt, und bei den „Zugehörig-

keiten", deren Vermehrung im BC im Auftreten einer größeren Zahl von Persönlichkeiten in öffentlichen Stellungen begründet ist. Ein erkennbarer Einfluß auf
den Stilcharakter beider Werke ist nicht auszumachen.

5. Im BC neu auftretende Begriffsgruppen (Wortsippen).

In größerem Umfang, als man es von den Gegenständen her erwarten möchte,
tauchen im BC ganze Gruppen von Wörtern desselben Stammes auf, die im BG
fehlen. Es handelt sich sonach nicht nur um neue Vokabeln, sondern um neu auf-
genommene Begriffe. Es lohnt sich, sie aufzuzählen:

contignatio, contigno	(techn.)
colonicus, colonus	(polit.)
collega, collegium	(polit.)
comitialis, comitatus, comitium [9]	(polit.)
compono, compositio („Frieden stiften')	(polit.)
congero, congesticius	(techn.)
enitor, enixe	(techn.)
inflate, inflo	
irascor, iratus [10]	
later, latericius, latericulus	(techn.)
montanus, montuosus [11]	
obiectatio, obiecto, obiectus, ūs	(techn.)
procuratio, procurator, procuro [12]	(polit.)
structura, struo, superstruo	(techn.)
turba, turbate, turbidus, turbulentus, disturbo	(takt.)

Auf den ersten Blick läßt sich erkennen, daß es sich vor allem um Begriffe des
politischen, technischen und militärischen Sachbereichs dreht. Der Bestand an
„technischen" Ausdrücken im weiteren Sinne erfährt im BC eine deutliche Ausweitung. Dies wird bestätigt durch einen Vergleich der Listen derjenigen „technischen" Wörter, die nur im BG bzw. nur im BC vorkommen:

nur BG	nur BC	
constabulo	*ambitus*	*congesticius*
ephippius	*ancorarius*	*contabulatio*
ephippiatus	*antesignanus*	*contignatio*
maceria	*asser*	*contigno*
materior	*beneficiarius*	*dissolvo*
phalanx	*capreolus*	*mercennarius*
stipendiarius	*catapulta*	*scutatus*
(*soldurii*, keltisch)	*cetratus*	*stativus*

[9] *comitium* auch einmal im BG (VII 67,7).
[10] *ira* ist weder im BG noch im BC gebraucht.
[11] *mons* ist in beiden Werken sehr häufig.   [12] *procuro* auch im BG (VI 13,4).

Den 7 (8) im BC nicht mehr erscheinenden Ausdrücken des BG stehen 16 neue gegenüber, die das BG nicht enthält. Diese Vermehrung des technischen Sprachelements — dessen Gewicht sich angesichts des weit geringeren Umfangs des BC entsprechend erhöht — bedeutet eine deutlich engere Bindung an den eigentlichen *commentarius*-Stil.

6. Das umgangssprachliche Element

Sachbücher, die es mit technischen Gegenständen zu tun haben und deshalb auch die Fachsprache des jeweiligen Werkbereichs verwenden müssen, sind nie ganz frei von Elementen, die der literarischen Hochsprache fremd sind, aber der Alltagssprache einer Berufsgruppe angehören. Auch das Soldatenhandwerk ist in diesem Sinne ein technischer Beruf, und je wirklichkeitsnäher aus ihm berichtet wird, umso ferner liegt stilisierende Abschirmung gegen die Sprache des Alltags. Caesars bewußt schlichte Ausdrucksweise hält hier freilich eine Balance, die jeden aufmerksamen Leser immer wieder erstaunt: auf der einen Seite ist alles Sachbezogene ganz unverkünstelt und unzweifelhaft sachgerecht gesagt, und niemand zweifelt daran, daß es so von jedem, der die Sache kennt, nicht nur verstanden wurde, sondern ähnlich auch von ihm selbst hätte gesagt werden können. Andererseits überschreitet er die Grenze zwischen der Fachsprache und der volkstümlich lockeren Umgangssprache außerordentlich behutsam und sozusagen immer nur mit einem Fuß. Sehr selten nur könnte eine Wendung vom kritischen Sprachverstand als lässig beanstandet werden; in den ersten 10 Kapiteln des BG sind es nicht mehr als drei oder vier Formulierungen: *septentrio* statt *septentriones* (1,7)[13], *perfacile factu esse* mit vulgärer Abundanz (3,6)[14], *maturare* m. Inf. statt *festinare* (7,1)[15], dazu allenfalls noch *spe deiectus* (8,4)[16]. Einige der unklassischen und von Cicero und den meisten stilistisch anspruchsvollen Klassikern gemiedenen Vokabeln — und nur sie stehen hier zur Rede — hat Caesar im BG gelegentlich verwendet, im BC aber nicht mehr wiederholt; es sind genau sechs[17]:

absimilis	(III 14,5; vgl. Col. 6,17,2; Plin. nat. 8,121; Suet. Otho 1 u. a.)
aestuarium	(II 28,1; III 9,4; vgl. Varro rust. 3,17; Vitr. 8,6,4; Plin. nat. 2,218; 3,11; 151 u.ö.; Plin. ep. 9,33,2; Pallad. 9,9,2; in anderen Bedeutungen bei Varro rust. 3,17,8; Vitr. 8,6,13; Plin. nat. 31,49)
increpito	(II 15,5; 30,3; Prosa nicht vor Val. Max. 3,32; von den Dichtern der aug. Zeit [zuerst Verg. Ge. 4,138] wahrscheinlich aus der Volkssprache aufgenommen);

[13] Die Korrektur des überlieferten *septentrionem* in *septentriones* durch die ed. Aldina haben alle Herausgeber außer H. Fuchs verworfen, mit Recht, wie mir scheint.
[14] Vgl. J. B. Hofmann, Lat. Umgangssprache [2,3]94f.; 197.
[15] Vgl. Thes. l. L. VIII 496,63—73.
[16] Vgl. Thes. l.L. V 1,400,48ff.; *deiectus* als Metapher ist in dieser Weise sehr selten gebraucht, im BG aber dreimal: V 48,1 *opinione*; VII 63,8 *principatu*; dazu die zitierte Stelle; ähnlich Petr. 56 *de negotio*.
[17] Ob *deuro* (VII 25,1) als siebentes hinzukommt, vermag ich nicht zu beurteilen; es könnte freie Neubildung Caesars sein; Liv. und spätere Prosaiker haben es ebenfalls, aber möglicherweise von ihm.

indiligens	(II 33,3; VII 71,3; vgl. Plaut. Bacch. 201; Ter. Ad. 684; Phorm. 788; Varro 1.L. 8,51; Cic. Att. 16,3,2; Nep. Att. 4,3; Plin. 19, 57)
introrumpo	(V 51,5; vgl. Plaut. Mil. 460; Gell. 15,22,9).
praeopto	(I 25,4; vgl. Plaut. Capt. 688; Trin. 648; Ter. Hec. 532; Nep. Att. 12,1; nicht Cic. und klass. Dichtung).

An ihrer Stelle tritt jedoch im BC eine weit größere Zahl von Wörtern auf, die ganz auffallend „unklassisch" sind, ja teilweise noch lange nach Caesar von den Schriftstellern gemieden werden:

adaquor	(1,66,1; vgl. Hirt. BG VIII 41,6[18]; vgl. die aktive Form *adaquo*[19] bei Plin. nat. 17,64; Suet. Otho 7; Pallad. 3,33; Vulg. öfter)
bucinator	(2,35,6; vgl. Varro 1.L. 6,75; Q. Cic. b. Cic. epist. 16,21,2; Petr. 26,9; Inschr.)
colonicus	(2,19,3; vgl. Varro rust. 1,2,17; Plin. 8,189; 26,96; Suet. Aug. 46; Sp.)
differtus	(3,32,4; vgl. Hor. sat. 1,5,4; epist. 1,6,59; in Prosa sonst nicht vor Tac. ann. 16,6)
durius (*consulere vitae*)	(1,22,6; euphem. für *mortem sibi consciscere*; vgl. Afran. com. 251R. Ter. Ad. 662; Cic. Att. 1,1,4; fam. 11,27,7; Sen. ep. 8,5)
firmamentum	‚Stärke' (2,15,2; sonst erst Sen. ira 2,1,2; Gell. 13,22,9)
inflate	(2,17,3; 39,4; 3,79,4; sonst erst Amm. 22,16,10)
nutricius	(3,108,1; vgl. Plin. 18,337; adj. bei Varro rust. 2,1,9; Col. 3,13,7; Sp.)
obiectatio	(3,60,2; hap. leg.; vgl. *obiecto* oft bei Plaut.; *obiectamentum* Apul. apol. 1; *obiectamen* Gloss.)
ordinatim	(2,5,10; vgl. Sulp. b. Cic. fam. 4,5,3; Brut. ib. 11,13,2)
peragito	(1,80,2; vgl. Sen. benef. 3,37; ira 1,7; Col. 12,19,4; 24,4; Plin. 18,169)
promutuus	(3,32,6; sonst nur Scaev. dig. 40,7,40,5, aus der Kaufmannssprache)
turbate	(1,5,1; hap. leg., wahrscheinl. umgangssprachl.; vgl. Krebs— Schmalz, Antibarb. 811 zu *ordinate*)
vectura	(3,32,2; vgl. Varro rust. 2,7,15; Cic. Att. 1,3,2; fam. 2,17,4; Sen. benef. 6,15,4; Petr. 101,5)

Diese Proben, die sich sehr wahrscheinlich noch vermehren lassen[20] und der Ergänzung durch eine eingehendere stilistische Untersuchung bedürfen[21], lassen im-

---

[18] *oppidani adaquarentur* β *possent aquari oppidani* α und die Herausg.; doch sieht die Lesung von α wie ein Glättungsversuch aus, während umgekehrt das Eindringen des seltenen *adaquari* in einen glatten Text schwer erklärbar wäre.

[19] Sie dürfte die ursprüngliche sein und bedeuten: ‚Wasser an etwas bringen'. Caesars *adaquari* wäre dann eine Wortkontamination aus *adaquare* und *aquari*.

[20] Ausdrücke wie *admonitus, ūs, arcano* (Adv.), *congesticius, directo* (Adv.), sämtlich im BC, sonst extrem selten literarisch vertreten, kommen ebenfalls dafür in Betracht.

[21] Materialreich und heute noch wertvoll ist die oben (S. 167 Anm. 5) zitierte Diss. von O. Dernoschek (1903). Bezüglich des relativ „lockeren" Sprachcharakters des BC kommt

merhin eines deutlich erkennen: Das BC ist reicher an umgangssprachlichen Ein-
schüssen als das BG, und der geringere Umfang des späteren Werkes gibt dieser
Tatsache erhöhtes Gewicht. Nun ist es nicht sehr wahrscheinlich, daß sich Caesars
literarische Grundsätze oder sein Stilempfinden innerhalb weniger Jahre — man
bedenke: Kampfjahre! — geändert hätte. An eine „Stilentwicklung" im Bereich
des sprachlichen Ausdrucks vermag ich nicht zu glauben.[22] Aus Beobachtungen,
wie sie hier notiert worden sind, läßt sich weit eher die Erkenntnis gewinnen, daß
der minder sorgfältige *dilectus verborum* im BC seine Ursache in der Entstehungsgeschichte des Werkes hat.[23] Er kann die Annahme, daß wir einen rasch hingewor-
fenen Entwurf vor uns haben, der, vorzeitig abgebrochen, niemals zu Ende geführt

sie aus Gründen der geringeren sprachlichen Strenge ebenfalls zu dem Ergebnis, daß in ihm
die Umgangssprache stärkeren Einfluß augeübt habe (so auch Fabre, Introd. XXXVIf.).
Die Arbeit bringt eine Reihe Wortstatistiken quer durch alle Bücher Caesars; aber ihr Aus-
sagewert ist ganz unterschiedlich. D. geht von den Wortbildungskategorien aus (Substantiva auf *-io, -men, -mentum* etc.; Adverbia auf *-im, -o* usw.), ohne zu unterscheiden, in
welcher Sprachsphäre die einzelnen Vertreter der Kategorien beheimatet sind oder zu sein
scheinen. So steht das auffallende *ordinatim* neben dem in der Amtssprache längst heimischen *viritim, centuriatim* etc. (S. 25), *arcano* neben dem stilistisch irrelevanten *aliquando,
falso, improviso* (ebd.). Die größere Häufigkeit von *detrimentum* im BC als im BG (16)
kann erst durch einen Vergleich der Häufigkeiten von *damnum* und *incommodum* zu interessanten Erkenntnissen führen. Die Gegenüberstellung der Vorkommen von *adorior* (BG 17
mal, BC 6 mal) und *aggredior* (BG 4 mal, BC 9 mal) (58) sagt über den Grad der *elegantia*
nichts aus; der Fall gehört zu den Beispielen einer nicht weiter erklärbaren Verschiebung
des Wortschatzes bzw. der Wort-Vorliebe vgl. oben S. 184). Wichtig dagegen ist die Feststellung über die enorme Zunahme der verbalen Composita mit *prae-* und *dis-* im BC (60f.),
die in einem unverkennbaren Zusammenhang mit dem späteren Vordringen solcher Composita im Vulgärlatein und andererseits zur Neigung der Dichter steht, das Simplex statt
des Compositum zu wählen. Der ganze Komplex verdiente es, unter Ausdehnung auf die
Phraseologie und unter Berücksichtigung sprachsoziologischer Gesichtspunkte neu untersucht zu werden.

[22] Dies in Übereinstimmung mit Rambaud, Essai 111ff. — Rambaud hält im übrigen den
dilectus verborum im BC für strenger klassisch als im BG (a.O. 62f.), die rationale Durchsichtigkeit des Ausdrucks für größer (64) und erkennt dem Werk ein Höchstmaß an *pura
et illustris brevitas* zu, gibt aber andererseits für Buch 3 Spuren von „négligence" in der
Montage der Sätze und größere Lockerheit in der Integration von Einschüben zu (64f.).
Seine stark suggestive Argumentation stützt sich jeweils auf vereinzelte Beispiele und fordert
zu neuer Überprüfung heraus. Insbesondere sein Versuch, das BC nicht nur als rhetorischen
Text, sondern auch als metrische Prosa zu erweisen, findet bei Nachprüfung am zusammenhängenden Kontext keine Bestätigung. Ich greife zum Vergleich zwischen beiden Werken
willkürlich heraus: BG VII 17 und 18, sowie BC 1,6 und 2,35; dabei ergibt sich folgendes
Verhältnis, bezogen auf Klauseln im Sinne der ciceronianischen Prosa:

	unmetrische Satzschlüsse	(bewußt?) metrische S.
BG	5	9
BC	16	12

Beide Relationen sind nicht repräsentativ, aber sie genügen, um zu zeigen, daß von metrischer
Prosa im BC nicht gesprochen werden kann.
[23] Dazu s. oben S. 176.

oder gar einer abschließenden Redaktion unterworfen worden ist, nur bestätigen. Der Text ist so, wie er nach Caesars Tode vorgefunden wurde, von seinen Freunden pietätvoll, d. h. unverändert, der Öffentlichkeit übergeben worden. So wird man das BC auch hinsichtlich des Ausdrucks als ein fragmentarisches Nachlaßwerk bezeichnen können.[24]

[24] Ergänzend sei auf die methodisch interessante Studie von L. C. Pérez Castro, Notas sobre el vocabulario militar en los comentarios cesarianos de la guerra civil (Cuadernos de filología clásica 2, 1971, 257ff.) hingewiesen, die der hier angewendeten „quantitativen" Methode der Beobachtung eine „qualitative" zur Seite stellt, um bestimmte terminologische Eigenarten des BC zu klären. Folgende Ergebnisse seien daraus festgehalten: 1. Die Verwendung von *dilectus* ‚Truppenaushebung' erhält allein im BC durch ihre syntaktische Anordnung jeweils verschiedene Wertassoziationen: Legale Aushebungen erscheinen stets in passiver Form, illegale und gewaltsame auf pompeianischer Seite in aktivischer mit Bezeichnung des Veranlassers; in Verbindung mit einem Attribut (bes. *novus*) signalisiert das Wort die geringe Qualität einer Truppe. – 2. *antesignani* (nur BC 1,43,3; 44,4; 57,1; 3,75,5; 84,3) erscheinen immer auf caesarischer Seite; sie stellen offenbar ein neues taktisches Instrument dar, das Caesar im BG noch nicht verwendet hat. – 3. Ebenso neu ist im BC die klare Unterscheidung der (nur auf Seiten Caesars auftretenden *speculatores* als ‚vorgeschobene Beobachter' von den traditionellen *exploratores* als ‚Aufklärungsabteilung' (anders etwa BG V 49,8). Der Ausdr. *speculator* ist längst geläufig und nicht fachgebunden (z. B. Varro l.L. 6,82; Cic. Verr. II 5,164), bezeichnet aber stets Einzelpersonen; dieser Vorstellung entspricht der militärische t.t. im BC genauer als im BG.

ANHANG

Die Fortsetzer der caesarischen *Bella*

1. Vorbemerkung. Der „Balbus-Brief"

Als Caesar an den Iden des März 44 einer Verschwörung gegen sein absolutes Regiment zum Opfer gefallen war, hatte er — neben einigen anderen Schriften, die nicht Gegenstand dieses Buches sind[1] — den Bericht über einen Krieg veröffentlicht, der zu jenem Zeitpunkt noch nicht abgeschlossen war, und einen anderen zu schreiben begonnen, aber nicht zu Ende geführt, und den letzten hätte er wohl auch dann nicht mehr publiziert, wenn er noch viele Jahre am Leben und an der Macht geblieben wäre. Aber er hinterließ Freunde und Parteigänger, die das literarische Denkmal seines Feldherrnlebens vervollständigt zu sehen wünschten, und dabei spielt gewiß der Stolz derer, die seine Siege mit ihm erfochten hatten, und die Pietät der engsten Vertrauten, die ihm die Rolle ihres Lebens verdankten und begonnen hatten, die neue Herrschaft mit ihm zu tragen, eine entscheidende Rolle. Aber für die letzteren war die Pflege dieses Andenkens auch ein Erfordernis der praktischen Politik: sie brauchten das Heldenbild des Ermordeten, das ihre eigene Ergebenheit dem Lebenden gegenüber motivieren und ihre politische Haltung nach seinem Tode legitimieren konnte. Vieles mochte hier zusammenwirken; auch ein literarisches Interesse mag im Spiel gewesen sein. Caesar hatte mit dem BG eine neue Form des Erzählens — eines sehr männlichen und disziplinierten Erzählens — ins Leben gerufen, die Erfolg hatte und gerade deshalb, weil sie in ihrer Schlichtheit nachahmbar schien, zur Nachahmung einlud. Dieser Anreiz war umso wirksamer, als auch die Inhalte nach Ergänzung verlangten; hatte doch Caesar mit seinem unpublizierten BC-Manuskript gewissermaßen selbst den Weg gewiesen und mit dessen Abbruch unfreiwillig zur Fortsetzung herausgefordert.

Wir wissen nicht, in wievielen Köpfen der Wunsch nach einer Komplettierung der caesarischen *commentarii* entstanden sein mag. Tatsächlich liegen uns nicht

---

[1] Nur durch Sueton (Iul. 56,7) kennen wir einige Titel aus der Jugendzeit (*Laudes Herculis*; die Tragödie *Oedipus; Dicta collectanea*); ihre Verbreitung hat später Augustus unterbunden. Während des gallischen Krieges (Cic. Brut. 253; dramatisch aufgebauscht bei Fronto p. 221 N. = 209 v.d.H.) schrieb er zwei Bücher *de analogia,* die man als Gesetz des *sermo purus* im Sinne der attizistischen Stillehre bezeichnen kann; sie waren Cicero gewidmet (Gell. 19,8,3). Ein weitreichendes Echo scheinen seine zwei Bücher *Anticato* aus dem Jahr 45 gefunden zu haben, eine Erwiderung auf Ciceros Nachruf für den jüngeren Cato; sie werden noch von Martianus Capella (5,468) zitiert. Da Cicero bezeugt, er habe sie mit großem Vergnügen gelesen (*vehementer probasse*) und Caesar ausführlich darauf geantwortet, fällt es schwer, in dieser Schrift einen gewollten Affront gegen Cicero zu sehen; viel eher handelt es um einen urbanen Dialog zwischen zwei Rhetoren, die sich gegenseitig respektieren.

weniger als vier Bücher vor, die diesem Zweck dienen und in ihrer Summe die militärischen Phasen des ganzen Bürgerkrieges vom Untergang des Pompeius bis zur Schlacht von Munda (17. März 45) verfolgen. Daß sie nicht von einem einzigen Autor stammen, steht fest, aber es wäre sehr wohl denkbar, daß hinter diesen literarischen Aktivitäten der Wunsch oder Plan einer bestimmten Persönlichkeit stand, die auf diese Weise dem Feldherrnruhm des Diktators und der Sache seiner „Partei" zu dienen suchte, also möglicherweise nicht nur als Initiator der Ergänzungen auftrat, sondern auch als Redaktor des sog. Corpus Caesarianum, dessen Existenz spätestens im 2. Jh. durch Sueton bezeugt wird.

In diese Richtung weist ein Text, der als Vorspann zum Buch VIII des BG — nach Sueton (s. unten) aus der Feder des Aulus Hirtius — überliefert ist. Der erste Satz enthält die Anrede *Balbe*; der Text richtet sich also ohne Zweifel an L. Cornelius Balbus[2], einen reichen Provinzialen aus Gades, den Pompeius im Jahr 72 zum römischen Bürger gemacht hatte und der später einer der treuesten und energischesten Parteigänger und Freunde Caesars war, zunächst als sein *praefectus fabrum* (seit 61)[3] und sein Verbindungsmann zu Pompeius und Crassus vor dem Abschluß des ersten Triumvirats (60), während des gallischen Krieges und des Bürgerkrieges neben Oppius sein wichtigster Agent in der Hauptstadt und wahrscheinlich zu diesem Zweck durch Caesar ausdrücklich von der Teilnahme an den Kämpfen des Bürgerkrieges dispensiert[4], aber auch nach Caesars Tode der Sache des Diktators treu ergeben, voll Mißtrauen gegen Antonius und daher bald im Gefolge des Octavianus, trotzdem auch jetzt in gutem Einvernehmen mit Cicero und dessen Freunden Varro und Atticus. Seine Doppelbindungen machen ihn zu einer schillernden Figur, die schwer in das politische Bild der Zeit einzuordnen ist; und so hat er in der modernen Forschung ziemlich unterschiedliche Beurteilung gefunden[5]; jedenfalls läßt er sich nicht in das sonst geläufige Freund-Feind-Schema pressen; seine persönlichen Intentionen (oder sein persönlicher Auftrag?) scheinen auf Aussöhnung der führenden Kräfte in Rom mit den politischen Zielen und Methoden Caesars gerichtet gewesen zu sein.

[2] Die Daten seines Lebens bei C. Jullian, De Cornelio Balbo maiore (1886); F. Münzer, RE IV 1260ff.; die Hauptquellen dafür sind Ciceros Briefe und dessen noch erhaltene Verteidigungsrede für Balbus aus dem J. 56; s. auch M. Gelzer, RE VII A 946.

[3] Nach Cic. pro Balbo 64 ist anzunehmen, daß er dieses Amt bis 56 innehatte; möglicherweise ist er im gleichen Jahr durch Mamurra (Vitruv) abgelöst worden; vgl. F. Münzer, a.O. 1264 und oben S. 162 Anm. 39), was nicht bedeuten muß, daß der letztere nicht schon vorher als Ingenieur im Stab Caesars war; Balbus war jedenfalls kein Fachmann wie Mamurra.

[4] Cic. Att. 7,9b,2. — Während des Bürgerkrieges war Balbus eifrig bemüht, Cicero — und wohl auch weitere Senatskreise — von der Friedensliebe und Ausgleichsbereitschaft Caesars zu überzeugen (die Belege bei Münzer, a.O. 1264f.). Der Tenor der überlieferten Äußerungen stimmt so genau mit der oben S. 179 bezeichneten Tendenz des BC überein, daß ein unmittelbares Interesse des Balbus an der Veröffentlichung des BC sehr wohl vorstellbar ist.

[5] Mit einigem Grund hat man ihn mit Maecenas verglichen (Münzer, a.O. 1268; vgl. R. Hanslik, Der Kl. Pauly I 1309). Ungünstiger ist das Bild, das R. Syme, The Roman Revolution (1939) 72 (deutsch in Goldmanns Taschenbuch-Ausg. Nr. 908. 909, S. 71) mehr andeutet als ausführt, vielleicht unter dem Einfluß der Ironie, mit der Cicero — im J. 56 noch sein Verteidiger! — von ihm zu sprechen pflegt (man vergleiche dazu Symes eigene Ironie: „Balbus, der Freund solcher bedeutender Bürger, konnte wirklich keine Feinde haben").

Der Text, der als *praefatio* des BG VIII mit einer Widmung an Balbus beginnt, endet mit *vale* als Brief, ohne vorher durch die auch bei literarischen Widmungsbriefen übliche Anredeform[6] als solcher gekennzeichnet zu sein. Aber dies ist nur die unbedeutendste aller seiner Merkwürdigkeiten; denn er steckt in der Tat voller Rätsel. Rätselhaft ist vor allem sein Inhalt, was umso merkwürdiger ist, als der Verfasser des BG VIII sich sonst in einer sehr klaren und eindeutigen Sprache mitzuteilen weiß; es ist verständlich, daß dieser „Balbus-Brief" zu einem Hauptproblem der Caesarphilologie geworden ist. Sein Verfasser — der sich nicht vorstellt, aber auch von den Handschriften nicht eindeutig bezeichnet wird[7] — bezieht sich in dem Brief keineswegs nur auf die folgende Ergänzung des BG, sondern spricht davon, daß er, dem Drängen des Balbus nachgebend, die schwierige Aufgabe übernommen habe, die unvollständig gebliebenen *commentarii* Caesars zu vollenden, und zwar nicht nur — so expressis verbis — bis zum Ende des Bürgerkrieges, sondern bis zum Ende seines Lebens. Nach einer Entschuldigung für das kühne, aber nicht anmaßend gemeinte Unterfangen und einem enkomiastischen Abschnitt über Caesars *elegantia* fährt er fort (§ 8), er habe zwar am alexandrinischen und afrikanischen Krieg (!) nicht teilgenommen, aber manches darüber (*ex parte*) aus Caesars Mund erfahren, wisse jedoch zwischen dem, was sensationell und fesselnd ist, und dem, was dokumentarischen Wert besitzt, sehr wohl zu unterscheiden.[8] — Eine nochmalige *formula modestiae* beschließt den Text.

Wenn dieser Brief von Hirtius stammt, dann bietet er eine Fülle von Rätseln. Eines der geringsten ist seine Placierung zwischen BG VII und BG VIII, wo man ihn seinem Inhalt nach nicht erwarten möchte; denn er bezieht sich überhaupt nicht oder allenfalls nur mit dem in Anm. 8 zitierten Satz (... *sumus dicturi*) auf das Buch VIII. Die Einordnung an dieser Stelle kann natürlich ebensowohl auf einen Redaktor wie auf die Überlieferungsschicksale zurückgeführt werden; wir wissen nichts über den Vorgang. Weit belastender ist schon die Diskrepanz zwischen der futurischen conjugatio periphrastica in § 8 und den perfektischen Aussagen des § 2, der überdies in sich selbst schon der Interpretation erhebliche Schwierigkeiten

---

[6] Vgl. etwa Plin. nat.: *Plinius Secundus Vespasiano suo sal.;* Stat. Silv.: *Statius Meliori suo sal.;* Martial, epigr. I: *Valerius Martialis lectori suo salutem;* epigr. II: *Valerius M. Deciano suo sal.* (ähnlich vor den Büchern VIII; IX; XII); Quintil. inst.: *M. Fabius Qu. Tryphoni suo sal.* — Doch könnte das Fehlen der Grußformel im Falle des Balbus-Briefes auch die Schuld der Überlieferung sein; diejenige vor dem ersten Martialbuch ist z. B. nur in einer Hss.-Klasse erhalten, in den beiden anderen verloren.

[7] Die ganze α-Klasse — mit Ausnahme des cod. descriptus N (*Auli Hirtii prologus*) — hat nach dem *explicit* des BG VII für das *incipit* von VIII die Autorangabe *Hirti Pansae*, desgleichen die Kl. β in der Subscriptio zu Buch VIII — gänzlich unsinnig, da dies *zwei* Namen sind, die Namen der Konsuln des J. 43, die bei Mutina *fato pari* (Ov. Trist. 4,10,6) gefallen sind —, während in der α-Klasse die Subscriptio Caesar selbst als Autor angibt; vgl. O. Seel, Praef. zur Ausg. des BG S. CXVIIf. — Die Widmung in Briefform, in Rom sonst nicht vor dem 1. Jh. n. Chr. vertreten, hat sich auf die Dauer offenbar nicht gegen die traditionelle *praefatio* durchzusetzen vermocht.

[8] So wird man die ziemlich unklare Aussage *tamen aliter audimus ea, quae rerum novitate aut admiratione nos capiunt, aliter quae pro testimonio sumus dicturi* verstehen müssen. Der Autor scheint damit andeuten zu wollen, daß seine nun folgende Darstellung einen understatement-Charakter besitzen wird; s. aber unten Anm. 10.

bietet. Er heißt in der überlieferten Form so: *Caesaris nostri commentarios rerum gestarum Galliae non comparentibus* (A; *comparantibus* Q$\varphi\beta$) *superioribus atque insequentibus eius scriptis* c o n t e x u i, *novissimumque imperfectum ab rebus gestis Alexandriae* c o n f e c i *usque ad exitum non quidem civilis dissensionis, ... sed vitae Caesaris.*[9] Wieso h a t der Autor die nicht unter sich zusammenhängenden *commentarii* Caesars mit einander „verwoben", wenn er das erste zu ergänzende Stück erst darzustellen im Begriff steht? Oder umgekehrt gefragt: Wenn er den „Brief" erst nach der Herstellung des BG verfaßt hat (wie es bei Vorwörtern nicht unüblich ist), weshalb sagt er dann *sumus dicturi?* Selbst wer diesen Widerspruch zu ertragen bereit ist, wird durch das Folgende in Verlegenheit gesetzt: Der Autor behauptet von sich selbst nicht weniger, als die Taten Caesars nicht nur bis zur Schlacht von Munda (soweit reichen die vorliegenden Fortsetzer-Schriften), sondern bis zu den Iden des März 44 dargestellt zu h a b e n. Aber welche *res gestae* nach Munda hätte ein Mann wie Hirtius darstellen können? Und wann hätte er, der die Iden des März nur um 13 Monate überlebt hat, in denen er teils erkrankt war, teils das Konsulamt zu tragen hatte, die Zeit finden können, die Geschichte der letzten vier Jahre Caesars zu schreiben? Ferner: Wo ist dieses Werk geblieben, von dem wir weder eine Spur noch ein Zeugnis besitzen — außer eben das des Balbus-Briefes? Denn wenn etwas über die Entstehung der nachcaesarischen *Bella* sicher ist, dann dies, daß sie von verschiedenen Händen stammen. Wenn aber Hirtius — oder wer immer der Verfasser war — diese Arbeit bereits geleistet hatte, was konnte andere Autoren veranlassen, dasselbe teilweise noch einmal zu tun, und dies in einer Weise, die die Qualität des BG VIII nicht mehr erreicht?

Fragen über Fragen. Man hat bis vor kurzem mit einem enormen Aufwand von Scharfsinn versucht, das Unverträgliche verträglich zu machen.[9a] Das zentrale Problem, nämlich die Bedeutung des *confeci*, hat man unter Hinweis auf zwei total heterogene angebliche Parallelen[10] und der Unterstellung, daß es sich hier wie dort

---

[9] Auf das textkritische Problem gehe ich nicht ein, zumal ich selbst keine neue Lösung anbieten kann. *comparentibus* läßt sich m.E. trotz S e e l s Hinweis (im App.) auf Varro bei Gell. 14,7,3 nicht retten, *comparantibus* aber noch viel weniger verstehen. Die Ergänzungen, die S e e l in seinem Text vorgenommen hat, sind ein reichlich gewaltsamer Versuch, einen lesbaren Text unter Bewahrung von *comparentibus* zu gewinnen; aber S c h n e i d e r s alte Konjektur *cohaerentibus* ist ein viel einfacherer Weg, den S e e l 1935 wenigstens als möglich anerkannt hat und den neuerdings auch G. Pascucci, Introd. zur Ausg. des BHisp (1965) 14ff. empfiehlt. — Zum ganzen Problem s. die umfangreichen Ausführungen von A. K l o t z, Caesar-Studien 155f.; 180ff. und O. S e e l, Hirtius (Klio-Beiheft 22, 1935) 66ff.

[9a] Außer den in Anm. 9 genannten Titeln vgl. auch S c h a n z—H o s i u s I⁴ 345; T e u f f e l — K r o l l—S k u t s c h I 453.

[10] Thuk. 5,26,1 γέγραφε (vgl. zu dieser Stelle die skeptischen Überlegungen von E. S c h w a r t z, Das Geschichtswerk des Thukydides [1929] 320; sie werden jedoch durch eine Reihe ähnlicher antizipierender Perfekte, davon allein zwei im sog. Methodenkapitel I 22, unnötig, s. O. Luschnat, RE Suppl. XII [1970] 1112), und Ov. Fast. 2,549f. (dazu S. G. Owens Komm. z. St. [1924] S. 281f. und die vorsichtigen Erwägungen bei F. B ö m e r, Ovid Fasten I [1957] 20f. [dort auch frühere Lit.]). — Es verdient Beachtung, daß sich in Thuk. I 22,4 eine genaue Parallele zu dem oben Anm. 8 zitierten Gedanken über den Gegensatz zwischen dem Spektakulären und dem erwiesenermaßen Wahren findet, nur weit klarer ausgedrückt als in unserem Text: ἐς᾽μὲν ἀκρόασιν (~ *audimus*) ἴσως τὸ μὴ μυθῶδες (~ *novitas* etc.)

entweder um eine proleptische Ankündigung eines Arbeitsvorhabens oder gar um bereits existierende Vorentwürfe handle, entschärfen wollen; doch der Nachweis ist bei aller Forcierung nicht überzeugend gelungen, der Brieftext nicht verständlicher geworden.

Umso mehr verdient der mutige Vorstoß des italienischen Gelehrten Luciano C a n f o r a Beachtung, der die ganze Frage auf eine ebenso bestechende wie einfache Weise zu klären versucht hat.[11] Er nimmt die genannten Aporien und Merkwürdigkeiten — einschließlich auch aller sprachlichen Unzulänglichkeiten des Brieftextes — als Gegebenheiten ernst und verzichtet darauf, sie durch Retouchen aus der Welt zu schaffen. Darüber hinaus löst er sich durch eine neue Überlegung aus einem bisher allgemein anerkannten Indizzwang der Überlieferung. Es ist seit langem bekannt, daß zwischen Suet. Iul. 56,1 und dem Balbus-Brief wörtliche Übereinstimmungen bestehen, und man hat sie als Beweis dafür gewertet, daß Sueton eben diesen Text gekannt und verwertet habe.[11a] C a n f o r a wirft nun die Frage auf, ob das Anlehnungsverhältnis nicht ebensowohl in umgekehrtem Sinn bestehen könne, nämlich so, wie es sich bei einer ähnlichen Übereinstimmung zwischen § 5 des Briefes und Cic. Brut. 262 verhält. Damit rückt das Problem in ein neues Licht: Die Frage, ob wir es wirklich mit einem Brief oder Vorwort des Autors des BG VIII zu tun haben oder nicht vielmehr mit dem Produkt eines späten Fälschers, der, an die Erwähnung des *Balbus familiarissimus Caesaris* bei Suet. Iul. 81 anknüpfend, diesen zum Initiator der Fortsetzer-Schriften macht — nach welcher Anregung oder eigenen Konzeption auch immer?

Wenn diese Vermutung das Richtige trifft — und vieles spricht dafür —, dann wären alle Rätsel eo ipso gelöst. Nicht nur das ominöse Gesamtwerk des Hirtius erwiese sich dann als Mystifikation eines Philologengehirns, sondern auch die unklaren und schlecht in den Kontext passenden Einzelaussagen erklärten sich aus den persönlichen Voraussetzungen eines späten „gelehrten" Falsifikators, dem man auch das Unvermögen, zwischen den Stilen der nachcaesarischen *Bella* zu unterscheiden, recht wohl zutrauen darf.

C a n f o r a geht sogar soweit, nun auch Hirtius als Verfasser von BG VIII wegen mangelnder Bezeugung in Zweifel zu ziehen und seine Nennung bei Suet. (§ 3)

... ἀτερπέστερον φανεῖται, ὅσοι δὲ βουλήσονται τῶν τε γενομένων τὸ σαφὲς (~ *pro testimonio*) σκοπεῖν ..., ὠφέλιμα κτλ. Das Motiv kehrt wieder bei Polyb. 2,56; Tac. ann. 4,11,3 u. a. Es geht also um die Bindung des Historikers an die nackte Wahrheit als methodisches Prinzip im Gegensatz zum τερπνόν, deren sich nun auch der Verfasser unseres Briefes bedient. Über das lange Fortleben dieses Topos in der Geschichtsschreibung s. G. A v e n a r i u s, Lukians Schrift zur Geschichtsschreibung (1956) 19ff. Da sich der Gedanke unmittelbar aus dem vorgegebenen Zusammenhang des Balbus-Briefes ergibt, verrät er die Arbeit eines Mannes, der sich in literarischen Traditionen und Schemata bewegt. War Hirtius ein solcher Mann? Vgl. die folgenden Ausführungen.

[11] L. C a n f o r a, Cesare continuato, Belfagor 25, 1970, 419ff. — Der geistreiche Versuch von L. C a n a l i (Maia 17, 1965, 125ff.), durch eine unpedantische Interpretation die Anstöße im Balbus-Brief aus der Welt zu schaffen, bleibt unbefriedigend und bestätigt dadurch unbeabsichtigt die radikale Kritik C a n f o r a s.

[11a] Vgl. J. A n d r i e u, Introd. zur Ausg. des BAl, S. XXI; G. B r u g n o l i, Studi Urbinati di storia, filosofia e letteratura 37, 1963, 7, A. 6.

als möglicherweise interpoliert zu verdächtigen (a.O. 420); er spricht daher nur
noch vom „autore dell'ottavo commentario". Ich vermag ihm darin nicht zu folgen; denn so wenig Sinn die Angaben der Handschriften über „*Hirtius Pansa*" auch
sind: der Name Hirtius ist jedenfalls ihr Grundbestand, Pansa sozusagen ihr asso-
ziatives Anhängsel. Und sollte man glauben, daß dieser Name erst aus einer interpolierten Sueton-Stelle, die ihrerseits wieder auf einer obskuren Fälschung beruhen müßte, in die Caesar-Überlieferung eingedrungen sein kann? Der gedachte
Vorgang ist allzu kompliziert, um noch wahrscheinlich zu sein. So wird man weiterhin an Hirtius als Verfasser von BG VIII festhalten und seine Bezeugung durch
Sueton als gegeben annnehmen dürfen, eine Bezeugung jedoch nur für dieses Buch.
Bezüglich der übrigen *Bella* wissen wir so viel, d. h. so wenig wie Sueton auch.
Die folgenden Darlegungen gehen von dieser Voraussetzung aus.

2. Aulus Hirtius, BG VIII

Hirtius tritt uns vor allem als anhänglicher Parteigänger Caesars und der Caesarianer entgegen. Er war Soldat, sicherlich im Offiziersrang, im gallischen Heer
seit 54, dann im Bürgerkrieg in Spanien und Griechenland (nicht in Ägypten und
Afrika[12]), einer der wichtigsten Unterhändler Caesars in Rom vor dem Ausbruch
des Bürgerkrieges, ähnlich wie Balbus einer der Verbindungsmänner zu Cicero, nach
dem Sieg Caesars ein Vermittler Ciceros bei dem Sieger, danach Proprätor in Gallien (45), schließlich noch von Caesar zum Konsul des J. 43 designiert — ein Amt,
das seinen Untergang herbeiführen sollte. Bei seiner unbegrenzten Verehrung für
den Diktator, seinen genauen Kenntnissen der meisten Vorgänge und seinem angemessenen Bildungsstand[13] war er sicher der geeignete Mann für das Vorhaben, unter anderem auch deshalb, weil er den Charakter besaß, literarisch in den Mantel
eines Größeren zu schlüpfen, ohne mit ihm wetteifern zu wollen.

Das Produkt seines postumen literarischen Dienstes ist denn auch auf seine Art
untadelig. Den Tenor des caesarischen *commentarius*-Stiles hat er sich mit gutem
Geschmack angeeignet und auf einer sozusagen mittleren Linie praktiziert, die
sich gewissenhaft aller jener Freiheiten enthält, die Caesar sich dabei herausgenommen hatte. Es kann kein Zweifel sein, daß er nicht nur Tatsachen festhalten, sondern auch auf seine Art am Caesarbild — oder wenn man will: am Caesar-Mythos
— mitgestalten wollte; aber er tat dies doch mit einer bemerkenswerten Dezenz.
Weit strenger als Caesar selbst beschränkt er sich auf das Berichten von Tatsachen;
auf dramatische Szenen, auf spannende Verhandlungen u. dgl. verzichtet er durch-

---

[12] BG VIII pr. 8.
[13] Im J. 46 hat er bei Cicero Unterricht in Rhetorik genommen und in seinem Haus verkehrt
(Cic. fam. 7,33,1; 9,16,7). Für Cicero mögen dabei politische Rücksichten maßgeblich gewesen sein, für Hirtius selbst vielleicht der Wunsch, sich für höhere politische Ämter zu
qualifizieren, obgleich er in diesem Jahr bereits Prätor war. — Zu seiner Person und Laufbahn s. P. Von der Mühll, RE VIII 1956ff.; A. Klotz, Caesar-Studien 149ff.; A. Boykowitsch, H. als Offizier und Stilist, W. St. 45, 1926/7, 71ff. — Offiziersrang nimmt auch
O. Seel, Hirtius 20; 43 an.

aus. So bleibt sein Bericht auch darstellerisch auf einer schlichten Ebene; es fehlen
alle Elemente, die man als rhetorische Überhöhung oder literarischen Schmuck
empfinden könnte: Wie es bei ihm keine „Szenen" gibt, so auch keine Reden —
selbst indirekte Reden finden sich nur andeutungsweise bei Meldungen und Nachrichten im Ablauf der militärischen Geschehnisse —, keine Konfrontationen von
Personen, keine Episoden, keine eingewobenen Beschreibungen, keine Exkurse. Er
reduziert Caesars literarische Form auf den gleichmäßig fortschreitenden Sachbericht, der zumeist in sauberer, klarer Sprache dahinfließt, durchaus nach attizisti-
schem Rezept.

Die Anlage des Buches folgt selbstverständlich dem zeitlichen Ablauf der Geschehnisse, aber nicht ganz ohne das erkennbare Bemühen, gliedernde Schwerpunkte zu
bilden, bei denen sich die Darstellung durch Einzelheiten konkretisiert und dadurch Spannung schafft. Es sind dies der Krieg gegen die Bellovaker (6—23) und
die Belagerung und Eroberung von Uxellodunum (Capdenac- sur-Lot?) in Aquitanien (32—44); beide Unternehmungen stellen je eine geschlossene Handlung dar,
bei der auch das Risiko des Mißlingens fühlbar gemacht ist. Sie sind von kleineren,
bzw. knapper behandelten Randaktionen flankiert (2—5; 45—48) und voneinander getrennt (24—31). Diese Disposition läßt deutlich den Willen zur Symmetrie
erkennen, und der in Kap. 47—48,9 berichtete Zweikampf zwischen Commius,
dem Atrebatenfürsten, der (von IV 21 an) eine der zähesten, aktivsten und schil-
lerndsten Gestalten auf dem gallischen Schachbrett war[14], und dem römischen Rei-
teroberbesten Volusenus Quadratus setzt einen kräftigen Schlußpunkt. Alles, was
dann folgt, kennzeichnet Hirtius selbst (48,10) als Anhang, der den Anschluß an
den Beginn des BC herzustellen bestimmt ist und auch chronologisch nichts mehr
mit dem letzten gallischen Kriegsjahr zu tun hat.

Daß hier ein anderer Mann als Caesar schreibt, ist bei aller Anlehnung an diesen
schon an seiner Sprache zu erkennen. Er gebraucht Wörter und Ausdrücke, die
Caesar in allen seinen Büchern gemieden hat.[15] Er kennt gelegentlich ungewöhnliche Konstruktionen[16] und bedient sich militärischer Fachausdrücke meist unbe-
fangener als dieser.[17] Aber bei alledem ist er doch ziemlich zurückhaltend; man
darf annehmen, daß er sich große Mühe gab, sein Buch so unauffällig wie möglich
und unter bewußtem Verzicht auf persönliche Stilentfaltung zwischen Caesars
Bücher einzufügen. Auch dies ist ein nicht unsympathischer Zug von Pietät und
Bildung. Bezeichnend für dieses Bestreben ist eine Stelle gegen Ende des Buches.

---

[14] Vgl. Münzer, RE IV 770f.; Jullian, Hist. de la Gaule III (1920) 565: „ Ce ne fut ni le
plus digne ni le plus brave des chefs de l'indépendence, mais il fut le plus habile, et il réussit
seul à sauver à la fois sa liberté et sa puissance".

[15] Z. B. *vulgaris* ‚üblich' (3,2; oft bei Cic., nicht bei Caes.); *aestiva, — orum* ‚Sommer' (6,1;
46,1); *ingressionem facere* (= *invadere*, 6,2); *obsides conficere* (= *o. cogere*, 23,1); *suspen-
sus* ‚ungewiß' (43,2); (43,2); *omnibus rebus inservire* (= *o. r. eniti*, 8,1), um nur Weniges zu
nennen.

[16] Z. B. *magnae felicitatis est* (= *opportunum est*, 36,1; vgl. BAl 65,1); *copia deficior* (3,2;
Caes. hat das Pass. nur einmal, BC 3,64,3; s. Meusel z.St.; Kühner—Stegmann I 257).

[17] Darunter das seltene *loricula*, 9,3; sonst nur Veg. mil. 4,28. Zur Fachsprache bei H. s. Boykowitsch, a.O. 72f.

In Kap. 48,10f. entschuldigt sich Hirtius dafür, daß er gegen Caesars Commen-
tarienform verstoßen müsse, indem er die von jenem strikt eingehaltene Deckung
von Buch und Berichtsjahr verlasse. Dies sei notwendig, weil einerseits im Jahr 50
militärisch kaum Nennenswertes geschehen sei, andererseits doch festgehalten werden solle, „wo Caesar und das Heer in diesem Jahr gewesen sind". Die Selbstbindung des Verfassers an die literarische Form Caesars gerät in Konflikt mit seinem
Ziel, den literarischen Anschluß an den Beginn des BC zu gewinnen, und — was
sein literarisches Gewissen noch deutlicher offenbart — er will die nun folgende
Darstellung des Vorspiels zum Bürgerkrieg nicht Caesars eigener Behandlung auf-
pfropfen, sondern zieht es vor, sie als Anhang (*coniungenda huic commentario*) zu
den Operationen in Gallien auszugeben.

Tatsächlich erreicht der uns erhaltene Text den Anschluß nicht; mitten im 55.
Kapitel bricht er bei der Erzählung der Ereignisse vom April/Mai 50 ab. Die verbreitete Meinung, das Buch hätte nach wenigen Worten oder Zeilen das beabsichtigte Ende erreicht[18], wird schon dadurch widerlegt, daß der Beginn des Kapitels
eine neue Situation in Italien exponiert, in die Caesar mit diplomatischen Mitteln
einzugreifen gedenkt. Das letzte Wort ist der Satzbeginn *contendit* ... (natürlich
nach Italien). Die Lagebeschreibung wäre sinnlos, wenn sie nicht dazu diente, die
daraus resultierenden Auseinandersetzungen vorzubereiten. War Hirtius also einmal
so weit in die Behandlung der Innenpolitik eingestiegen, so mußte es seinem Ziel
zuwiderlaufen, dieses Thema irgendwo abzubrechen, ohne den Anschluß an das
senatus consultum ultimum zu gewinnen, das den Bürgerkrieg ausgelöst hat. Mit
anderen Worten: das Buch ist entweder durch Verlust mehrerer Blätter[19] verstüm-
melt, oder es ist vorzeitig abgebrochen worden wie das 3. Buch des BC. Die letztere Annahme wäre durch den frühen Tod des Hirtius leicht erklärbar.

Im übrigen fehlt es auch nicht an vereinzelten Zügen, die die veränderte Situation
nach Caesars Tod und den — am Autor des BG gemessen — geringeren Grad diplomatischer Geschicklichkeit verraten. Auf der einen Seite erscheint der Propaganda-
Topos der *clementia Caesaris*, der im BG noch keine konstituierende Rolle spielt,
als ein keines Beweises mehr bedürftiges Merkmal des Feldherrn, mit dem man
rechnen konnte.[20] Andererseits scheut sich Hirtius auch nicht — oder hat es nicht
nötig, dies zu tun —, Caesars Rücksichtslosigkeit im Vorgehen gegen seine Gegner
ganz ungeschminkt zum Vorschein kommen zu lassen. So berichtet er ohne jede
Hemmung über den Meuchelmord an Commius[21] und eine unprovozierte, rein
prophylaktische Mord- und Verwüstungsaktion gegen das Land und Volk des Am-

---

[18] Seel im App. seiner Ausg.; Schanz—Hosius I 343f. erwähnen nicht einmal die Unvoll-
ständigkeit des Buches.
[19] Gewiß beweist Hirtius in den Kapiteln 49—55 eine hohe Fähigkeit des Raffens; gleichwohl
ist es schwer vorstellbar, daß er für die wichtigsten Tatsachen der folgenden 8 Monate mit
weniger als 8—10 Kapiteln hätte auskommen können.
[20] 44,1 *Caesar cum suam lenitatem cognitam omnibus sciret neque vereretur, ne quid crudeli-
tate naturae videretur asperius fecisse* ... — Zum *clementia*-Topos s. H. Dahlmann, in: Oppermann, Römertum, WdF XVIII 188ff.); M. Rambaud, Déf. 293ff.; O. Leggewie, Gymn.
65, 1958, 17ff.; H. Oppermann, WdF XLIII 496 A. 24.
[21] 2,23,24.

biorix.[22] Fast noch zynischer gibt er die barbarische Strafaktion gegen die waffenfähigen Männer von Uxellodunum bekannt[23]: Caesar habe es sich leisten können,
ein solches Exempel zu statuieren, weil er wegen seines guten Rufes als *dux clemens* keine nachteiligen Auswirkungen habe befürchten müssen.[24] Caesar selbst hat
im BG seine Härte nie verschwiegen, aber stets Wert darauf gelegt, sie als notwendig erscheinen zu lassen; Hirtius begründet sie unbekümmert als opportun; die
Rücksicht auf mögliche propagandistische Nachteile besteht für ihn nicht mehr.
Dabei kann es auf keinen Fall seine Absicht gewesen sein, den Glanz des Caesar-
Bildes zu trüben; er selbst hätte wohl nicht anders gehandelt als Caesar, und es
kennzeichnet ihn, daß er offenbar den Widerspruch solcher Verhaltensweisen zu
dem wenige Kapitel später gezeichneten Programm der caesarischen Provinzial-
politik[25] selbst nicht bemerkt hat. Man darf wohl annehmen, daß Caesar selbst diese
Vorgänge mit weit klügerer Berechnung motiviert hätte, als es bei Hirtius geschieht.

3. *Bellum Alexandrinum*

Wie das Buch des Aulus Hirtius an Caesars siebtes Buch des BG anknüpft, so
schließt sich an das Ende seines BC das anonyme Buch *de bello Alexandrino*[26] an;
aber die Situation ist in beiden Fällen nur äußerlich dieselbe. Hirtius ergänzte ein
abgeschlossenes Werk in einem gegebenen Rahmen und in Anlehnung an eine ge-
gebene literarische Form. Der Verfasser des alexandrinischen Krieges hatte in ein
Unternehmen einzusteigen, das von Caesar unvollendet liegen gelassen worden war,
nachdem er die Entstehungsphase des Krieges in Ägypten bereits behandelt hatte.
Darüber hinaus fehlte seinem Gegenstand jede sachliche Einheit und jede natürliche
Abgrenzung. Der konventionelle Titel — ungewiß, von wem er stammt; für Sueton
ist er eine Gegebenheit — ist irreführend; seine Unangemessenheit wird schon bei
einem flüchtigen Blick über den Inhalt offenkundig. Der Anfang des Buches war
durch die letzten Zeilen des BC vorgegeben; als Ende wählte der Verfasser die erste
Rückkehr Caesars nach Rom nach dem Entscheidungskampf gegen Pompeius. Als
zeitlicher Rahmen ergab sich dadurch die Spanne vom September 48 bis zum August 47 — ein im Sinne römischer Geschichtsschreibung ganz unnatürlicher Zeitraum. Das einzige, was den Inhalt des Werkchens — es umfaßt gut 40 Druckseiten
— zusammenhält, ist die Person Caesars selbst; aber auch sie tritt für eine Weile
(Kap. 34—47) in den Hintergrund; statt Caesars agieren seine Parteigänger.

Das geographische und chronologische Profil des Buches ist — im Unterschied
zu allen caesarischen und den sonstigen nachcaesarischen Kriegsbüchern — höchst kom-

---

[22] 24,4—25,1.
[23] 4,44,1 *exemplo supplicii deterrendos reliquos existimavit. itaque omnibus, qui arma tulerant,
manus praecidit vitamque concessit, quo testatior esset poena improborum.*
[24] S. Anm. 20.
[25] Kap. 49. Es ist die einzige formulierte Grundsatzerklärung dieser Art im gesamten *Corpus
Caesarianum.*
[26] Ausgaben von R. Du Pontet, C. Iuli Caesaris commentariorum pars posterior (OCT) 1900,
letzter Nachdr. 1971; Einzelausg. von J. Andrieu, Paris (Coll. Budé) 1953; Komm. von R.
Schneider, Berlin 1888 (2. Aufl. 1962); Raph. Giomini, Roma o. J., o. Copyr. (1956).

pliziert. Denn die dargestellten Ereignisse verteilen sich auf sechs verschiedene Schauplätze, auf denen sie sich teilweise unabhängig von einander abspielen. Ihre zeitliche Disposition[27] deckt sich in keiner Weise mit dem tatsächlichen Ablauf der Dinge, sondern verhüllt ihn eher. Dies liegt an einem einfachen Kunstgriff des Autors, durch den er die Möglichkeit gewann, das disparate Material so anzuordnen, daß der Leser ohne Rücksicht auf die Chronologie von Schauplatz zu Schauplatz geführt wird und am Ende Caesar als den Sieger auf ihnen allen vor Augen hat.

Die Schauplätze sind in der vom Autor gewählten Reihenfolge: Ägypten — Armenien — Illyrien — Spanien — Syrien/Armenien/Kleinasien; chronologisch greift aber der Bericht über die Ereignisse in Spanien mit Kap. 48 in den Spätsommer oder Herbst 49 zurück, derjenige über die Kämpfe um Illyrien (Kap. 42) und Armenien (Kap. 34) in den Hochsommer 48, während die an das Ende des BC anknüpfenden Mitteilungen der ersten Kapitel schwerlich vor Mitte September 48 anzusetzen sind.[28] Es handelt sich also nicht um einen lokalen Krieg, sondern um vier voneinander getrennte Teilkriege, von denen zwei (Illyrien, Spanien) ohne Caesars Mitwirkung von seinen Anhängern ausgefochten wurden, einer nach anfänglichen Mißerfolgen seines Legaten Domitius Calvinus gegen Pharnakes von Armenien am Ende von Caesar selbst zu seinen Gunsten entschieden wurde und nur einer — der alexandrinische — von Anfang bis Ende ein Krieg Caesars selbst war. Daß der Darsteller mit diesem beginnen mußte, war durch das Ende des Caesartextes zwingend vorprogrammiert, entsprach aber auch dessen besonderem Gewicht aus Caesars persönlicher Perspektive und der Tatsache, daß der Verfasser hier über eine große Fülle fesselnder Informationen verfügte. Daraus erklärt es sich, daß die Kämpfe in Alexandrien — Kämpfe, in denen mehr als einmal Caesar Leben auf dem Spiel stand — beinahe die Hälfte des Buches füllen, während die Berichte von den übrigen Schauplätzen mit einigermaßen summarischen Skizzen von 6 (Illyrien) bis 19 (Spanien) Kapiteln abgetan werden und ein weit schematischeres Bild von den Vorgängen ergeben.

Dazu fügt es sich gut, daß der Autor offenbar in Alexandria selbst an den Kämpfen teilgenommen hat. Er sagt dies zwar nicht ausdrücklich, spielt vielmehr geflissentlich die Rolle des distanzierten Chronisten; aber er verrät sich an einigen Stellen — vielleicht wider seinen Willen — als Beteiligter[29], und dies nicht allein durch den Gebrauch der Pronomina erster Person, sondern auch durch zahlreiche Einzelheiten, die er nur aus eigenem Erleben (andernfalls aus einem ungemein detaillierten und präzisen Augenzeugenbericht — aber wer hätte ihm einen solchen liefern sollen?) in dieser Weise mitteilen konnte. Dazu gehört etwa die Vergällung des Trinkwassers durch Ganymedes (Kap. 6) und die bei dieser Gelegenheit gebotene

---

[27] Vgl. die ausführliche Tabelle bei Giomini S. 40—43; eine einfachere Übersicht bietet Schneider a.O. VIIf. (nach Stoffel, La guerre civile II 431ff.).

[28] So nach Le Verrier, während P. Gröbe auf Ende August datiert (s. Giomini 40). Giomini selbst (8) neigt zu noch späterem Ansatz.

[29] 3,1 *quae a nobis fieri viderant;* ebd. *nostras munitiones infestabant et suas defendebant;* 19,6 *pugnabatur a nobis ex ponte, ex mole.* Vgl. Giomini a.O. 28. Üblicherweise spricht der Autor sonst, wie Caesar, von *nostri* (3,1; 5,3; 7,2; 8,6 und oft).

Schilderung der Wasserversorgung der Stadt (Kap. 5), die kurzen, aber trefflichen Notizen über die Küstenverhältnisse „oberhalb" (d. h. östlich) Alexandrias (9,4) und das System der Küstenzollstationen (13,1), die ungemein genauen Angaben über die Vorgänge um den Leuchtturm von Pharos (19ff.) und die intime Kenntnis der wechselhaften Beziehung Caesars zu den rivalisierenden Parteien Alexandrias, vor allem aber die sehr exakten und in keinem Falle der Verfälschung verdächtigen Zahlen von Schiffen, Truppen, Entfernungen, usw. Wir haben es also mit einem vorzüglich informierten Gewährsmann zu tun, soweit es die Ereignisse in Ägypten angeht.

Aus alledem geht zwingend hervor, daß der Autor nicht — wie man lange geglaubt hat[30] — Hirtius sein kann. Denn Hirtius sagt selbst ausdrücklich, daß er an diesem und dem afrikanischen Krieg nicht beteiligt war (BG VIII pr. 8). Dazu kommt, daß nach Sueton (Iul. 56,1) nicht nur der afrikanische und spanische Krieg, sondern auch der alexandrinische das Werk eines Unbekannten ist, wenngleich es Spekulationen über den möglichen Verfasser gab. Fest steht nur, daß das Buch von einem Autor stammt, denn seine Disposition ist auf Abrundung und wirksamen Schluß hin angelegt, und auch die Sprache ist einheitlich und trotz einer gwissen Nähe zur Ausdrucksweise des Hirtius von eigener Prägung. Durch die Sprache werden zugleich alle älteren Versuche, wenigstens die ersten 33 (oder 21) Kapitel für Caesar selbst in Anspruch zu nehmen, eindeutig widerlegt.[31]

Schon das lexikalische Material weist Eigenheiten auf, die weder Caesar noch Hirtius kennen, wohl aber Sallust und besonders Livius, und die das BAl teilweise auch mit dem BAfr gemeinsam hat. Nur eine kleine Auswahl mag hier die Rich-

---

[30] Den Nachweis dafür hat zuerst K. Nipperdey in seiner Schrift De supplementis commentariorum C. Iulii Caesaris (1846) zu erbringen versucht, nach ihm gegen vielseitigen Widerspruch (vgl. Teuffel−Kroll−Skutsch I 454,6) A. Klotz (Caesar-Studien 180ff., vgl. RE X 274) und besonders nachdrücklich sein Schüler O. Seel (Hirtius [1935] 13ff.), der sich dabei vor allem auf sprachliche Anleihen des Verfassers bei Caesar (bes. BC) stützt und aus Ungenauigkeiten verschiedener Angaben den Schluß zieht, daß der Autor nicht an den Kämpfen beteiligt war, sondern nur durch wörtliche Textübernahmen aus „Quellen" den Anschein der Autopsie erweckt. Das erste Argument kann nicht für eine bestimmte Person zeugen; das zweite leidet daran, daß es einen einfachen und augenscheinlichen Sachverhalt durch einen komplizierten ersetzt. Wenn Seel in seiner Erläuterung des Balbus-Briefes unterstellt, Hirtius habe nicht nur für BAl 48−64, sondern auch für das BAfr „einen Kameraden um eine ausgearbeitete Darstellung gebeten" (S. 88), dann ist dieselbe Annahme — falls Hirtius überhaupt etwas mit dem BAl zu tun hat — auch für dieses im ganzen nicht auszuschließen. Die ganze Debatte hängt sonach eng mit dem Problem der Echtheit des Balbus-Briefes (s. oben S. 195f.) zusammen. Das einzige davon unabhängige Argument für die Autorschaft des Hirtius wäre eine eindeutige stilistische Identität zwischen BG VIII und dem BAl. Andrieu (Introd. zur Ausgabe) sieht sie trotz zahlreicher sprachlicher Ähnlichkeiten für nicht erwiesen an — mit Recht, wie ich glaube — und hält daher an der Anonymität des Verfassers fest; L. Canali (Osservazioni sul *Corpus* cesariano, Maia 18, 1966, 115ff.), der die stilistischen Eigenarten des BAl als occasionell bewertet und deshalb zur These Nipperdeys zurückkehrt, konnte mich nicht überzeugen, da er den positiven Nachweis stilistischer Identität nicht führt. — Zur Geschichte des Problems — lange Zeit eines fast ausschließlich deutschen Problems — s. Giomini a.O. 23ff.

[31] Einige gute Beobachtungen bei Giomini a.O. 29ff.

tung andeuten: *castellani* (= *ei qui in castello sunt*) 42,2 [32]; *evidens* 49,2 [33]; *forsitan* 58,2 (vgl. BAfr 25,5) [34]; Ausdrücke wie *magnas accessiones facere* ‚große Anstrengungen machen' (22,1), *processum habere* (29,2), *per causam liberalitatis* 'um der Großzügigkeit willen' (49,1) [35]; *res incendit dolore milites* (29,3; vgl. 22,1; BAfr 85,6) und dgl. sind ebenso unhirtianisch wie uncaesarisch. Dazu treten unklassische Konstruktionen wie *morari aliquem, quin . . . faciat* (7,1; vgl. 55,2) [36]; *non dubitare* mit ACI statt *quin* (7,3) [37]; *magno negotio* (sc. *erat*) *. . . sustinere* (8,4; vgl. BAfr 18,5); *dolor . . . pecuniae* (Dat.) *remissus* (55,5) [38]; *multa . . . quae dissolvendae disciplinae severitatisque essent* 'was die Auflösung der Disziplin begünstigte, (65,1) [39], die bei Caesar und Hirtius ebenso unvorstellbar wären wie die kühne Enallage *propinquam fugam ad urbem* (16,7) statt *fugam ad urbem propinquam*.

Desgleichen weist der Stil des unbekannten Autors oft in Richtung auf eine Unvertrautheit mit der klassischen Strenge oder auch eine gewisse Unsicherheit im Gestalten. Man braucht nur die umständliche und nicht in allem verständliche Erörterung über die Heimtücke der Alexandriner (7,2—3) zu lesen, um den Abstand von Caesar und seiner „Schule" zu erkennen. Mit Recht weist Giomini (S. 30) auf zahlreiche Fälle, in denen das Subjekt des Satzes nicht genannt und daher die Deutlichkeit der Mitteilung beeinträchtigt wird. Auf derselben Linie liegt auch willkürlicher Subjektswechsel (z. B. 2,3 Ende *prodierant*, nämlich *nostri*), ungenaue Korrelation (z. B. *haec propior (aqua) . . . illa inferior*), allgemeine Unschärfe des Ausdrucks (z. B. 31,2 *diverso clamore et proelio perterriti*). Ein preziöser Zug, der ganz unattizistisch wirkt, ist die Auseinanderziehung von Elementen, die eng zusammengehören, wie *tormentis ex navibus sagittisque* (2,1); *Pontica ex altera parte legio* (40,2) u. ö. Die deutlichste Sprache über die stilistische Qualität der Schrift sprechen aber die Perioden unseres Autors, denen zumeist gerade die für Caesar typische und auch von Hirtius im allgemeinen gut gemeisterte Architektonik fehlt. Es würde sich lohnen, etwa die großen Satzgebilde von 42,3 und 44,1 im Vergleich mit Hirt. VIII 33 und 39,2—3 zu interpretieren, um zu zeigen, wie sehr die Perioden des ersteren schwimmen und protuberanzartig aus dem jeweils letzten Schritt ihres Entstehungsprozesses weiterwachsen [40], wie wenig sie eine architektonische Kon-

---

[32] Vgl. Sall. Jug. 92,7; Liv. 34,27,2; 38,45,9.

[33] Zunächst Cic. öfter in den philos. Schriften; dann von Liv. in die Sprache der Historiographie aufgenommen.

[34] Oft bei Cic. und Liv.; gelegentlich bei Sall. (z. B. Jug. 106,3), nicht bei Caes. und Hirt.

[35] Vgl. Hofmann—Szantyr, Lat. Gramm. 241; Giomini z.St. (161) verweist zu Unrecht auf BC 1,9,2 *per contumeliam*, was nicht vergleichbar ist.

[36] Sonst erst bei Sen. und Tac.; vgl. Hofmann—Szantyr 679; Ernout—Meillet, Synt. lat. ²309.

[37] Unter den Belegen bei Kühner—Stegmann II 264f. (weit reicher als Hofmann—Szantyr 357) sind Caesar/Hirtius nicht, Cicero nur in indirekter Überlieferung, dagegen Nepos und Liv. kräftig vertreten.

[38] Zweifelhaft; ein Nachweis der Konstr. an anderer Stelle ist mir bislang nicht gelungen.

[39] Ein Gen. der Wirkung, der wohl dem Gen. qualitatis frei nachgebildet ist. Nicht vergleichbar ist Hirt. BG VIII 36,1 *magnae felicitatis esse arbitrabatur*.

[40] Dies läßt sich auch an einzelnen Satzteilen beobachten: s. z. B. die adverbiale Ergänzung in 26,2 *(Mithridates) oppidum . . . repente magnis circumdatum copiis multiplici praesidio*

zeption widerspiegeln[41], während Hirtius ähnlich wie Caesar seinen Perioden eine feste und nicht willkürlich ausweitbare Struktur verleiht. Kein Zweifel, unser Autor ist ein lebhafter Erzähler, der farbige Eindrücke zu vermitteln versteht, wo er selbst aus unmittelbarer Anschauung schöpft. Aber er ist kein Meister der Sprache in der Art Caesars, und überdies ist er nicht frei von einem gewissen Manierismus. Ein hübsches Beispiel dafür ist 29,2 *nullum enim processum virtus habebat aut periculum ignavia subibat*: Der Autor klagt über die ungleichen Bedingungen, unter denen die Römer und die Alexandriner kämpfen müssen, und setzt in pointierter Abstraktion *virtus* für *Romani, ignavia* für *Alexandrini,* bedient sich überdies eines antithetischen Parallelismus und wählt und placiert die Verba so, daß sie ein beinahe reimendes Homoioteleuton bilden. Wieder werden wir Ähnliches bei Caesar und Hirtius vergebens suchen.

Seine Eigenart verrät sich auch in einem zunächst unscheinbaren Zug in der Darstellung der Seeschlacht bei der Pharos-Insel (15,8): *neque vero Alexandreae fuit quisquam aut nostrorum aut oppidanorum, qui aut in opere aut in pugna occupatum animum haberent, quin altissima tecta peteret atque ex omni prospectu locum spectaculo caperet precibusque et votis victoriam suis ab dis immortalibus exposceret.* Der Gedanke, eine Schlacht als Schauspiel vor einem Publikum darzustellen und sie mit dessen Beobachtungen und Erregungen nacherleben zu lassen, liegt Caesar völlig fern, und Hirtius paßt sich darin der Mentalität seines Meisters durchaus an. Wenn bei einem von ihnen das Kampfgeschehen als b e o b a c h t e t e r Vorgang erscheint, dann aus der Perspektive des Feldherrn, bei dem Beobachten Führungspflicht ist. Dagegen finden wir den Aspekt, den der auctor des BAl der Sache abgewinnt, in exemplarischer Weise wieder bei Sallust (Jug. 60), der die Schlacht bei Zama in einer regelrechten Mauerschau auf Seiten der *oppidani* mit allen emotionalen Auswirkungen erleben läßt. Noch stärker hat bekanntlich Livius diese Technik der Spannungssteigerung von der Wirkung des Geschehens auf ein beobachtendes Publikum her eingesetzt.[42]

Ähnlich wie Sallust und Livius tritt unser Autor auch hin und wider als Person vor den Leser, und zwar nicht nur mit Rückverweisen des Typus *ut supra demonstravimus,* die bei Caesar nicht selten erscheinen, sondern mit sozusagen kritischen

---

pertinaciter propugnantibus et copiarum multitudine, quas ... subiciebat, et perseverantia, constantiaque oppugnandi ... redegit. Solche *ubertas* ohne strukturelle Organisation ist für diesen Autor weithin charakteristisch.

[41] Dazu vgl. oben S. 148ff. analysierten Beispiele caesarischer Perioden.

[42] Zum erstenmal beim Kampf der Horatier und Curiatier, 1,25 (§ 2 *erecti suspensique in minime gratum spectaculum animi incenduntur ... § 4 horror ingens spectantes perstringit et neutro inclinata spe torpebat vox spiritusque* e.q.s.); ganz ähnlich beim Zweikampf des Cerrinus Vibellius Taurea gegen Claudius Asellius, 23,37,3. Auf eine große Schlacht (Galliersturm) ist dieses Element übertragen in 5,42,3f. (*Romani ex arce ... cernentes* etc.), enger auf die Führungsgruppen an den Gefechtsständen bezogen in 44,35,18. Man mag dazu die Rolle der Zuschauenden und Aufmunternden bei der Stadtverteidigung von Neu-Karthago, 26,46,5, vergleichen. Die Breslauer Diss. von H.-G. Plathner, Die Schlachtschilderungen bei Livius (1934), geht auf diesen Aspekt nicht ein; zu 1,25 einige Bemerkungen ebd. 42f.

Anmerkungen, die den Eindruck eines denkenden Berichterstatters wecken sollen.[43] Sie erweisen sich im übrigen als ziemlich überflüssig, im ersten der zitierten Fälle auch als reichlich abgeschmackt. Er hält sich auch für berechtigt, Caesars Leistung und Erfolg moralisch zu bewerten (23,3 *dignum adveniens fructum virtutis et animi magnitudinis tulit*), und ganz allgemein fällt auf, daß ihm die Formel *animi magnitudo* besonders leicht aus der Feder fließt.[44] Aber auch das Schlagwort von Caesars Glück scheint ihm ebenso geläufig wie unproblematisch zu sein[45], obgleich er an anderer Stelle[46] in Fortuna jene irrationale Macht sieht, die — nach alten Redensarten — die Menschen, die sie am meisten begünstigt hat, am tiefsten stürzen läßt. Ungeachtet dessen glaubt er daran, daß es die „Güte der unsterblichen Götter" ist, die in den Schlachten den Sieg vergibt.[47] Der Verfasser ist nicht nur Berichterstatter, sondern auch ein vulgärphilosophisch angehauchter Meditierer, der freilich nicht über landläufige Gemeinplätze hinauskommt: ein Mann von mittlerer Allgemeinbildung, die er als Schriftsteller nicht verleugnen, aber auch nicht aufdringlich zur Schau stellen will. Seine Sprache ist die der Gebildeten seiner Zeit, leicht rhetorisiert, aber nicht rhythmisiert, gelegentlich mit Neigung zu großer Geste, die nicht immer gelingt, im ganzen aber redlich um einen *commentarius*-gerechten Ausdruck bemüht.[48] Sein literarisches Produkt — vielleicht das einzige, das er jemals geschrieben hat — gehört nicht zu den bedeutenden, aber doch zu den einigermaßen angenehm lesbaren und der dargestellten Sache im ganzen auch angemessenen Büchern.

4. Bellum Africum

Eine weitere anonyme Schrift[49] von annähernd demselben Umfang wie das *Bellum Alexandrinum* stellt die Kämpfe dar, die Caesar in Nordafrika mit den noch immer beträchtlichen Streitkräften seiner Gegner[50] auszufechten hatte. Anders als

---

[43] 7,2 (über scheinbare Anhänger Caesars unter den Alexandrinern) *at mihi ⟨si⟩ defendendi essent Alexandrini neque fallaces esse neque temerarii, multa oratio frustra absumeretur.* — 23,1 (die Alexandriner erkennen, daß sie keine Aussicht mehr haben, ihre Lage zu verbessern) *ut coniectura consequi possumus* (nämlich aus ihrem veränderten Verhalten). — Den Ausdruck *coniectura consequi* gebraucht übrigens auch Caesar in einem Brief an Balbus (Cic. ad Q. fr. 2,11 [10],4).

[44] Außer an der zitierten Stelle noch 15,1; 2; 31,1.

[45] 43,1 (von Gabinius) *sive copiosiorem provinciam existimans sive multum fortunae victoris Caesaris tribuens,* etc. — Zu diesem Topos s. H. Erkell, Augustus, Felicitas, Fortuna, Fortuna-Tyche bei Caesar, Diss. Göteborg 1952; G. Schweicher, Schicksal und Glück in den Werken Caesars, Diss. Köln 1963 (dort weitere Lit.).

[46] 25,4 (Schicksal des Rhodiers Euphranor).   [47] 75.3; 76,1.

[48] Aus der Rolle des Berichterstatters fällt er nur einmal auffällig heraus, nämlich in der oben (Anm. 43) zitierten Kritik an Caesars Vertrauensseligkeit gegenüber den Alexandrinern (7,2); er fährt dort mit überlegener Geste fort: *cum vero uno tempore et natio eorum et natura cognoscatur, aptissimum esse hoc genus ad proditionem dubitare nemo potest.*

[49] Neueste Ausgaben: C. Iuli Caesaris Commentariorum pars posterior ed. R. L. A. Du Pontet (OCL) 1900, letzter Nachdr. 1971; Bellum Africum ed. A. Bouvet (Coll. Budé) 1949. Kommentar von R. Schneider (1905).

[50] Nach BAfr 1,4 standen dem in Afrika kommandierenden Q. Metellus Scipio 10 Legionen, 120 Elefanten und „mehre Flotten" zur Verfügung; dazu kamen 4 Legionen des Königs

beim BAl ist das Thema hier streng geschlossen; es betrifft die Ereignisse in Nordafrika vom Ende des Jahres 47 bis Mitte April 46, und diese werden nahezu ohne
Abschweifungen[51], gänzlich ohne Exkurse, Rück- und Ausblicke berichtet. Der
Autor versucht auch keine Würdigung der Leistung Caesars — auf dessen Seite er
natürlich steht — oder einer seiner gegnerischen Figuren; nur im 88. Kapitel klingt
bereits das später traditionelle Bild des *Cato Uticensis* an.[52] Die Schrift entbehrt
auch jeder Einleitung; sie beginnt sogleich mit Caesars Ankunft in Lilybaeum am
19. Dezember 47 und seinem energischen Drängen auf rasche Überfahrt nach Afrika; der Zusammenhang mit dem vorhergehenden Ablauf des Bürgerkrieges fehlt
ebenso wie die Nennung eines Kriegszieles oder — am Ende einer Schrift — eine
Andeutung über die durch den Sieg bei Thapsus und die Übergabe von Utica ge-
schaffene Lage. Wir haben also in gewissem Sinne das ideale Modell eines *commentarius* vor uns, da auf jede Art literarischer Ausgestaltung und jede persönliche
Meinungsäußerung verzichtet wird. Auch den Schein der Gelehrtheit will der Autor
nirgends erwecken.

Die Gliederung der knapp 60 Druckseiten umfassenden Schrift ergibt sich einfach aus dem Ablauf der Ereignisse selbst: Nach der Überfahrt Caesars und seinen
vergeblichen Versuchen, bei Hadrumetum Fuß zu fassen, wird ein erster Großabschnitt von den wechselnden Operationen um Ruspina ausgefüllt (7—40). Von da
an wird eine Fülle von Einzelmanövern berichtet, die durch den Hauptschauplatz
Uzitta zusammengehalten sind (41—67); die Ereignisse scheinen einer Entscheidung
zuzudrängen (48—60), und diese Entwicklung bildet den Schwerpunkt des Abschnitts; aber es kommt dann doch nicht dazu; der Krieg zerfällt wieder in Klein-
aktionen, ohne eine Wendung sichtbar werden zu lassen. Mit Kap. 68 tritt als neuer
Schauplatz Zeta in den Vordergrund, ohne daß der Krieg damit in eine neue Phase
einträte; nur die Schauplätze wechseln jetzt rascher; die Krisen Caesars jagen einander in immer dichterer Folge, bis er den entscheidenden Schritt unternimmt:
den Vormarsch auf Thapsus. Vom Charakter der Kämpfe aus gesehen stellt die
Partie von 41—79 eine Art Einheit dar, ausgefüllt von dem andauernden Ringen
Caesars um die Versorgung seiner Truppe und von seinen vergeblichen Bemühungen um eine offene Feldschlacht.[53] Den letzten Abschnitt stellt schließlich die

---

Numa und dessen „unermeßlich große Kavallerie". Die dem Labienus in den Mund gelegten
Angaben 19,3 sind ihrem Charakter nach und durch mehrere Textstörungen so unklar,
daß verläßliche Zahlen durchaus nicht gewonnen werden können. Bemerkenswert ist aber
der Einsatz von gallischen und germanischen Reitern sowie von Halbbürgern, Libertinen
und Sklaven (im Kampf gegen Römer!).

[51] Zu den wenigen Einschüben s. unten S. 210. Eine Besonderheit ist das etwas unmotivierte
und in die Handlung schlecht einkomponierte Streitgespräch zwischen Labienus und einem
Veteranen Caesars, 16,1—3, (dazu s. unten S. 208f.).

[52] S. bes. § 5 *quem Uticenses quamquam oderant partium gratia, tamen propter eius singularem integritatem et quod dissimillimus reliquorum ducum fuerat ..., sepultura
adficiunt.*

[53] Vgl. 41,1 *Scipio ... intra suas continere se munitiones coepit;* 79,1 *postquam nulla condicione cogere adversarios poterat, ut in aequum locum descenderent legionumque periculum
facerent* e.q.s.

Schlacht bei Thapsus und die militärische Auswertung dieses Sieges dar (80—97). In einem abrundenden Kapitel von 8 Zeilen spricht der Verfasser von Caesars Rückfahrt nach Rom, so wie er in Kap. 1—2 über die Ankunft in Sizilien und die Überfahrt nach Afrika berichtet hat.

So wenigstens stellt sich uns die Disposition der Schrift gemäß dem Ablauf der Dinge dar. Ob der Autor selbst eine wirkliche Gliederung im Sinne hatte, ist schwer zu sagen. Eine Äußerung, die dies verriete, findet sich nirgends. Man könnte am Beginn des Thapsus-Abschnittes einen Hinweis darauf in der Kennzeichnung der Örtlichkeit finden: 80,1 *erat stagnum salinarum, inter quod et mare angustiae quaedam ... intererant; quas Scipio intrare et Thapsitanis auxilium ferre conabatur.* Aber nur zwei Kapitel vorher (78,1) findet sich derselbe Aussage-Typus (*erat oppidium equestre ... habere consuerat. eo ... ipse legiones ... in acie constituit*), ohne daß er im mindesten einen Einschnitt signalisierte; derartige knappe Lokalnotizen gehören zum Darstellungsstil des *commentarius* genauso wie zu dem der Geschichtsschreibung[54]. Lediglich am Ende des ersten Großabschnittes gewinnt der Leser den Eindruck einer gewollten Zäsur: Nach der Schlacht bei Ruspina verweilt die Darstellung bei einem Blick über das Schlachtfeld, bei dem Caesar (!) *mirifica corpora Gallorum Germanorumque* „wahrnimmt", die sich aus unterschiedlichen Gründen dem Scipio[55] angeschlossen hatten: *horum corpora mirifica specie amplitudineque caesa toto campo ac prostrata diverse iacebant.*[56] Nach diesem kurzen Atemholen setzt das neue Kapitel mit *his rebus gestis* ein — eine Formel, die in dieser Schrift selten ist.[57]

Auf derartige Übergangsformeln zu achten, lohnt sich bei diesem Autor, weil sie ein eigenartiges Verhältnis zur Zeit erkennen lassen. Während bei Caesar die Abfolge der Geschehnisse in der Regel durch Temporalsätze mit *cum, postquam* oder *ubi* oder durch absolute Partizipien als Eröffnungsformeln verdeutlicht wird, Parallelschaltungen auf dem Zeitraster dagegen durch *interea, dum*-Sätze und dergleichen als solche gekennzeichnet werden, geht der Autor des BAfr trotz seiner Beschränkung auf den faktischen Ablauf der Dinge mit denjenigen Verknüpfungen, die Abfolgen bezeichnen, merkwürdig sparsam um und bevorzugt die Formel *interim* mit Vorliebe auch dann, wenn man eine weiterführende Formel erwartet. Eine Statistik der Anknüpfungen von Kapitel zu Kapitel, in der Caesar BG VII und BAfr verglichen werden, macht den Unterschied rasch deutlich:

[54] Vgl. oben S. 162f. Weitere Stellen im BAfr: 40,1; 50,1; 68,1; nur an der letzten dieser Stellen hat diese Aussageform eröffnenden Charakter.
[55] Scipios Name steht zwar zuvor nur in einem Abl. abs., aber *eius auctoritatem* und *ad eum* an den betreffenden Stellen kann, wie die angegebenen Gründe zeigen, nur auf Scipio bezogen werden.
[56] Dieser eine Satz könnte bereits zum Beweis ausreichen, daß die Schrift nicht von Caesar stammen kann, falls ein Beweis noch nötig wäre. Daß der Autor nicht Caesar ist, gibt er selbst oft genug zu erkennen: 3,4; 10,3f.; 20,4f.; 31,3f.; 73,1f.
[57] Sonst nur noch 51,1 und 98,1, an der letzteren Stelle ebenfalls zum Abschluß eines größeren Komplexes.

Formel	BG VII	BAfr
cum ..., postquam ... sim.	10	13
Abl. abs.	26	10
postea, postero die sim.	4	1
eodem tempore sim.	1	2
dum haec geruntur sim.	6	6
interim, interea	5	63

Daraus ergibt sich, daß bei Caesar 40 Ausdrücken der Zeitfolge nur 12 Ausdrücke der Zeitparallelität gegenüberstehen, beim Autor des BAfr jedoch nur 25 mal der Eindruck der Folge, 40 mal der der zeitlichen Parallelität oder Überschneidung geweckt wird. Wenn dies bei unserem Anonymus nicht blanke Gedankenlosigkeit ist[57a], dann läßt sich aus diesem Befund das Bestreben ablesen, die einzelnen Aktionen und Bewegungen zeitlich dicht zu verzahnen und ihnen dadurch entweder Tempo und Hektik zu verleihen oder den Leser das „Schachspiel" dieses Krieges ständig von mehreren Seiten gleichzeitig, also auch lückenlos erleben zu lassen. Tatsächlich scheint dies letztere seine vorherrschende Absicht zu sein und deshalb die Darstellungsform zu bestimmen. Dazu ein paar Beispiele:

1. Caesar hatte vor Thapsus das Heer des Scipio geschlagen, seine drei Lager erobert und seine Elefanten erbeutet (86,1), konnte aber Thapsus selbst wegen der Hartnäckigkeit des Kommandanten seiner Besatzung, Vergilius, nicht nehmen (86,1—2). Am folgenden Tage versammelt er seine Soldaten, belobigt und beschenkt sie und ordnet an, Thapsus eingeschlossen zurückzulassen und gegen Utica vorzugehen; er schickt M. Messalla mit den Reitern voraus und folgt selbst mit dem Gros der Legionen (86,3). Dies alles wird Schritt um Schritt in der zeitlichen Abfolge erzählt (*statim... deinde... postquam ... postero die ... inde*). Mit dem neuen Kapitel schaltet der Autor auf die Gegenseite um: *Equites interim Scipionis, qui ex proelio fugerant ..., perveniunt ad oppidum Paradae* (87,1). Sie finden die Stadt verschlossen vor, erobern sie, stecken sie in Brand und werfen die Einwohner gefesselt ins Feuer. Dann kommen sie nach Utica, wo sie, von den Bürgern der Stadt zunächst zurückgewiesen, unter diesen ein Blutbad anrichten und von Cato und Faustus Sulla[58] mit Mühe durch Geldgeschenke zur Raison gebracht werden. Danach verlassen sie mit den letzteren die Stadt. Auch dieses Kapitel stellt einen kontinuierlichen Ablauf dar (*cum ... reciperentur ...; deinde ... itaque ... postea quam ... non potuerunt; cum ... quiret ...*). Wiederum setzt ein Kapitel mit *interim* ein: *complures interim ex fuga Uticam perveniunt*, etc.; es handelt sich dies-

---

[57a] Als Indiz eines beschränkten Wortschatzes gewertet bei Teuffel—Kroll—Skutsch, Gesch. der römischen Literatur I (1916) 454.

[58] L. Cornelius Sulla, Sohn des Diktators, war von den ersten Tagen des Bürgerkrieges Mitkämpfer des Pompeius (vgl. BC 1,6,3). Seine Rolle bleibt hier völlig im Dunkeln; erst 95,1 wird er gemeinsam mit Afranius als Anführer dieses Reiterhaufens (ca. 1000 Mann) bezeichnet. Derartige Unausgeglichenheiten begegnen öfters.

mal nicht um jene Reiter, sondern um andere flüchtende Pompeianer, die sich sogleich dem Cato zur Verteidigung der Stadt zur Verfügung stellen. Daß sie noch
während der offensichtlich sehr kurzfristigen Auseinandersetzung mit den Reitern
eingetroffen sind, wird man kaum annehmen dürfen, denn sie sind — wenn der
Autor nichts unterdrückt — nicht in diese verwickelt worden. Man erwartet also
eher eine Anknüpfung durch *eodem fere tempore* o. ä. (d. h. gleichzeitig mit dem
Abzug der Reiter); *interim* dient also wohl dazu, die Vorstellung des Lesers nicht
nur auf die Ankunft, sondern auf den ganzen Marsch der flüchtenden Legionäre
hinzulenken und damit für diese Gruppe den Anschluß an die Vorgänge des Kap. 85
herzustellen. Derselbe formale Rückgriff über Dazwischenliegendes hinweg erfolgt
auch am Beginn des Kap. 89; es schließt nicht an den Tod des Cato und den Entschluß des L. Caesar, dem anrückenden siegreichen C. Caesar zur Übergabe ent-
gegenzugehen (88), sondern an den Aufbruch Caesars von Thapsus mit dem Ziel
Utica an (86,3 *M. Messalla Uticam ante praemisso* ... [sein Eintreffen wird am
Ende von 88 gewissenhaft notiert] *ipse eodem iter facere contendit*). Dieser Marsch
Caesars wird nun (89,1—3) nachholend (*Caesar interim a Thapso progressus* ...)
über alle Stationen (Usseta[58a], Hadrumetum) bis zur erwarteten Begegnung mit L.
Caesar erzählt. Der Erzähler zieht es vor, die Geschehenseinheit, die im Kapitula-
tionsentschluß des L. Caesar, seiner Begegnung mit dem Sieger und seiner Begnadigung gegeben ist, aufzulösen, um Vollständigkeit in der Aufzählung aller Vorgänge zu erreichen. Die chronistische Pedanterie läßt den Wunsch literarischer Konzentration nicht aufkommen.

2. In einem Gefecht bei Ruspina kommt Caesar infolge der Übermacht der feindlichen Reiterei in schwere Bedrängnis (14). Er ordnet daher strengste Schlachtord-
nungsdisziplin an (*edicit*, 15,1), was vom Autor mit einer längeren Parenthese begründet wird. „Inzwischen" (*interim*) versucht[59] Labienus, mit seiner Reiterei Caesars geringe Streitmacht einzuschließen, was ihm auch *puncto temporis* gelingt
(§ 2—3). *Interim* scheint hier ganz unangebracht zu sein; der Angriff des Labienus
ist eine neue Aktion nach den in Kap. 14 erzählten Vorgängen; auf den Zeitpunkt
des *edicere* bezogen, wäre es aber sinnlos. Tatsächlich liegt der Sinn des Wortes im
anknüpfenden Rückgriff auf das Ende von Kap. 14 (*dum equites rursus cursu reno-
vato peditibus suis succurrerent*). Eben diesen Reiterangriff schildert Kap. 15,2—3;
interim deutet an, daß dieser Vorgang, der darstellerisch durch die Reaktion Caesars unterbrochen wird, in der Wirklichkeit ohne Unterbrechung weiterläuft. Ebenso knüpft nun der Anfang des Kap. 17 (*Caesar interim consilio hostium cognito*)
an das Ende von 15 an, wo die Umfassungsoperation der Reiter des Labienus geschildert ist. Wieso *interim*? Caesars Maßnahmen in 17 sind eine unmittelbare Antwort auf die Aktion des Labienus, und Caesar selbst hätte wahrscheinlich nur geschrieben: *Caesar consilio hostium cognito*. Unser Autor aber schiebt dazwischen

---

[58a] Namensvariante zu Uzitta; s. P. Quoniam, RE IX A 1330.
[59] Die Überlieferung hat hier *circuire non conatur*; da dies widersinnig ist, lassen einige Hss.
non weg, was einfach, aber methodisch bedenklich ist. Nipperdey ersetzt daher *conatur*
durch *moratur*; ich würde aus paläographischen Gründen *cunctatur* vorziehen. Die Konstr.
non cunctari m. Inf. ist bei Sall. und Liv. geläufig.

eine Episode zwischen Labienus und einem caesarischen Veteranen und knüpft daran — etwas unorganisch — eine allgemeine Bemerkung über die Hilflosigkeit, die sich unter den Legionären Caesars ausbreitet. Der Inhalt dieses Kapitels führt zeitlich nicht über den des 15. hinaus, sondern dient ausschließlich seiner Ausmalung. Der darauf folgende Anschluß mit *interim* hat also keinerlei zeitliche Funktion, sondern greift nur erzähltechnisch hinter die Episode zurück.

3. Nicht weniger bezeichnend ist der Übergang von Kap. 17 nach 18. Caesar ist es gelungen, sein Heer dadurch aus der Umklammerung zu befreien, daß er es von innen heraus nach zwei Seiten hin angreifen und so den Ring sprengen ließ. Dann heißt es mit Bezug auf Caesar selbst (der wohl die eine Seite des Angriffs persönlich leitete): „Er rückte aber aus Sorge vor einem Hinterhalt nicht weiter vor, sondern zog sich zu den Seinen zurück. Dasselbe tat auch der zweite Teil der Reiter und Fußtruppen Caesars (§ 1). Nach diesen Geschehnissen und nachdem der Feind weit zurückgeworfen worden war und Verluste erlitten hatte, begann er sich auf seine Stützpunkte zurückzuziehen, *sicut erat instructus*"[60] (§ 2). Nun beginnt Kap. 18 mit neuem Subjekt: *Interim M. Petreius et Cn. Piso*[61] *cum equitibus Numidicis … subsidio suis occurrunt.* Sie fangen die Zurückgeschlagenen auf, folgen den zurückgehenden Truppen Caesars und greifen sie von hinten an. Blickt man auf die Hauptlinie des Kampfgeschehens, so setzt dieses Kapitel den Inhalt von 17 geradlinig fort: die Leute des Labienus werden zurückgeworfen; erst dabei stoßen sie auf die anrückenden Numider, formieren sich neu und versuchen nun, mit ihrer Hilfe dem Kampf eine neue Wendung zu geben. Lediglich die Tatsache, daß inzwischen Caesar eine Absetzbewegung eingeleitet hat, veranlaßt den Autor, das zurückgreifende *interim* zu setzen; in Wahrheit signalisiert es nicht einen zeitlichen Rückgriff, sondern einen Standortwechsel der Berichterstattung: Kap. 17 ist aus der Perspektive Caesars erzählt; Kap. 18,1—2 wechselt zur Gegenseite über und knüpft dabei an die letzten Aussagen über die Lage der Scipio-Truppen (*in fugam vertit; repulsis convulneratisque*) an. Obwohl der Verfasser den Krieg auf Caesars Seite erlebt hat, bemüht er sich doch bis in alle Details hinein um paritätische Ausführlichkeit und sucht dieser Absicht durch fortwährendes Umschalten von einem Standort zum andern gerecht zu werden. In der Mehrzahl aller Fälle bedeutet sein *interim* nichts anderes als einen Wechsel des Blickpunktes, von dem aus die Geschehnisse verfolgt werden. Die Folge dieses Verfahrens ist die Auflösung der Erzählung in kleine Einheiten. Daß sie nicht ins Zusammenhanglose zerfallen, dafür dient ihm eben das ständige — wenn auch minimale oder überhaupt nur formale — Überlappen der Abschnitte, das durch *interim* angedeutet wird.

---

[60] Obwohl Caesar formell Subjekt ist, kann *instructus* nur auf ein gedachtes (oder verlorenes?) *exercitus* bezogen werden; Caesars Heer geht also in entwickelter Formation zurück. Als Synekdoche wäre der Fall jedenfalls in dieser Schrift singulär.

[61] Cn. Calpurnius Piso Frugi erscheint nur Kap. 3,1 und hier, obgleich er sicher am gesamten Krieg beteiligt war und danach noch eine wichtige Rolle im Bürgerkrieg spielen sollte (Tac. ann. 2,43,2). — M. Petreius ist bis zu dieser Stelle nicht genannt, obwohl er zur ersten Garnitur im pompeianischen Heer zählte (F. Münzer, RE XIX 1187f.). Das plötzliche Auftreten und Verschwinden einzelner Personen im Bericht gehört zu den Eigenarten dieses Buches.

Nimmt man die Parteinahme für Caesar[62] und die beschriebene Technik des Darstellens als Vorgegebenheit, so wird man dem Autor im ganzen eine präzise und
disziplinierte Berichterstattung attestieren können. Was er bietet, sind gewiß fast
nur Operationsberichte, aber soweit es sein Ausdrucksvermögen zuläßt, sind die
Vorgänge außerordentlich genau und verständlich nachgezeichnet. Sachlich Un-
wahrscheinliches wird man ihm kaum nachweisen können. Die von ihm angeführten Zahlen von Truppenkontingenten, Gefangenen usw. wirken realistisch und zuverlässig; auf genaue Angaben über die eingesetzten Legionen oder Kohorten und
deren Aufstellung legt er großen Wert, was man bei einem Truppenoffizier wohl
versteht. Weit öfter als Caesar selbst bietet er auch Datierungen.[63]

Nur angesichts des vorherrschenden Strebens nach Sachlichkeit, nicht aber im
Blick auf die von Caesar selbst vorgebildete Auflockerung des Genus mag es überraschen, daß dieser Autor sich gelegentlich zur Einführung direkter Reden entschließt. Die beiden ersten finden sich in Kap. 44—46: Scipio hat einige Veteranen
und einen Centurio Caesars in seine Gewalt gebracht und verspricht ihnen Schonung des Lebens und Geld, wenn sie sich auf seine Seite schlagen; der Centurio
aber lehnt dies namens aller in einer mutigen Rede ab, worauf Scipio ihn und
seine Kameraden nach einem Zornesausbruch bestialisch (*cruciabiliter*) umbringen
läßt. Die Szene ist stark dramatisiert; ihr Zweck ist es, das Bild Caesars am Gegen-
bild des Führers der Gegenseite aufzuzeigen, der den Verrat honoriert, Treue und
Charakterfestigkeit aber mit Brutalität beantwortet. — Die nächste Rede zeigt Caesar selbst bei einem Strafgericht gegen die Militärtribunen C. Avienus und einige
andere, die sich gegen die militärische Disziplin vergangen haben und nach Kriegsrecht mit standrechtlicher Hinrichtung zu rechnen haben: Caesar hält ihnen in
aller Strenge ihrer Schuld vor Augen, begnügt sich aber mit ihrer ehrlosen Entlassung
aus der Truppe (Kap. 54). Schon die Tatsache, daß nur diese beiden „Szenen"
direkte Reden zum Mittelpunkt haben, läßt erkennen, daß sie komplementäre
Funktion haben; aber auch thematisch sind sie aufeinander bezogen; sie zeigen
die Auffassung der beiden Parteiführer von Macht und Recht und den Grad ihres
Respekts vor Menschen, die ihrer Verfügungsgewalt ausgeliefert sind.

Neben diesen beiden Szenen stellt sich schließlich eine Episode, die schon ihrem
sprachlichen Ductus nach völlig aus ihrer Umgebung herausfällt (57). Scipio erfährt, daß einer seiner Offiziere, M. Aquinus, ein Gespräch mit dem Caesarianer C.
Saserna führt; er läßt ihm übermitteln, er sei dazu nicht befugt; aber Aquinus
kümmert sich nicht darum.[64] Danach schickt Juba eine Ordonnanz zu ihm mit dem

---

[62] Besonders typisch ist es, daß für den Autor das Schlagwort *clementia* Caesaris (vgl. oben S.
198) zum festen Bestand des Caesar-Bildes gehört: 54,2; 85,9; 86,2; 88,6; 89,5; 92,4. Selbst
in der Liste der Bestrafungen der geschlagenen Gegner (97) klingt am Ende noch Caesars
humanitas an: § 4 *Thysdritanos propter humilitatem civitatis certo numero frumenti mul-
tat.* Größten Wert legt der Autor darauf zu zeigen, daß Caesar die Schlacht von Thapsus
eigentlich gar nicht gewollt hat, sondern von seiner Truppe zu ihr gezwungen wurde und
auch dann nur gegen die feindlichen Anführer kämpfen wollte (82,3. 83,1), obwohl seine
Gegner im schlechtesten Licht erscheinen (71,1; 73,2).
[63] 1,1; 2,4; 6,7; 19,10; 47,1; 98,2. Zum Vergleich: BG nur I 6; Hirt. BG VIII 2; BHisp 19.
[64] Die Stelle ist gestört, aber der Vorgang selbst ist eindeutig.

Auftrag: *vetat te rex colloqui,* worauf Aquinus das Gespräch sofort abbricht. Der Vorfall hat keinerlei militärische Bedeutung, aber er gibt dem Verfasser Anlaß, sich darüber zu empören, daß ein römischer Bürger und Amtsträger lieber einem Barbarenkönig gehorcht als seinem eigenen Vorgesetzten — ganz offensichtlich um zu zeigen, wie peinlich sich in der Gegenpartei das Verhältnis der Autoritäten bereits verschoben hat. Auch hieraus soll der Leser lernen, welche Demütigungen den Römern durch den Sieg Caesars erspart geblieben sind.

Bemerkenswerterweise finden sich derartige charakterisierende Einschübe weder im ersten noch im letzten Drittel des Buches; ihre Placierung in der Mitte ist wahrscheinlich wohl erwogen: Während die Ereignisse im ersten Drittel scheinbar, im letzten tatsächlich auf ein erkennbares Ziel zustreben, ist das zweite mit einem ermüdenden und überwiegend kurzatmigen taktischen Hin und Her ausgefüllt, das dringend nach Ruhepunkten der Besinnung und Signalen für den erhofften Ausgang verlangt. So jedenfalls wirken diese Kapitel auf den Leser, und wenn dies in der Absicht des Autors lag, wird man ihm einen gewissen Sinn für Angemessenheit des Planens nicht absprechen können.

Daß dieser Mann eine eigene, zum Teil eigenwillige Sprache spricht, durch die er sich deutlich von Caesar und seinen übrigen Kriegsberichter-Kollegen abhebt, wäre in einer ausführlichen Studie zu zeigen[65], was in diesem Rahmen nicht möglich ist. Schon sein Wortschatz ist stark individuell; ich habe mir rund 60 Vokabeln notiert, die er allein unter allen *Bella*-Verfassern gebraucht, darunter manche, die erst viel später Heimatrecht in der lateinischen Literatur erlangen, andere, die sich nie durchgesetzt haben. Er ist der erste, der neben *Caesariani*[66] auch den Ausdruck *Iuliani* benützt[67]; *magnus* ersetzt er mit Vorliebe durch *grandis*[68]; er zeigt eine Neigung für Konstruktionen, die in der caesarischen Sprache selten sind, wie *potiri* m. Akk. (6 mal) oder Gen. (4 mal) neben der Konstruktion mit Abl. (5 mal), *desistere* mit Inf. (5 mal; in allen Büchern Caesars nur 4 mal), *non intermittere* mit Inf. (8 mal; bei Caesar nur BG IV 31) und dergleichen mehr. Ganz ausgefallen und wohl als umgangssprachlich zu werten ist eine Formulierung wie *usu venisse ... civi Romano ... barbaro oboedientem fuisse* (57,3), was etwa bedeutet: „Soweit hat es ein römischer Bürger gebracht, daß er ... gehorsam war."

[65] Das materielle Fundament dafür hat schon F. F r ö h l i c h in seiner Züricher Diss. von 1872 (Das BAfr, sprachlich und historisch behandelt) gelegt; seine Untersuchung bietet die sprachlichen Eigenarten — im Stile der Zeit — nach den Kategorien der Grammatik und Stilistik aufgeschlüsselt. Kurz darauf wurde dasselbe Thema von dem Erlanger W ö l f f l i n - Schüler A. K o e h l e r wieder aufgegriffen (De auctorum BAfr et BHisp latinitate. Acta seminarii philologici Erlangensis 1, 1878, 276—471), doch nun auf erweiterter Basis und mit dem Ziel zu ermitteln, was aus b e i d e n Schriften für die Beschreibung des *sermo vulgaris* gewonnen werden kann. Daß darunter der Blick für die Verschiedenheit beider Autoren gelitten hat, ist in einer Anfängerarbeit — so sorgfältig sie auch abgefaßt ist — nicht verwunderlich.

[66] 13,1; 14,3; 50,1 u.ö.; vereinzelt BAl 59,1; BHisp 34,1; danach erst Flor. 4,3 u.a. Als Adj. gelegentlich bei Cic.

[67] 15,2; 40,2; 41,2; 69,5 u.ö.; danach Suet. Iul. 75.

[68] 18,1; 24,1; 34,2; 42,1; 48,1; 76,1; 79,1. — Im BG nur 4 mal, stets auf Naturerscheinungen bezogen.

Größere Perioden begegnen nicht gerade häufig; aber wo sie auftreten, sind auch sie oft recht eigenwillig angelegt. Ein Beispiel (69,4): *Cum iam Caesar existimasset hostis pulsos deterritosque finem lacessendi facturos et iter coeptum pergere coepisset* (ungleiche Glieder in chiastischer Anordnung!), *iterum celeriter ex proximis collibus erumpunt atque eadem ratione, qua ante dixi, in Caesaris legionarios impetum faciunt Numidae levisque armatura mirabili velocitate praediti, qui inter equites pugnabant et una pariterque cum equitibus accurrere et refugere consueverant* (Doppelsubjekt über ein kompliziertes Prädikat hinweg aufgespart, um es dann mit doppelstufigem Attribut belasten zu können, an das der folgende Bericht anknüpfen kann). In der Freiheit, ja strukturellen Auflösung der Periode kann der Autor bis zum Anakoluth gehen (85,4): *qui postquam ad ea·castra, quae petebant, perfugerunt, ut refectis castris rursus sese defenderent ducemque aliquem requirerent, quem respicerent, cuius auctoritate imperioque rem gererent — qui postquam animadverterunt neminem ibi esse praesidio, protinus armis abiectis in regia castra fugere contenderunt.* Ein architektonisches Sprachtalent steckt in dem Verfasser gewiß nicht; aber er ist ein Mann von flüssiger Feder und nicht ohne ein Gran Expressivität der Sprachgeste: im ganzen ein nicht unbeachtlicher Vertreter seiner Gattung[69], dem Verfasser des BAl in manchem überlegen, von dem des BHisp total verschieden, wie sich sogleich zeigen wird.

5. Bellum Hispaniense[70]

Auch die letzte Phase der militärischen Auseinandersetzungen Caesars mit seinen Gegnern (Dezember 46 bis August 45) hat einen Bearbeiter gefunden, der ganz offensichtlich selbst an den in Spanien ausgefochtenen Kämpfen, über die er berichtet, teilgenommen hat.[71] Daß dieser Autor kein fähigerer Schriftsteller war, mag man aus manchen Gründen bedauern; aber es gibt andere Gesichtspunkte, die uns dieses kleine Werk auch wieder besonders wertvoll, ja reizvoll machen können.

Liest man den hier vorliegenden Bericht nach den Büchern, die Caesar selbst verfaßt hat, oder auch nur nach denen seiner nächsten Fortsetzer, dann fühlt man sich sogleich in eine andere Welt versetzt. Zwar ist das Milieu dasselbe, gleichen sich die Geschehnisse wie ein Ei dem andern, herrscht dieselbe parteiliche Ge-

---

[69] Der verständliche Wunsch, ihn benennen zu können, hat einst ein buntes Angebot produziert: Asinius Pollio (G. Landgraf, Unters. zu Caesar, 1888), der jüngere Balbus (Fröhlich a.O.), Sallust (A. Langhammer, BphW. 1910, 412), ein Angehöriger der 5. Legion (T. Widmann, Philol. 50, 1891, 565), ein subalterner Frontoffizier (G. Veith, Ant. Schlachtfelder 902) u.a.m. Die neuere Forschung hat das Rätselraten längst aufgegeben und ist zum *non liquet* Suetons zurückgekehrt. Als Entstehungszeit kommen am ehesten die ersten Jahre des 2. Bürgerkrieges in Betracht.

[70] Diese Titelform hat die Mehrzahl der Hss.; sie wird von Suet. Iul. 56 bestätigt. Nur der cod. Ashburn. 33 schreibt *de bello hyspanico*, was A. Klotz (RE X 274) als originären Titel in Betracht zieht; doch vgl. Vell. 2,55,2 und G. Pascucci, Kommentar zum BHisp (1965) 23.

[71] Dafür schlagend 29,6 *nostri ad dimicandum procedunt, id quod adversarios existimabamus esse facturos.* Weitere Argumente bei Pascucci a.O. 24f.

sinnung und Tendenz — nämlich zu zeigen, welchen üblen Subjekten Rom ausgeliefert gewesen wäre, wenn Caesar nicht gesiegt hätte[72] —; aber die Perspektive,
aus der dieser Autor die Dinge sieht, ist die des niederen Truppenführers, der vor
allem an Kampfaufgaben und Kriegstechniken ineressiert ist, aber schon den Kampfverlauf im ganzen nur mangelhaft verdeutlichen kann, von politischen Zusammen-
hängen ganz zu schweigen.[73] Zwar bilden die ersten 19 Kapitel noch einen einigermaßen festgefügten Kontext; sie berichten von Caesars Aufbruch aus Rom auf
Veranlassung der ihm ergebenen, aber von Cn. Pompeius bedrängten spanischen
Gemeinden und von den Operationen gegen Corduba, das Sextus Pompeius im
Handstreich genommen hatte und erfolgreich verteidigte, sowie von denen bei Ate-
gua, das Pompeius nicht daran hindern konnte, Caesar seine Tore zu öffnen. Von
da an verfällt die Darstellung mehr und mehr zu einer Perlenschnur von Einzelmitteilungen, sehr oft ohne jeden logischen Zusammenhalt, so daß der Leser nur
mit Mühe den Überblick behält. Eine Partie wie diese mag für viele stehen (27,
3–6):

> *Eo die Pompeius castra movit et contra* †*Spalim*† *in oliveto constituit. — Cae-*
> *sar priusquam eodem est profectus, luna hora circiter sexta visa est. — Ita castris*
> *motis Ucubim Pompeius praesidium, quod reliquit, iussit incendere, ut deusto*
> *oppido in castra maiora se reciperent.*[74] *— Insequenti tempore Ventiponem oppiß*
> *dum cum oppugnare coepisset* (sc. *Caesar*), *deditione facta iter fecit in Carrucam,*
> *contra Pompeium castra posuit. — Pompeius oppidum, quod contra sua prae-*
> *sidia portas clausisset, incendit,* etc.[75]

Dies ist nicht mehr Erzählung, sondern unverändert Wiedergabe von Tagebuch-
notizen, die im einzelnen interessant sein mochten, aber einem Leser, der nicht
selbst Kriegsteilnehmer gewesen ist, niemals ein geschlossenes Bild des Geschehens
vermitteln können. Nicht selten ist diese Brockensammlung von Mitteilungen kräftig mit Gemeinplätzen und nichtssagenden Phrasen untermischt, etwa der Art:
vehemens fiebat ab utrisque clamor telorumque missu[76] *concursus, sic ut*

---

[72] So gleich am Anfang, 1,4, in der Darstellung der Habgier und Heimtücke des jungen Cn.
Pompeius, die an jene Gesinnung erinnert, die Tacitus von Domitian behauptet. Weiteres
dieser Art in Kap. 18; 20ff. (Grausamkeit des Pompeius) und so fort bis zum Ende (42,6
[Worte Caesars] *privatus ex fuga Cn. Pompeius ... fascis imperiumque sibi arripuit,*
multis interfectis civibus auxilia contra populum Romanum comparavit e.q.s.).
Man beachte daneben die ausführliche Zeichnung des fliehenden Pompeius (32,6; 8; 37,2;
38,1; 39,1f., z. T. an BC 96,4 erinnernd) und die Feststellung des Legaten Tullius, 17,2:
relicti et deserti a Pompeio. Ausführlich dazu Pascucci, a.O. 31ff.

[73] Dafür zeugt wiederum gleich der Anfang der Schrift, der nur auf den Sieg über Pharnakes
und das Heer Scipios in Afrika verweist (und damit den Anschluß an die beiden einschlägigen *Bella* sucht), aber von der veränderten Situation in Rom nichts erwähnt außer den
Festspielen, die Caesar in Italien veranstaltete.

[74] Der *ut*-Satz ist als zweiter Befehl an die Soldaten zu verstehen, die das Fort verteidigen
sollen.

[75] Weitere Beispiele bei Pascucci a.O. 58.

[76] Man beachte die wohl erstmalige Ausdehnung des Abl. temporis (acti) beim Verbalsubstan-
tiv auf -*us*, *ūs*, der ursprünglich dazu diente, ein fehlendes Partizip zu ersetzen (so *adventu*
bei Plaut. Most. 381 [*patris adventu* = *postquam pater advenit*]; Caes. BG V 54,2; VII

prope nostri diffiderent victoriae. congressus enim et clamor, quibus rebus maxime hostis (!) *conterretur, in collatu*[77] *pari erant condicione* (31,2). In diesem Stil geht es weiter durch die Beschreibung der entscheidenden und einzigen großen Feldschlacht (bei Munda, 17. März 45), aus der wir weder für die Seite Caesars noch für die seiner Gegner auch nur einen einzigen taktischen Gedanken erfahren, geschweige denn ihre Bedeutung für den Ausgang des Krieges. Was der Erzähler für mitteilenswert erachtet, sind die kleinen Einzelbewegungen und die Empfindungen der Mannschaften im Gefecht. Das einzige, was diese Schlacht von den vorausgegangenen Scharmützeln abhebt, ist ein ganzes Kapitel über die Truppenaufstellung beider Seiten (30) und, diesem vorgelagert, wie oft bei Caesar selbst, eine Darstellung des Geländes, in dem sie stattfand, und des beiderseitigen Ringens um Positionsvorteile (29); dies letztere ist in der Tat noch eines der besten Kapitel des Buches, wenn auch keineswegs in allem klar verständlich.[78]

Da die Entscheidungsschlacht nicht sogleich das Ende der Kämpfe brachte, setzt sich die Erzählung noch über 10 Kapitel weit fort, ständig von Schauplatz zu Schauplatz wechselnd und vor allem auf die Schicksale der Personen und Städte eingehend, auch bei reinen Aufräumungsarbeiten keine Kleinigkeit auslassend, und dies in einem fast unüberschaubaren Wirrwarr von Einzeltatsachen[79] — bis die Erzählung mit Kap. 42 in eine lange Rede Caesars — zuerst indirekt, dann direkt — an die Bürger von Gades einmündet. Sie stellt die große Abrechnung des Siegers mit allen seinen Gegnern in Spanien dar, und man erführe gerne, welche Entschlüsse und Maßnahmen Caesars an ihrem Ende standen; aber das Ende fehlt, wahrscheinlich nur ein kurzes Textstück, allenfalls ein Handschriftenblatt.[80]

65,5; *discessu* bei Cic. Cat. 1,7; *solis occasu* bei Caes. BG I 50,2; vgl. Kühner—Stegmann I 356) auf einen transitiven Verbalbegriff.

[77] Der Ausdruck *in collatu* (sc. *armorum*) ist singulär; er soll natürlich *concursus* und *congressus* variieren. Das Adverbiale an dieser Stelle verrät zugleich Unschärfe des Denkens, denn das Subj. des Satzes (*congressus*) ist mit *collatus* inhaltlich identisch.

[78] Die Einzelerklärung des Kapitels bei Pascucci füllt mehr als 9 Seiten; trotzdem bleiben noch Fragen offen, etwa nach der Logik des *ut*-Satzes in § 1 (von P. nicht erörtert), nach der Bedeutung des durch seine Stellung herausgehobenen Zusatzes *ad dextram* in § 2, nach *patrocinari iniquo loco* (von P. nicht überzeugend geklärt), u.a. mehr. Daß hier ein Augenzeuge schildert, was er gesehen hat, ist unverkennbar, auch sein Bemühen um Genauigkeit. Aber seine unkontrollierte Geschwätzigkeit feiert Orgien, z.B. § 5 ... *quod in eum locum* (das Schlachtfeld) *res fortunaeque omnium deducerentur, ut, quidquid post horam casus tribuisset, in dubio poneretur;* § 6 beginnt mit *itaque nostri ad dimicandum procedunt* und endet mit *itaque nostri procedunt.*

[79] Treffend Pascucci a.O. 25 „quest' ultima parte col suo andamento discontinuo e desultorio ..."; 26 „sua tendenza ad accostare i fatti senza chiara visione della loro importanza ed intrinseca concatenazione".

[80] Den Verlust ersetzt inhaltlich der Bericht des Cassius Dio 43,39,4—5: μετὰ τοῦτο καὶ τὴν Μοῦνδαν (εἷλε) καὶ τὰ ἄλλα, τὰ μὲν ἀκούσια σὺν πολλῷ φόνῳ, τὰ δὲ καὶ ἐθελούσια παρέλαβε καὶ ἠργυρολόγησεν, ὥστε μηδὲ τῶν τοῦ Ἡρακλέους ἀναθημάτων τῶν ἐν τοῖς Γαδείροις ἀνακειμένων φείσασθαι, χώρας τέ τινων ἀπετέμετο, καὶ ἑτέροις τὸν φόρον προσεπηύξησε. ταῦτα μὲν τοὺς ἀντιπολεμήσαντας οἱ ἔδρασε, τοῖς δὲ εὔνοιάν τινα αὐτοῦ σχοῦσιν ἔδωκε μὲν καὶ χωρία καὶ ἀτέλειαν, πολιτείαν τέ τισι, καὶ ἄλλοις ἀποίκοις τῶν Ῥωμαίων νομίζεσθαι, οὐ μὴν καὶ προῖκα αὐτὰ ἐχαρίσατο.

Ist dieser Autor wenigstens ein zuverlässiger Berichterstatter? In den Grenzen seiner Fähigkeit, Geschehnisse richtig festzuhalten, wird man ihm dieses Attribut sicher zugestehen können. Als Kriegsteilnehmer ist er zunächst ein unverächtlicher Primärzeuge; sein auf die Einzelheiten gerichtetes Auge, seine pedantische Registratur selbst der belanglosesten Vorkommnisse und seine absolute Unfähigkeit, sie nach einer leitenden Idee zu redigieren und auszuwerten, machen ihn ebenso ungeeignet, sein Material zu manipulieren oder nach bestimmten Tendenzen zu arrangieren. Gerade das, was man dem intelligenten Caesar, teils mit Recht, teils übertreibend, zum Vorwurf gemacht hat, scheidet bei einem Berichterstatter dieses bescheidenen Zuschnittes[81] von vornherein aus. Wo er seiner caesarfreundlichen Voreingenommenheit folgt, tut er es mit der naivsten Offenheit, in aller Regel in der Weise, daß er bei jeder ihm passend scheinenden Gelegenheit auf die *virtus*, die *aequitas*, die *merita* Caesars hinweist; ein Caesarbild im höheren Sinne aufzubauen, kommt ihm gar nicht in den Sinn. Seine Befangenheit in militärischen Kategorien und seine Abhängigkeit vom Kriegstagebuch läßt ihn überhaupt den Blick auf den Leser weithin vergessen, wie schon der unbedenkliche Gebrauch militärischer Fachausdrücke und soldatischen Jargons verrät. Auf der anderen Seite enthält sein Bericht fort und fort so viele Einzelheiten, die man nicht frei erfinden kann, daß man sich gerade deshalb ihnen unbedenklich anvertrauen kann. In gewissem Sinne gleicht dieser Mann dem Kopisten einer Handschrift, der nicht einen Kontext, sondern Wörter und Buchstaben abschreibt und gerade deshalb, vorbehaltlich unbeabsichtigter Irrtümer, in besonderem Maß Vertrauen verdient.[82]

Aber nicht alles, was er mitteilt, kann er selbst erlebt und notiert haben. Dies gilt namentlich für die Vorgänge um Verwundung, Flucht und Tod des jungen Pompeius (36—40). Sieht man genauer zu, so findet sich dabei kaum eine Etappe, an der nicht caesarische Einheiten — besonders diejenige des Flottenkommandanten Didius von Gades — unmittelbar beteiligt und in der Lage waren, präzise Mitteilungen weiterzugeben; man darf unterstellen, daß gerade diese Nachrichten sich im ganzen Heer Caesars mit Windeseile verbreitet haben. Davon abgesehen, ist die Annahme wohl schwerlich zu vermeiden, daß einem Autor, der solche *minutiae* wie die von Kap. 20,3—5 zu berichten weiß, Aufzeichnungen aus dem Hauptquartier selbst als Unterlagen gedient haben müssen. Sein Material stammt aus erster Hand, und er legt es meist fast ohne redaktionelle Veränderung vor. Ein Punkt, der Mißtrauen wecken muß, ist die Aufrechnung von Toten und Verwundeten nach der Schlacht von Munda (31,9—10); 1000 Gefallene und 500 Verwundete auf Caesars Seite, eine Gefallenenzahl zwischen 32000 und 35000 auf der Gegenseite, das klingt wie ein Schlachtwunder aus der jüngeren Annalistik. Ein derartiges Verhältnis ist bei Überrumpelungssiegen mit intensiver Verfolgung der

---

[81] Schon Th. Mommsen spricht von einem „subalternen Berichterstatter" (Hermes 28, 1893, 614); „umständlich bis zur Unfähigkeit, Wesentliches und Unwesentliches zu unterscheiden" nennen ihn Teuffel—Kroll—Skutsch, Gesch. der röm. Lit. I⁶ (1916) 455; und ähnlich viele andere; günstiger urteilt wohl nur L. Castiglioni, Decisa forficibus (1954) 209ff. (vgl. Pascucci a.O. 59), infolge Überschätzung seines Bildungsgrades.

[82] Im gleichen Sinne urteilen schon N. Vulič, Historische Untersuchungen zum BHisp (Diss. München 1896) und nach ihm A. Klotz, Kommentar zum BHisp (1927) 8.

Geschlagenen leicht vorstellbar, nicht aber bei einer rangierten und lange unent-
schiedenen Schlacht, an deren Ende es einem Teil des Gegners gelingt, sich geordnet abzusetzen (31,8).[83] Aber auch hier wird man den Mann, der sonst so viele
und zum Teil so unbedeutende Zahlen mit größter Pedanterie wiedergibt, nicht
für den Erfinder, sondern nur für den Kolporteur der Gefallenenzahlen halten
wollen und die Verantwortung für sie im Hauptquartier Caesars suchen. Im übrigen beruhen sie, was den Gegner angeht, auf Schätzung, nicht auf Zählung (*milia
... circiter XXX et si quid amplius*).

Was uns an dieser kleinen Schrift weit mehr als der Stoff und die Berichtsform
interessiert, ist ihre Sprache[84]; es gibt aus der Zeit der ausgehenden Republik
nichts, was darin mit ihr vergleichbar wäre. Ihr Verfasser ist ein Mann ohne sprachliche Schulung, der zwar eine gewisse Grundausbildung beim *grammaticus* genossen
haben muß, wie einerseits einige Ennius-Zitate[85] — übrigens reichlich unpassend
angebrachte —, andererseits die beiden eingelegten Reden zeigen (Kap. 17; 42),
die einen schwachen Versuch schulmäßiger Rhetorisierung erkennen lassen.[86] In
Wahrheit hat er niemals gelernt, sich der literarischen Sprache zu bedienen; sein
Idiom ist die Sprache der einfachen Leute, seine Fomulierungen verraten allent-
halben den primitiven Halbgebildeten. So wie er unfähig ist, sachliche Zusammenhänge aufzuzeigen, vermag er auch klare und kontingente Formulierungen für seine
Gedanken nur selten zu finden. Ein Beispiel für viele mag seine Hilflosigkeit auf
diesem Gebiet verdeutlichen (8,6—9,1):

> *Cum inter Ateguam et Ucubim, quae oppida supra sunt scripta, Pompeius ut*[87]
> *habuit castra constituta in conspectu duorum oppidorum, ab suis castris circiter
> milia passuum IIII grumus est excellens natura, qui appellatur Castra Postumiana:
> ibi praesidii causa castellum Caesar habuit constitutum. — Quod Pompeius, quod
> eodem iugo tegebatur loci natura et remotum erat a castris Caesaris, animad-
> vertebat loci difficultatem et, quia flumine Salso intercludebatur, non esse com-
> missurum Caesarem, ut in tanta loci difficultate ad subsidium mittendum se
> committeret. Ita fretus opinione tertia vigilia profectus castellum oppugnare coe-
> pit.*

---

[83] Das pompeianische Heer bestand aus 13 Legionen, bei voller Rekrutierungsstärke also
78000 Mann zu Fuß. Nach den voraufgegangenen Kämpfen kann jedoch längst nicht mehr
mit voller Kriegsstärke gerechnet werden (vgl. etwa 5,6; 9,3). Zählt man zu den angeblich
rund 34000 Toten mindestens die halbe Zahl an Verwundeten hinzu, so wäre das repu-
blikanische Heer nach Munda zu weiteren Operationen nicht mehr fähig gewesen.
[84] Neuerdings vorzüglich beschrieben von Pascucci, a.O. 46ff. (vgl. auch Studi urbinati 1950,
191ff.); auf seine Darstellung kann hier verwiesen werden. Ich beabsichtige, im folgenden
nicht mehr als einige Kostproben zu geben. — Ältere Untersuchungen: H. Degenhardt,
De belli Hisp. elocutione et fide (Diss. Würzburg 1877); A. Koehler, (s. oben S. 211 Anm.
65).
[85] 23,3; 31,7; nach einer Konjektur von E. Wölfflin (Arch. f. Lexikogr. 8, 1893, 597) auch
5,6, doch ist der Fall umstritten (s. Klotz, Komm. 53; Pascucci 174).
[86] S. den Exkurs S. 220ff.
[87] *ut* hat die Überlieferung mit Ausnahme zweier zusammengehöriger Hss (*et*). Du Pontet
u. a. streichen das Wort, aber Puscucci 198 verteidigt es mit guten Gründen.

Für den an Caesars klassische Sprache gewöhnten Leser ist nicht leicht zu durch-
schauen, was der Anonymus hier ausdrücken will. Es geht um folgende Tatsachen:
Pompeius hat sein Lager zwischen den genannten Orten so, daß er beide (oder die
Besatzung beider sein Lager) sehen konnte. Vier Meilen von seinem Lager entfernt ist ein Höhenzug (*grumus*), auf dem Caesar sein „Kastell" (d. h. eine be-
festigte Warte) eingerichtet hat. Pompeius stellt fest, daß er selbst wegen ebendieses Hügels nicht gesehen werden könne und „es" (das Kastell nämlich) ein ganzes Stück von Caesars Lager entfernt sei, folglich das Gelände schwierig sei (nämlich für Caesar!), außerdem auch der Fluß zwischen Caesar und seinem Kastell
verlaufe. Er nimmt also an, daß unter diesen Umständen Caesar es nicht wagen
werde, seinem vorgeschobenen Posten zu Hilfe zu kommen, und greift diesen am
frühen Morgen an.

Nur in dieser Deutung hat der Text taktisch Sinn. Aber dieser Sinn geht keineswegs aus dem syntaktischen Bestand der Darstellung hervor. Die anfängliche Pro-
tasis hat keinen logischen Bezug zu dem, was auf sie folgt: sie ist zweifellos als
Temporalsatz angelegt — obwohl man zunächst auch an einen Adversativsatz
denken könnte —, und dieser „korrigiert" sich im weiteren Verlauf durch eine
neue Konjunktion (*ut*), von der nun das Prädikat *habuit ... constituta* bestimmt
wird. Doch anstatt den erwarteten Handlungsablauf fortzusetzen, geht der Satz
zu einer zeitunabhängigen Sachkonstatierung über (*grumus est*), ehe ein zweiter
Hauptsatz den Blick auf die Seite Caesars lenkt. Dieser allerdings spricht nun nicht
etwa von einer neuen Aktion Caesars, sondern stellt nur das Vorhandensein einer
Warte fest — eine Feststellung, die in Wirklichkeit Pompeius treffen sollte. Caesar
würde in diesem Falle etwa sagen: *Pompeius cum inter At. et Uc ... castra collo-
cavisset, cognovit in eo colle, qui a castris suis ... aberat, Caesarem castellum stru-
xisse.* Daß dies auch dem Anonymus vorschwebte, verrät sich schlagend in *a suis
castris* (nicht *eius* c., wie es die Sachfeststellung durch den Autor fordern würde).
Unsicher gleitend wie dieser Satz verläuft auch der nächste: Der Autor will das
Nicht-Ausgedrückte nachholen (*quod P. animadvertit*); doch indem er dazu an-
setzt, schiebt sich ein neuer Gedanke nach vorn (*Pompeius ... animadvertit loci
difficultatem*), und dies aus zwei Gründen (*quod ...*), von denen der eine sich
auf Pompeius, der andere auf das Kastell bezieht, was der Autor aber nicht klar-
stellt, sondern dem Scharfsinn des Lesers zu entdecken überläßt (fehlende Sub-
jekte!); er unterläßt es außerdem klarzustellen, daß das Gelände nur für Caesar,
nicht aber für Pompeius ungünstig war, der ja eben diesen Umstand für sich aus-
zunützen beabsichtigt. Zu den beiden Gründen tritt ein dritter: die Trennung Caesars von seinem vorgeschobenen Stützpunkt durch einen Fluß; diesen aber trägt
der Verfasser gesondert in einem weiteren Schritt der Überlegungen des Pompeius
vor: „Pompeius nimmt an", Caesar werde nicht zur Verteidigung seiner Leute
eingreifen. Das durch *et* angekündigte zweite Verbum (*putabat* o. ä.) bleibt aus;
scheinbar wird dadurch der folgende ACI zu einem zweiten Objekt neben *difficultatem*. Daß der Autor einen Begriff wie *putare, arbitrari* tatsächlich im Sinn
hat, verrät er durch *opinione* im folgenden Satz — wieder eine Verkürzung, denn
er meint *falsa opinione* vgl. 14,1. Nirgends deckt sich also die Abfolge der Aus-
sageglieder mit der Abfolge der Vorstellungen; gerade die wesentliche Funktion

der Perioden, nämlich die Ordnung der Dinge durch die sprachliche Form aufzu-
hellen, wird fortlaufend verfehlt, und nicht selten erfolgt die Aufklärung über das
Gemeinte erst ex post.

Aber auch die Ausdrucksweise im einzelnen zeigt, wie weit der Autor von klassi-
scher Stilkunst entfernt ist. Er hat eine auffallende Vorliebe für zusammengesetzte
Verbalformen (*habuit constitutum*), wie sie aus der Entwicklung des späten Lateins
geläufig ist[88]; auf zwei soeben genannte Orte verweist er mit *duorum oppidorum*
(statt *utriusque oppidi*); er meidet die gewöhnlichen Bezeichnungen *collis* oder *mons*
und setzt das ausgefallene *grumus*, das schon Verrius Flaccus (s. Paul. ex Fest.
96 M.) für erläuterungswürdig hielt. Andererseits scheut er sich nicht, dieselben
Wörter in kurzem Abstand zu wiederholen (*habuit constitutum, natura loci* [drei-
mal!], *difficultas*), zum Teil sogar mit verschiedener Bedeutung (*committere*). Gleichzeitig schwingt er sich aber auch zu preziöser Geziertheit auf (*non esse commissu-
rum, ut ad subsidium mittendum se committeret*, statt etwa *non ausurum esse
auxilium ferre*, wobei überdies *se committere* [= *se conferre*] und *mittere* wider-
sprüchlich ist), die das groteske Unvermögen eitler Unbildung beleuchtet.

Viele seiner Eigenheiten sind durchaus habituell; so seine Vorliebe für unklassische Wortstellung (Kopula vor der Partizipialform, unbetontes Possessivum vor
dem Beziehungswort), Periphrasen statt direkter Ausdrücke (*nocturno tempore*
statt *noctu*) und rein phraseologische Verba (*facere coepit* statt *fecit*), für das
vulgäre *facere* (*legionem* f., *opus* f., *vitium* f.), für schwülstige Formeln (*responsa
ita esse gesta; eis ad ignoscendum nulla facultas est data;* stereotyp *hoc praeterito
tempore* für *deinde* oder *his rebus gestis*), sachlich verkehrte Wendungen (*fuga
perterriti* statt *terrore fugere coacti*), affektische Abundanzen[89] (*cogebantur ne-
cessario eos circumvallare; ad Cordubam versus; contra ad oppidum; ex celeri
festinatione*) und Zerdehnungen der Aussagen (*quod difficile erat factu, ut eam
turrem sine periculo quis incenderet*). Zur Funktion der Tempora hat er ein ganz
unsicheres Verhältnis, was noch durch die halb verselbständigte Rolle gesteigert
wird, die er den Hilfsverben zuteilt (*oppidum quod fuit captum*); aber noch viel
auffallender ist die hypertrophe Verwendung des Plusquamperfekts im Konjunktiv
in einfachen Relativsätzen, auch in solchen der Gleichzeitigkeit (*servus, cuius domi-
nus in ... castris fuisset; turris lignea, quae nostra fuisset* [statt *turris nostra*]). Solche und andere hybride Konstruktionen (z. B. *non dubitarunt quin eruptionem
... eo die essent facturi*) verraten eine gewissen Sucht, sich mit dem Mantel
des Literaten zu drapieren; aber die zahlreichen Vulgarismen, die dem Autor wohl
unbewußt unterlaufen (*eum minus belle habere* [= *aegrum esse*]; oft *bene magnus,
bene multi* u. ä.; *ut sileat verbum facere; suum maleficium existimabant se lucri
facere* [statt *emendare*] u. a.) zeigen unwiderlegbar, daß die „Feinheit" nur dünne
Tünche ist, unter der sich ein Mann der vulgärsprachlichen Bevölkerungsschicht töricht zu verbergen sucht.

Literaturgeschichtlich ist beides gleich interessant: sowohl die zu jener Zeit
so selten zutage tretenden Elemente wirklicher Umgangssprache aus dem Alltag

---

[88] J. B. Hofmann—A, Szantyr, Lat. Gramm. 319f. Doch wahrt der Anonymus im allgemeinen den präsentisch-zuständlichen Charakter dieser Verbindung.
[89] Vgl. J. B. Hofmann, Lat. Umgangssprache ²92ff.

schlichter Menschen als auch die Formen, in denen ein seiner selbst unsicherer Skribent versucht, seine Zugehörigkeit zu dieser Sprachschicht zu tarnen und die Sprache der rhetorisch gebildeten Zeitgenossen zu imitieren — falsch zu imitieren! Auf der einen Seite begegnen uns hier Eigentümlichkeiten, die uns aus der ältesten und aus der spätesten Phase der römischen Sprachgeschichte (12 Tafeln; Mulomedicina Chironis, Peregrinatio Aetheriae u. a.) vertraut sind, auf der anderen läßt sich hier einigermaßen erkennen, was gegen Ende des letzten vorchristlichen Jahrhunderts einem einfachen Mann an der Sprache der Gebildeten auffiel und imponierte: der „gewählte" Ausdruck, die Periphrase, die Bildung komplizierter Perioden, die *ubertas*. Insofern ist diese kleine Schrift für uns ein unschätzbares, weil in dieser Zeit einmaliges Dokument für das volkstümliche Latein, ein wertvolles Gegenstück und Kontrollinstrument zum Roman des Petron, der — fast hundert Jahre später — als versierter Literat dieses Idiom kunstmäßig imitiert und persifliert.[90]

Leider stellt sich einer vollen Auswertung dieses Sprachdenkmals ein ernstes Hindernis in den Weg: Das BHisp ist extrem schlecht überliefert, von zahlreichen Lücken durchsetzt, an vielen Stellen evident fehlerhaft kopiert, an anderen zweifelhaft. Dem Textkritiker stellt es eine fast verzweifelte Aufgabe, weil er sich wegen des besonderen Sprachcharakters nicht an den gängigen Sprachkriterien orientieren kann, andererseits aber nie genau weiß, wieweit die sprachlichen Anomalien wirklich reichen, die er dem Autor zutrauen darf[91], wo er sie gar durch eigene Eingriffe erst herzustellen hat.[92] Das einzige Hilfsmittel, das uns dafür zur Verfügung steht, ist die Sprachpsychologie und die Kenntnis des stilistischen Sprachverhaltens von Menschen dieser speziellen Bildungsvoraussetzungen. Es ist klar, daß sich daraus nicht feste Normen ableiten lassen wie aus der klassischen Grammatik oder Metrik, so daß die meisten Entscheidungen über den Text an Ort und Stelle über einen

---

[90] Es ist erstaunlich, wie wenig dieses Buch (und ebenso das BAfr) in der sprachgeschichtlichen Forschung berücksichtigt wird, ungeachtet des prinzipiell richtigen Vorstoßes von A. Koehler (oben Anm. 65). J. B. Hofmann (Lat. Umgangssprache) nennt es ganz vereinzelt; G. Devoto (Storia della lingua di Roma, 1940) zitiert S. 174 BHisp 36,1 für *quod*-Satz statt ACI; E. Löfstedt (Late Latin [1959] 74) 17,3 für *gentes* ‚fremde Völker' als Vorläufer christlichen Sprachgebrauchs; ders. (Vermischte Studien zur lat. Sprachkunde und Syntax [1936] das BAfr mit Belegen für Partikelpleonasmus (S. 66f.) und für Verbum simplex pro, composito (S. 122). Bei Dag Norberg (Syntaktische Forschungen auf dem Gebiet des Spätlateins und des frühen Mittelalters [1943]), G. Rohlfs (Sermo vulgaris Latinus, [²1956], V. Väänänen (Introd. au latin vulgaire [²1967]) fehlt jeder Hinweis auf Ps. Caesar. Der letztere nennt (S. 13) als Quellen für die Kenntnis des vulgären Lateins Plautus, „à peine" Petron, daneben einige Stellen aus Horaz und Martial, die Satiriker überhaupt, Vitruv und die landwirtschaftliche Fachliteratur (darunter sogar Columella!), „dont la langue sent le terroir".

[91] So hat z.B. an der oben (S. 216f.) besprochenen Stelle 9,1 Du Pontet *loci difficultatem* aus Gründen der Sprachkorrektheit getilgt, Pascucci die Wörter gehalten, m.E. mit Recht, weil ich glaube, daß sich die Anomalie sprachpsychologisch erklären und durch analoge Erscheinungen sichern läßt.

[92] Ein hübsches Beispiel ist 16,1, wo die Überlieferung einhellig *a Pompeianis clam ad nostros tabellarius est missus* bietet und durch Tilgung von *ad* schlagend die umgangssprachliche Konstruktion von *clam* mit Akk. gewonnen wird.

gewissen Grad des Wahrscheinlichen nicht hinauskommen. Gerade unter diesen
Umständen wird die Kritik an diesem Text in Zukunft aus den Erkenntnissen der
modernen Sprachwissenschaft manche neuen Impulse gewinnen können.

Exkurs
Rhetorisches in den indirekten Reden des BHisp (17. 42)

Einer umfassenden rhetorischen Interpretation der direkten Reden im BHisp
steht der Umstand im Wege, daß sie nur bruchstückhaft erhalten sind. Die erste
von ihnen (Kap. 17) hat sowohl in der Mitte wie am Ende einen Textverlust erlitten; die zweite (Kap. 42) bricht gemeinsam mit dem ganzen Buch ab. Da im
letzteren Falle kein Indiz verrät, wieviel verlorengegangen ist, ist schon eine zuverlässige Aufbauanalyse ausgeschlossen. Nur soviel ist erkennbar, daß Caesar
nach einem ersten Abschnitt, in dem die „Sünden" der spanischen Gemeinden
aufgezählt werden (§ 4—6), mit § 7 dazu übergeht, ihnen ihre Fehleinschätzung
der eigenen Kräfte und Möglichkeiten vorzurechnen: auch nach seinem — Caesars — Untergang wären sie noch immer den römischen Legionen hoffnungslos
unterlegen. Dieser Punkt war sicherlich noch weiter ausgeführt; ebenso sicher ist,
daß die Rede damit nicht beendet sein konnte; es fehlte mindestens ein Abschnitt,
der die beabsichtigen Maßnahmen Caesars enthielt[93] und bei der Erfüllung bestimmter Verhaltensforderungen an die bisherigen Gegner seine *clementia* aufleuchten
ließ. Abrechnung — Erinnerung an die wirklichen Machtverhältnisse — Verteilung
von Lohn, Strafe und Gnade: dies wäre eine sinnvolle und zweckentsprechende
Disposition der Rede, und manches spricht dafür, daß sie tatsächlich so aufgebaut
war. Vorausgesetzt, diese Annahme trifft das Wahre, so müßte immer noch in Betracht gezogen werden, daß diese Disposition nicht eine originäre Leistung des Verfassers sein mußte, sondern durch die benützten Unterlagen vorgegeben sein konnte;
denn daß es über den Inhalt dieser politisch wichtigen Rede, die über den künftigen
Status einer ganzen Provinz entschied, ein Protokoll gab, ist wohl selbstverständlich.
Anders steht es mit der Rede des Legaten Tullius, der nach dem ersten größeren Mißerfolg der Pompeianer zu Caesar kommt und nach Schilderung der Unzufriedenheit unter den pompeianischen Truppen Caesars *clementia* anruft.[94] Was
davon erhalten ist, reicht — mit einer Unterbrechung — genau bis zum Beginn der
eigentlichen Bitte (*petimusque, ut ...*); die Rede könnte und wird wohl auch nach
dem *ut*-Satz bereits ihr Ende erreicht haben; viel mehr kann sie auf keinen Fall
enthalten haben. Der (wieder überlieferte) letzte Satz des Kapitels (§ 3) bringt be-

---

[93] Der Inhalt mußte in etwa dem entsprechen, was Cassius Dio 43,29,4f. mitteilt; s. oben S.
214 Anm. 80.

[94] Daß er nicht als einzelner Überläufer (gemeinsam mit einem zweiten), sondern als Vertreter
seiner Truppe spricht, müssen wir aus den im Kap. 18 berichteten weiteren Vorgängen erschließen; es mußte aber auch an irgendeiner Stelle der Rede ausdrücklich gesagt sein, weil
davon die Reaktion Caesars weitgehend bestimmt wurde. An welcher Stelle es gesagt wurde,
bleibt zunächst offen.

reits die Antwort Caesars, zwar äußerst knapp, aber völlig klar und inhaltlich ausreichend. Die Überleitung ist gemeinsam mit dem Ende der Rede verloren.

Diese Rede weist aber auch in ihrer Mitte einen Textverlust auf, dessen Umfang weit schwerer zu erahnen ist, aber auf keinen Fall sich nur auf ein Wort beschränkt haben kann.[95] Wir müssen hier mit mancherlei Möglichkeiten rechnen. Der nach der Lücke erhaltene Rest bis zum Beginn der Bitte macht den Eindruck, als wolle der Verfasser sie mit einer einzigen gewaltigen Periode zu Ende führen, die dann etwa folgenden Aufbau hätte:

⟨. . . . .⟩ (1. Hauptsatz)

et propter . . . dedimus ⟨nos⟩ hostium numero[96] (2. HS)

qui neque . . . . . neque . . . . obtinuimus,

vix[96a] *. . . sustentantes,*

. . . acceptantes

relicti ac deserti . . .

. . . superati

salutem . . . deposcimus

petimusque, ut . . .[97]

Das Streben nach erhabener und pathetischer Rednergeste ist selbst durch die trümmerhafte Überlieferung hindurch unschwer zu erkennen. Schon der Anfang ist pathetisch; die Klage über die Fehlleitung des eigenen Weges durch die Götter[98] ist nicht nur Abwälzung der eigenen Verantwortung auf die Götter, sondern auch Appell an das Mitleid des Angesprochenen, wie denn die ganze Rede überhaupt auf den Tenor der *miseratio*[99] abgestimmt ist. Die Gesamtkonzeption ist also eindeutig rhetorisch.

[95] Dies war die Auffassung Fleischers, der Du Pontet nicht widerspricht, ohne sie zu übernehmen. Pascucci a.O. 242f. nimmt überhaupt keine Lücke an und erklärt den *ut*-Satz als Ellipse (sc. *simus*) unter Berufung auf Hofmann–Szantyr 389; doch die dort genannten Belege (nur poet.!) lassen sich nicht auf einen isolierten konjunktivischen Nebensatz übertragen, der dadurch seinen konsekutiven Charakter verlöre. Die Lücke unterbricht einen angefangenen Konsekutivsatz (*ut cives Romani indigentes praesidii . . .*); der folgende Text beginnt mit *et* und ist nach der Überlieferung (*dedimur*) indikativisch, was man ohne Erfolg aus der Welt zu schaffen versucht hat; er ist also wohl nicht Fortsetzung des *ut*-Satzes, sondern bereits ein zweiter Hauptsatz. Eine verbindliche Wiederherstellung des ursprünglichen Textes halte ich nicht für möglich, könnte mir aber folgenden Verlauf wohl vorstellen: *. . . ut cives R. indigentes praesidi⟨o non sciamus quo nos vertamus. igitur adsumus tibi supplices⟩ et propter patriae luctuosam perniciem dedimus ⟨nos⟩ (dedimur codd., ducimur* Fleischer, Pascucci) *hostium numero.* Sollte Tullius sich und Cato als Sprecher der Truppe an dieser Stelle bezeichnet und deren Bereitschaft zum Übertritt angedeutet haben, so wäre eine entsprechend längere Ergänzung zu denken.

[96] *hostium numero* ist danach als formelhafter Ausdruck für *quasi hostes simus* zu verstehen; vgl. Caes. BC 2,44,1 *missis legatorum numero centurionibus.*

[96a] Glänzende Emendation Fleischers für *qui* der Hss.

[97] Die Bitte war sicher nicht lang; man könnte beispielshalber ergänzen: ut ⟨*abhinc nobis liceat a tuis partibus stare*⟩, o. ä.

[98] Sie ist ein fester Bestand der rhetorischen Formelsprache; vgl. etwa Cic. Mil. 103; Phil. 9,1 Anrufung der *di immortales* bei Cicero 321 mal (Thes. l. L. V 1,906,36).

[99] Vgl. Auct. Her. 2,50 (Stichwort *misericordia*) *si nos semper aut diu in malis fuisse ostendemus; si nostrum fatum aut fortunam conqueremur; si animum nostrum fortem, patien-*

Offenkundiger noch ist das Bestreben des Autors, sich gewisser Figuren zu bedienen, die sonst in seinem erzählenden Text kaum oder überhaupt nicht erscheinen. Im Vordergrund steht die Häufung von Antithesen, und zwar in beiden Reden gleichermaßen: Kap. 17 *tuus potius ... quam Pompei; in tua victoria — in
illius calamitate; in prospera acie — in adversa; primam fortunam — secundam*[100];
gentibus — civium. Kap. 42 *civium Romanorum — barbarorum; beneficia pro male-
ficiis — maleficia pro beneficiis; in otio concordiam — in bello virtutem; privatus —
fasces imperiumque*. Zur antithetischen Gliederparallelität tritt die ergänzende:
17 *neque in illis — neque in ...; nocturnis diurnisque; gladiorum ictus telorumque
missus* (quasi reimend); *sustentantes ... exceptantes* (reimend); 42 *gentium civium-
que; neque in otio neque in bello; fascis imperiumque; agros provinciamque; non
solum vobis ... sed etiam caelum ...* Allgemein herrscht die Neigung zur Zwei-
gliedrigkeit; sie tritt auch in Fällen von synonymer Doppelung (*conduplica-
tio*[101]) hervor: 17 *relicti ac deserti;* 42 *laudibus et virtute*. Besonders bemerkenswert ist das ausgesprochen gehobene Oxymoron *funestae laudes* (17,2), das auf
schlagende Weise den Feldherrnruhm des *Magnus* und seine destruktive politische
Rolle kontrastiert.[102] An poetische Sprache erinnert auch die Verbindung *fascis
imperiumque*[103] (42,6).

Alles dies wird durch eine Formulierung von besonderer Feinsinnigkeit in den
Schatten gestellt. Wenn Tullius (17,2) *tua virtute superati* auf *relicti ac deserti a
Pompeio* folgen läßt, korrespondiert *virtute* zunächst antithetisch mit der um-
schriebenen *pravitas* des Pompeius; damit ist die Figur scheinbar abgeschlossen.
Aber das zweite Glied der Antithese wird sogleich zum Eröffnungsglied einer neuen
Antithese umgewandelt, die nun nicht mehr das Gute dem Schlechten, sondern
dem Guten das Bessere entgegensetzt und damit sich der Figur der *gradatio* nähert,
auch wenn sie formell nicht mit ihr übereinstimmt[104]: *tua virtute superati salu-*

---

tem incommodorum ostendemus futurum; Quint. inst. 6,1,23 *plurimum ... valet miseratio
... haec petetur aut ex eis, quae passus est reus, aut ex iis, quae cum maxime patitur, aut
iis, quae damnatum manent.* Alle drei in der Theorie genannten *fontes miserationis* sind
in der Rede erkennbar verwendet. Als verstärkendes Moment nennt Quintil. (§ 24) *aetas
et sexus et pignora;* an ihre Stelle treten bei Tullius *virtus et constantia* der Soldaten (vgl.
Quintil. 3,7,15). Zum Topos *miseratio* s. H. Lausberg, Handb. der literarischen Rhetorik
(1960) § 439; J. Martin, Antike Rhetorik (1974) 162ff.

[100] Der Sinn von *fortuna secunda* ist nicht auf den ersten Blick klar; nur hier kommt es in
einem Kontext vor (Thes. 1. L. VI 1,187,43), war aber sicher nicht singulär; jedenfalls
meint Isid. orig. 10,257 mit seiner Erklärung (*secunda fortuna ... quod secundum nos
est, id est prope nos*) kaum etwas anderes als unser Autor: ein ,annehmbares' Los (im
Gegensatz zu einem ,glänzenden').

[101] Vgl. auct. Her. 4,28.

[102] Der Ausdruck ist seiner Qualität nach poetisch; vgl. etwa [Sen.] Oct. 877 *funestus ...
dirusque favor;* Stat. Theb. 11,1 *virtutis iniquae;* auch Tac. Hist. 50,2 *saevae pacis* (in
allen Fällen stark pointiert); mit minder scharfer Paradoxie Verg. Aen. 2,31 *donum exi-
tiale;* 6,521 *infelix ... thalamus.*

[103] Vgl. Lucr. 3,1009 *fasces saevasque secures;* Verg. Ge. 2,495 *non populi fasces, non pur-
pura regum;* Iuv. 5,110 *et titulis et fascibus;* Anth. Lat. 425,4 *fasces imperiumque*
(in Prosa: Col. 1 pr. 10 *fascium decus imperiumque,* in einem hoch rhetorisierten Text).

[104] Modelle der eigentlichen *gradatio* bei auct. Her. 4,34; Quint. inst. 9,3,54f. — Anders bezeichnet Aristot. Rhet. 3,1413 b 34ff. seinen αὔξησις-Begriff.

tem a tua clementia deposcimus. Caesars militärische *virtus* wird als erwiesen bestätigt, seine *clementia* — als höhere *virtus* — wird unterstellt und ihre Bewährung im konkreten Fall erwartet: eine formvollendete moralische Nötigung.

Nach allen Beobachtungen an der erzählenden Sprache des BHisp erscheint es völlig ausgeschlossen, daß die beiden Reden aus derselben Feder geflossen sind wie der übrige Teil der Schrift. Hier ist ein rhetorisch geschulter Schreiber am Werk, der Beispiele überzeugender Redekunst formuliert, wie sie in zwei typischen Situation praktiziert werden k o n n t e oder s o l l t e : in der *supplicatio* und in der *sententia* eines *victor magnanimus.*

Woher die beiden Reden genommen sein mögen, ist weder eine eindeutig lösbare Frage noch ein Problem von Gewicht. Die Rednerschulen liebten es, Themen über exemplarische Situationen — auch aus der jüngsten Geschichte [105] — übungsweise abzuhandeln; unsere beiden Reden könnten in solchen Rahmen passen und von daher durch den Autor des BHisp nicht oder nur unwesentlich verändert in sein Buch übernommen worden sein. Es ist aber auch denkbar, daß dieser sie eigens für seinen Zweck von einem formgewandten „ghost-writer" hat herstellen lassen, um sie als Glanzpunkte seiner sonst so bescheidenen Arbeit zu inoculieren. Die einigermaßen bruchlose Einpassung der Reden in den Gesamttext macht die letztere Annahme wahrscheinlicher; dabei könnte dem Verfasser ein Freund, ein Angehöriger, ein eigener Sohn zur Verfügung gestanden haben, aber auch ein bezahlter Fachmann — wer auch immer: nur nicht das eigene Ingenium, das nichts weniger war als ein literarisches.

[105] Vgl. Sen. suas. 6; 7; contr. 7,2; 10,3; Suet. Rhet. 1. M. L. C l a r k e, Die Rhetorik bei den Römern (1968) 115.

Nachtrag

Dieses Buch war bereits in Druck gegeben, als mir Hans Armin Gärtner sein soeben erschienenes Buch: Beobachtungen zu Bauelementen in der antiken Historiographie, besonders bei Livius und Caesar (Historia Einzelschriften, Heft 25, 1975) in freundschaftlicher Güte zusandte. Was Caesar betrifft, ist dies ein wichtiger Beitrag zu dem hier behandelten Gegenstand, und die Gelegenheit, wenigstens nachtragsweise auf ihn hinzuweisen, darf nicht versäumt werden.

Es geht Gärtner in erster Linie darum aufzuzeigen, welche literarischen Elemente die *commentarii* mit dem Darstellungsstil und Motivschatz der sog. „großen Historiographie" verbinden; gemeint sind damit Erzählungsbestandteile wie Reflexionen und ihre gezielte Einbettung ins Geschehen, psychologisch-moralische Wertung von Personen, Anbahnung von Umschwüngen (Peripetien), Zustände tragischer Verblendung und ihre Auswirkungen, buchübergreifende Motive und vor allem die Profilierung des „Helden", d. h. hier: der eigenen Person. Dieser nicht in allem neue, aber hier zum erstenmal im Zusammenhang behandelte Aspekt wird im einzelnen an *BG* VII (68ff.), ((96ff.), II 16—28 (106ff.), V 26; 52 (112ff.) und am *BC* (1,22ff.) interpretierend aufgezeigt und mit dem minder historiographischen Stil des Hirtius konfrontiert (118ff.). Somit bietet das Buch instruktive Ergänzungen zu dem, was hier in den Kapiteln über den Kunstcharakter des *BG*, über die Sonderart des *BC* und über das Buch des Hirtius gesagt wird, aber auch zu meiner Interpretation der ersten Kapitel des *BG* I.

Wo es meine Auffassung teilt, wo es von ihnen abweicht, kann hier nicht im einzelnen vermerkt werden; in der Grundtendenz, Caesar trotz der spezifischen Form seiner Geschehensdarstellung in die Tradition der antiken Geschichtsschreibung von Thukydides an zu stellen, beleuchtet Gärtner zweifellos eine bisher oft zu wenig beachtet Seite an der literarischen Kunst des Römers — eben das, was Rambaud als „développement littéraire" bezeichnet (s. oben S. 84), aber nicht in seiner umfassenden Bedeutung gewürdigt hat.

Indices

1. Eingehender besprochene Stellen

CAESAR

BG	I	1	62f.
		2−10	102ff.
		9, ~~14~~	147f.
		29	114A. 39
	II	1	90f.
		4,8	51
		28,2	157 A. 22
	III	1−6	134ff.
		10,1−11,2	72ff.
		16,6	157 A. 22
	IV	1,3	51
		16−17	60f.
		17	65
		20−38	116ff.
		33	65
	V	3,4	51
		12−14	53ff.
		22,4−23,2	93ff.
		38−52	131f.
	VI	11−24 (28)	66f.
		22,1	53
		29−33	87f.
		34	85ff.
		35−52	88ff.
		35,8−9	67f.
		36−41	124ff.
	VII	10	74f.
		38.1−8	68f.
		49	148
		50,4−6	69

		75	158f.
		77,3−16	69; 76ff.
BC	3,54		150f

HIRTIUS (BG VIII)
praef.		192f.
48,10		198

IGNOTI
B. Al.	15,8	203
B. Afr.	14−15	208
	17−18	209f.
	57	210f.
	69,4	212
	86−89	207f.
B. Hisp.	8,6−9,1	216ff.
	17	220ff.
	27,3−6	213f.
	42	220ff.

CICERO
ad Att.	4,18,5	93ff.
ad Fam.	15,1,2f.	80f.

SUETON
Caes.	56,6	82f.

CASSIUS DIO
38,31−33		115f.

2. Schlagwortregister

Ackerbau (Germanen) 53
Ackergesetz 27
Aduatuca 124f.
Ägypten 36; 199ff.
Afrika 36f.; 204ff.
Aktionsraum 145ff.
Alexandria 36; 175; 200ff.
Allobroger 111

Alpenpässe 136f.
Ambiorix 83; 124; 131
Amtssprache 81f.
annales 45f.
Apologetik 40; 141; 168
Ardennen 51
Ariminum 33
Ariovist 61; 103; 119; 116f.; 142

3. Namen von Forschern, Kritikern usw.